KATYN *et la Suisse* *and Switzerland*

Colloque international
Genève, 18-21 avril 2007

International Colloquium
Geneva, 18-21 April 2007

KATYN

et la Suisse / *and Switzerland*

Experts et expertises médicales dans les crises humanitaires

Forensic Investigators and Investigations in Humanitarian Crises

1920-2007

édité par / *edited by*

Delphine Debons
Antoine Fleury
Jean-François Pitteloud

georg éditeur

Genève 2009

Couverture : Jo Cecconi
Mise en page et illustrations : Delphine Debons
et Jean-François Pitteloud
Impression : Médecine & Hygiène, m+h
Sur papier normaset puro sans chlore
pour l'intérieur et la couverture

ISBN N° 978-2-8257-0959-7

Remerciements

Le Colloque « Katyn et la Suisse : experts et expertises médicales dans les crises humanitaires » – de même que les présents *Actes* qui en rendent compte – a été rendu possible et a pu se tenir à Genève, du 18 au 21 avril 2007, grâce à des subventions généreusement accordées par plusieurs institutions suisses et genevoises : l'Académie suisse des sciences humaines et sociales, l'Académie suisse des sciences médicales, le Fonds national suisse de la recherche scientifique, le Département fédéral des affaires étrangères, la Fondation Louis-Jeantet de médecine, la Société suisse de médecine légale, la Société académique de l'Université de Genève et le Réseau universitaire international de Genève (RUIG).

Grâce à la bienveillante générosité de la Faculté de médecine et de la Fondation Louis-Jeantet de médecine, le colloque a pu se dérouler dans les meilleures conditions matérielles possibles. Les conférences inaugurales ont bénéficié du support technique du Centre médical universitaire où s'est tenue la séance d'ouverture et le colloque s'est déroulé dans le cadre idéal offert par l'auditoire et les locaux de la Fondation Louis-Jeantet de Médecine.

C'est un agréable devoir, aussi, que d'adresser de chaleureux remerciements aux présidentes et présidents de séance, Mmes Claude Le Coultre, vice-doyenne de la Faculté de médecine de l'Université de Genève et membre du CICR, et Annette Wieviorka, historienne, directrice de recherche au Centre de recherches politiques de la Sorbonne (CNRS), ainsi qu'à MM. Patrice Mangin, directeur de l'Institut de médecine légale de la Faculté de médecine de l'Université de Lausanne, Bernardino Fantini, directeur de l'Institut d'histoire de la médecine et de la santé de l'Université de Genève, et Robert Roth, doyen de la Faculté de droit de l'Université de Genève, qui, toutes et tous, ont conduit les débats et encadré les communications présentées avec compétence et brio.

Nous ne saurions manquer, enfin, de remercier le professeur Viktor Zaslavsky[1], de l'Université Luiss-Guido Carli de Rome qui a brossé en ouverture du colloque une magistrale synthèse historique de Katyn.

Nous voulons aussi exprimer notre gratitude et notre profonde reconnaissance à Mme Miriam Spörri, secrétaire de l'Institut d'histoire de la médecine et de la santé, qui a fait bénéficier le Colloque, dès l'origine, de ses nombreux talents et qui en a assuré une parfaite organisation. Avec Mme Marie-Andrée Terrier, elle a assuré un accueil sympathique et chaleureux de tous les participants et a parfaitement organisé les moments de détente qui ont rythmé les séances.

A tous, et en espérant n'avoir oublié personne, nous renouvelons nos remerciements très cordiaux, ce que nous ne saurions faire sans mentionner particulièrement Mme Delphine Debons qui a assuré le contact avec les auteurs et coordonné la relecture des communications pour la mise au point du manuscrit final de ces actes.

[1] *Le massacre de Katyn : crime et mensonge*, Paris, Perrin, 2007.

Acknowledgements

It was possible to hold the colloquium "Katyn and Switzerland: Forensic Investigators and Investigations in Humanitarian Crises" (Geneva, 18-21 April 2007) and publish this account of the deliberations only thanks to kind assistance from several Geneva and national Swiss institutions: the Swiss Academy of Human and Social Sciences, the Swiss Academy of Medical Sciences, the Swiss National Science Foundation, the Federal Department of Foreign Affairs, the Louis-Jeantet Foundation, the Swiss Society of Forensic Medicine, the Academic Society of the University of Geneva, and the Geneva International Academic Network (GIAN).

Owing to the generosity of the University of Geneva's medical school and the Louis-Jeantet Foundation, the colloquium took place in the best possible material conditions. The opening lectures were held in the auditorium at the University Medical Centre and benefited from the centre's technical support. The colloquium itself was held in the ideal setting of the Louis-Jeantet Foundation.

It is with great pleasure that we thank those who chaired the event: Professor Claude Le Coultre, deputy dean of the University of Geneva's medical school and member of the ICRC, Professor Annette Wieviorka, historian and director of research for the Political Research Centre at the Sorbonne, Professor Patrice Mangin, director of the Institute of Forensic Medicine at the University of Lausanne, Professor Bernardino Fantini, director of the University of Geneva's Institute of the History of Medicine and Health, and Professor Robert Roth, dean of the law school at the University of Geneva. All displayed skill and charisma in chairing the discussions and presentations.

Nor could we acknowledge the help we received without thanking Professor Viktor Zaslavsky[2], of Luiss Guido Carli University in Rome, who drew a sweeping historical sketch of Katyn at the opening session.

We would also like to express our deep gratitude to Ms Miriam Spörri, secretary of the Institute of the History of Medicine and Health, from whose numerous talents the organizers benefited from the very beginning. Together with Ms Marie-Andrée Terrier, she furnished a warm and friendly reception for those taking part and ensured that the programme was punctuated with pauses for refreshment and relaxation.

Finally we would like to express special thanks to Ms Delphine Debons, who maintained contact with the authors and organized rereading of the texts for preparation of the final manuscript of these proceedings.

In the hope that we have not forgotten anyone, we warmly thank all those who have made possible the publication of these proceedings.

---

2 *Class Cleansing: The Katyn Massacre*, New York, Telos Press Publishing, 2008.

Discours d'ouverture de M. Jacques Forster Vice-Président du CICR

Madame la Présidente,
Monsieur le Recteur,
Excellences,
Mesdames et Messieurs,

C'est un grand honneur et un plaisir pour moi de vous souhaiter la bienvenue au colloque international sur Katyn et la Suisse. Le Comité international de la Croix-Rouge est très heureux d'avoir pu co-organiser cette manifestation avec les Facultés des lettres, de médecine et de droit de l'Université de Genève, illustrant ainsi les nécessaires et fructueuses synergies entre les institutions académiques genevoises et les organisations internationales.

Permettez-moi tout d'abord d'adresser un salut particulier aux représentants de la famille de François Naville et au Professeur Kazimierz Karbowski, professeur émérite de neurologie de l'Université de Berne, qui, par sa démarche d'octobre 2003 auprès du CICR, est à l'origine de ce colloque.

Pour le Professeur Karbowski ce colloque est le prolongement de longues années de recherches et de la publication, en 2003, d'une étude sur le rôle du professeur François Naville dans l'enquête sur le massacre de Katyn.

De cette interrogation et des discussions qu'elle suscita, est né ce colloque et sa problématique axée sur les conséquences de l'expertise médicale effectuée à Katyn par François Naville dans le cadre de la Commission d'enquête internationale de 1943 et sur l'attitude des organisations humanitaires face aux crimes de guerre. Le colloque abordera aussi les contraintes diplomatiques, militaires, politiques et éthiques qui entourent l'expertise médicale jusqu'à nos jours.

* * *

Notre institution, dépositaire depuis 1998 des archives privées de François Naville, a donc plusieurs motifs pour participer à ce colloque.

Qu'il s'agisse du destin personnel de François Naville marqué par sa participation à la Commission d'enquête de Katyn, participation dont il s'agira de dénouer les tenants et aboutissants, ou qu'il s'agisse des rôles que jouèrent les autorités gouvernementales helvétiques, les acteurs politiques suisses et les responsables du CICR dans la mission de 1943, puis dans l' « affaire Naville », ainsi que l'on nomma la polémique déclenchée à Genève en 1946 autour de la participation de François Naville à la Commission d'enquête mise sur pied par l'Allemagne.

* * *

Il y a également pour le CICR un intérêt historique à mieux connaître cet épisode d'un passé qui, justement, n'est pas entièrement... passé. S'il n'est pas lui-même le responsable de l'application du droit international humanitaire – c'est la responsabilité premièrement des Etats –, le CICR œuvre à son respect et à la prévention de ses violations. Depuis toujours, il y a là source de tension entre le devoir, primordial, d'apporter protection et assistance aux victimes de conflits et le souci d'intervenir dans la sphère publique dans l'espoir, précisément, de contribuer à la prévention, ou d'éviter la répétition desdites violations. Vous connaissez cette tension que le CICR doit toujours chercher à maîtriser et qui reste un défi permanent. D'autres la connaissent aussi, qui par exemple parlent haut et fort, enquêtent, dénoncent, mais restent en dehors du champ de l'action sur le terrain. A l'heure où l'on prône – à juste titre – l'interdisciplinarité, il faut se rappeler la complémentarité, implicite ou explicite, entre différents acteurs : l'acteur humanitaire, l'enquêteur, le procureur, le juge. Chacun a un rôle, fait de grandeurs et de limites. Chacun est nécessaire. Le CICR n'est ni enquêteur, ni juge, mais il reste intéressé par les travaux que l'enquêteur et le juge peuvent et doivent mener. Ces travaux pourront aussi lui être utiles, pour mieux comprendre une situation, mieux adapter sa propre réponse, mieux aider les victimes d'aujourd'hui et demain. Dans ce sens, le CICR est intéressé, et participe activement au présent colloque qui, en approfondissant la connaissance historique des événements entourant Katyn, permettra aussi de rendre hommage aux victimes de ce massacre et à leurs familles.

* * *

Le choix d'élargir le propos à la problématique de l'expertise médicale dans les crises humanitaires contemporaines me paraît essentiel.

Au cours de ces prochains jours, l'analyse et la confrontation de divers cas d'intervention d'experts dans les conflits contemporains et dans des crises récentes – par exemple pour examiner le recours à des armes prohibées par les conventions internationales, ou le traitement de populations victimes des conflits, ou des conditions d'interrogatoire et de détention de prisonniers –, seront l'occasion d'une réflexion approfondie sur la complexité des situations dans lesquelles l'expert médical ou scientifique peut se retrouver dans l'accomplissement de sa mission.

* * *

Enfin, je ne veux pas manquer de remercier les membres du Comité d'organisation du colloque, Mme Claude Le Coultre, vice-doyenne de la Faculté de médecine et membre du CICR, le professeur Timothy Harding, directeur de l'Institut universitaire de médecine légale, le professeur Bernardino Fantini, directeur de l'Institut d'histoire de la médecine et de la santé, le professeur Robert Roth, doyen de la Faculté de droit, le professeur Antoine Fleury, Mme Delphine Debons et M. Jean-François Fayet du Département d'histoire générale de la Faculté des lettres, et M. Jean-François Pitteloud, archiviste adjoint de notre institution.

Je terminerai en félicitant les organisateurs d'avoir choisi de proposer pour ce colloque une démarche pluridisciplinaire et internationale qui associe historiens, juristes, médecins et légistes, anthropologues et politologues venus de quatre continents. Cette démarche est sans doute la plus adéquate pour analyser les pratiques contemporaines des expertises médicales et les enjeux dont elles ont fait l'objet dans les crises humanitaires du XXe siècle. Je vous souhaite donc les plus enrichissants des débats.

I

CONFÉRENCES INAUGURALES

OPENING LECTURES

Katyn – Enjeux de mémoire

par

Andrzej Przewoźnik*

« Seule la vérité suscite l'intérêt » disait l'un de plus éminents écrivains polonais du XXe siècle, Joseph Mackiewicz. Il se rendit à Katyn, en 1943, avec l'accord des autorités polonaises de résistance, où il inspecta les fosses communes qui venaient d'être découvertes, contenant les corps des officiers polonais assassinés par la police secrète du Commissariat soviétique de l'Intérieur (NKWD).

Et précisément, la vérité constitue aujourd'hui le plus grand défi dans cette affaire que nous appelons « le crime de Katyn ». Je tiens à rappeler que ce terme est en relation avec la décision criminelle prise le 5 mars 1940 par les plus hautes instances de l'Etat et du parti de l'Union soviétique, et en vertu de laquelle au moins 21'857 citoyens polonais (ladite décision mentionne 25'700 personnes) ont été exterminés. Par l'exécution de cette décision, les autorités soviétiques ont littéralement exterminé l'élite de la nation polonaise. Or, une majeure partie des officiers et policiers alors tués n'étaient pas des militaires professionnels. Il s'agissait de réservistes rappelés sous les drapeaux pour défendre leur pays envahi en septembre 1939 par ses deux puissants voisins. Dans leur vie privée, ils étaient professeurs des universités, avocats, juges, médecins, entrepreneurs, ingénieurs, journalistes, propriétaires terriens, écri-

* Secrétaire général du Conseil de la Sauvegarde de la Mémoire de la Lutte et du Martyre, Varsovie.

vains, enseignants. Et si l'on prend en considération les plans d'extermination totale visant les intellectuels polonais et mis en exécution d'une manière systématique par les deux occupants, allemand et soviétique, depuis septembre 1939, on pourra se rendre compte de cette immense perte que la nation polonaise – après 123 ans d'assujettissement et après avoir pu jouir de l'indépendance pendant à peine 20 ans – a subi à la suite de l'anéantissement des couches sociales dirigeantes du pays. En tant que l'un des lieux du crime perpétré, Katyn est devenu un lieu-symbole du martyre de toutes les catégories socioprofessionnelles de citoyens polonais mentionnées ci-dessus. Pendant les quarante-sept ans qui ont suivi, Katyn est resté le seul endroit connu où furent enterrés les corps des victimes de cette action meurtrière de la police secrète du NKWD.

Grâce aux travaux documentaires des historiens et des archivistes, nous savons aujourd'hui que :

- à Katyn, la police secrète du NKWD a exterminé 4'421 officiers de l'armée polonaise, transportés du camp spécial de Kozielsk ;
- à Tver (Kalinine), ont été exterminés 6'319 fonctionnaires de la police d'Etat polonaise et d'autres membres des services publics, transportés du camp spécial du NKWD d'Ostachkov ; les corps de ces victimes reposent au cimetière de Miednoje ;
- à Kharkov, la police secrète du NKWD a exterminé 3'820 officiers polonais, transportés du camp spécial de Starobielsk.

En outre, dès le 17 septembre 1939, 7'305 citoyens polonais, spécialement sélectionnés par le NKWD, furent arrêtés et gardés prisonniers dans les régions de l'est de la Pologne (annexées par l'URSS en tant que districts des Républiques soviétiques d'Ukraine et de Biélorussie). Au printemps 1940, ils furent transportés et placés dans les prisons du NKWD à Kiev, Kharkov, Kherson et Minsk, et – peut-être – à d'autres endroits sur le territoire de l'Union soviétique.

La décision relative à l'exécution de milliers des prisonniers de guerre détenus dans les camps soviétiques fut signée par les membres du Bureau politique du parti communiste, à savoir par Staline, Molotov et Mikoïan. Kaganowitch et Kalinin avaient eux aussi voté « pour ». Ils avaient admis et souligné dans cette décision que « tous ces gens [les Polonais] sont les ennemis convaincus et incorrigibles du pouvoir soviétique ». Il s'agit d'une preuve irréfutable que les victimes de Katyn furent exécutées uniquement pour des raisons politiques. La décision prise par les autorités suprêmes du parti et de l'Etat de l'Union soviétique le 5 mars 1940, en vertu de laquelle la police secrète du NKWD assassina au moins 21'837 Polonais, est un acte qui met en accusation le système communiste qui n'a pas hésité à commettre – en violation des règles du droit international – les actes criminels les plus graves : le crime de guerre et le crime contre l'humanité. Mais, on ne connaît toujours pas toute la vérité quant aux circonstances de ce crime. Or, bien que 67 ans se soient déjà écoulés depuis la perpétration de ce crime et, qu'en dépit des efforts déployés par de nombreuses personnes qui ont souvent payé de leur vie pour avoir cherché à découvrir et à rendre publique la vérité, il subsiste encore aujourd'hui, dans l'affaire de Katyn, plusieurs points d'interrogation. Au surplus, nous ne connaissons pas, jusqu'à présent, les noms de toutes les personnes assassinées : on n'a toujours pas rendu publique la liste « biélorusse » de Katyn (liste des personnes assassinées en vertu de la même décision des autorités soviétiques du 5 mars 1940 dans les prisons de la NKWD en Biélorussie) comportant les noms de 3'870 victimes. De même, les familles ignorent souvent le lieu où furent déposés les corps de leurs proches, victimes de ce crime monstrueux. Et, jusqu'à présent, cet acte d'assassinat n'a été ni jugé, ni stigmatisé, ce qui constitue un cas rarissime parmi d'autres cas de crimes collectifs commis pendant la Seconde Guerre mondiale.

Dès le début, on a essayé de noyer le crime de Katyn dans un océan de mensonges et de calomnies. Les bourreaux se sont empressés de cacher au monde cette affaire sordide, de sceller cette affaire dans les archives du Kremlin et de l'effacer à jamais de la mémoire historique de la nation polonaise. Mais ce n'est pas tout, car – dans cette affaire criminelle – il y avait, d'une part, des mensonges et, de l'autre, la lutte menée pour montrer au monde libre la vérité sur ce crime.

Le gouvernement polonais en exil – pour avoir voulu faire la lumière sur les circonstances de la mort de milliers de ses citoyens, pour avoir cherché la vérité – a été accusé par l'Union soviétique de collaboration avec le IIIe Reich. Les agissements soviétiques ont provoqué en conséquence la rupture des relations diplomatiques entre les deux pays et l'exclusion de la Pologne, en tant qu'Etat souverain, du cercle des pays alliés. Il est impossible d'ignorer ici l'hypocrisie des pays alliés qui, bien qu'informés des circonstances du crime de Katyn grâce à leurs services de renseignements, ont néanmoins accepté les démarches des autorités soviétiques destinées à cacher au monde les vrais auteurs de ce crime.

La découverte des tombes dans la forêt de Katyn en 1943, et tout particulièrement l'exhumation des corps des victimes effectuée par la Commission technique de la Croix-Rouge polonaise (travaillant sous surveillance allemande), a mis en évidence – autant que cela était possible pendant la guerre – l'ampleur et les atrocités du crime perpétré. Le rapport de la Commission internationale des médecins, composée de personnes faisant autorité dans le domaine de l'anthropologie et de la médecine légale et constituée dans des conditions assez particulières, a identifié le premier, de façon incontestable, les vrais auteurs du crime. Il fallait dès lors s'attendre à ce que les Soviétiques entreprennent des démarches visant à discréditer les constatations faites par la Commission. C'est ainsi que les autorités soviétiques ont fabriqué une version établie par les « spécialistes » du NKWD et du NKGB (Commissariat soviétique de la sûreté publique) dans le but de démontrer la responsabilité des Allemands dans le massacre des Polonais. Cette version des faits a été « estampillée » par une commission officielle soviétique présidée par un des membres de l'Académie soviétique des sciences, Nicolas N. Burdenko.

Les actions entreprises par l'Allemagne nazie n'étaient pas motivées – comme le montrent de nombreux documents et témoignages – par le désir d'élucider, de manière objective et honnête, les circonstances du crime de Katyn, mais elles avaient pour but d'exploiter la découverte des tombes collectives contenant les corps des Polonais assassinés à des fins de propagande politique en rapport avec les opérations militaires.

Ceci nous conduit à réfléchir au rôle qui devrait être joué par une organisation humanitaire internationale dans ces conditions extrêmement difficiles et aux possibilités d'action pratique dans un tel environnement.

Une étape importante dans le processus d'établissement de la vérité fut franchie en 1951 lorsque la Chambre des Représentants du Congrès des Etats-Unis créa une commission d'enquête. Siégeant sous la présidence de Raya S. Madden, cette commission rassembla un matériel documentaire colossal et procéda à l'audition de plusieurs dizaines de témoins. Sur cette base, un rapport montrant de manière incontestable la responsabilité de l'Union soviétique dans le massacre de Katyn fut élaboré et présenté au Congrès. Ce matériel probant fut ensuite soumis à l'Assemblée générale de l'ONU afin qu'elle ouvre un procès devant un Tribunal pénal international. Mais cette démarche est restée sans suite ; le monde s'est montré indifférent à l'égard de la vérité.

Avant cela, des tentatives d'élucider les circonstances du crime de Katyn et de les rendre publiques furent faites par certains dissidents du bloc communiste qui prenaient ainsi de grands risques. Quelques publicistes et historiens dans le monde libre s'engagèrent dans le même sens. Toutes ces tentatives furent combattues par les services secrets soviétiques.

Finalement, vers la fin des années 1980, les autorités de l'Union soviétique ont pris conscience qu'il n'était plus possible de cacher la vérité sur le crime de Katyn et sur ses véritables auteurs. Des objectifs d'ordre politique ont également eu une influence dans ce retournement de situation. Mikhaïl Gorbatchev a fait le premier pas dans cette direction. Le 13 avril 1990, l'Agence de presse soviétique TASS annonçait que les dirigeants du Commissariat soviétique de l'Intérieur (NKWD) étaient responsables de la perpétration du crime de Katyn. Mais il fallut attendre le 14 octobre 1992 pour que le président de la Fédération russe, Boris Eltsine, rende public le document apportant la preuve irréfutable que la condamnation à mort de plus de 21'000 Polonais avait été décidée par Josef Staline et le Bureau politique du Parti communiste soviétique (WKP-b). Il a fallu beaucoup de courage pour pouvoir porter à la connaissance de l'opinion publique du monde entier le contenu de ce document capital dans l'affaire de Katyn. Ce geste fait par les Russes a permis d'accéder aux archives et d'accélérer l'instruction pénale ouverte dans la cause de Katyn en automne 1991 par le Parquet militaire russe. Enfin, des pourparlers ont été entamés en vue de faire aménager des cimetières militaires aux endroits où avaient été enterrés les corps des victimes du crime, ceci conformément aux Conventions de Genève et en réponse aux attentes des familles des victimes. Ainsi, en dépit de la complexité du problème et des difficultés rencontrées en Russie, s'est ouverte progressivement, mais conséquemment, une période de révélation de la vérité sur les circonstances du crime commis et de recherche de faits nouveaux à son sujet. Ce fut aussi une période d'actions conjointes des Polonais et des Russes qui ont agi avec la conviction que la vérité serait finalement prouvée par les documents et par les récits, et – le plus important – portée à la connaissance du monde entier sous tous ses aspects. On était convaincu que la vérité ne serait plus exploitée ni cachée par les hommes politiques, que les familles pourraient, après tant d'années d'humiliation, se rendre sur les tombes de leurs proches et, enfin, que la vérité serait soumise au jugement tant du droit que de la morale.

Une grande réussite de ces actions communes, de cette « lutte pour la vérité », a consisté dans la création des « cimetières de Katyn ». Dans les années 1994-1996, j'ai été responsable, pour la Pologne, de l'organisation des exhumations des corps des victimes du crime de Katyn dans la forêt de Katyn et à Miednoje dans la Fédération de Russie, ainsi qu'à Kharkov en Ukraine, et de l'aménagement des cimetières à ces endroits. Je me suis alors rendu compte combien ce processus s'avérait difficile, combien nous, Polonais et Russes, nous y étions engagés et avec quel grand espoir nous nous étions tournés vers l'avenir. Au moment de l'inauguration et de la consécration des cimetières « de Katyn », nous, Polonais, avons ressenti qu'une page se tournait dans l'histoire douloureuse de notre nation.

Toutefois, au cours de ces dernières années, un nouveau tableau s'est dévoilé dans l'affaire de Katyn. Le 21 septembre 2004, le Procureur général du Parquet militaire de la Fédération de Russie a rendu une ordonnance de classement dans la cause pénale n° 159 (affaire de Katyn) étant donné le décès des auteurs du crime. Ceci est arrivé sans que l'on puisse élucider complètement les circonstances de l'assassinat des officiers et policiers polonais, perpétré au printemps 1940.

Néanmoins, l'instruction pénale menée dans les années 1990-1994 a permis :

– d'identifier les témoins et les coauteurs du crime : à l'époque, certains d'entre eux étaient encore en vie et pouvaient donc être entendus ;

- d'élucider les procédés de préparation et d'exécution de l'acte criminel par le Commissariat soviétique de l'Intérieur (NKWD) ;
- de révéler les procédés de falsification des documents utilisés comme justificatifs à l'appui de la version officielle soviétique concernant les auteurs du crime ;
- d'indiquer définitivement les lieux où furent enterrés les corps des officiers et des policiers polonais, détenus auparavant dans les camps du Commissariat soviétique de l'Intérieur (NKWD) à Kozielsk, Ostachkov et Starobielsk (Katyn, Miednoje, Kharkov) ;
- de rendre public le document fondamental, à savoir la décision du Bureau central du Parti communiste soviétique (KC WKP-b) du 5 mars 1940 qui a confondu les dirigeants de l'Union soviétique pour leur participation à la prise de la décision de faire massacrer des milliers de citoyens polonais.

Tout ce qui a été fait pendant de longues années pour connaître la vérité sur le crime de Katyn constitue une énorme contribution, mais il reste encore beaucoup à élucider et nombre de faits pertinents à documenter. On ignore toujours le sort des 7'305 citoyens polonais assassinés en vertu de ladite décision criminelle du 5 mars 1940 et qui, de leur vivant, avaient été détenus dans les prisons du Commissariat soviétique de l'Intérieur (NKWD), situées dans les régions de l'est de la Pologne, annexées par l'Union soviétique (partie ouest de l'Ukraine et de la Biélorussie).

Aujourd'hui (avril 2007), 17 ans se sont écoulés depuis que les autorités soviétiques ont reconnu être responsables de la perpétration du crime de Katyn. Malgré cela, nous n'avons toujours pas reçu de réponses satisfaisantes à diverses questions qui ont surgi dans le processus de recherche de la vérité. Les efforts déployés par les scientifiques et les procureurs, mais aussi par les personnes cherchant à découvrir la vérité qui leur tient à cœur, ont abouti à ce que, au cours des dernières années, notre connaissance s'est enrichie et s'est élargie considérablement de nombreux éléments découverts et décrits dont nous ignorions auparavant l'existence. Toutefois, l'affaire de Katyn ne peut pas rester continuellement et exclusivement dans les mains des historiens.

Quant aux hommes politiques, la vérité sur le crime de Katyn continue avant tout d'être pour eux un défi à relever. A cet égard, nous sommes redevables aux victimes du crime et, également, à leurs familles. Cependant, nous devons penser aussi à la nécessité de promouvoir les valeurs humaines, d'éduquer les jeunes dans le respect de la vérité, de la justice et de l'esprit humanitaire. Serait-il pensable d'inculquer à nos futures générations l'esprit de crime et de mensonges au nom d'avantages politiques ?

Katyn est devenu, tant pour les Polonais que pour le monde entier, un symbole de tous les crimes commis par le totalitarisme soviétique. Pour nous,

Katyn restera à jamais un symbole-souvenir de l'extermination des élites intellectuelles, constituant la force dirigeante de la nation polonaise. Nous sommes toutefois conscients du fait que les atrocités commises par les communistes soviétiques ont aussi touché, en premier lieu et dans des dimensions inimaginables, le peuple russe et d'autres nations de l'Union soviétique. Malgré les mensonges qui – durant des décennies – ont entouré cette affaire, Katyn est, et restera pour toujours, tant en Pologne que dans tous les pays démocratiques du monde, un symbole des crimes du communisme. Toute la communauté humaine, libre et démocratique, doit condamner le crime de Katyn pour que de telles atrocités ne se reproduisent plus jamais dans aucun lieu, dans aucune autre époque et contre aucune autre nation.

La vérité a toujours été la valeur fondamentale de chaque pays libre et démocratique et elle le sera toujours. Dès lors, la nécessité de la connaître et de la chercher relève non seulement du défi, mais constitue pour nous un devoir moral.

Fig. 1. Le professeur François Naville (1883-1968) à l'âge d'environ 50 ans.
Photographie mise à disposition par le prof. Gabriel Aubert, Genève.

Le rôle du professeur François Naville dans l'enquête sur le massacre de Katyn

par

Kazimierz Karbowski[*] et Elisabeth Curti-Karbowski[**]

Découverte de fosses communes contenant des corps d'officiers polonais à Katyn

En été 1942, des manœuvres polonais travaillant pour l'organisation allemande Todt apprennent d'habitants russes de la localité de Katyn, près de Smolensk, l'existence de tombes d'officiers polonais massacrés en 1940 par le NKVD, la police politique soviétique. Ces manœuvres se rendent sur les lieux, constatent qu'il s'y trouve effectivement des cadavres et marquent l'endroit de deux croix de bois. Dès février 1943, des agents de la police militaire allemande viennent visiter le site, mais, à cause du mauvais temps, ce n'est qu'à la fin du mois de mars que peuvent commencer des travaux d'exhumation. On découvre alors plusieurs fosses communes pleines de cadavres[3].

---

[*] Professeur extraordinaire émérite de neurologie, Université de Berne.

[**] Docteure en médecine, Berne.

[3] *Amtliches Material zum Massenmord von Katyn*, Berlin, Deutsche Informationsstelle, Deutscher Verlag, 1943, p. 9-10, 15-17, 26.

Le 13 avril 1943, la radio allemande communique publiquement la découverte à Katyn d'un charnier contenant des cadavres d'officiers polonais[4].

Sollicité par les Allemands, le Comité international de la Croix-Rouge (CICR) refuse de se saisir de l'affaire sans l'accord préalable de l'Union Soviétique, qui le refuse[5] ; les Allemands entreprennent alors de leur propre initiative de réunir une commission d'experts internationale pour la charger d'examiner les fosses communes de Katyn.

C'est ainsi que le 22 avril, tard dans la soirée, un certain docteur Steiner, médecin attaché au consulat général allemand à Genève, présente au directeur de l'Institut de médecine légale de l'Université de Genève, le professeur François Naville [fig. 1], une requête de participation au collège d'experts en question, ce au nom du ministre de la santé allemand.

Contacts du professeur Naville avec le CICR et les autorités suisses

Dès le lendemain matin, le professeur Naville informe le CICR, le Département politique fédéral (DPF) et le Service de santé du Département militaire fédéral de la mission à Katyn qui lui a été proposée par le consulat d'Allemagne[6].

Au nom du CICR, Jean Pictet, Paul Ruegger et Jacques Chenevière communiquent à François Naville qu'ils lui sont « très reconnaissants d'avoir pris contact avec le CICR », sans émettre cependant d'opinion quant à l'opportunité d'accepter ou non l'invitation allemande[7]. Le ministre Pierre Bonna, chef de la Division des affaires étrangères du DPF, répond le lendemain par télégramme au professeur Naville : « sans autres renseignements sur commission experts neutres constituée par autorité allemande voyons pour notre part aucune raison nous opposer à ce que vous entrepreniez voyage envisagé à titre privé et sous votre seule responsabilité »[8].

Voyage du professeur Naville à Katyn

Ayant obtenu un congé militaire et l'accord pour son absence tant de la part du doyen de la Faculté de médecine que de celle du Département genevois de l'instruction publique, le professeur Naville se rend par train, le 26

---

[4] Henri de Monfort, *Le massacre de Katyn : Crime russe ou crime allemand ?*, Paris, Presses de la Cité, 1969, p. 19-23.

[5] *Amtliches Material ...*, *op. cit.*, p. 140-141.

[6] Archives du CICR [désormais ACICR], P FN-002, Lettre de F. Naville à Pierre Bonna (DPF) et au service de Santé du DMF à Berne, 23.04.1943.

[7] ACICR, CL 06-400, Entretien de F. Naville avec Jean Pictet concernant le caractère personnel de sa participation à la Commission.

[8] ACICR, P FN-003, Télégramme de Pierre Bonna à F. Naville l'autorisant participer à la Commission internationale d'experts à titre privé, 24.04.1943.

avril, à Berlin, où il rencontre le lendemain le ministre plénipotentiaire de Suisse, Hans Frölicher, et fait connaissance des onze autres membres du collège d'experts en route pour Smolensk et Katyn. Il est le seul ressortissant d'un pays vraiment neutre ; tous les autres médecins viennent de pays alliés de l'Allemagne, occupés ou contrôlés par elle[9].

Le professeur Naville est alors certainement conscient du fait que sa participation à l'enquête sur les fosses communes de Katyn est agréable aux Allemands et fort déplaisante aux Soviétiques, et que cela peut provoquer des complications diplomatiques pour la Suisse. Trois ans plus tard, il exprimera de la manière suivante pour quelle raison il s'était néanmoins décidé à participer à ladite Commission d'enquête :

« Il m'a paru que c'eût été une lâcheté de refuser de collaborer à rechercher la vérité, sous le prétexte que je devrais nécessairement mécontenter l'un ou l'autre des belligérants accusé d'un acte particulièrement odieux et contraire aux usages modernes de la guerre [...] je n'ai nullement cherché à rendre service aux Allemands, mais exclusivement aux Polonais et à la vérité [...]. Quant à nous, médecins-légistes, c'est notre droit et notre devoir [...] de servir la vérité [...] sans faiblesse envers les sollicitations de quiconque, sans égards pour les critiques et l'hostilité de ceux que gênent parfois notre objectivité et notre impartialité. Puisse notre devise rester toujours celle qui honore certaines tombes : *Vitam impendere vero* [Consacrer sa vie à la vérité]. »[10]

Transportée de Berlin à Smolensk par avion et de là par car, la Commission d'experts arrive le 28 avril à Katyn. Du 28 au 30 avril, les experts examinent les fosses communes de la forêt voisine [fig. 2]. Dans leur rapport d'expertise du 30 avril 1943[11], il est retenu que « la cause de la mort de tous les cadavres sont des tirs dans la nuque » [fig. 3], et que de nombreux cadavres montraient des mains attachés ensemble par une corde d'une façon toujours identique [fig. 4]. Des témoignages recueillis aux alentours, ainsi que des lettres, des journaux intimes et des journaux trouvés sur les cadavres, il ressort que les exécutions ont eu lieu au cours des mois de mars et avril 1940 » [fig. 5]. Vu que le territoire où les cadavres ont été découverts se trouvait au printemps 1940, et même ultérieurement jusqu'à l'été 1941, sous contrôle soviétique, la mention de cette période de décès des officiers polonais équivaut à l'attribution aux Soviétiques de la responsabilité de ces meurtres.

---

9 Monfort, *op. cit.*, p. 62-64.

10 Archives d'Etat de Genève [désormais AEG], Archives DIP/56, 1985 va 5.3.813 : 1958, Dossiers individuels du personnel, Enveloppe N, prof. F. Naville, Lettre de F. Naville à Monsieur le Conseiller d'Etat chargé du Département de l'instruction publique, Genève, 24.09.1946, p. 3, 13-14.

11 *Amtliches Material...*, *op. cit.*, p. 114-118 [Protokoll der Internationalen Aerztekommission vom 30. 4. 1943].

Dès son retour à Genève, le professeur Naville est sollicité par le consulat allemand, à la demande du Ministère des affaires étrangères d'Allemagne, pour témoigner à la radio au sujet de Katyn. Il refuse en déclarant qu'il s'exprimerait en public ou à la radio uniquement s'il constatait que l'activité de la commission et les résultats de l'enquête sont exposés de manière erronée[12]. Neuf années plus tard, le professeur Naville devait expliquer devant la Commission du Congrès américain que son refus a été conditionné par le fait que lui-même était un scientifique et un médecin et non un propagandiste[13].

Dans une lettre confidentielle du 4 mai 1943, le ministre de Suisse à Berlin, Hans Frölicher, communique au Conseiller fédéral Marcel Pilet-Golaz que le professeur Naville en revenant de Smolensk lui a rendu visite à Berlin pour lui communiquer que les cadavres trouvés à Katyn étaient ceux d'officiers polonais, tués par balle dans la nuque en mars-avril 1940 ; que, d'autre part, lors du vol en avion pour Smolensk, il a vu un quartier de Varsovie en flammes, et qu'à la demande d'explications à ce sujet de la part des experts, il a été répondu du côté allemand qu'il s'était passé quelque chose dans le ghetto de cette ville. Hans Frölicher ajoute que d'autres sources lui ont appris qu'il s'agissait d'un soulèvement dans le ghetto de Varsovie, reprimé par des moyens militaires »[14].

Commission d'enquête soviétique – l'affaire de Katyn à Nuremberg

La région de Smolensk est reconquise en septembre 1943 par les troupes soviétiques. En janvier 1944, une commission d'enquête, constituée uniquement de Soviétiques, et placée sous la présidence du neurochirurgien et académicien N. N. Burdenko, procède à de nouvelles autopsies sur des cadavres de prisonniers de guerre polonais dans les fosses communes de Katyn. Selon ses conclusions, « l'état des cadavres montre que la mort remonte à près de deux ans, c'est-à-dire à l'arrière-automne 1941 », ce qui rejette ainsi sur les Allemands la culpabilité du crime[15]. Avant sa mort, en 1946, Burdenko lui-

---

[12] *Hearings before the Select Committee to conduct an Investigation of the Facts, Evidence, and Circumstances of the Katyn Forest Massacre. Eighty–Second Congress, Second Session*, Part 5, Washington, United States Government Printing Office, 1952, p. 1408 [Photographie d'une lettre du 6 mai 1943 du Consulat d'Allemagne à Genève à la Légation d'Allemagne à Berne].

[13] *Hearings before ..., op. cit.*, p. 1615.

[14] Archives fédérales suisses, Berne [désormais AFS], E 2001 (E-1), Bd. 139, B.55.11.43, Lettre de H. Frölicher à Pilet-Golaz, Berne, 04.05.1943. Voir aussi Antoine Fleury *et al.* (éd.), *Documents diplomatiques suisses*, vol. 14, 1er janvier 1941 – 8 septembre 1943, Berne, Benteli, 1997, p. 1115-1116.

[15] Montfort, *op. cit.*, p. 131-135.

même reconnaissait, dans un entretien privé, avoir falsifié cette expertise sur l'ordre de Staline[16].

Le 14 février 1946, devant le tribunal international des criminels de guerre à Nuremberg, s'appuyant sur l'expertise de la commission Burdenko, le colonel Y. V. Pokrowsky, adjoint du procureur principal d'Union soviétique, imputait aux Allemands « d'avoir assassiné 11'000 officiers polonais dans la forêt de Katyn »[17]. Le 8 mars de la même année, le défenseur de Goering, le docteur O. Stahmer, demandait que soit cité comme témoin le professeur Naville[18] ; ce dernier déclara ne pas être en mesure de modifier ni de compléter en quelque manière que soit le procès-verbal qu'il avait signé en 1943 et qu'il était donc inutile qu'il vint témoigner[19].

Le professeur M. A. Markov, spécialiste bulgare de médecine légale, ancien membre de la Commission d'experts internationale en 1943, apparut les 1er et 2 juillet 1946 comme témoin à charge au procès. Après la fin de la guerre, il avait été accusé en Bulgarie – qui se trouvait alors sous domination soviétique – de collaboration avec les Allemands, à cause de sa participation à l'expertise de Katyn. Devant le tribunal de Nuremberg, le professeur Markov déclara qu'en 1943 il avait agi sous la contrainte des Allemands et qu'il avait signé le protocole de la commission d'experts pour cette seule raison[20].

En fin de compte cependant, le tribunal de Nuremberg ne fit pas état de ce crime dans sa sentence du 1er octobre 1946[21]. Ce tribunal – constitué par les Etats-Unis d'Amérique, la Grande-Bretagne, la France et l'Union soviétique – renonça ainsi à se prononcer sur la question de la responsabilité du massacre, encore que le fait que celui-ci n'ait pas été mis à charge des Allemands ne soit pas dépourvu de signification implicite.

Il est aussi remarquable que le membre soviétique du tribunal, le général I. T. Nikitchenko, n'ait pas critiqué, dans son *votum separatum*[22], qu'il n'ait pas été fait mention du massacre de Katyn dans le jugement, cela en dépit du fait que, selon l'acte d'accusation soviétique du 14 février 1946 déjà évoqué,

---

16 J. K. Zawodny, *Zum Beispiel Katyn. Klärung eines Kriegsverbrechens*, München, Verlag Information und Wissen, 1971, p. 130-131.

17 *Der Prozess gegen die Hauptkriegsverbrecher vor dem Internationalen Militärgerichtshof. Nürnberg 14. November 1945 – 1. Oktober 1946*. Amtlicher Text, Band VII, Verhandlungsniederschriften 5. Februar – 19. Februar 1946, München – Zürich, Nachdruck : Delphin, 1984, 1e éd. Nürnberg, 1949, p. 469-471.

18 *Der Prozess..., op. cit.*, Band IX, Verhandlungsniederschriften 8. März 1946 – 23. März 1946, p. 10.

19 *Der Prozess..., op. cit.*, Band X, Verhandlungsschriften 25. März 1946 – 6. April 1946, p. 725 ; Montfort, *op. cit.*, p. 181.

20 *Der Prozess..., op. cit.*, Band XVII, Verhandlungsschriften 25. Juni 1946 – 8. Juli 1946, p. 364-394.

21 *Der Prozess..., op. cit.*, Band I, Einführungsband, Urteil vom 1. Oktober 1946, p. 189-386.

22 *Ibid.*, Abweichende Meinung des sowjetischen Mitgliedes des Internationalen Militärgerichtshofes, p. 387-411.

il s'agît là « d'un des crimes les plus graves commis par les criminels de guerre allemands »[23].

Réponse du professeur Naville aux critiques concernant son voyage à Katyn

Après la fin de la guerre, le professeur Naville garda longtemps le silence sur ses constatations de 1943 à Katyn. Les critiques formulées contre lui au Grand Conseil de Genève par le député du Parti du Travail (communiste), Jean Vincent, devaient le contraindre à « sortir de cette réserve ». Dans une lettre de quatorze pages dactylographiées, datée du 24 septembre 1946 et adressée au Conseiller d'Etat chargé du Département de l'instruction publique, il décrit les « conditions d'appel et d'acceptation » de sa mission à Katyn et rappelle avoir reçu le 24 avril 1943 une autorisation de partir de la part du ministre Bonna du Département politique fédéral[24].

Le professeur Naville évoque son attitude hostile à l'égard des Allemands, en particulier envers les chefs du régime nazi, et relate qu'à Katyn il n'a pas caché ce qu'il pensait de « la responsabilité morale [des Allemands] dans cette affaire, puisque ce sont eux qui ont déclenché la guerre et envahi les premiers la Pologne, même si nous concluions à leur innocence dans la mort des officiers ».

Il « rassure » le député Vincent : « Je n'ai [...] demandé ni reçu de quiconque ni or, ni argent, ni dons, ni récompense, ni avantages, ni promesses de quelque nature que ce soit. Lorsqu'un pays est dépecé presque simultanément par les armées de deux puissants voisins, qu'il apprend qu'on a assassiné près de 10.000 de ses officiers prisonniers qui n'avaient commis d'autre crime que de défendre leurs pays, qu'il cherche à savoir dans quelles conditions cela a pu se produire, on ne peut décemment pas demander d'honoraires pour se rendre sur les lieux et chercher à lever un coin du voile qui entoure les circonstances d'un acte d'une si odieuse lâcheté et si contraire aux usages de la guerre. »

Le professeur Naville décrit ensuite de manière très détaillée les conditions de travail et les constatations de la commission d'experts à Katyn et précise : « Nous avons procédé nous-mêmes librement à une dizaine d'autopsies complètes de cadavres que nous avons fait prélever, sous nos yeux, dans des couches profondes non encore explorées des fosses communes. [...] Nous avons examiné sommairement [...] une centaine de cadavres au moment où on les sortait devant nous des fosses ; j'ai personnellement trouvé dans le vêtement de l'un d'eux un fume-cigarettes en bois gravé au nom de Kozielsk [fig. 6], et dans l'uniforme d'un autre une boîte d'allumettes russe [...]. L'examen du

[23] *Ibid.*
[24] AEG, Archives DIP/56, 1985 va 5.3.813 : 1958, Dossiers individuels du personnel, Enveloppe N, prof. F. Naville, Lettre de F. Naville à Monsieur le Conseiller d'Etat chargé du Département de l'instruction publique, Genève, 24.09.1946, p. 3-4.

crâne d'un lieutenant (cadavre n° 526) fait plus particulièrement par le professeur Orsós de Budapest, et auquel j'ai assisté, montrait des altérations si avancées [...] qu'il paraissait impossible d'admettre que la mort remonte à moins de trois ans [...]. Nous avons retiré nous-mêmes des vêtements des cadavres exhumés devant nous un grand nombre de lettres, papiers d'identité, certificats de vaccination, agendas, journaux, etc. ; tous dataient d'octobre 1939 au 22 avril 1940. »

Le professeur Naville souligne que – contrairement à une récente affirmation du médecin légiste bulgare Markov – « nous avons procédé en toute liberté à nos travaux d'expertise » ainsi qu'à la rédaction du rapport final, et que lui-même a « circulé tout à fait librement à Katyn comme à Berlin, sans être en aucune façon accompagné ni surveillé ». Il maintient les conclusions d'expertise d'avril 1943 et critique les affirmations et le rapport sur Katyn de la commission d'enquête russe de janvier 1944[25].

Cet exposé est détaillé, objectif et intelligible. Il contient comme seul élément étrange la supposition non fondée du professeur Naville que le massacre de Katyn aurait été « exécuté par des subalternes à l'insu des hauts dirigeants politiques et militaires de la Russie, et même de la Direction générale des camps de prisonniers russes ».

On doit ajouter que, dans cette affaire, le professeur Naville n'a trouvé ni compréhension, ni soutien, tant de la part du CICR que de celui du DPF. Le comportement de ces institutions a eu pour seul but de ne pas offenser le gouvernement soviétique et d'éviter des complications diplomatiques. A l'instar des juges du tribunal de Nuremberg, elles voulaient « ne pas savoir » qui était responsable du massacre de Katyn. Dans une note confidentielle au Conseiller fédéral Petitpierre du 30 janvier 1947, Edouard de Haller (délégué du Conseil fédéral aux œuvres d'entraide internationale, membres honoraire de CICR et homme de liaison du DPF à cette institution), critique d'ailleurs la décision du professeur Naville de participer à l'exhumation de Katyn et prétend qu'en avril 1943 il était personnellement convaincu de l'inopportunité de la participation d'un Suisse à l'enquête de Katyn[26].

Témoignage du professeur Naville devant le Comité du Congrès américain

L'affaire rebondit encore au printemps 1952, lorsqu'un comité du Congrès américain, siégeant à Francfort, et enquêtant sur le massacre de Katyn, souhaite entendre le professeur Naville. Celui-ci demande à ce propos l'autorisation

---

[25] AEG, Archives DIP/56, *idem*, p. 2 ; 5 ; 6-9.
[26] AFS, E 2001(E) – 11 vol. 139, B. 55. 11 43 b., Note confidentielle de M. E. de Haller au Cons. féd. Petitpierre, 30.01.1947.

du Département politique fédéral et reçoit le 18 avril 1952 comme réponse : « Il s'agit d'une affaire privée qui ne concerne pas les autorités fédérales. Nous n'avons donc, en principe, ni à vous accorder ni à vous refuser une autorisation [...] », mais « il n'est pas douteux que, comme la première fois, votre voyage ne manquera pas de provoquer des réactions en Suisse, ainsi que de la part de la représentation de l'URSS à Berne », et que de ce fait « votre participation à la nouvelle enquête [...] nous paraît peu désirable »[27].

Malgré cette mise en garde, le Professeur Naville se décide à aller témoigner. Le 26 avril 1952, il fait à Francfort une déposition détaillée, confirmant toutes ses constatations de l'année 1943[28]. Il renouvelle aussi ce qu'il avait déjà dit dans son rapport au Grand Conseil de Genève de 1946, au sujet notamment de l'indépendance dans laquelle lui et ses collègues avaient travaillé à Katyn. Quatre autres médecins légistes qui avaient fait partie de la Commission internationale en 1943, à savoir E. L. Miloslavić (Croatie), H. Tramsen (Danemark), F. Orsós (Hongrie) et V. M. Palmieri (Italie), déclarent également devant le comité du Congrès américain qu'ils avaient eu pleine liberté d'action pour mener leurs investigations[29].

Le comité du Congrès américain conclut à l'unanimité que la police politique soviétique, le NKVD, est responsable du massacre à Katyn et probablement aussi de massacres analogues à deux autres endroits encore inconnus en 1952. Selon le comité, cette affaire devrait être traitée par une cour de justice internationale ; les Nations Unies devraient être obligées de faire voir au monde que le « katynisme » constituait un plan diabolique pour la conquête du monde par les Soviétiques[30]. Ces propositions n'ont, malheureusement, pas été suivies.

Retraite et mort du professeur Naville

Par la suite, même après sa retraite, le professeur Naville continue de s'intéresser vivement à l'« affaire de Katyn ». Il réunit des livres, des brochures et des articles de presse, ainsi que du matériel iconographique sur le massacre et même certaines pièces provenant des fosses communes, et échange des lettres avec des personnalités polonaises et étrangères. Après sa mort en 1968, sa fille

---

27 ACICR, P FN-029, Lettre de A. Zehnder (DPF) au prof. Naville, 18.04.1952.

28 *Hearings..., op.cit*, p. 1602-1615.

29 *The Katyn Forest Massacre. Interim Report of the Select Committee to Conduct an Investigation and study of the Facts, Evidence, and Circumstances of the Katyn Forest Massacre*, Union Calendar No. 762. 82d Congress. 2d Session. House Report No. 2430, VIII, Washington, United States Government Printing Office, 1952, p. 21-23.

30 *The Katyn Forest Massacre. Final Report of the Select Committee To conduct an Investigation and Study of the Facts, Evidence, and Circumstances of the Katyn Forest Massacre*, Union Calendar No. 792. 82d Congress, 2d session. House of Representatives, Washington, United States Government Printing Office, 1952, p. 37-38 [Report No. 2505, XI Conclusions].

Valentine Aubert-Naville et son petit-fils le professeur Gabriel Aubert continuent pendant plusieurs années (jusqu'en 1995) à compléter ce volumineux dossier, pour le remettre finalement aux Archives du CICR où il peut être consulté. D'autres documents datant des années 1943 à 1952 et concernant le professeur Naville sont accessibles dans les Archives fédérales suisses à Berne, ainsi que dans les Archives d'Etat de Genève.

Il est donc étrange que, dans les souvenirs publiés après la mort du professeur Naville dans la presse quotidienne et médicale, il n'ait pas été fait mention – à de rares exceptions près – de sa participation, en 1943, à la Commission internationale d'experts sur le massacre de Katyn. Ce sujet est en revanche abondamment traité dans les livres (en polonais) *Zbrodnia Katynska* [Le crime de Katyn] édité anonymement à Londres par Zdzislaw Stahl[31] et *Le massacre de Katyn : crime russe ou crime allemand ?* d'Henri de Montfort édité à Paris[32] ; l'article de Paul Stauffer « Die Schweiz und Katyn » publié dans les *Schweizer Monatshefte* en novembre 1989[33], ainsi que le livre *Polen, Juden, Schweizer* de 2004 du même auteur, édité à Zurich[34].

Aveux des Soviétiques concernant les exécutions d'officiers polonais

Jusque dans les années 1980, les points de vue sur l'« affaire de Katyn » ne changent pratiquement pas. L'Union soviétique et, à sa suite, le bloc communiste maintiennent toujours la thèse de la responsabilité des Allemands dans ce massacre.

Le 13 avril 1990, pendant l'ère Gorbatchev – quelque 50 ans après la découverte du charnier de Katyn et 22 ans après la mort du professeur Naville – l'agence d'informations soviétique officielle (TASS) confirme soudain que les militaires polonais des camps de prisonniers de guerre de Kozielsk, Ostachkov et Starobielsk furent en avril et mai 1940 remis à la police politique (NKVD), qu'ils disparurent ensuite et qu'il s'agit là d'un des plus épouvantables crimes staliniens[35]. Il était ultérieurement précisé que les 6'311 prisonniers du camp d'Ostachkov furent assassinés à Kalinin (à présent Twer) et qu'ils sont enterrés à proximité, dans la localité de Miednoje, alors que les dépouilles mortelles des 3'820 officiers du camp de Starobielsk – exécutés dans les bâtiments du NKVD à Kharkov – se trouvent dans une forêt près de

---

31 Anonyme [Z. Stahl], *Zbrodnia Katynska w swietle dokumentow* [*Le crime de Katyn, la lumière des faits*], Londres, Gryf, 1975, p. 150-155.

32 Montfort, *op. cit.*

33 Paul Stauffer, « Die Schweiz und die Tragödie von Katyn », in *Schweizer Monatshefte,* 69 (1989), p. 905-907.

34 Paul Stauffer, « Die Schweiz und Katyn », in *Polen, Juden, Schweizer* Zürich, Verlag Neue Zürcher Zeitung, 2004, p. 185-211.

35 « Eigenständnis Moskaus zum Mord von Katyn », in *NZZ,* 14./15.04.1990, 211. Jhrg., Nr. 87, p. 2.

cette ville. Finalement, on devait apprendre que les fosses communes de Katyn contiennent 4'421 corps (et non 10'000, 11'000, ou 12'000, comme cela avait été soutenu) d'officiers emprisonnés précédemment dans le camp de Kozielsk[36].

Il demeure donc encore un mystère dans cette affaire : où se trouvent les cadavres des 7'305 militaires polonais restants, exécutés sans doute à d'autres endroits ? Selon les informations les plus récentes, une grande partie de ceux-ci auraient été assassinés dans la prison du NKVD de Kiev et enterrés ensuite dans la proche localité de Bykownia ; d'autres auraient probablement été exécutés dans la prison du NKVD de Minsk et enterrés dans la localité de Kuropaty[37].

On doit préciser que depuis longtemps on entend sous la notion d'« affaire de Katyn » non seulement le massacre de Katyn *stricto sensu*, mais aussi les autres massacres de militaires polonais perpétrés par le NKVD stalinien au printemps 1940, en particulier ceux qui ont eu lieu à Kharkov et à Twer.

Le 14 octobre 1992, le président de la Russie Boris Eltsine remettait au président polonais Lech Walesa un dossier – jusque-là strictement confidentiel – comprenant les documents du bureau politique du parti communiste soviétique sur cette affaire. On apprenait alors que Staline et les principaux dirigeants du Parti avaient ordonné ces massacres le 5 mars 1940 et qu'en mars 1959, le secrétaire général du Parti, Nikita Khrouchtchev, avait fait détruire les 21'857 dossiers personnels des victimes[38].

En dépit de la révélation de ces documents, les gouvernements russe et ukrainien n'ont jamais officiellement présenté leurs excuses pour ces massacres auprès du peuple polonais et n'ont pas fait passer en jugement ceux encore en vie des fonctionnaires du NKVD co-exécuteurs de ces meurtres. Les Russes ont en outre interrompu toutes recherches relatives à cette affaire à partir du 21 septembre 2004, sous prétexte qu'il ne s'agissait pas là d'un crime contre l'humanité, mais d'un crime ordinaire déjà prescrit[39].

---

[36] « Massengrab in der Ukraine entdeckt », in *NZZ*, 15.06.1990, 211. Jhrg., Nr. 136, p. 4 ; « Katyn und zwei weitere Massengräber in der UdSSR », in *NZZ*, 27./28.07.1991, 212. Jhrg., Nr. 172, p. 4.

[37] A. Kola, « II Archeologiczne badania sondazowe i prace ekshumacyjne w Bykowni w 2001 roku » [Recherches archéologiques par sondages et travaux d'exhumation à Bykownia en 2001], in *Przeszlosc i Pamiec. Biuletyn Rady Ochrony Pamieci Walk i Meczenstwa*, Warszawa, 4(21), 2001, p. 123-125 ; A. Przewoźnik, « Bykownia », in *Rodowod II, Assoc. "Katyn"*, PL-Stettin, XI, 8 (2006), p. 2-3.

[38] « Uebergabe von Dokumenten zu Katyn an Polen. Stalins Politbüro für den Massenmord verantwortlich », in *NZZ*, 15.10.1992, 213. Jhrg., Nr. 240, p. 1 ; « Stalins Massenmord in Katyn », in *NZZ*, 17./18.10.1992, 213. Jhrg. Nr. 242, p. 7 ; Dokumenty ludobojstwa [Documents du génocide], Warszawa, Instytut Studiow Politycznych Polskiej Akademii Nauk, 1992, p. 34-47.

[39] E. Losinska, « Decyzja o umorzeniu rosyjskiego sledztwa w sprawie zbrodni w Katyniu wciaz tajna » [La décision de classer l'enquête russe dans l'affaire du massacre de Katyn est toujours secrète], in *Rodowod II, Assoc. "Katyn"*, PL-Stettin, XI, 5 (2006), p. 10-11.

Epilogue

Le professeur François Naville a contribué de façon considérable, en sa qualité de spécialiste en médecine légale de grande réputation internationale et d'unique expert d'un pays neutre, à l'éclaircissement des circonstances du massacre à Katyn en 1940 d'officiers polonais par les Soviétiques. Attaqué en 1946 par un très agressif député communiste, il a eu le courage de défendre son point de vue devant le Grand Conseil de Genève, et cela sans le soutien du CICR ni du Département politique fédéral. Ces institutions voulaient « ne pas savoir » qui était responsable du massacre de Katyn.

Bien que dans cette affaire François Naville eût défendu l'honneur de la Suisse, le CICR et le Conseil fédéral n'ont jamais admis l'incorrection de l'attitude de leurs prédécesseurs à son égard dans les années 1943 à 1952 et n'ont par la suite pas rendu hommage à sa mémoire.

Pendant longtemps, la Pologne officielle elle-même n'a pas reconnu le service que lui avait rendu l'éminent Genevois ; ce n'est que tout récemment, le 14 mars 2007, que le président de la république de Pologne, Lech Kaczynski, a décerné à titre posthume au professeur Naville la distinction de l'ordre du mérite pour son « mérite extraordinaire dans la découverte du crime de Katyn et pour avoir remarquablement bien documenté la vérité concernant ce crime ».

Remerciements

Madame la doctoresse Ewa Gruner-Zarnoch de Szczecin (Stettin) en Pologne, présidente de l'Association des familles des victimes de Katyn, a encouragé les auteurs pour le traitement de ce thème.

Plusieurs personnes à Berne et à Genève leur ont accordé leur précieuse collaboration au cours des recherches bibliographiques.

Ont contribué à la formulation française du présent texte Madame Nicole Curti de Genève et Monsieur Jerzy Estreicher de Genève, petit-fils du major Jerzy Rogozinski, qui fut une de victimes du massacre de Katyn.

A toutes ces personnes les auteurs adressent leurs très vifs remerciements.

Fig. 2. Katyn. Une fosse commune avec des cadavres d'officiers polonais.
Tiré de l'ouvrage *Amtliches Material zum Massenmord von Katyn*, Deutsche Informationsstelle, Berlin, Deutscher Verlag, 1943, fig. 6, p. 279.

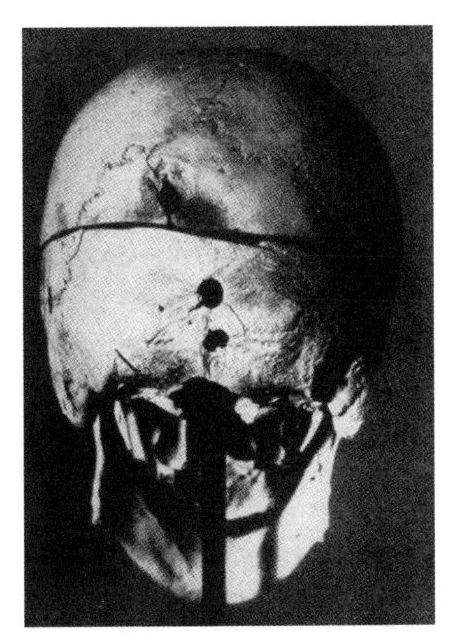
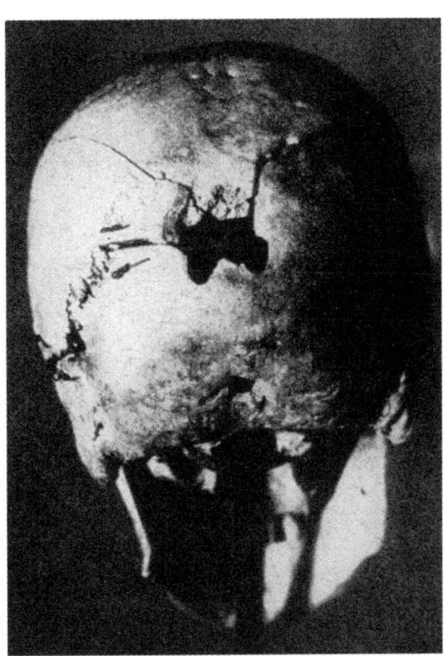

Fig. 3. Deux cas typiques d'entrée d'une balle dans la région occipitale du crâne, provenant d'une fosse commune de Katyn. ACICR, P FN-095.

Fig. 4. Katyn. Les mains d'une victime liées par une cordelette. ACICR, P FN-093.

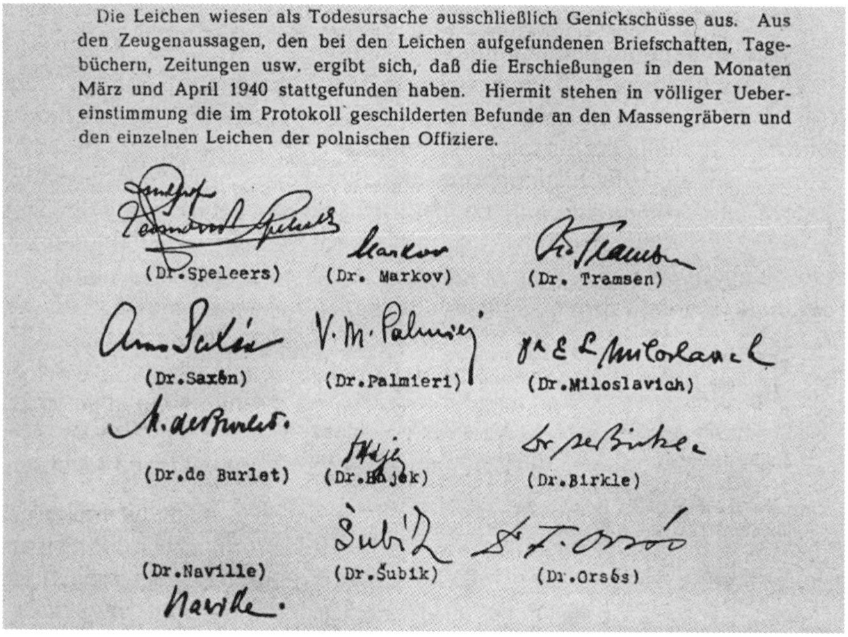

Die Leichen wiesen als Todesursache ausschließlich Genickschüsse aus. Aus den Zeugenaussagen, den bei den Leichen aufgefundenen Briefschaften, Tagebüchern, Zeitungen usw. ergibt sich, daß die Erschießungen in den Monaten März und April 1940 stattgefunden haben. Hiermit stehen in völliger Uebereinstimmung die im Protokoll geschilderten Befunde an den Massengräbern und den einzelnen Leichen der polnischen Offiziere.

(Dr. Speleers) (Dr. Markov) (Dr. Tramsen)

(Dr. Saxén) (Dr. Palmieri) (Dr. Miloslavich)

(Dr. de Burlet) (Dr. Hájek) (Dr. Birkle)

(Dr. Naville) (Dr. Šubik) (Dr. Orsós)

Fig. 5. Page de signatures du rapport de la Commission internationale d'experts de Katyn : en bas à gauche, signature du professeur Naville. Tiré de l'ouvrage *Amtliches Material zum Massenmord von Katyn*, Deutsche Informationsstelle, Berlin, Deutscher Verlag, 1943, fig. 18, p. 118.

Fig. 6. Katyn. Le professeur Naville trouve dans la poche de l'uniforme d'un officier un étui à cigarettes sur lequel est gravé le nom de Kozielsk. ACICR, P FN-092.

Expertise médicale et engagement humanitaire : le rôle des émotions

par

Timothy Harding*

Avant-propos

La perte de repères, l'inconnu, le choc émotionnel accompagnent toute intervention en situation de crise humanitaire ; ils caractérisent le travail de l'expert médical. François Naville a certainement connu à Katyn cette solitude face à un environnement inconnu et déroutant qui rend le travail plus difficile, avec plus de risques de dérapages, et qui demande une maîtrise de soi, de l'environnement et des émotions. Je l'ai connu lorsque, aux Etats-Unis, les gardiens de prison ont cédé sans protestation à ma demande d'entretien sans témoin dans la cellule d'un détenu réputé dangereux. La porte s'est fermée ; la lumière s'est éteinte. Je suis resté avec le détenu dans une obscurité totale pendant vingt minutes.

Une tendance à positiver la crise humanitaire, à relativiser ses conséquences négatives existe de nos jours. Cet « opportunisme humanitaire » permet certainement de ne pas perdre courage, mais il fait trop souvent oublier que la réalité du travail de l'expert dans les situations de crise est dure, complexe, risquée,

* Directeur de l'Institut de médecine légale, Université de Genève.

déroutante et particulièrement exigeante. L'histoire de François Naville à Katyn l'illustre bien. Je veux ainsi dénoncer ce que j'appelle « l'opportunisme humanitaire ».

crise *opportunité*

On dit souvent que les kanji japonais pour « crise » et « opportunité » sont les mêmes. En fait, ils sont composés d'un idéogramme semblable – hata, « aléa » – accompagné d'un second qui leur donne leur signification. La « crise » vient de l'adjonction du kangi du « danger ». Ainsi, l'affirmation voyant dans la crise l'opportunité devient erronée, voire dangereuse.

Le mois d'avril 1943 dans la vie du Professeur Naville

Le 30 avril 1943, François Naville apposa sa signature, si clairement lisible, en bas et à gauche des autres signatures sur la dernière page du rapport de la Commission d'experts internationale. Ce fût un moment décisif dans la carrière d'un médecin légiste pour qui le destin semblait promettre une reconnaissance dans la psychiatrie légale et la neurologie plutôt que dans l'investigation forensique d'un crime contre l'humanité.

En moins de dix jours depuis la première demande des autorités allemandes, François Naville rend un rapport comprenant des conclusions retentissantes. Ce rapport allait colorer le reste de sa carrière d'une manière si ambiguë et si douloureuse que Katyn, l'événement indubitablement le plus important de son parcours professionnel, ne sera guère mentionné dans les nécrologies publiées dans les semaines et les mois qui suivirent son décès en 1968. Ceci n'est guère surprenant, puisque Naville lui-même ne voulait plus parler de Katyn vers la fin de sa vie. Le 12 avril 1967, une année avant sa mort, il écrit au Professeur Jacques Bernheim, « Mon cher successeur et collègue », en lui envoyant un volumineux dossier de publications et un compte rendu de ses diverses activités professionnelles et académiques. En le lisant, on croirait qu'en 1943 son souci principal était l'effet de l'entrée en vigueur, l'année précédente, du nouveau Code pénal suisse sur le secret professionnel des médecins. Il écrit à son successeur : « Prenez-y ce qui vous convient et gardez le reste pour une notice nécrologique qui ne saurait tarder beaucoup ! ». En post-scriptum, il demande à Bernheim s'il a été sollicité pour donner son avis sur les points en litige de l'affaire Jaccoud, mais il ne demande rien sur Katyn !

En 1968, ses collègues médecins légistes, neurologues et psychiatres, rappellent les contributions qu'il a fait dans le diagnostic des épilepsies chez les enfants, dans le développement de la pédo-psychiatrie à Genève, sa présidence du Conseil de surveillance psychiatrique pendant de longues années, et bien sûr sa période en tant que doyen de la faculté de médecine à Genève. Mais de Katyn, on ne dit rien. Un des buts de ce colloque doit être de corriger cette mémoire lacunaire d'il y a quarante ans.

Les Drs Karbowski et des historiens vont détailler la participation de Naville à la Commission d'experts qui s'est rendue à Katyn en avril 1943. Mais le colloque doit également répondre à la question : pourquoi cette participation est-elle devenue un sujet tabou et, je pense qu'on doit le dire, infâme ? Que s'est-il passé durant les vingt-cinq années après ces jours fatidiques du printemps 1943 ? François Naville a participé à cette mission en tant que médecin légiste « neutre » : pourquoi cette participation a-t-elle pu être représentée d'une manière si ambiguë et si douteuse pendant plusieurs décennies ?

En connaissant les compétences et les intérêts de François Naville en tant que médecin légiste, je ne pense pas qu'il ait joué un rôle très actif dans le travail manuel des autopsies des cadavres exhumés à Katyn. Les photographies, mises en circulation par les autorités allemandes dans un but de propagande, le montrent très présent, observateur attentif, mais pas parmi les autopsieurs actifs. Il participe ainsi à un travail collectif dont les bases scientifiques étaient relativement simples, les observations concordantes et l'interprétation médico-légale consensuelle. L'importance de sa présence était d'observer le travail de ses collègues médecins légistes et de valider les conclusions du rapport.

A Genève, François Naville a participé à des expertises bien plus complexes, difficiles et même contestées. On pense, par exemple, à son rôle dans l'affaire Jaccoud[40]. Or, c'est l'expertise de Katyn qui allait être éreintée et disqualifiée. Toutefois, l'opprobre que Naville a reçu par rapport à cette expertise était très peu basé sur les aspects scientifiques et médico-légaux, mais largement sur le contexte politique du mandat. C'est le fait d'avoir accepté une mission des autorités allemandes et d'avoir été aidé, accompagné et sans doute surveillé par des militaires allemands, qui était à la base des critiques. Ainsi, derrière le paradoxe des nécrologies lacunaires de 1968, se pose une question de fond

---

[40] Pierre Jaccoud, avocat genevois, est accusé du meurtre de Charles Z. durant la nuit du 1er mai 1958. Il s'agirait d'un crime passionnel. François Naville est chargé de l'autopsie. Cette affaire est un des dossiers « les plus troublants, les plus énigmatiques qui aient jamais défrayé la chronique judiciaire de notre pays » écrit le *Journal de Genève* lorsque s'ouvre le procès le 19 janvier 1960. Il se soldera par une condamnation à sept ans de reclusion pour meurtre et crime manqué de meurtre. Voir notamment : Stéphane Jourat, *L'affaire Jaccoud*, Paris, Fleuve Noir, 1992.

pour les médecins légistes et les autres scientifiques travaillant dans le domaine des sciences forensiques : jusqu'où peut-on coopérer avec des autorités dans les situations de conflits politiques, de crises humanitaires et même de guerre ? Est-ce que Naville et ses collègues médecins légistes ont pu mesurer et prévoir l'impact de leurs conclusions à long terme ?

Le médecin légiste n'est pas chercheur de la vérité

Ce sont les médecins légistes et les experts forensiques qui osent quitter leur lieu de travail – leur paroisse – pour s'aventurer dans des zones de conflit, dans les geôles étrangères et dans d'autres lieux de conflit et de crise, qui font l'objet de ce colloque, François Naville étant emblématique de l'expert qui s'engage selon une motivation humanitaire que nous appellerions aujourd'hui « l'esprit de Genève ».

Les risques engendrés par des expertises et autres évaluations scientifiques semblables ne peuvent évidemment pas être appréciés par le médecin légiste seul, mais plutôt par une approche historique, juridique et politique. Je dirais donc : « Attention ! ». En tant que médecin légiste et psychiatre, je n'ai pas la distance nécessaire pour fournir les réponses à ces interrogations sur les risques de notre métier.

Me voici ainsi l'objet de ce colloque. Je m'identifie, je l'espère humblement, avec Naville. Ce sont nous, les experts, qui sommes sous la loupe pendant quatre jours. Soyez donc avertis, ma contribution doit être traitée avec beaucoup de précaution. Nous participons à ce colloque, nous attendons les exposés et les discussions, mais nous sommes affectés par notre propre vécu et potentiellement biaisés, voire aveuglés. Aussi, en dernier lieu, ce sont les collègues d'autres disciplines, les historiens, les juristes et la communauté « humanitaire » qui forgeront les conclusions.

« La recherche de la vérité » pourrait être une formule pour résumer les objectifs de notre colloque. « La recherche de la vérité » serait le but qui rassemble historiens, juristes et médecins légistes, réunis par cette vocation héroïque de faire la lumière où il y a l'ombre et de rendre justice, là où il y a eu crime. Le médecin légiste ne peut pas assumer cette tâche seul.

Pour comprendre les difficultés et les dilemmes de François Naville, et de bien d'autres experts scientifiques qui ont travaillé et qui travaillent encore dans des contextes de conflits politiques et militaires, une telle formule est un aphorisme prétentieux et réducteur. La notion de vérité ne résiste guère à une analyse sémantique rigoureuse : le médecin légiste, à cheval entre les deux systèmes de médecine et de justice, est bien conscient que la vérité juridique n'a pas le même sens que la vérité scientifique. La non-existence de la certitude est une pierre angulaire des connaissances scientifiques et en particulier des sciences forensiques.

Naville n'a connu ni l'ADN et ses analyses ni le traitement statistique des conclusions d'expertise qui est devenu une partie centrale du travail du légiste. Les médecins légistes de son époque étaient néanmoins tout à fait sensibles aux problèmes d'incertitude et de doute dans leurs conclusions et à la nécessité d'un cadre rigoureux de pensée et d'analyse de données lors d'une expertise. Naville aurait certainement rejeté la formule « recherche de la vérité » pour le travail de l'expert. Il a toujours insisté sur la nécessité pour l'expert de répondre seulement aux questions formulées par le mandant de l'expertise.

Si la vérité n'est pas le concept adéquat pour capter la finalité d'un exercice scientifique tel que ce colloque, une recherche ou une expertise médicale, il faut en proposer un autre. J'adhère à la proposition que ce soit l'objectivité qui caractérise ces activités. Nous sommes là au cœur de l'entreprise expertisale. Nous cherchons à faire une description de la réalité ou à porter un jugement sur cette réalité qui soient indépendants de nos propres intérêts et goûts. Aussi, l'objectivité est définie par la négative : l'absence de partialité ou de subjectivité. Tel est le principe sur lequel on fonde la conduite d'un expert scientifique ; tel est son credo. Alors, nous voyons tout de suite la difficulté majeure pour le médecin expert. Il est chaque jour en face de situations évoquant des émotions. La mort violente à la salle d'autopsie, l'expertise psychiatrique d'un assassin, une expertise de crédibilité chez un jeune enfant victime d'abus sexuels : l'expert ne peut pas prétendre rester neutre et indifférent dans ces situations qui représentent le travail quotidien d'un médecin légiste.

Le lien entre expert et mandant est complexe et périlleux

Comme tout travailleur, un médecin expert cherche une satisfaction à travers son travail. Evidemment, cela peut ne pas se trouver dans le cadre de la relation médecin-malade classique comme pour la plupart des autres médecins. La satisfaction est donc plus abstraite, plus intellectuelle. Est-ce que l'expert assure l'objectivité de ses observations, de son jugement et ainsi de ses conclusions ? La réalité de l'œuvre expertisale est que l'expert reçoit son premier feed-back du mandant et ensuite des autres personnes concernées directement par les conclusions de l'expertise, en termes juridiques, les « parties à la procédure ». Prenons l'exemple d'une autopsie suite à un homicide où le juge s'intéresse à l'heure du décès. Il s'agit d'une détermination classique dans le travail du médecin légiste. Imaginez le fait que le décès survenu avant une certaine heure permette de disculper un suspect. Le médecin légiste ne peut pas ignorer la satisfaction d'apporter une conclusion aussi décisive dans une procédure pénale. Une telle conclusion satisferait le juge, le suspect et ses avocats, mais frustrerait peut-être la police judiciaire, déjà convaincue de la culpabilité du suspect. Cette situation classique de médecine légale, ainsi que du roman policier, est à la base du travail de la Commission d'experts à laquelle François Naville a participé à Katyn. Dater les décès et décrire les causes sont les questions centrales posées lors de la majorité des autopsies. Mais imaginons que les indices concernant l'heure du décès soient contradictoires ou peu certains. Le médecin légiste conclut qu'il ne peut pas fixer avec exactitude la date du décès. Voilà la réalité scientifique, l'incertitude de la conclusion qui représente assez souvent la conclusion scientifiquement juste, mais extrêmement frustrante pour le mandant, l'accusé et la police judiciaire. Le médecin légiste doit être satisfait par sa conviction personnelle d'avoir rendu une conclusion juste, même si tous les autres acteurs dans la procédure pénale en sont profondément frustrés.

Comment éviter les dérapages ? Par le contrôle de l'environnement de travail

Pour ces raisons, il existe un risque réel et documenté de dérapages et d'erreurs dans le travail d'expertise. Il y a, malheureusement, de nombreux exemples de conclusions scientifiquement biaisées surtout dans les affaires qui sont émotionnellement et politiquement chargées : je peux citer l'exemple de plusieurs affaires célèbres de prétendus empoisonnements, des expertises balistiques qui menèrent les anarchistes Sacco et Vanzetti à la chaise électrique ou des conclusions d'experts forensiques dans la condamnation du « Birmingham Six », les Irlandais faussement accusés et condamnés à de longues peines de prison pour des attentats à la bombe. Le risque de dérapage est très présent lors d'expertises forensiques liées à des affaires de terrorisme. Les résultats connus dans les cas cités peuvent être faussés ou, risque plus subtil, le jugement sur le degré de certitude des conclusions peut être influencé. L'enjeu est majoré et distordu par le discours politique de guerre contre le terrorisme. Le risque est donc important que l'expert ajuste son seuil de détermination face à sa crainte réelle de ne pas contribuer à la neutralisation d'un terroriste.

Ce problème est proche de la difficulté représentée par l'appréciation de la dangerosité, bien connue de François Naville lui-même. En effet, toutes les études sur la validité des appréciations de la dangerosité démontrent clairement une tendance des experts psychiatres à la surestimer. Les pressions médiatique, politique et, de plus en plus, juridique qui pèsent sur lui, lui font craindre une conclusion « faussement négative », même si elle est scientifiquement valable.

Habituellement, le médecin expert essaie de limiter les risques de dérive en assurant un environnement de travail aussi constant que possible. La salle d'autopsie en est le prototype : un environnement calme et contrôlé, bien lumineux, des instruments adaptés, un protocole strictement suivi et la prise de notes contemporaine. Ajoutons la nécessité de pouvoir discuter et réfléchir avec des collègues, d'avoir le temps et la possibilité de consulter la littérature et, le cas échéant, de contacter des spécialistes d'autres disciplines.

Or, lorsque nous nous aventurons dans des situations de crise ou dans les lieux de détention, l'environnement devient beaucoup plus hasardeux et difficile à contrôler : effectuer des autopsies en plein air, avec des instruments fournis sans doute à l'improviste et collaborer avec des collègues que l'on ne connaît pas. C'est le défi que François Naville a accepté à Katyn. Sans doute en était-il conscient et avait-il pris des précautions pour diminuer les risques. On imagine qu'il connaissait au moins certains collègues médecins légistes avec qui il a travaillé. On le voit par exemple à côté de Vincenzo Palmieri. Quelle langue parlaient-ils ensemble ? Nous ne le savons évidemment pas, mais nous pouvons imaginer qu'ils sont ensemble sur plusieurs photographies par affinités de latins. Mais, ensuite, le rapport doit être rendu en allemand et rapidement. Sans doute Naville maîtrisait-il suffisamment la langue du rapport, mais il aurait probablement préféré le relire tranquillement et demander l'avis de quelques collègues. Cela n'était apparemment pas possible, ce qui est souvent le cas dans de telles situations.

Engagement humanitaire d'un médecin légiste : un vécu plein d'ambigüités

Afin d'illustrer les thèmes que j'aborde, permettez-moi de citer quelques expertises auxquelles j'ai été associé et où ce problème de l'environnement du travail de l'expert et du mandat se présentait d'une manière aiguë :

- L'examen médical d'une personne prétendant avoir été victime de mauvais traitements, voire de torture dans les heures où les jours précédents l'examen, peut être capital pour fournir les preuves de l'utilisation systématique de tels traitements lors des interrogatoires. C'est une situation rencontrée à maintes reprises par le Comité européen pour la prévention de la torture et des traitements inhumains ou dégradants (CPT). Prenons l'exemple d'une expertise sur un homme prétendant avoir été torturé par asphyxie, un masque à gaz appliqué sur le visage, la valve fermée jusqu'à perte de connaissance. Or, il est possible d'observer des lésions tout à fait typiques sur les conjonctives, parfois sur les palpèbres, suite à une asphyxie aiguë. Mais chercher ces signes dans l'obscurité d'une cellule dans un lieu de détention policier n'est pas évident. Nous avons envie de sortir l'homme de sa cellule et de demander un lieu d'examen tranquille, bien équipé et illuminé. Mais si nous le faisons, les autorités locales, très présentes, sauront certainement l'origine des plaintes qui figureront dans le rapport et risquent d'appliquer des représailles. Deux solutions existent et toutes les deux ont été utilisées : avoir une lampe suffisamment puissante pour procéder à l'examen dans la cellule ou sortir de leur cellule tous les détenus les uns après les autres afin de pouvoir examiner celui qui nous intéresse sans attirer l'attention sur lui.

- Dans d'autres cas semblables, des collègues non-médecins d'une délégation du CPT observent des lésions suspectes sur un détenu prétendant avoir été battu, brûlé à la cigarette ou électrocuté. Lorsque le médecin légiste de la délégation examine la personne, il peut trouver des lésions non spécifiques dont la date ne correspond pas aux allégations. A nouveau, la réalité de l'incertitude de certaines conclusions doit amener le médecin légiste à résister à la tentation de rendre une conclusion faussement positive. Les émotions peuvent être très fortes et la délégation peut avoir l'intime conviction qu'il y a mauvais traitement. Ne pas pouvoir le confirmer est frustrant et décevant pour les autres membres de la délégation.
- Un autre type de problèmes se présente lorsque les questions posées par le mandant ne sont pas suffisamment claires. Assez tôt dans ma carrière, j'ai été associé à des examens médico-psychiatriques de membres de l'IRA qui avaient entamé en 1981 des jeûnes de protestation les menant à la mort après 60 à 70 jours. En mai, après les premiers décès de quatre détenus dont un avait été élu député au Parlement britannique, les autorités se trouvaient face à un dilemme : l'Irlande du Nord était dans un état de guerre civile, avec des attaques quotidiennes de terroristes des deux côtés, la police et l'armée torturaient des suspects et de plus en plus de prisonniers terroristes étaient condamnés à la perpétuité. La grève de la faim était une arme redoutable, utilisée au début du siècle dernier, d'abord par les premières militantes féministes, les suffragettes en Grande-Bretagne et aux Etats-Unis. Fallait-il laisser mourir les hommes qui jeûnaient ? Les visites effectuées par les délégués du CICR, y compris les médecins, n'apportaient guère de réponse. Or, il s'agissait d'une décision éminemment politique. L'idée que la réponse pouvait être apportée par un examen médico-psychiatrique des grévistes déjà assez avancés dans leur jeûne, présentant les premiers signes de souffrance neuro-psychiatrique, n'était guère convaincante. Plusieurs experts ont participé à ce processus ; les conclusions étaient médicalement valables. Les rapports d'expertise étaient essentiellement descriptifs et ne donnaient aucune indication sur la résolution des dilemmes éthiques et moraux des grèves de la faim visant explicitement la mort et appuyées par un groupe paramilitaire. Mais l'effet symbolique de ces rapports « indépendants » dans les mains des politiciens était plus qu'ambigu. Aujourd'hui, je dirais qu'un médecin devrait refuser d'accepter un tel

mandat. La critique qui m'a été faite à l'époque, à savoir « jouer à Dieu », me semble aujourd'hui tout à fait justifiée.

- Une autre mission qui m'a posé bien des problèmes était celle d'examiner des femmes qui avaient été capturées par l'armée impériale japonaise pendant la Deuxième Guerre mondiale et forcées de se prostituer pour les militaires japonais pendant quatre à cinq ans. J'ai examiné ces femmes en 1989 et 1990, environ cinquante-cinq ans après les faits. Même celles qui avaient été forcées de se prostituer à un très jeune âge avaient entre 70 et 85 ans au moment de l'examen. Le mandant, qui était une ONG juridique au niveau international, voulait savoir si ces femmes portaient toujours des traces psychologiques de leur expérience. Il cherchait à la fois des preuves de la réalité de cet esclavage sexuel et une justification pour des demandes de réparation. J'ai examiné une quarantaine de femmes dont près de la moitié en Corée du Nord, dans des conditions de surveillance rapprochée. La majorité portait indiscutablement des traces de traumatismes psychologiques de très longue date. La psychopathologie était majorée par une exclusion sociale et une rupture de tous les liens familiaux. Elles ont été rejetées pendant de longues années par toute la société. Cependant, en tenant compte de l'histoire personnelle de chacune de ces femmes, pas seulement pendant la guerre d'Asie avec le Japon, mais également pendant la guerre de Corée, des années de pauvreté, de famine, de fuite, de désespoir et d'exclusion sociale, il m'était impossible de conclure que le traumatisme psychologique était spécifiquement lié à l'expérience de la prostitution forcée. Bien sûr, j'avais intuitivement, et même moralement, envie de conclure ainsi, mais cela aurait été scientifiquement faux. Vous pouvez bien imaginer la déception et, il faut le dire, la colère de l'ONG qui avait demandé cette expertise, ainsi que des gouvernements de Corée du Nord comme du Sud.

L'expert ne peut pas nier une certaine sensibilité face aux réactions engendrées par les conclusions de son travail. Déjà lors d'expertises locales, nous devons apprendre à vivre avec les désapprobations qui peuvent survenir de la part de la police judiciaire, des juges d'instruction, du procureur général. Mais c'est encore plus difficile lorsque l'expertise demande un investissement d'énergie et d'émotion exceptionnel. A la fin des années 1970, j'ai effectué une série de visites dans les territoires occupés du Moyen-Orient. A l'époque, il ne s'agissait pas seulement de la Cisjordanie et de Gaza, mais également du Sinaï. Les visites étaient faites à la demande du directeur général de l'Organisation mondiale de la santé. Le groupe d'experts était accompagné partout par des militaires israéliens. Il fallait développer des stratégies pour nouer des contacts de confiance avec des interlocuteurs palestiniens et bédouins : insister pour conduire des entretiens en privé, pouvoir visiter tranquillement les cliniques et les hôpitaux, ce qui a été vite apprécié par les collègues palestiniens et accepté par les Israéliens. Je crois, pas très modestement, que mes rapports étaient équilibrés et utiles. Pendant trois années consécutives, ils ont été suivis par des actions des deux côtés et par des fonds débloqués pour des bourses destinées à de jeunes médecins palestiniens, des équipements et des médicaments. Lorsque, après la quatrième visite annuelle, on m'a informé que je ne serais plus accepté par les autorités israéliennes, j'étais perplexe, déçu et, je l'avoue, en colère. Aujourd'hui, plus de vingt-cinq ans après, je suis beaucoup moins sanguin : il s'agissait certainement d'un aléa politique dans les relations complexes entre les parties concernées, mais sur le moment, on est bien sûr affecté par ces désaveux.

Pire encore a été l'expérience faite lors d'une visite des hôpitaux psychiatriques privés au Japon. A l'époque, il y avait un taux extrêmement élevé de patients psychiatriques hospitalisés dont la grande majorité dans des établissements privés : totalement fermés, interdits au public, sans aucune visite de magistrats ou de commissions de surveillance. En 1984, des décès à l'Hôpital Utsonomya ont suscité des allégations d'abus et de négligence. La Commission internationale de juristes a obtenu des autorités japonaises, et notamment des Ministres des affaires étrangères et de la santé, le droit d'accès libre aux établissements psychiatriques, le droit de s'entretenir sans témoin avec tous les patients et d'avoir accès à tout document. Cet accès libre et protocolé allait devenir la pierre angulaire du travail du CPT. Mais, en 1984, il était précurseur : nous en avons fait un principe à l'époque où la Convention n'était qu'un espoir. C'est grâce à cet accès, tout à fait nouveau dans une situation civile, que la mission a pu objectiver, dans une vingtaine d'hôpitaux visités au cours d'un mois, de graves abus. Le rapport a convaincu les autorités japonaises de la nécessité d'une réforme majeure de la législation afin de mieux protéger les patients hospitalisés. Très rapidement, un système d'inspection des hôpitaux et de revues régulières des hospitalisations non volontaires a été mis en place, suivi par le développement de traitements psychiatriques au niveau de la communauté et une lutte contre les discriminations connues par les malades mentaux. Toutefois, cette réussite a été, pour moi, gâchée par les conséquences de notre action pour une jeune psychiatre travaillant dans un des pires hôpitaux visités et qui avait souhaité rencontrer la mission pour détailler les abus dont elle était témoin depuis deux ans. Son récit de mauvais traitements physiques et psychologiques, de malnutrition, de taux élevé de mortalité, de traitements forcés à très hautes doses de neuroleptiques était tout à fait convaincant. Le témoignage consigné dans le rapport était trop détaillé et son employeur a pu l'identifier et la licencier sur le champ. Notre accord avec les autorités ne couvrait pas un tel incident. Je souhaite aujourd'hui réitérer ma reconnaissance à la Dre Michiko Matsuda et à beaucoup d'autres collègues médecins qui collaborent avec des experts étrangers visitant des prisons, des commissariats de police et des hôpitaux psychiatriques ; eux restent sur place et sont souvent très menacés lorsque les experts étrangers partent. Malheureusement, je ne pense pas que la Dre Matsuda soit la seule à avoir subi des conséquences suite à mes visites en tant qu'expert.

Les expertises « humanitaires » sont forcément affectées par les émotions : les reconnaître est le premier pas pour les contrôler

François Naville a certainement eu un frisson d'excitation en prenant le train de nuit de Bâle à Berlin en 1943 et encore plus le lendemain dans l'avion qui l'emmenait jusqu'à Smolensk. Etre parachuté de la vie quotidienne de routine à une telle situation, pouvoir rencontrer des collègues à une époque où il n'y avait aucune possibilité de se réunir et participer à une expertise dont les conséquences historiques étaient déjà évidentes, ont dû provoquer chez Naville des sentiments, des émotions et peut-être des doutes ! Lorsque je volais moi-même dans un avion militaire vers Sharm-el-Cheik en 1976, à l'époque une base militaire israélienne, lorsque j'ai pris l'hélicoptère pour arriver sur l'île d'Imrala où Abdullah Oçalan est emprisonné, lorsque j'ai pris le bateau du port de Nigata au Japon pour voyager vers la Corée du Nord, pays interdit, lorsque j'ai arpenté les trottoirs de Shanghai à l'époque de la Bande des Quatre pour évaluer les services de santé primaires, j'étais motivé non seulement par un esprit scientifique et objectif, mais également par mes émotions et par la conviction d'être impliqué directement dans des événements importants et significatifs.

émotion

Associé au kangi signifiant « intolérance », le kangi japonais pour « aléa », déjà utilisé dans « crise » et « opportunité », devient kigen, « émotion »

Je prétends que c'est en reconnaissant ses émotions que l'on arrive à les contrôler et à éviter les erreurs qui peuvent survenir trop facilement dans de telles situations. L'objectivité est la mieux assurée par la maîtrise de la subjectivité. Je suis convaincu que François Naville était conscient de l'aspect émotionnel de son voyage à Katyn et de sa participation à la Commission. Il savait certainement qu'en contribuant à la recherche de la vérité sur l'affaire de Katyn, il allait aider considérablement les objectifs de propagande du régime nazi qui cherchait à désolidariser les Alliés. Sans doute, sa formation de psychiatre l'avait-elle bien préparé à maîtriser ses émotions, à rendre un rapport juste et conséquent et à rester fidèle à ses convictions et cohérent dans son attitude lorsque l'affaire de Katyn allait rebondir d'une manière si turbulente et douloureuse dans sa vie.

II

DE LA MISSION D'EXPERTS À KATYN À L'AFFAIRE NAVILLE

FROM THE COMMISSION OF INQUIRY TO THE NAVILLE AFFAIR

L'enjeu pour la position internationale de la Suisse de l'enquête de Katyn

par

Paul Stauffer † *

En examinant « l'enjeu pour la position internationale de la Suisse de l'enquête de Katyn », il convient de souligner, d'entrée de jeu, qu'il est question d'une Suisse « au sens large », d'une Suisse englobant le Comité international de la Croix-Rouge (CICR). L'institution humanitaire genevoise, tout international qu'est son champ d'action, se compose, on le sait, de ressortissants suisses exclusivement. La loyauté citoyenne des vingt-quatre personnalités qui en font partie pendant les années 40 du siècle dernier est au-dessus de tout soupçon. Il s'agit, dans une large mesure, de notables s'étant distingués au service de la Confédération, dans le domaine diplomatique ou militaire plus spécialement. On trouve même parmi eux, en la personne de Philippe Etter, un conseiller fédéral en activité, représentant de la raison d'Etat helvétique en pleine sphère humanitaire[41].

---

* Historien, ancien ambassadeur.

[41] Jean-Claude Favez, *Une mission impossible ? Le CICR, les déportations et les camps de concentration nazis*, Lausanne, Payot, 1988, p. 21 et 44-49.

Quant au président du Comité, le professeur Max Huber[42], ancien jurisconsulte du Conseil fédéral et délégué de son pays auprès de la Société des Nations, il fait figure, pendant l'entre-deux-guerres, d'autorité de référence en matière de politique de neutralité suisse. C'est dire que la Berne fédérale et la Genève de la Croix-Rouge sont, pour l'essentiel, liées par une solide unité de doctrine, placée, de part et d'autre, sous le signe de la neutralité. Ce consensus de base n'empêche pourtant pas – nous le verrons – des dissensions sur des cas concrets.

Fort de son image d'instance neutre, le CICR apparaît aux belligérants comme prédestiné à jouer les arbitres, ou tout au moins les enquêteurs, dans des litiges relevant du droit international de la guerre. Max Huber tient à éviter que le Comité international soit chargé de ce genre de mandats délicats, susceptibles de mécontenter tous les Etats concernés et d'affecter négativement leurs rapports avec l'institution genevoise. Dès le début de la guerre, le 12 septembre 1939, il adresse aux puissances belligérantes un mémorandum soulignant que le CICR ne serait en mesure de participer à des missions d'enquête qu'à des conditions très restrictives et seulement sur demande de *toutes* les parties à un conflit[43]. En avril 1943, le Président du CICR se réfère à ce texte dans ses réponses – polies et positives « en principe », mais négatives de facto – aux demandes du Gouvernement polonais en exil à Londres et de la Croix-Rouge allemande[44]. A la différence des Soviétiques, sitôt la découverte du charnier de Katyn connue, en avril 1943, les Polonais de Londres et les Allemands s'adressent presque simultanément, mais indépendamment, au CICR pour lui demander d'envoyer sur place une commission d'enquête[45]. Berlin accuse d'emblée les Soviétiques d'avoir assassiné les officiers polonais, accusation rejetée immédiatement et en termes violents sur les Allemands par Moscou.

Le caractère délicat de tout mandat d'enquête mis à part, les demandes concernant le massacre de Katyn placent le CICR dans une situation particulièrement difficile, presque devant un dilemme. Il s'agit pour le Comité international de se fixer une ligne de conduite compromettant le moins possible le maintien de ses rapports de coopération bien rodés avec la Croix-Rouge allemande d'une part et les chances d'établir enfin des relations suivies avec

---

[42] Peter Vogelsanger, *Max Huber : Recht, Politik, Humanität aus Glauben*, Frauenfeld ; Stuttgart, Huber, 1967 ; Paul Stauffer, *« Sechs furchtbare Jahre... » : auf den Spuren Carl J. Burckhardts durch den Zweiten Weltkrieg*, Zürich, Verlag Neue Zürcher Zeitung, 1998, p. 17 ss. et 284 ss.

[43] ACICR, CL-06/100, « Memorandum sur l'activité du Comité international de la Croix-Rouge en ce qui a trait aux violations du droit international », 12.09.1939.

[44] Communiqué de presse du CICR, avril 1943, in Antoine Fleury, Mauro Cerutti, Marc Perrenoud (éd.), *Documents diplomatiques suisses 1848-1945* [désormais *DDS*], vol. 14 : 1941-1943, Berne, Benteli, 1997, p. 1111.

[45] Paul Stauffer, « Die Schweiz und Katyn », in Paul Stauffer, *Polen-Juden-Schweizer*, Zürich, Neue Zürcher Zeitung Verlag, 2004, p. 187 s.

l'URSS d'autre part. On s'attend, à Genève, à ce que le refus de la demande d'enquête allemande, basé sur le mémorandum de 1939, indispose les autorités du Reich en risquant de mettre durablement en péril l'activité que le CICR exerce depuis des années en Allemagne et dans les pays occupés, en faveur des prisonniers de guerre notamment[46].

La situation se présente très différemment en ce qui concerne l'Union soviétique, puissance avec laquelle le CICR n'a réussi à entrer en contact que sporadiquement depuis 1941. Peu avant que n'éclate la « crise de Katyn », le Comité international avait tenté, pour la énième fois, d'entamer un dialogue avec le gouvernement ou la Croix-Rouge soviétiques. Des approches exploratoires, entreprises auprès des Ambassades soviétiques à Ankara et à Téhéran, donnaient lieu à quelques espoirs[47]. Une participation du CICR à une enquête sur le massacre de Katyn risquait de vouer définitivement à l'échec tout effort de normalisation de ses rapports avec Moscou – normalisation pourtant hautement désirable vu le poids politico-militaire sans cesse grandissant de l'URSS[48].

En renonçant, compte tenu de l'abstention soviétique, à ouvrir l'enquête demandée par les Polonais et les Allemands, le CICR croit avoir ménagé les susceptibilités des Soviétiques et s'efforce de les rendre attentifs à la correction de son comportement. Il s'avère pourtant qu'à Genève, on avait mal jugé la réaction des autorités de Moscou. Feignant l'indignation d'être soupçonnées à tort, celles-ci s'offensent de ce que le CICR ait osé douter du bien fondé de leurs protestations d'innocence en ne rejetant pas purement et simplement toute idée d'enquête. Comme le constate André Durand, historiographe officiel du Comité international, loin d'avoir contribué au rapprochement désiré, « [...] la position prise par le CICR devant les massacres de Katyn [...] nuisit à ses rapports avec l'Union soviétique »[49]. Une détérioration, rappelons-le, due non pas à une attitude critique du CICR envers l'URSS, mais à l'échec d'une tentative, tactiquement mal conçue, de s'assurer les bonnes grâces du Kremlin.

Le problème de la « lacune soviétique » dans le réseau de ses relations internationales, le CICR le partage avec le gouvernement fédéral. Depuis novembre 1918, la Suisse et la Russie n'entretiennent pas de relations diplomatiques. Il paraît probable que l'attitude méfiante, voire hostile, manifestée par les Soviétiques à l'encontre de l'institution humanitaire genevoise soit attribuable, en partie du moins, au fait que celle-ci est perçue à Moscou comme essentiellement suisse. Comme on le sait, la Confédération, accusée

---

[46] Note de dossier Ed. de Haller (DPF), 23 avril 1943, in *DDS*, *op. cit.*, p. 1111 s.

[47] *Rapport du Comité international de la Croix-Rouge sur son activité pendant la seconde guerre mondiale. 1er septembre 1939 – 30 juin 1947*, vol. 1 : « Activités de caractère général », Genève, 1948, p. 445 ss.

[48] Stauffer (1998), *op. cit.*, p. 247 s.

[49] André Durand, *De Sarajevo à Hiroshima. Histoire du CICR*, Genève, Inst. Henry-Dunant, 1978, p. 448.

par les Soviétiques de mener une politique « pro-fasciste », ne réussit pas avant 1946 à rétablir des relations avec la grande puissance communiste[50]. La situation ne se présente pas plus favorablement pour le CICR. Moscou ne sait aucun gré au Comité international d'avoir effectivement fait échouer le projet d'envoi d'une commission d'enquête placée sous ses auspices – attitude qui a sensiblement gêné la propagande nazie dans l'exploitation de l'affaire de Katyn. Dans un message adressé le 21 avril 1943 à Roosevelt et à Churchill, Staline donne une image totalement déformée du rôle du CICR. Il prétend que la Croix-Rouge internationale aurait été forcée de participer à ce qu'il appelle la soi-disant enquête sur Katyn, « farce mise en scène par Hitler »[51].

Ayant, en réalité, failli à obtenir le moindre soutien du CICR, les dirigeants du Reich décident, comme on sait, de mettre sur pied leur propre commission d'enquête sur Katyn. Privé du crédit moral dont aurait bénéficié une commission placée sous le patronage de l'institution genevoise, Berlin met d'autant plus de prix à attirer dans son équipe des experts provenant de pays neutres. La tâche se révèle difficile. En Suède, aucun médecin ne se serait déclaré prêt à accepter l'invitation allemande. Ce désintérêt est-il authentique ou résulte-t-il d'un veto discrètement mis par les autorités du pays ? La même question se pose pour les participants présumés en provenance d'Espagne, du Portugal et de Turquie, dont certains sont arrivés à Berlin, mais qui renoncent in extremis à joindre la commission, invoquant, entre autres, des raisons de santé[52]. A l'époque déjà, des observateurs diplomatiques attribuent ces désistements surprenants à des mots d'ordre émanant de gouvernements s'étant rendu compte sur le tard des implications politiques – c'est-à-dire antisoviétiques – d'un soutien à l'initiative allemande en question[53].

L'expert suisse ayant répondu à l'appel de Berlin, le Dr François Naville, professeur de médecine légale à l'Université de Genève, se voit donc entouré de collègues venant tous de pays soit alliés de l'Allemagne, soit occupés ou satellisés par celle-ci : un Italien, un Finlandais, un Belge, un Hollandais, un Danois, un Hongrois, un Roumain, un Bulgare, etc. François Naville ne s'est apparemment jamais plaint de cette situation. De retour en Suisse après trois jours passés à Katyn fin avril 1943, il remercie le Département politique fédéral (DPF) d'avoir bien voulu « l'autoriser à participer à l'expertise de Katyn ». Cette remarque suscite un démenti de la part du haut fonctionnaire en charge

---

[50] Edgar Bonjour, *Histoire de la neutralité suisse*, vol. V, Neuchâtel, La Baconnière, 1970, p. 365-417 ; Dietrich Dreyer, *Schweizer Kreuz und Sowjetstern : die Beziehungen zweier ungleicher Partner seit 1917*, Zürich, Neue Zürcher Zeitung, 1989, p. 185 s.

[51] *Foreign Relations of the United States* [*FRUS*], vol. III, 1943, p. 390 ss.

[52] Henri de Montfort, *Le massacre de Katyn. Crime russe ou crime allemand ?*, Paris, La Table ronde, 1966, p. 62 ss.

[53] Rapports du Ministère et de l'attaché militaire de Suisse à Berlin, 4 et 5 mai 1943, in *DDS*, *op. cit.*, p. 1116, 1119.

du dossier, rappelant que le département s'était borné à ne pas faire opposition au départ du Professeur[54].

En accordant à celui-ci son *nihil obstat*, Berne a du reste tenu à bien marquer ses distances en rappelant à François Naville qu'il entreprenait son voyage à titre privé et sous sa seule responsabilité[55]. La réserve manifestée à cette occasion par l'autorité fédérale est-elle due à la crainte qu'une participation suisse officiellement consacrée risquait de compromettre davantage encore les rapports helvéto-soviétiques déjà en souffrance ? C'est probable, mais l'évidence documentaire ne permet pas de l'affirmer. Désireux de tirer de leur enquête sur Katyn un maximum d'effets de propagande, les Allemands ne tiennent du reste aucun compte du caractère personnel et privé de la présence de François Naville sur les lieux du crime. Parmi les douze signataires du protocole résumant les résultats de l'enquête – François Naville est mentionné, au même titre que les autres membres de la Commission, comme s'il en avait fait partie en tant que représentant officiel, mandaté par le gouvernement de son pays[56].

Le CICR, auquel François Naville s'est également adressé avant son départ, lui a réservé un accueil moins frais que le DPF. Son interlocuteur, Paul Ruegger, ex-ministre de Suisse à Rome et futur président du CICR, se soucie de ce que le refus *de facto* opposé par le Comité international à la demande d'enquête du Reich ne porte atteinte aux relations entre Genève et Berlin. Il espère que la participation d'un professeur de médecine genevoise à la commission d'enquête d'inspiration allemande amortira l'effet défavorable de la réponse négative du Comité[57]. Alors que la qualité des rapports de celui-ci avec l'Allemagne lui tient à cœur, Paul Ruegger ne semble pas se préoccuper de la cote du CICR auprès des Soviétiques. Cette optique n'est pourtant pas celle de tous les dirigeants de l'institution genevoise. Un Carl Burckhardt, ancien Haut Commissaire de la Société des Nations à Danzig, qui gère normalement les affaires étrangères du CICR, est davantage conscient du problème que pose au Comité international l'Union soviétique, grande absente du réseau de ses relations internationales – une puissance donc, qu'il importe de ne surtout pas contrarier. Carl Burckhardt est prêt à privilégier cet impératif d'ordre politco-humanitaire spontané qui exigerait du CICR d'accorder son attention en priorité aux victimes polonaises du massacre de Katyn[58]. Pendant la phase critique de cette affaire, Carl Burckhardt est en voyage de service au Portugal ; c'est Paul Ruegger qui assure partiellement ses fonctions. Il paraît incertain que

---

[54] *DDS*, *op. cit.*, p. 1116.

[55] Télégramme du DPF à François Naville, Berne, 24 avril 1943 ; *DDS*, *op. cit.*, p. 1112.

[56] Texte du protocole, in Czeslaw Madajczyk, *Das Drama von Katyn*, Berlin, Dietz, 1991, p. 208-213 ; également *DDS*, *op. cit.*, p. 1116-1119.

[57] Cf. *supra*, note 6.

[58] Cf. *supra*, note 8.

François Naville se serait senti encouragé au départ pour Berlin, si Carl Burckhardt et non Paul Ruegger l'avait conseillé.

C'est dire que la présence du médecin légiste genevois à Katyn n'est pas le résultat d'une décision prise après mûre réflexion et une véritable concertation entre les acteurs suisses impliqués. Il s'agit plutôt d'un fruit du hasard et d'une certaine insouciance de la part du Département politique fédéral, responsable en dernière instance. On y réalise qu'il aurait été désirable de connaître la composition de la commission recrutée par les Allemands avant de laisser partir François Naville, mais on omet, par indolence, de se procurer à Berlin le renseignement requis[59].

Le problème que présente Katyn aux responsables suisses consiste, nous l'avons vu, à trouver une conduite qui n'indispose pas trop Berlin sans, pour autant, offenser Moscou. On sait que, côté allemand, le refus du CICR de mener lui-même une enquête provoque quelques grincements de dents – sans plus – de la part de Goebbels notamment[60], alors que la participation de François Naville à l'enquête patronnée par le Reich est saluée avec satisfaction[61]. Côté soviétique, nous avons noté la remarque critique sur le CICR que Staline glisse, plutôt accessoirement, dans son message à propos de Katyn adressé à ses deux collègues anglo-saxons[62]. Par ailleurs, aucune protestation soviétique ne se fait entendre, à l'époque, contre la présence du médecin légiste suisse sur le lieu du crime. C'est presque trois ans et demi plus tard que les communistes genevois déclenchent, au sujet de cette présence, une controverse[63]. Ils sont appuyés par le Ministre soviétique installé depuis quelques mois à Berne. Le chef du DPF, Max Petitpierre, voit les relations diplomatiques avec Moscou, tout récemment rétablies à grand-peine, menacées de nouveau. Il rappelle que plusieurs parmi les membres désignés de la commission d'enquête convoquée par le Reich s'étaient récusés et il insinue que François Naville aurait bien fait de suivre leur exemple[64].

Ce désistement aurait, bien sûr, épargné aux autorités fédérales et genevoises un fâcheux, bien qu'éphémère, épilogue à l'affaire de Katyn. Mais en la personne de François Naville, l'unique neutre aurait disparu du nombre des signataires du protocole résumant les résultats de l'enquête menée à Katyn par cette commission[65]. Sa constatation principale : les officiers polonais ont tous

---

59 Note du dossier Ed. de Haller (DPF), 23/24 avril 1943, in *DDS*, *op. cit.*, p. 1112 s.

60 *Die Tagebücher von Joseph Goebbels*, hg. von Elke Fröhlich, Teil II, Bd. 8, April-Juni 1943, München, K.G. Saur, 1993, p. 143, 153 et 160.

61 Rapport de l'Attaché militaire de Suisse, Berlin, 5 mai 1943, in *DDS*, *op. cit.*, p. 1119.

62 Voir *supra*, note 11.

63 Stauffer (2004), *op. cit.*, p. 198 ss. ; *Mémorial des séances du Grand Conseil*, Genève, 1946, p. 1276, 1282.

64 Archives fédérales suisses [AFS], E 2001 (E) 1/139, lettre de Max Petitpierre à Albert Picot, 10 février 1947.

65 Cf. *supra*, note 16.

été abattus par balle dans la nuque en mars/avril 1940, donc plus d'une année avant que les envahisseurs allemands ne s'emparent de leurs lieux de détention. Si le document en question n'avait été signé que par des ressortissants de pays alliés du Reich, occupés ou satellisés par celui-ci, la véracité de son contenu aurait facilement pu être mise en question. C'est dans une large mesure la signature du Suisse François Naville qui confère au protocole sa crédibilité. Son utilité pour la propagande nazie s'avérera pourtant très limitée. En pleine lutte contre le IIIe Reich, les Anglo-saxons – tout en ne doutant guère de la culpabilité des Soviétiques – ne peuvent pas se permettre une querelle avec le grand allié russe. Mais c'est pendant la période de la guerre froide, plus particulièrement à l'époque du combat mené par l'opposition polonaise d'inspiration syndicale contre le régime communiste, que se révélera le potentiel subversif de ce texte d'apparence pourtant anodine, rédigé en termes médicaux et sans la moindre verve polémique.

Pour les témoins suisses de la Seconde Guerre mondiale, Katyn se situe en quelque sorte sur la ligne de partage des périodes : après Stalingrad, la défaite finale du IIIe Reich paraît certaine, mais l'Allemagne hitlérienne n'a pas cessé, pour autant, d'être perçue comme une voisine redoutable, au comportement imprévisible[66]. L'Union soviétique, quant à elle, apparaît de plus en plus clairement comme le futur grand vainqueur. Sa puissance rapidement croissante est considérée comme d'autant plus inquiétante que la Confédération n'entretient, nous l'avons vu, pas de relations diplomatiques avec elle.

Le manque de détermination qui caractérise l'attitude de la Suisse institutionnelle – que l'on se tourne vers Berne ou vers Genève – face au problème que lui pose Katyn, cette attitude plutôt désemparée, reflète assez fidèlement la position générale d'un pays en mal de repères à un moment où son environnement géopolitique est sur le point de subir de profonds changements.

---

[66] André Lasserre, *La Suisse des années sombres. Courants d'opinion pendant la Deuxième Guerre mondiale 1939-1945*, Lausanne, Payot, 1989, p. 230 ss.

Conditions d'engagements et enjeux personnels de la participation de François Naville à l'enquête de Katyn

par

Delphine Debons*

Le 22 avril 1943, le Dr Steiner, médecin du Consulat d'Allemagne à Genève, contacte le professeur François Naville pour lui offrir de participer à une commission d'experts neutres constituée pour examiner le charnier de Katyn.

Cette offre s'inscrit dans un contexte diplomatique complexe et sert les intérêts propagandistes du IIIe Reich. Elle suit le refus du CICR de désigner des experts pour enquêter sur ce crime. Par sa réponse positive, François Naville adopte une position délicate, d'autant plus qu'il s'engage en son nom personnel. En effet, les institutions qu'il consulte avant sa décision ne souhaitent pas prendre de responsabilités dans cette affaire : « La sollicitation ayant eu lieu entièrement en dehors du Comité international de la Croix-Rouge [...] celui-ci n'a pas d'opinion à émettre à l'égard d'une acceptation éventuelle »[67] répond l'organisation humanitaire genevoise. Quant au Gouvernement suisse, il ne s'oppose pas à un voyage à Katyn pour autant qu'il soit entrepris, comme le

---

* Historienne, assistante de recherche, Faculté des Lettres, Université de Genève.

67 Archives du CICR [désormais ACICR], CL 06-400, « Téléphone du Dr François Naville, vendredi 23 avril 1943 à 8 h. 45 », note signée Jean Pictet.

précise le Département politique fédéral, « à titre privé et sous sa seule responsabilité »[68].

Ces conditions d'engagement, caractérisées par une absence de soutien institutionnel, entraînent François Naville dans l'« affaire de Katyn » qui suit la publication du protocole d'enquête sur les fosses de Katyn signé le 30 avril 1943 en compagnie des onze autres experts de la Commission internationale et qui établit la responsabilité soviétique dans ce massacre. Il subit des attaques contre sa personne à Genève, son lieu de travail et de vie, et une perte de crédibilité scientifique.

Demandes d'enquête déposées auprès du CICR

Afin de bien comprendre la situation diplomatique au 22 avril 1943, un bref rappel des faits est indispensable[69].

Le 15 avril 1943, le gouvernement polonais en exil à Londres prie le représentant en Suisse de sa Croix-Rouge nationale, le prince Stanislaw Radziwill, de solliciter, de manière confidentielle, une enquête du Comité international de la Croix-Rouge sur le massacre de Katyn. Le même jour, le gouvernement allemand, ayant eu vent de cette démarche, fait déposer par sa propre Croix-Rouge une requête allant dans le même sens. En la rendant publique, le service de la Propagande du Reich laisse croire à une action concertée entre les deux requérants et dirigée contre l'Union soviétique. Le 17 avril, le gouvernement polonais dépose à son tour une demande d'enquête au CICR. Il publie également un communiqué de presse afin de préciser ses intentions : il souhaite que la vérité soit établie, mais il « dénie aux Allemands le droit de tirer du crime qu'ils attribuent à d'autres des arguments pour leur propre défense. L'indignation profondément hypocrite de la propagande allemande ne parviendra pas à cacher les nombreux crimes cruels et répétés, et qui durent encore, commis contre le peuple polonais »[70].

Quelques jours plus tard, l'Union soviétique dénonce l'attitude du gouvernement polonais qu'il accuse de connivence avec le IIIe Reich et rompt les relations diplomatiques. La Grande-Bretagne et les Etats-Unis, alliés de l'Union soviétique dans la lutte contre l'Allemagne nazie, voyant d'un mauvais œil cette affaire et tout soutien donné à la propagande allemande, préfèrent garder le silence.

---

[68] ACICR, P FN-003, télégramme de Pierre Bonna à François Naville, 24.04.1943.

[69] Pour une introduction générale au massacre et à l'affaire de Katyn, voir Viktor Zaslavsky, *Le massacre de Katyn : crime et mensonge*, Monaco, Ed. du Rocher, 2003 ; Alexandra Kwiatkowska-Viatteau, *Katyn : l'armée polonaise assassinée*, Bruxelles, Ed. Complexe, 1989 ; Henri de Montfort, *Le massacre de Katyn : crime russe ou crime allemand*, Paris, Presse de la Cité, 1969.

[70] ACICR, CL-07/100, « le massacre des officiers polonais par la Gépéou », coupure de presse tirée du *Journal de Genève* du 19 avril 1943.

Le CICR est ainsi engagé dans un jeu diplomatique complexe. Comment peut-il le contrôler tout en respectant les principes de neutralité et d'impartialité qui lui permettent de réaliser son travail humanitaire ? C'est la question à laquelle les membres du comité sont confrontés.

Le respect de la tradition juridique

Le CICR doit fonder toutes ses décisions sur les Conventions de Genève et les principes juridiques qui en découlent. Le respect de cette règle est le seul espoir pour l'institution humanitaire de faire accepter son travail par les belligérants.

Aussi les juristes du CICR doivent-ils chercher dans la tradition de l'institution les éléments qui lui permettront de justifier une non-intervention du CICR à Katyn puisqu'il est évident pour le Comité international qu'un positionnement comme juge dans cette affaire ne serait pas bienvenu. Si le Comité international participait à l'enquête, son impartialité et sa neutralité ne seraient plus reconnues par les belligérants, ce qui entraverait sa mission première, l'assistance et la protection des victimes de la guerre. Dans l'affaire de Katyn, il est clair que si l'Union soviétique était mise en accusation par le CICR, les démarches entreprises afin d'obtenir des renseignements sur les prisonniers de guerre détenus par les Russes n'auraient plus aucune chance d'aboutir[71]. Une considération plus officieuse entre certainement en ligne de compte : le Comité international a refusé de dénoncer les infractions aux règles de la guerre et aux Conventions commises par les nazis jusqu'alors. Il enfreindrait le principe de réciprocité et s'engagerait donc en faveur de l'un des belligérants en dénonçant un crime soviétique. Car le CICR a peu de doute sur le responsable du massacre de Katyn : il est informé depuis 1940 de la disparition des officiers polonais détenus dans les camps soviétiques de la région de Smolensk. En outre, le 22 avril 1943, il reçoit un rapport de la commission de la Croix-Rouge polonaise travaillant à Katyn qui, sur la base des documents trouvés, établit que les officiers polonais auraient été tués en mars-avril 1940, soit durant l'occupation soviétique de la région[72].

Renée-Marguerite Frick-Cramer, sollicitée sur la question d'une enquête à Katyn, rappelle la position de principe très nette prise par le Comité international dès 1923 lors de l'élaboration du Code des prisonniers de guerre : « La Xe Conférence internationale de la Croix-Rouge de 1921 [...] avait prévu que

[71] Sur les demandes de renseignements sur les prisonniers de guerre détenus par l'URSS, voir dans ce recueil les contributions de Natalia Lebedeva et de Jean-François Fayet. Voir également : André Durand, *Histoire du Comité international de la Croix-Rouge : de Sarajevo à Hiroshima*, Genève, Inst. Henry-Dunant, 1978, p. 434-448.

[72] ACICR, CL-06/200, Télégramme n° 833 de la Croix-Rouge polonaise au président du CICR consigné le 20.04.1943.

le Comité international devrait, en cas de violations, être appelé à diriger une enquête et à provoquer les sanctions contre l'état délinquant. Cependant, le Comité international a très sagement préféré s'abstenir de suivre, sur ce point, les vœux de la Xe Conférence et ne pas revendiquer les compétences très étendues qu'on avait désiré lui confier. »[73]

Cependant, l'article 4 des statuts du CICR de 1930 et l'article 30 de la Convention pour l'amélioration du sort des blessés et malades de 1929 accordent certaines libertés au Comité international pour mener une enquête. Au sujet des dispositions de la Convention de 1929, Renée-Marguerite Frick-Cramer note que « cet article ne remet pas le soin d'organiser cette enquête au Comité international et ne donne pas non plus la charge d'y prendre part. Par contre, l'article 30 pose le principe que cette enquête devra être ouverte 'selon le mode à fixer entre les parties intéressées', ce qui présuppose donc l'accord préalable du gouvernement accusé de violation, en l'occurrence l'URSS »[74].

Confronté dans le conflit italo-éthiopien de 1935-1936 à une demande d'enquête, le CICR avait déjà constaté les risques d'un tel engagement[75]. A la suite de cet épisode, Max Huber, président de l'institution, expliquait en ces termes l'impossibilité pour le Comité international de participer à une enquête et donc d'accuser une des parties en cause : « Même lorsqu'il traite d'infractions aux Conventions ou de quelque acte contraire aux principes humanitaires, le Comité international de la Croix-Rouge n'a aucunement l'intention de s'ériger en juge. Il n'est pas une instance judiciaire et, d'ailleurs, il ne possède pas par lui-même les moyens de procéder aux constatations qui, seules, permettraient de rendre des jugements. Il se borne donc, en règle général, à transmettre la protestation, émanant d'autrui ou de lui-même, à la Société nationale du pays auquel l'infraction ou l'acte inhumain est reproché. [...] A la différence de particuliers librement groupés, ou d'organisations qui ont toute liberté de dénoncer, par des manifestations retentissantes, leurs émotions, [...] la Croix-Rouge, et le CICR en particulier, doivent s'imposer beaucoup de prudence et de sang-froid. Cela, non par indifférence ou manque de courage, mais en raison des responsabilités incombant à un organisme qui doit toujours demeurer en état d'offrir à tous les partis la garantie d'un jugement aussi objectif que possible et d'une action ne prêtant à aucun soupçon de partialité politique ou autre. »[76]

Avec le déclenchement de la Deuxième Guerre mondiale, le projet de révision des Conventions échoue et le CICR est contraint d'établir, dans un mé-

---

[73] Pour de plus amples détails sur la position adoptée par le CICR, voir « Exposé des motifs introductifs au projet du Code des prisonniers de guerre », in *Revue internationale de la Croix-Rouge* [désormais *RICR*], août 1923, p. 784 ss.

[74] ACICR, CL-06/200, « Note sur les appels du Gouvernement polonais et de la Croix-Rouge allemande » signée R.-M. Frick-Cramer, 19.04.1943.

[75] Pour de plus amples informations à ce sujet, voir Durand, *op. cit.*, p. 245-262.

[76] Max Huber, « Croix-Rouge et neutralité », in *RICR*, mai 1936, p. 353-363, p. 359-360.

morandum envoyé aux belligérants le 12 septembre 1939, les principes selon lesquels il peut agir dans le cas d'une demande d'enquête. Il y est dit notamment que le Comité international « ne peut ni ne doit se constituer lui-même en commission d'enquête ou en tribunal arbitral », mais se bornera à désigner des enquêteurs compétents ; et qu'il « ne peut procéder à une enquête [...] qu'en vertu soit d'un mandat qui lui serait confié d'avance par une Convention, soit en vertu d'un accord ad hoc » et à condition que « la procédure d'enquête fourn[isse] toutes les garanties d'une procédure impartiale et donn[e] aux parties les moyens de défendre leur cause »[77].

Le jeu de la diplomatie humanitaire

Ces modalités de participation valent pour une enquête à Katyn et font dès les premiers jours l'unanimité parmi les membres du Comité international. S'abritant derrière des principes juridiques, le CICR fait le choix de la prudence vis-à-vis de toutes les parties. Les réactions allemandes et soviétiques l'inquiètent surtout alors que celle du gouvernement polonais semble moins le préoccuper.

Dès le 16 avril, le CICR répond à la Croix-Rouge allemande qu'il pourra désigner des experts neutres pour l'enquête à condition que toutes les parties en cause donnent leur accord. Afin d'adoucir l'effet de sa réponse, il explique sa position dans divers entretiens avec les consulats allemands de Genève et de Zurich[78]. Il insiste sur le fait qu'une suite positive à la demande d'enquête aurait certainement éliminé toute possibilité d'obtenir des renseignements sur les prisonniers de guerre allemands détenus par l'URSS.

Le CICR souhaite profiter de sa décision dans l'affaire de Katyn pour améliorer ses relations avec l'URSS[79]. Lors d'une séance du 19 avril 1943, le Bureau du Comité international estime que le moment est opportun pour adresser au ministre Molotov une dépêche[80] concernant l'échange de listes de prisonniers de guerre car « le Gouvernement soviétique, informé officieusement par le Gouvernement britannique de l'attitude du Comité au sujet de l'exhumation des officiers polonais, pourrait être enclin à réserver bon accueil à notre demande »[81]. Il semble toutefois que le *Foreign Office* ne soit pas entré en contact avec l'URSS à ce sujet. En effet, le CICR réitère sa demande au

---

77 ACICR, CL-06/100, « Memorandum sur l'activité du Comité international de la Croix-Rouge en ce qui a trait aux violations du droit international », 12.09.1939.

78 ACICR, CL-06/200, « Visite de M. de Kessel à Paul Ruegger le 20 avril à 11 h. 15 », note signée Paul Ruegger, 20.04.1943 ; ACICR, CL-06/300, lettre manuscrite d'Heinrich Zangger, Zürich, 25.04.1943.

79 Sur les difficultés entre l'URSS et le CICR, voir dans ce recueil les contributions de Jean-François Fayet et de Sophie Pavillon.

80 ACICR, G 85, Gouvernement URSS, 1.1, dépêche de Max Huber à Molotov, 19.04.1943.

81 ACICR, CL-06/200, Procès-verbal intitulé « Séance spéciale du 19 avril 1943 », p. 3.

gouvernement britannique une dizaine de jours plus tard. Ce dernier lui répond alors que si l'URSS n'a pas souhaité entrer en relation avec le Comité international, il n'y a pas de raisons pour que celui-ci le fasse, directement ou par tout autre moyen[82]. Aucune réponse de l'Union soviétique n'est enregistrée par le CICR ni sur l'affaire de Katyn, ni sur les renseignements relatifs aux prisonniers de guerre en URSS. Il semble pourtant se satisfaire de cette situation et croire que sa décision de ne pas enquêter pourrait encore améliorer ses relations avec le gouvernement soviétique.

Quant au gouvernement polonais, il est informé officieusement par le gouvernement britannique de la réponse faite par le CICR à la Croix-Rouge allemande le 16 avril, puis reçoit le 20 avril une réponse formulée dans les mêmes termes. Le prince Radziwill, lors d'un entretien au CICR, qualifie la décision de l'institution de « magnifique ». Selon lui, « du côté polonais, on était dès le début très sceptique sur les chances d'obtenir un acquiescement soviétique à la procédure d'enquête préconisée. Il suffirait de constater [...] soit que les Soviets ont fait une réponse négative, soit l'absence de toute réponse »[83]. Il semble pourtant que l'avis du prince Radziwill doit être considéré avec prudence. En effet, les archives polonaises montreraient une certaine déception du côté du gouvernement polonais[84].

Se prémunir en cas d'acceptation de l'URSS : la commission Zangger

Même si le CICR peut supposer, au vu de son attitude vis-à-vis des prisonniers de guerre, que l'Union soviétique ne donnera pas suite aux demandes d'enquête, il se doit d'être prêt afin de montrer que « le Comité n'était aucunement désireux d'esquiver une tâche qui lui aurait été dévolue par la volonté de tous les Etats intéressés »[85].

Ainsi, le 19 avril 1943, le professeur Heinrich Zangger, directeur de l'Institut de médecine légale de Zurich et membre du CICR, est chargé par lui d'étudier un projet de commission d'enquête sur le massacre de Katyn.

Il conseille le CICR sur l'attitude à adopter, confirmant que la meilleure est celle de la neutralité, et élabore une liste d'experts susceptibles de partici-

---

[82] Paul Stauffer, *Polen-Juden-Schweizer*, Zürich, Verlag Neue Zürcher Zeitung, 2004, p. 190-191 ; John Fox, « Der Fall Katyn und die Propaganda des NS-Regimes », in *Vierteljahreshefte für Zeitgeschichte*, (30) 1982, p. 462-499, p. 482.

[83] ACICR, CL-06/200, « Visite du Prince Radziwill à M. Ruegger le 22 avril 1943 à 12 h. 15 », note signée Paul Ruegger, 28.04.1943. Notons que les propos du Prince Radziwill sont retranscrits par Paul Ruegger et ce, une semaine après leur entretien.

[84] Nous n'avons pas consulté les archives polonaises. Cette supposition se base sur une intervention de M. Przewoźnik allant dans ce sens lors du colloque « Katyn et la Suisse ».

[85] ACICR, CL-06/300, Note de Paul Ruegger du 28.06.1943 à l'attention du président Huber, M. Barbey, M. Burckhardt, M. Chenevière, M. Bachmann, M. Duchosal et M. Pictet.

per à une enquête à Katyn. Les critères de sélection sont les suivants : compétences scientifiques et expériences en matière d'exhumation, tact et expérience de la négociation et absence de liens affectifs ou de sympathie unilatérale. Sur cette base, Heinrich Zangger sélectionne des experts de pays restés neutres durant la guerre, mais aussi de pays occupés par l'Allemagne[86] ; il ne semble donc pas considérer que ce statut puisse interférer avec l'objectivité scientifique des experts. Le professeur Orsos de Budapest, futur membre de la Commission internationale réunie par le IIIe Reich, est notamment retenu par Heinrich Zangger. François Naville est également cité parmi les médecins même s'il n'apparaît pas en haut de la liste, notamment en raison de son âge avancé et de son état de santé précaire. Heinrich Zangger le qualifie toutefois d' « homme tranquille et prudent »[87].

Gérer une médiatisation « sauvage »

Si une partie belligérante demande au Comité international de procéder à une enquête, aucune communication au public, ni par voie de la presse, ni par aucune autre voie ne sera faite ou autorisée à ce sujet sans l'assentiment du Comité international de la Croix-Rouge[88].

Dans l'affaire de Katyn, le point 5 du mémorandum du 12 septembre 1939 est violé par les Allemands, aussitôt suivis par les autres parties concernées. Les milieux diplomatiques et l'opinion publique sont donc informés, et généralement mal informés, par une presse qui laisse souvent croire que la participation du Comité international à une enquête est acquise. Citons pour exemple l'*Eclaireur du soir* de Nice qui titre « La Croix-Rouge internationale va enquêter sur l'exécution par les Soviets des 10'000 officiers polonais près de Smolensk »[89] ou *La Suisse* qui note qu' « en ce qui concerne les fosses communes de Katyn, on espère à Londres que l'enquête ouverte par la Croix-Rouge internationale élucidera cette affaire mystérieuse »[90]. Même le communiqué de presse polonais, reproduit dans certains journaux en ses termes exacts, laisse planer le doute en signalant qu'il « serait désirable que le résultat

86 ACICR, CL-06/300, « noms de spécialistes (que je connais) pour l'examen de cadavres », sl, 27.04.1943 (notes manuscrites d'Heinrich Zangger reprises par Paul Ruegger). Les experts cités viennent d'Espagne, du Portugal, du Danemark, de Turquie, de Suède, de Roumanie, d'Italie et de Suisse.

87 *Ibid.*

88 ACICR, CL-06/100, « Memorandum... », *op. cit.*

89 ACICR, CL-07/100, « La Croix-Rouge internationale va enquêter sur l'exécution par les Soviets des 10'000 officiers polonais près de Smolensk », coupure de presse tirée de l'*Eclaireur du Soir*, Nice, du 18 avril 1943.

90 ACICR, CL-07/100, « Les relations polono-russes vues de Londres. On escompte une médiation de l'Angleterre ou des Etats-Unis », coupure de presse tirée de *La Suisse* du 20 avril 1943.

de l'enquête de cette institution protectrice, à qui sera confié le soin d'éclairer la question et d'établir les responsabilités, soit publié sans retard »[91].

D'autres journaux soulèvent le problème d'un tel engagement du Comité international : « Pourquoi se limiter à ce cas ? Depuis le début de la guerre un certain nombre d'horreurs ont été rapportées par les Polonais et d'autres nations [...] que l'on ne peut que s'étonner qu'il n'y ait pas eu recours au zèle de la Croix-Rouge auparavant » constate le *Volksrecht*, journal social-démocrate zurichois[92].

La centaine de lettres reçues par le Comité confirment l'intérêt de l'opinion publique. Un grand nombre d'offres de service provenant principalement de médecins, mais aussi d'autres professions, parviennent au CICR. Le reste du courrier est constitué de mises en garde sur les dangers d'une enquête et d'encouragements à y participer ou de reproches et de félicitations pour l'engagement pris d'enquêter par le CICR. Ces courriers illustrent la confusion et les questionnements éveillés par la presse.

Les délégués sur le terrain s'inquiètent également des rumeurs et interrogations dans les milieux diplomatiques. Une note de la délégation d'Ankara du 22 avril expose le problème : « Les renseignements dont ils [les délégués] disposent sont en général insuffisants, faux ou tendancieux [...] comme ils constituent la source des données répandues dans les milieux diplomatiques locaux, nous devons pouvoir le cas échéant mettre au point ce qui serait manifestement faux. [...] Dans certains cas, notre silence, qui n'a d'autre cause que notre ignorance, pourra être pris pour de l'embarras ou au contraire pour de la complicité. »[93]

Au vu de cette situation, le CICR est obligé d'émettre un communiqué de presse. Dès qu'il pense être sorti de la crise vis-à-vis des gouvernements allemand, soviétique et polonais, il rend sa décision publique. Toutefois, son communiqué de presse reste laconique en proclamant que le Comité international « serait en principe disposé à prêter son concours à la désignation d'experts neutres, à la condition que toutes les parties en cause le lui demandent »[94]. Les extraits du mémorandum du 12 septembre 1939 joints au communiqué ne donnent pas d'éléments plus précis. Cette formulation générale, typique du droit humanitaire international, a ses limites. Le CICR, de peur de circonscrire son action ou de ne pas obtenir l'accord d'une partie, voire de la vexer dans le cas de Katyn, reste le plus souvent vague dans ses directives. Cette attitude peut toutefois se retourner contre lui : le communiqué de presse

---

91 ACICR, CL-07/100, « le massacre des officiers polonais par la Gépéou », *op. cit.*

92 ACICR, CL-07/100, « Eine Frage an das Rote Kreuz », coupure de presse tirée du *Volksrecht*, Zürich, du 21 avril 1943. Extrait traduit par nos soins.

93 ACICR, CL-06/300, note de M. Chalumeau, Délégation de Turquie, à M. Duchosal, CICR, concerne : Front de l'Est, Enquête de Smolensk, Ankara, 22.04.1943, p. 1.

94 ACICR, CL-06/100, communiqué de presse n° 183 du CICR, Genève, 23.04.1943.

du 23 avril 1943 n'éclaire pas tous les esprits, notamment parce qu'à aucun moment il ne cite clairement qu'elles sont les parties dont il attend l'accord. Pour cette raison, certains journaux[95] croient qu'il a accepté de participer ; ils pensent probablement que l'accord de la Pologne et de l'Allemagne est suffisant ou que l'URSS acceptera une enquête.

Cependant, ce type de réaction est exceptionnel : dans sa grande majorité, la presse suisse accueille favorablement la décision du Comité international qui affirme une fois de plus la neutralité de l'institution[96]. Au niveau européen, hors de l'Union soviétique, seule la presse italienne fustige le CICR qui, selon elle, fait preuve de trop de scrupules[97].

L'expertise à titre privé de François Naville : un contre poids au refus du CICR

Lorsque François Naville contacte le CICR, au matin du 23 avril, il le fait sans connaître la décision de l'institution quant à son éventuelle participation à l'enquête sur le charnier de Katyn. Il est fort probable qu'influencé par la presse, il pense que le CICR s'engagera. Pour cette raison, il souhaite obtenir son avis et savoir si, en partant, il manquerait une occasion d'être désigné comme expert par le Comité international.

Dès leur premier téléphone, Jean Pictet – chargé de l'affaire en l'absence de Paul Ruegger – communique à François Naville la décision de non-participation du CICR[98]. Jean Pictet n'est pas informé des démarches des Allemands pour la constitution d'une commission d'enquête. Pour répondre à François Naville, il se base sur ce que celui-ci lui communique, soit que la commission serait composée d'experts des pays neutres, dont la Suède. Le Reich avait réellement demandé la participation d'autres experts de pays neutres, mais tous, d'une manière ou d'une autre, avaient évité un tel engagement[99]. Le CICR ne

---

[95] Voir notamment dans ACICR, CL-07/100 : « Das Internationale Komitee vom Rote Kreuz ist bereit, an der Identifizierung der Leichen von Katyn mitzuwirken », coupure de presse tirée de *Pester Lloyd Ab. Bl.*, Budapest, du 24 avril 1943 ; « L'opinion publique européenne et les atrocités de Katyn », coupure de presse tirée du *Petit Journal*, Paris, du 26 avril 1943 ; « Le charnier de Katyn ou les beautés du régime bolchevique », coupure de presse tirée de *L'avenir du Plateau central*, Clermont-Ferrand, du 1er mai 1943.

[96] Voir les coupures de presse conservées dans : ACICR, CL-07/100.

[97] ACICR, CL-07/100, « Il massacro del bosco di Katyn. La Croce Rossa internazionale ha riposta ai tedesco-polacchi », coupure de presse tirée de *La Stampa di Torino* du 24 avril 1943 ; « Il massacro di Catin. La Croce Rossa aspetta il consenso di Mosca ! », coupure de presse tirée du *Popolo d'Italia*, Milan, du 24 avril 1943.

[98] ACICR, CL-06/400, « téléphone du Dr François Naville, vendredi 23 avril 1943 à 8 h. 45 », signé Jean Pictet.

[99] Alléguant des problèmes de transports, le médecin suédois refuse la proposition allemande. Quant au médecin espagnol, il accepte tout d'abord, mais indisposé à son arrivée à Berlin, il se retire, certainement sur instruction de l'ambassadeur espagnol. Voir : Montfort, *op. cit.*, p. 62 ss.

pouvait pas se douter que François Naville serait le seul représentant d'un Etat réellement neutre et il paraît difficile de reprocher au Comité international de ne pas l'avoir mis en garde à ce sujet. Le CICR n'émet pas de réserves quant à une participation qu'il voit plutôt d'un bon œil puisque, de l'avis même de Paul Ruegger, elle « permettrait d'amortir l'effet de sa réponse à Berlin »[100].

Selon son témoignage ultérieur, confirmé par l'impression laissée à Jean Pictet lors de leur premier entretien[101], François Naville est d'abord réticent à accepter la proposition des Allemands. Les sources laissent apparaître deux raisons principales à ses hésitations.

D'une part, lors de son entretien avec Jean Pictet, François Naville pose la question de l'attitude qu'adopterait le CICR en cas d'accord de l'URSS après que la Commission réunie par l'Allemagne soit partie[102]. Cette inquiétude montre que le médecin genevois craint de manquer l'occasion de partir en tant que « délégué » du CICR, profitant ainsi d'un soutien institutionnel, du prestige du Comité international et participant à une expertise exempte de toute préoccupation politique. Dans la réponse qu'il donne à François Naville, Jean Pictet « n'exclut pas la possibilité que le CICR attribue alors, éventuellement, un certain mandat à la première commission »[103]. Il paraît pourtant peu probable que le Comité international envisage réellement cette possibilité qui pourrait être interprétée comme une « révérence » aux Allemands. Toutefois, cela se veut une réponse rassurante pour un professeur genevois qui regrette probablement de ne pas partir avec l'appui d'une œuvre aussi respectable et « suisse » que le CICR.

D'autre part, François Naville ne souhaite pas rendre service aux Allemands qui utiliseront sans aucun doute les résultats d'expertise pour leur propagande anti-soviétique. Lorsqu'il a été pressenti par le Dr Steiner, il lui a proposé de s'adresser d'abord à d'autres médecins, notamment à Heinrich Zangger, parlant mieux la langue et plus proche du Reich qui lui a récemment offert une chaire de médecine légale[104].

Comme le rappelle François Naville dans sa lettre de justification présentée au Grand Conseil de Genève en 1947, il n'entretient que de l'antipathie pour les Allemands : « je n'ai jamais caché à personne la netteté, je puis même dire la violence de mon hostilité envers les Allemands, depuis 1914 à

---

[100] AFS, E (2001) E, Bd. 139., B.55.11.43b, « Affaire de la fosse commune de Katyn (Smolensk) » rédigée par Edouard de Haller, 23.04.1943.

[101] ACICR, CL-06/400, « Entretien avec le Dr François Naville, vendredi 23 avril 1943 à 14 h. 45 », signé Jean Pictet, p. 2.

[102] *Ibid.*

[103] *Ibid.*

[104] *Ibid.*, p. 1 et ACICR, P FN-023, « Histoire de ma mission à Smolensk », note de François Naville, p. 1 : outre le professeur Zangger, François Naville propose les professeur Schwarz (Zurich), Schönberg (Bâle) et Dettling (Berne).

cause de leur politique extérieure que j'ai toujours considérée comme dangereuse pour la Suisse, et depuis 1933 à cause du comportement des chefs du régime nazi »[105].

Il appartient à la droite genevoise, une droite qui ne cache pas ses penchants francophiles. En outre, durant la Première Guerre mondiale, il s'engage dans les services de psychiatrie de guerre du côté français. Puis, dans les années 1920, il étudie la médecine légale à Lyon. Il entretient donc des liens forts avec la France et baigne dans l'ambiance « anti-boche » de l'époque.

En 1938, lorsque certaines affaires impliquant des étudiants nazis secouent l'université de Genève[106], François Naville, selon ses dires, prend une position ferme auprès du doyen de la Faculté de droit contre les agissements des étudiants nazis[107].

Un brouillon de lettre à l'attention de Gonzague de Reynold rédigé en mai 1943[108] et une lettre envoyée en 1946 à Wilhelm Röpke[109] démontrent sa position tranchée face au problème de la « psychologie allemande » qu'il qualifie de « problème angoissant qui [l']a toujours inquiété »[110]. Selon lui, « la mentalité allemande typique à des traits de névrose. Elle est semblable à ce que nous voyons chez des malades dont les facultés mentales supérieures ne sont pas harmonieusement et suffisamment développées : prédominance des instincts élémentaires et égoïstes sur la raison et les instincts altruistes, manque de vie intérieure et de goût raffinés, manque d'autocritique, carence de la pensée individuelle en comparaison avec le développement de la pensée grégaire, comportement envers les autres comme si l'on ne comprenait pas leur nature et leurs besoins [...] L'intelligence n'a pas suffisamment évolué pour s'adapter aux besoins d'action »[111]. Le problème de l'Allemagne viendrait de sa position géographique qui la place à mi-chemin entre la mentalité russe et la men-

---

105 ACICR, P FN-025, lettre de François Naville à Monsieur le Conseiller d'Etat chargé du Département de l'Instruction publique [Albert Picot], Genève, 24.09.1943, p. 2.

106 Au sujet de ces affaires, voir Marco Marcacci, « Etoile de Salomon, faucille et marteau, croix gammée et croix fédérale », in *Revue du Vieux-Genève*, Genève, n° 15, 1985, p. 51-60.

107 ACICR, P FN-025, lettre de François Naville à Monsieur le Conseiller d'Etat..., *op. cit.*, p. 2. Les documents conservés aux Archives de l'Université de Genève sont peu nombreux et les procès-verbaux des organes décisionnels peu systématiques. Nous n'y avons pas trouvé de confirmation de l'affirmation de François Naville.

108 ACICR, P-FN-018, brouillon de lettre manuscrit de François Naville à Gonzague de Reynold (auteur du livre *D'où vient l'Allemagne ?*), Genève, 09.05.1943 (lettre non envoyée).

109 ACICR, P FN-024, brouillon d'une lettre de François Naville envoyée à Wilhelm Röpke (auteur du livre *Explication sur l'Allemagne*), Genève, 31.01.1946.

110 ACICR, P FN-018, *op. cit.*, p. 1.

111 ACICR, P FN-024, *op. cit.*, p. 3-4.

talité occidentale. Du fait de cette hybridité, le système allemand serait encore « plus inhumain » que le système soviétique[112].

En mai 1943, à quelques jours de son retour de Katyn, François Naville s'inquiète pourtant que ce portrait psychologique angoissant de la « race » allemande soit divulgué. A la fin de sa lettre, il demande en effet à Gonzague de Reynold de respecter la confidentialité de sa démarche : les Allemands ont toujours été corrects à son égard et pourraient encore le solliciter « sur tel ou tel point particulier »[113]. L'opportunité professionnelle semble donc primer sur les convictions idéologiques ; c'est probablement la raison pour laquelle cette lettre est restée à l'état de brouillon. En 1946, la guerre étant terminée et la puissance nazie anéantie, François Naville ne risque plus rien à donner son opinion à Wilhelm Röpke.

Ni les Allemands, ni les Russes ne bénéficiaient donc de la sympathie du médecin genevois lors de l'enquête de Katyn. Seuls les Polonais méritaient son aide, comme le lui rappellent les personnes avec lesquelles il s'entretient au CICR : être expert à Katyn ne signifie pas soutenir la propagande allemande, mais aider les Polonais dans leur recherche de vérité[114].

L'avis du Département politique fédéral : ne pas gêner le CICR

Avant de prendre sa décision, et sur les conseils de Jean Pictet, François Naville consulte également Pierre Bonna, chef de la Division des affaires étrangères du Département politique fédéral, comme le lui conseille Jean Pictet. Pierre Bonna en réfère à son tour à Edouard de Haller, délégué du Conseil fédéral aux œuvres d'entraide, afin de s'assurer que la participation d'un médecin suisse ne gêne pas le CICR alors que le sort de la demande d'enquête qui a été adressée à l'institution n'est pas défini[115]. Edouard de Haller peut le rassurer sur ce point après s'être entretenu avec Paul Ruegger. Ce dernier lui signale que la participation de François Naville à une enquête à Katyn serait, de son avis, plutôt positive pour le CICR[116]. Aucune autre objection majeure étant soulevée, et sans plus d'informations sur la commission d'enquête, Pierre Bonna et Edouard de Haller ne voient aucune raison de s'opposer à ce que François Naville entreprenne ce voyage à titre privé et sous sa seule responsabilité. C'est la réponse que Pierre Bonna lui donne par télégramme le 24

---

[112] *Ibid.*, p. 2-6. Rappelons que la théorie de François Naville, si elle peut choquer aujourd'hui, suit toutefois les théories sur les races, courantes au milieu du XXe siècle.

[113] ACICR, P FN-018, *op. cit.*, p. 2.

[114] ACICR, P FN-025, lettre de François Naville à Monsieur le Conseiller d'Etat..., *op. cit.*, p. 3.

[115] AFS, E (2001), bd. 139, B.55.11.43b, entretien du 23.04.1943.

[116] *Ibid.*

avril[117]. De même, les autorités militaires lui accordent sans tarder l'autorisation de quitter le territoire suisse[118].

Ainsi, ni les autorités fédérales ni le CICR ne conseillent à François Naville d'accepter l'offre allemande. Ils n'émettent cependant aucune réserve et le CICR, par la voix de Paul Ruegger, s'emploie à montrer les côtés positifs de cette proposition. La gestion de cette crise semble d'ailleurs satisfaire Paul Ruegger et Heinrich Zangger qui estiment que « jusqu'à ce jour, tout s'est déroulé le moins défavorablement possible pour le Comité. La présence d'un Suisse romand parmi les 12 experts est également plutôt favorable d'autant plus que Naville est un homme prudent »[119]. En 1943, le Département politique fédéral ne semble pas non plus aller à l'encontre de la décision de François Naville même s'il tient à lui préciser clairement qu'il n'est pas parti comme représentant de la Confédération. Le 13 mai 1943, accusant réception du protocole d'enquête que lui transmet François Naville, Pierre Bonna lui répond en des termes amicaux même s'ils sont réservés : « Nous nous félicitons que vous ayez tiré un profit scientifique de cette expertise, à laquelle vous avez pris part à titre privé et sous votre responsabilité, et que vous ayez trouvé à votre voyage, que nous n'avions pas qualité pour autoriser mais auquel nous n'avions pas non plus de raison de nous opposer, les satisfactions que vous en attendiez. »[120]

François Naville part à Katyn à titre privé, mais avec le sentiment d'avoir obtenu l'approbation des autorités fédérales et du CICR. C'est avant tout par intérêt professionnel et par devoir éthique qu'il participe à cette enquête. S'il était parti sous la protection d'une institution telle que le CICR, cette expertise n'aurait certes pas eu les mêmes retombées pour lui.

L'avis d'Heinrich Zangger sur la Commission internationale d'experts

Après que la Commission internationale d'experts réunie par le IIIe Reich ait rendu ses conclusions, le CICR peut encore être mandaté par toutes les parties. Pour se préparer à une telle éventualité, le Comité international demande à Heinrich Zangger son avis sur la commission internationale d'experts et sur ses conclusions consignées dans le protocole d'enquête qu'elle a signé

[117] ACICR, P-FN-003, télégramme de Pierre Bonna (DPF) à François Naville, 24.04.1943.

[118] ACICR, CL-06/400, lettre manuscrite de François Naville à Jacques Chenevière, Genève, 25.04.1943 ; AFS, E (2001), bd. 139, B.22.11.43a, note d'Edouard de Haller pour M. le Conseiller fédéral Petitpierre, 30.01.1947.

[119] Voir dans ACICR, CL-06-300 : lettre de Paul Ruegger à Heinrich Zangger, 03.05.1943, p. 2 ; lettre d'Heinrich Zangger à Paul Ruegger, Zürich, 04.05.1943. Traduction par nos soins.

[120] AFS, B.55.11.43b, lettre de Pierre Bonna (DPF) à François Naville, Berne, 13.05.1943.

le 30 avril 1943. Ses réflexions exposent les limites de cette commission et donc les critiques qui pourront être formulées envers François Naville[121].

Heinrich Zangger signale au CICR qu'outre les professeurs Palmieri et Orsos qui sont des spécialistes compétents en matière d'exhumation, il ne connaît pas les autres participants qui sont pour la plupart plus jeunes que lui. Il s'étonne de leurs compétences limitées dans le cadre d'une expertise médico-légale de ce type puisque parmi eux se trouvent des spécialistes en pathologie, un ophtalmologue et des assistants. Il note également que, hormis l'expert suisse, les participants sont ressortissants de pays occupés par l'Allemagne et s'interroge sur l'absence de Suédois, de Turcs, d'Espagnols, de Portugais ou d'Argentins. Heinrich Zangger commente ensuite l'expertise relevant les points sensibles et les questions sans réponses. Sur cette base, il conclut que la position de neutralité du Comité international n'a pas besoin d'être modifiée. Il note également que la tâche du CICR, s'il était mandaté, serait des plus délicate. Il s'agirait de répondre aux questions laissées en suspens par les précédentes commissions d'enquête. En outre, l'expertise serait compliquée par la disparition de certaines preuves et les modifications de l'état initial du site suite au passage d'un grand nombre de personnes sur celui-ci[122].

Retombées de l'expertise de Katyn sur la vie personnelle et professionnelle de François Naville

Si, en mai 1943, lorsque le protocole de la Commission internationale est rendu public, la presse fait majoritairement de François Naville, le garant de l'objectivité de la commission[123], il semble que parmi ses collègues, il soit déjà vivement critiqué, comme le relève Heinrich Zangger dans une note au CICR[124]. Dès son retour de Katyn, François Naville sait que sa crédibilité s'effrite au sein de sa profession. En août 1945, il est évincé de la présidence du Congrès français de médecine légale à laquelle il peut prétendre. Une très vive résistance, tant du côté suisse que du côté français, serait apparue en raison de la « fameuse affaire de Katyn », comme l'indique le Dr Georges de Morsier dans une lettre à François Naville[125].

---

[121] Dans ACICR, CL-06-500, voir diverses notes d'Heinrich Zangger dont : lettre manuscrite [à Paul Ruegger], 11.05.1943 ; lettre manuscrite à Max Huber, 11.05.1943 ; notes manuscrites « Massengraben Katyn-Smolensk », sans date ; notes « Zur Frage der Begutachtung der Massengräber von Katyn. Auf Grund der Erfahrungen bei Exhumationen zu Handen von Herrn Minister Ruegger », 01.06.1943.

[122] *Ibid.*

[123] ACICR, P FN-056, divers articles de presse relatant les conclusions de la Commission internationale d'experts réunie par l'Allemagne citent uniquement le nom de François Naville, expert suisse de renommée internationale.

[124] ACICR, CL-06/500, lettre d'Heinrich Zangger à Paul Ruegger, Zurich, 11.05.1943.

[125] ACICR, P FN-111, lettre manuscrite du Dr Georges de Morsier à François Naville, Genève, 28.08.1945.

A cela s'ajoutent les attaques personnelles lancées par les communistes, à Genève, son lieu de vie et de travail. En 1944, le démenti par une commission russe des conclusions d'enquête signées par Françis Naville en 1943 puis, en 1945, le témoignage du Professeur Markov devant le tribunal du peuple de Sofia leur offrent des arguments pour remettre en question l'intégrité du professeur. Dès 1944, des papiers signés « Comité de vigilance » sont distribués dans les boîtes aux lettres genevoises[126]. Ils prétendent que François Naville se serait rempli les poches de marks dans l'affaire de Katyn. En mars 1945, un article du *Bulletin socialiste* somme François Naville de prendre la parole car « le peuple de Genève a le droit de savoir si un de ses hauts fonctionnaires fut le complice d'une bande d'assassins et de criminels sadiques. [...] S'il a failli à son devoir de citoyen suisse et de l'homme de science qu'il était prétendument, il peut s'apprêter à voir bientôt sa carrière sérieusement compromise »[127]. En septembre 1946, Jean Vincent, député du Parti du Travail, reprend ces accusations lors d'une séance du Grand Conseil genevois[128].

L'attitude de François Naville : l'obsession de la réhabilitation

Jusqu'à cette affaire, François Naville ne répond plus à aucune sollicitation publique[129]. Comme il le dit lui-même, il ne fait pas de politique et n'est pas un propagandiste. Sûr de ses conclusions techniques, n'ayant trouvé aucun argument contraire au fait que le massacre date du printemps 1940, il n'estime pas nécessaire de répéter ce qui est dans le rapport de 1943. C'est la réponse qu'il donne à l'avocat chargé de la défense de Goering lorsqu'il lui demande de témoigner au procès de Nuremberg.

Après la signature du protocle d'expertise de Katyn, il ne laisse pas son enquête sur ce massacre de côté. Bien au contraire, les nombreuses publications et coupures de presse annotées qui sont regroupées dans son fonds d'archives montrent qu'il se documente sur le contexte historique pour appuyer ses constatations techniques et analyse avec soin les nouveaux renseignements fournis. Toutes les erreurs sont traquées, toutes les questions en suspens relevées et analysées, toutes les confirmations des conclusions de la Commission internationale collectées. A plusieurs reprises, François Naville rédige des notes précisant ses raisons de participer à l'enquête, reprenant ses conclusions

---

[126] ACICR, P FN-020, lettre de François Naville à Charles-L. Curtet, Genève, 28.04.1944.

[127] ACICR, P FN-025, « Chronique de l'épuration – La parole est à M. le professeur Naville », coupure de presse tirée du *Bulletin socialiste*, Genève, mars 1945.

[128] Au sujet de l' « Affaire Naville » au Grand Conseil de Genève, voir dans ce recueil les contributions de Michel Caillat et de Kazimierz Karbowski qui exposent largement ces éléments.

[129] Notons qu'il transmet à Charles Curtet, conseiller municipal de la commune de Lancy et membre du Parti du Travail, un rapport sur son expertise à Katyn, croyant que les tracts du Comité de vigilance sont son œuvre. ACICR, P-FN-020.

médico-légales, les conditions d'expertise à Katyn, les contre-arguments à la thèse russe. Le fonds privé de François Naville montre que, depuis avril 1943, le rétablissement de la vérité sur son intégrité et ses compétences professionnelles est devenu une préoccupation quasi obsessionnelle.

Face à l'attaque lancée par le député Jean Vincent au Grand Conseil de Genève, qui demande la démission du professeur François Naville, ce dernier reste encore prudent en adressant à Albert Picot, chef du Département de l'instruction publique et vice-président du Conseil d'Etat, son principal défenseur devant le Grand Conseil, une lettre de justification de 14 pages contenant les circonstances de son engagement et les commentaires techniques de l'expertise[130]. Il laisse le soin à Albert Picot de choisir la manière d'agir pour contrer ce que tous deux considèrent comme des attaques contre l'honneur du professeur.

Contre l'avis de Max Petitpierre, chef du Département politique fédéral, qui le met en garde contre toute nouvelle polémique[131], Albert Picot lit en séance du 18 janvier 1947 de longs extraits de la lettre de François Naville récusant les accusations de Jean Vincent. Pour la sauvegarde des relations diplomatiques avec l'URSS, Max Petitpierre, et avec lui les autorités fédérales, prennent leurs distances avec l'Affaire de Katyn et François Naville[132]. Edouard de Haller, à qui Max Petitpierre demande un rapport sur son attitude en 1943, s'affranchit également de toute responsabilité : « J'ai le sentiment très net – et mon entourage en a conservé un souvenir précis – d'avoir été personnellement convaincu de l'inopportunité de la participation d'un Suisse à l'enquête de Katyn et de ne pas avoir été seul à penser ainsi. Je me souviens également que le Prof. Naville était positivement emballé, par intérêt scientifique, et que si on l'avait invité à renoncer, il l'aurait proclamé »[133]. Nous constatons que dans les documents consultés la position d'Edouard de Haller en 1943 n'apparaît pas telle que décrite quatre ans plus tard.

En 1952, une commission du Congrès américain décide de rouvrir l'enquête sur les fosses de Katyn. Parmi une multitude de témoignages, ceux des experts de la Commission internationale sont sollicités. Les Dr Palmieri, Tramsen, Birkle et Miloslavitch acceptent[134]. François Naville demande l'autorisation du Département politique fédéral qui lui répond cette fois de

[130] ACICR, P-FN-025, Lettre de François Naville à Monsieur le Conseiller d'Etat..., *op. cit.*
[131] AFS, E (2001), Bd. 139, B.55.11.43a, lettre [de Max Petitpierre] à Albert Picot, 24.10.1946.
[132] A ce sujet, voir la contribution de Paul Stauffer dans ce recueil et AFS, E (2001), Bd. 139, B.55.11.43a, lettre de Max Petitpierre au Conseil d'Etat de Genève, 10.02.1947.
[133] AFS, E (2001), Bd. 139, B.55.11.43a, Note pour M. le Conseiller fédéral Petitpierre, par Edouard de Haller, 30.01.1947.
[134] ACICR, P FN-29, « Enquête américaine sur Katyn », notes de François Naville, sans date.

manière limpide qu'il ne voit pas d'un bon œil sa participation même s'il ne peut pas l'empêcher[135].

Dans sa lettre, Alfred Zehnder, chef des Affaires politiques, explique dans les détails la situation politique du moment. L'enquête est ouverte en pleine guerre de Corée dans laquelle le sort des prisonniers de guerre américains est catastrophique. Les Etats-Unis souhaitent sans aucun doute utiliser le massacre de Katyn perpétré par les Soviétiques pour dénoncer le sort de leurs prisonniers en mains coréennes. A ce stade de la lettre, François Naville note un « qu'en sait-il ? ». Pourtant, les événements confirmeront la version d'Alfred Zehnder puisque le rapport du congrès signale que « Katyn peut fort bien avoir été un 'bleu' pour la Corée. Avant d'être abattus d'un coup de feu à la tête, les officiers polonais avaient eu les mains liées derrière le dos, selon la manière distinctive employée dans le cas des prisonniers de guerre américains assassinés en Corée. [...] Tout comme les Soviets refusèrent pendant deux ans de dire ce qu'étaient devenus les officiers polonais disparus, de même les communistes en Corée n'ont pas encore dit ce que sont devenus tous les soldats des Nations Unies qu'ils ont capturés »[136]. En outre, il demande la traduction de l'URSS devant la Cour internationale de Justice et l'ouverture d'une enquête sur l'ensemble des crimes en masse.

François Naville témoigne tout de même devant la commission du Congrès américain. Il reprend les constatations techniques de 1943 et redit l'impartialité des conclusions de la Commission internationale. Il insiste sur la correction des Allemands présents à Katyn lors de l'enquête, présente ses contre-arguments à la thèse russe et avance des arguments historiques appuyant sa conclusion de 1943. Citant ses sources, il rappelle notamment la disparition depuis 1940 des officiers polonais des camps de la région de Katyn et les démarches entreprises pour les retrouver[137]. Malgré l'utilisation faite par la propagande américaine, il est clair que l'enquête de la Commission du Congrès américain est un grand pas vers la reconnaissance de la culpabilité soviétique et vers la réhabilitation du jugement scientifique de François Naville. Après ce témoignage, les sollicitations relatives à l'enquête de Katyn deviennent d'ailleurs de plus en plus nombreuses : demandes de vérifications relatives à une identification d'un officier polonais disparu, invitations à des cérémonies commémoratives, requêtes d'historiens amateurs et professionnels, etc. François Naville entre-

[135] ACICR, P FN-29, lettre d'Alfred Zehnder (DPF) à François Naville, Berne, 18.04.1952.

[136] ACICR, P FN-63, « Le massacre de Katyn », coupure de presse du lundi 7 juillet 1952, journal non identifié. L'article cite les extraits du rapport de la Commission du Congrès américain reproduit ci-dessus.

[137] ACICR, P FN-29, Lettre de François Naville à Foster Furcolo, 11.02.1952. Avant de se rendre à Francfort pour un témoignage oral, François Naville envoie un premier témoignage écrit à la Commission du Congrès américain. Notons qu'il le fait avant même de demander l'avis des autorités fédérales.

tient notamment une correspondance suivie avec Henri de Monfort et, après sa mort, avec sa femme, au sujet de son livre *Le massacre de Katyn. Crime russe ou crime allemand ?* qui paraît en 1969 et offre une large place à l'expertise de François Naville.

Une fois encore en 1952, François Naville s'engage sans tenir compte du contexte politique et de la manipulation possible de son témoignage. Faut-il, par conséquent, conclure à une naïveté politique de François Naville ? Un journaliste de *La Suisse* écrivait à ce sujet en 1963 que « la trop grand promptitude de son jugement, et aussi la répugnance scrupuleuse qu'il éprouvait à utiliser des ruses qu'en pareils cas on nomme habiletés, le [conduisirent] à quelques erreurs, qui échappaient d'ailleurs au domaine scientifique »[138].

Certainement, François Naville n'avait-il pas un sens politique aigu et aurait pu prendre en considération la personnalité de son mandataire avant d'accepter cette mission, mais une expertise médico-légale dans une crise humanitaire ou un conflit international ne s'effectue-t-elle pas forcément sur un terrain diplomatique miné, au cœur de conflits d'intérêts ? François Naville, comme expert, ne doit-il pas en être conscient sans que cela l'empêche d'intervenir ? C'est du moins cette conviction qui l'a dirigé à Katyn ; il le dit clairement en conclusion de sa lettre de justification au Grand Conseil genevois : « Quant à nous, médecins-légistes, c'est notre droit et notre devoir dans notre modeste secteur, de chercher avant tout à servir la Vérité dans les conflits où les parties servent parfois d'autres maîtres. Et nous devons le faire sans faiblesse envers les sollicitations de quiconque, sans égards pour les critiques et l'hostilité de ceux qui gênent parfois notre objectivité et notre impartialité. »[139]

Quant à nous, historiens, il n'est pas de notre compétence de juger la justesse du choix de François Naville, ni la sincérité de ses propos tenus a posteriori. Tout au plus, pouvons-nous constater que le choix était sans doute pour l'expert suisse plus libre et moins contraignant que celui des autres experts engagés dans la Commission internationale réunie par le IIIe Reich.

[138] Archives d'Etat de Genève, Fonds DIP, Dossier personnel « François Naville (1883-1968) », « Le professeur François Naville a 80 ans », coupure de presse tirée de *La Suisse* du 14.06.1963.

[139] ACICR, P FN-025, Lettre de François Naville à Monsieur le Conseiller d'Etat…, *op. cit.*, p. 13.

« L'affaire Naville » : enjeux politiques genevois

par

Michel Caillat[*]

« ***M. Picot***. [...] Je ne veux rien dire de plus. J'ajouterai seulement que c'est une Pologne libre, un gouvernement polonais nommé suivant les voies démocratiques, avec des élections faites en toute liberté, sans aucune arrestation de candidats, c'est cette Pologne qui pourra, un jour, rechercher la vérité. Quand ce gouvernement polonais libre nous aura dit quelle est la vérité, nous nous inclinerons, car nous ne sommes pas juges de l'affaire de Katyn.

M. Vincent. Je n'ajouterai qu'une seule remarque. Nous ne sommes pas juges, en effet, de l'affaire de Katyn. J'ai répondu à quelques allégations du professeur Naville ; mais même si nous ne voulons pas juger l'affaire de Katyn, même si nous ne voulons pas entrer dans les détails ni de cette pseudo-expertise organisée par l'Allemagne hitlérienne, ni du rapport de la commission d'experts soviétiques, il n'en reste pas moins ce fait brutal que la seule présence du professeur Naville dans cette commission d'enquête, lui donnait la consécration d'une commission d'enquête neutre. [...]

Si donc il n'y avait eu que des professeurs appartenant à des pays de l'Europe occupée, personne n'aurait prêté attention à cette expertise de Katyn. Ç'aurait été, comme vous le dites vous-mêmes, un instrument de

[*] Historien, Université de Genève.

guerre de la propagande allemande. *Ce qui fait qu'on lui a accordé, malgré tout, une certaine attention, ce qui fait qu'on lui a donné, malgré tout, un certain crédit, c'est précisément la présence du professeur Naville. Et c'est contre cela, précisément, que nous protestons ; c'est pour cela que nous demandons au professeur Naville de tirer les conséquences de la très grave erreur qu'il a commise. (Applaudissements à l'extrême gauche.)* »
(*Mémorial des séances du Grand Conseil*, Genève, 1947, Séance du 18 janvier 1947, p. 53-54).

Une interpellation du député communiste Jean Vincent « sur l'activité d'un professeur de l'Université »...

Lors de la séance tenue par le Grand Conseil genevois le 11 septembre 1946, le député Jean Vincent, une des figures majeures de la section locale du Parti suisse du Travail, interpellait le Conseil d'Etat au sujet du rôle joué par le Dr François Naville, directeur de l'Institut de médecine légale de Genève et professeur à l'Université de la ville, dans ce qu'il désignait comme « une affaire devenue tristement célèbre sous le nom de 'massacre de Katyn' »[140]. Au printemps 1943, rappelait Jean Vincent, une expertise internationale dirigée par les Allemands avait attribué aux Russes la mort de quelque 12'000 officiers polonais dont les fosses qui contenaient leurs corps, situées dans la forêt de Katyn, près de Smolensk, avaient été découvertes par la Wehrmacht. Le député soulignait que, parmi les médecins légistes invités, il ne s'était trouvé qu'un seul représentant d'un Etat neutre à avoir accepté de collaborer à cette entreprise, le Dr Naville précisément, les autres provenant soit de pays occupés par le Reich, soit d'Etats alliés à celui-ci[141]. L'élu communiste ajoutait que « les commissions d'enquête instituées après la fin de la guerre » – par les Soviétiques, aurait-il dû préciser – avaient « pu établir que le massacre de Katyn était, incontestablement, l'œuvre des Allemands ». Vincent croyait d'ailleurs en lire la confirmation dans les déclarations du professeur Markov, de Sofia, au cours du procès intenté contre lui en février 1945 par un tribunal bulgare pour sa participation à l'expertise allemande de 1943. Selon une in-

[140] Sur cette interpellation et ses suites politiques, voir « Die Schweiz und Katyn », in Paul Stauffer, *Polen – Juden – Schweizer*, Zürich Verlag Neue Zürcher Zeitung, 2004, p. 198-208.

[141] L'affirmation de Vincent n'était pas tout à fait exacte dans la mesure où un médecin espagnol avait également fait le voyage, mais jusqu'à Berlin seulement. N'ayant pas supporté le vol qui l'avait amené dans la capitale allemande, et le trajet jusqu'à Smolensk devant s'effectuer également par avion, il s'était déclaré malade. Archives du CICR [désormais ACICR], P FN / 23, [François Naville], « Histoire de ma mission à Smolensk – Notes de voyage », non paginé. Le 4 mai 1943, le ministre de Suisse à Berlin, Hans Frölicher, rapporte au chef du Département politique fédéral, Marcel Pilet-Golaz, que, d'après une source diplomatique, le représentant du gouvernement franquiste dans la capitale du Reich aurait conseillé au médecin espagnol de ne pas se rendre à Smolensk. Antoine Fleury, Mauro Cerutti et Marc Perrenoud (éd.), *Documents diplomatiques suisses 1848-1945*, volume 14 : « 1941-1943 », Berne, Benteli, 1997, p. 1116.

formation alors publiée notamment par la *Gazette de Lausanne*, le professeur Markov s'était défendu devant ses juges en affirmant que ses collègues et lui avaient travaillé sous la contrainte de la Gestapo et qu'ils s'étaient vus obligés de signer le procès-verbal des constatations établies par les Allemands, bien qu'ils aient estimé la thèse de la culpabilité soviétique incompatible avec l'état des cadavres[142]. Vincent concluait son intervention en demandant dans quelles conditions s'était déroulée la mission du médecin légiste genevois. Le Conseil d'Etat l'avait-il autorisée et le Dr Naville avait-il été rémunéré par le gouvernement du Reich ? [143]

Albert Picot, alors en charge du Département de l'instruction publique et vice-président du Conseil d'Etat, protestait aussitôt de l'honorabilité, de la compétence professionnelle et de l'indépendance d'esprit du savant. Naville s'était en effet assuré auprès du Département politique fédéral qu'il ne contrevenait pas à la neutralité helvétique en se rendant en Allemagne « pour faire une expertise de cette nature, expertise qui ressortissait à sa profession ». Il était allé à Katyn « avec d'éminents collègues d'universités européennes », soulignait le conseiller d'Etat, et avait agi « en toute liberté ». Quant à la question de savoir si, à la lumière des examens faits depuis « par d'autres personnes », le professeur maintenait son jugement de l'époque, Picot déclarait que cette question ne concernait pas les autorités genevoises mais le seul Naville. L'honneur de celui-ci ayant toutefois été mis en cause par le député communiste, qui l'accusait d'avoir travaillé « sous la pression des autorités allemandes – ou même de l'or allemand – », le magistrat annonçait son intention de solliciter un rapport de la part du médecin[144].

Reprenant la parole, Vincent s'attachait à montrer le caractère peu scientifique de l'expertise de 1943 en se fondant sur le communiqué publié par Berlin au retour des médecins légistes[145] et prétendait que toute l'affaire n'était qu'une manipulation, orchestrée par les responsables du Reich dans le but de rejeter sur les Russes la responsabilité d'un massacre qui portait à l'évidence leur signature. Il opposait à cette grossière mise en scène le sérieux de l'enquête menée ultérieurement par les Soviétiques. Et il terminait par ces paroles :

---

[142] Vincent, ironisant sur le caractère « sans doute peu suspect » que revêtait la *Gazette de Lausanne* aux yeux de la majorité de ses collègues, omettait de dire que celle-ci, tout comme le quotidien genevois *La Suisse*, s'était bornée à reproduire dans son édition du 22 février 1945 une dépêche de l'Agence bulgare d'information. ACICR, P FN / 25, « Rapport de F. Naville à A. Picot, en charge du Département de l'instruction publique, 24 septembre 1946 », p. 8.

[143] *Mémorial des séances du Grand Conseil*, Genève, 1946, p. 1275-1276.

[144] *Ibid.*, p. 1279-1281.

[145] « L'affaire de Katyn – Une mission de médecins légistes », *Journal de Genève*, 4 mai 1943, p. 6. On y lit notamment la phrase suivante : « Grâce à des lettres et à des papiers qu'ils portaient sur eux [les officiers polonais], on a conclu que leur mort remonterait au mois de mars ou d'avril 1940. »

« Nous ne sommes pas fiers qu'un de nos compatriotes ait prêté la main à cette machination ; nous pensons que sa place n'est plus à l'université. Même si, en 1943, le Département politique fédéral l'a autorisé à faire ce voyage, sa conscience de citoyen aurait dû le lui interdire. »[146]

À vrai dire, l'interpellation du député ne constituait une surprise ni pour Naville, ni pour le Conseil d'Etat. Au lendemain des déclarations du professeur Markov à son procès, un rédacteur anonyme – probablement Vincent lui-même – avait fait paraître dans le *Bulletin socialiste* de mars 1945 un vigoureux pamphlet mettant en cause l'impartialité de l'enquête à laquelle Naville avait cru bon de prêter son concours et où il sommait le professeur de s'expliquer[147]. Celui-ci ne s'était cependant pas départi de sa réserve, une attitude qu'il avait adoptée depuis le retour de sa mission à Katyn, et le parti du Travail avait, semble-t-il, renoncé depuis à poursuivre la campagne amorcée contre lui.

...qui intervient dans un contexte délicat...

En s'en prenant publiquement à une personnalité de l'élite genevoise, Vincent poursuit essentiellement deux objectifs : défendre tout d'abord l'image de champion de l'antifascisme que s'est acquise l'Union soviétique à la fin de la Deuxième Guerre mondiale jusque dans les milieux modérés ; attaquer ensuite la bourgeoisie sur ses éventuelles compromissions avec le fascisme ou, à tout le moins, la complaisance que certains de ses membres avaient pu montrer à l'égard des régimes qui s'en réclamaient.

À cet égard, l'interpellation de Vincent s'inscrit dans un contexte particulier dont il importe de dire quelques mots. Contrairement à la situation prévalant dans les pays voisins, les responsables politiques helvétiques auxquels incombe la tâche de défendre la place de la Suisse dans l'Europe de l'après-

---

[146] *Mémorial des séances du Grand Conseil*, Genève, 1946, p. 1280-1282.

[147] ACICR, P FN / 26, coupure de presse : « Chronique de l'épuration – La parole est à M. le professeur Naville », *Bulletin socialiste*, mars 1945. En voici la conclusion : « Mais le peuple de Genève a le droit de savoir si véritablement l'un de ses hauts fonctionnaires fut le complice d'une bande d'assassins et de criminels sadiques qui se servirent de son autorité et du renom de la Suisse pour tenter de camoufler leurs épouvantables forfaits. M. Naville était le ressortissant d'un Etat neutre ; il ne devait connaître d'autre devoir que l'impartialité et l'honnêteté. S'il a failli à ce devoir du citoyen suisse et de l'homme de science qu'il était prétendument, s'il est parti à Smolensk, aux frais des Services de propagande hitlériens, non pas pour faire une expertise mais pour couvrir du crédit moral et scientifique qu'était censée avoir son opinion les sinistres machinations de la Gestapo et des tortionnaires SS, il peut s'apprêter à voir bientôt sa carrière sérieusement compromise. Nous n'avons pas de place dans notre Université et dans notre administration pour ceux qui trahissent les devoirs de leur charge. Nous n'avons que mépris pour ceux qui souillent le visage de notre pays et pataugent dans la boue sanglante des fosses communes hitlériennes aux côtés des tueurs de Himmler. Nous ne doutons pas que M. le professeur Naville tienne énormément à se justifier sans retard devant l'opinion publique non seulement de notre canton, mais de la Suisse et du monde. Et c'est avec beaucoup d'intérêt que nous attendons ses ' explications '. »

guerre sont ceux qui en ont conduit les destinées durant le conflit, à quelques notables exceptions près. Le prédécesseur de Max Petitpierre à la tête du Département politique fédéral, Marcel Pilet-Golaz, s'était résolu à démissionner en novembre 1944, après le refus sec opposé par Moscou à ses tentatives de rétablir des relations officielles avec la Russie, interrompues depuis 1918. Son attitude ambiguë lors de la crise de l'été 1940 et son anticommunisme virulent constituaient en effet un handicap pour la diplomatie helvétique au moment où, l'Allemagne hitlérienne s'enfonçant dans la défaite, les vainqueurs faisaient sentir le poids de leurs exigences et reprochaient à Berne la poursuite de ses échanges avec Berlin. En outre, seule une personnalité nouvelle pouvait mener à chef les démarches, qui s'annonçaient difficiles, en vue de renouer avec l'Union soviétique que ses succès militaires appelaient à jouer un rôle majeur dans la reconstruction européenne[148]. Et la reprise des relations diplomatiques entre les deux Etats n'était devenue effective que le 18 mars 1946, au terme de longues négociations.

Sur le plan cantonal l'interpellation de Vincent survient quelques mois après le succès remporté par le Parti du Travail aux élections de 1945 où celui-ci a conquis 36 des 100 sièges que compte le Grand Conseil, un score qui faisait de cette formation la première du canton[149]. Officiellement constitué les 14 et 15 octobre 1944 sous cette appellation pour contourner la mise hors la loi des organisations communistes en 1940, le Parti du Travail regroupe les militants de celles-ci et de la Fédération socialiste suisse également interdite en mai 1941. Ce dernier mouvement avait rassemblé la majorité des socialistes romands autour de la figure de Léon Nicole après l'exclusion du parti socialiste suisse des sections genevoise et vaudoise, suite à la signature du pacte germano-soviétique d'août 1939 que Nicole, admirateur de Staline, avait refusé de condamner[150]. Ce retour fracassant de l'extrême gauche au parlement cantonal devait évidemment beaucoup aux victoires remportées par l'Armée rouge et au prestige dont étaient auréolés dans l'opinion populaire le peuple soviétique et les communistes qui s'étaient sacrifiés dans la lutte antifasciste, rachetant

---

[148] Sur les causes de la démission de Pilet-Golaz et les réactions qu'elle a suscitées, voir Luc Van Dongen, *La Suisse face à la Seconde Guerre mondiale, 1945-1948 – Emergence et construction d'une mémoire publique*, Genève, Société d'Histoire et d'Archéologie, 1997, p. 22-30.

[149] Le Parti national démocratique, actuel Parti libéral, avait vu le nombre de ses représentants au Grand Conseil passer de 22, en 1942, à 16. Les radicaux perdaient 10 sièges, ne conservant que 25 de leurs 35 mandats de 1942, et les catholiques conservateurs du Parti indépendant chrétien social limitaient les dégâts : ils obtenaient 14 sièges contre 18 en 1942, tandis que les socialistes stagnaient à 9 sièges. *Ibid.*, p. 52-53.

[150] C'est l'approbation inconditionnelle donnée par les représentants des sections lémaniques à la politique de Staline qui avait poussé le parti socialiste suisse à prendre une décision longtemps différée. Voir notamment Pierre Jeanneret, *Léon Nicole et la scission de 1939 – Contribution à l'histoire du parti socialiste suisse*, Lausanne, [à compte d'auteur], 1987. Les interdictions frappant les organisations communistes sont levées le 28 février 1945.

par là l'attitude de leurs leaders entre septembre 1939 et juin 1941. Quand bien même le peuple suisse n'avait pas pris directement part à ce combat, dès 1943, il s'était majoritairement reconnu dans les soldats alliés et les partisans qui le menaient. Ce processus d'identification explique qu'une large part de l'électorat genevois ait accordé ses suffrages à ceux qui prétendaient être les représentants les plus qualifiés de la résistance au fascisme dans un pays qui n'avait pourtant connu les souffrances ni de la guerre ni, à plus forte raison, de l'occupation. Le succès du Parti du Travail peut également être interprété comme un désaveu ou, à tout le moins, comme une critique, exprimée par une fraction importante de l'opinion, de l'attitude des autorités cantonales et fédérales durant les années du conflit. Il consacre de surcroît l'échec des interdictions prononcées contre les organisations communistes ou assimilées à celles-ci.

Il faut donc replacer l'attaque lancée par Vincent contre Naville et le Conseil d'Etat dans le vif débat de l'immédiat après-guerre qui oppose les représentants de la bourgeoisie à ceux du mouvement ouvrier. Les premiers s'efforçaient de minimiser les sympathies qu'ils avaient affichées pour les régimes autoritaires. Les liens étroits qu'ils avaient entretenu avec la formation fascisante l'Union nationale se réduisaient, à les entendre, à un simple accord électoral pour abattre le gouvernement à majorité socialiste en place à Genève de 1933 à 1936. Les dirigeants du parti démocratique (libéral) préféraient ne pas se souvenir qu'ils avaient proposé à l'Union nationale en automne 1938 la fusion de leurs deux formations. Les autorités cantonales essayaient d'effacer de la mémoire publique les excellents rapports de voisinage noués en 1940 avec l'occupant allemand et les milieux bourgeois, de dissimuler leur admiration pour la révolution nationale du maréchal Pétain sous leur ralliement tardif à la cause des alliés anglo-saxons[151].

L'extrême gauche, de son côté, qui réclamait une véritable épuration des collaborateurs du fascisme, à l'exemple de celle menée en France[152], voyait sa démarche rendue difficile par le soutien sans faille accordé par ses leaders au régime soviétique, leur approbation du pacte germano-soviétique et des purges staliniennes, leur vénération enfin pour celui qui en était le grand ordonnateur. Le chef du Parti du Travail genevois, Léon Nicole, avait, en outre, à faire plus particulièrement oublier son approbation du « régime économique et social à base socialiste (mais d'un SOCIALISME VIRIL) » vers lequel se dirigeait

---

[151] Voir sur ces exemples : Roger Joseph, *L'Union nationale 1932-1939 – Un Fascisme en Suisse romande*, thèse présentée à l'Ecole des Sciences sociales et politiques de l'Université de Lausanne, Lausanne, La Baconnière, 1975 ; Ruth Fivaz-Silbermann, *La fuite en Suisse. Migrations, stratégies, fuite, accueil, refoulement et destin des réfugiés juifs venus de France durant la Seconde Guerre mondiale*, thèse en préparation, Université de Genève ; Michel Caillat, *René Payot – Un regard ambigu sur la guerre – 1933-1943*, Genève, Georg, 1997.

[152] *Mémorial des séances du Grand Conseil*, Genève, 1946, p. 25-28.

d'après lui l'Allemagne hitlérienne, comme il l'écrivait, majuscules comprises, dans le Travail du 10 octobre 1939, et sa condamnation, dans le même journal, de l'appel à la résistance lancé par le général de Gaulle à Londres, le 18 juin 1940[153].

...et met le chef du Département politique fédéral dans l'embarras

En dénonçant quelques mois seulement après la reprise des relations avec la Russie l'attitude empreinte de complaisance de la bourgeoisie genevoise à l'égard des ennemis de l'Union soviétique durant la guerre à travers le cas du professeur Naville, Vincent place les représentants à l'exécutif de cette bourgeoisie dans une situation délicate. Lorsque Albert Picot prend connaissance du rapport que lui adresse François Naville le 26 septembre 1946, il comprend immédiatement que son utilisation publique pour répondre aux accusations proférées par la parti ouvrier risque de provoquer la colère de Moscou et de mettre le gouvernement fédéral sur la sellette. Pour sa défense, le médecin légiste donne en effet un compte rendu complet de sa mission à Smolensk et démontre de manière très concluante la responsabilité des Soviétiques dans le massacre des officiers polonais. Il indique en préambule avoir toujours refusé jusqu'alors de dévoiler ses conclusions aux personnes qui le pressaient de le faire[154], estimant que seuls les Polonais étaient habilités à « provoquer sur ce sujet un débat public dont les conséquences ne peuvent pas être prévues ». Il rejetait donc par avance sur le député communiste la responsabilité des suites, « tant sur le plan national qu'international », que ne manquerait pas d'avoir la lecture de son rapport au Grand Conseil[155].

Aussi Picot, qui, outre ses fonctions au sein de l'exécutif cantonal, est également sur le plan fédéral le vice-président en exercice de la Chambre basse, soumet-il ce document au chef du Département politique fédéral, Max Petitpierre, qu'il rencontre le 24 octobre. Le conseiller fédéral lui déclare qu'à son avis la manœuvre de Vincent n'a pas pour but de servir les intérêts de l'Union soviétique, mais au contraire de « brouiller la Suisse avec les Russes », une opinion probablement erronée, l'intention des dirigeants du parti du Travail étant plutôt de promouvoir l'image de l'URSS et, ainsi, de peser sur l'orientation de la diplomatie helvétique en la rendant plus favorable à la politique menée par Moscou. Quoi qu'il en soit, Petitpierre se montre opposé à

---

[153] Cité dans : Van Dongen, *op. cit.*, p. 205-206.

[154] Cette affirmation n'est pas exacte. Naville a prêté au printemps 1944 son rapport personnel sur le massacre de Katyn à Charles L. Curtet, conseiller municipal à Lancy du « groupe ouvrier et indépendant », le futur parti du Travail. Voir ACICR, P FN/20, correspondance échangée entre Naville et Curtet.

[155] ACICR, P FN / 25, « Rapport de F. Naville à A. Picot, en charge du Département de l'instruction publique, 24 septembre 1946 », p. 1.

une « discussion publique sur Katyn » ; il déconseille vivement à Picot de lire le rapport du médecin à la tribune du Grand Conseil et le prie de borner le champ de ses explications aux griefs formulés par Vincent contre Naville[156]. L'exercice s'annonçait cependant périlleux, car si on ne mentionnait pas les conclusions, solidement documentées, auxquelles Naville était parvenu, il devenait très difficile de justifier sa participation à l'expertise pilotée par la Wehrmacht. En outre, on pouvait faire confiance au député communiste, dont les aptitudes à la joute oratoire étaient redoutées, pour élargir au maximum le débat.

La réponse du Conseil d'Etat...

Ce n'est que le 18 janvier 1947 qu'Albert Picot répond à l'interpellation déposée par Vincent près de quatre mois auparavant. Le chef du Département de l'instruction publique rappelle tout d'abord que, selon ses propres termes, « le Conseil d'Etat n'est pas saisi de la question si poignante de l'affaire lugubre de Katyn », mais qu'il n'a à rapporter que sur les contacts pris avant son départ par Naville avec les autorités, tant cantonales, fédérales que militaires, sur d'éventuels honoraires que celui-ci aurait touchés de la part des Allemands, enfin sur la question de savoir si le professeur avait « accepté de travailler dans des conditions de contrainte contraire à l'honneur d'un professeur genevois »[157]. Cependant, malgré cette déclaration d'intention, la réponse du magistrat tient en fait dans la seule lecture de très larges extraits du rapport préparé par Naville. Les députés sont ainsi renseignés sur les conditions dans lesquelles le médecin a accepté de partir ; ils apprennent que celui-ci a obtenu l'aval de Berne et qu'il n'a pas sollicité ni reçu d'honoraires de la part des services du Reich. Ils comprennent aussi, en entendant le récit de l'examen des cadavres auquel ont procédé le médecin genevois et ses collègues, que les scientifiques ont pu travailler, et pour cause, de façon totalement libre, ce qui portait un coup sévère à la crédibilité de la thèse soviétique, défendue avec acharnement par Vincent[158].

En remettant son rapport, Naville précisait qu'il n'avait pas la prétention de défendre des idées. Dans l'affaire de Katyn, expliquait-il, « j'ai simplement cherché à servir les intérêts d'une nation martyre et de la Vérité, car il m'a semblé inadmissible que le veto de l'un des belligérants accusés puisse empêcher une enquête impartiale ». C'était le devoir même des médecins légistes « de rechercher la vérité dans ces sortes d'affaires, sans égard pour les intérêts

---

[156] ACICR, P FN / 25, Note manuscrite de F. Naville, 29 octobre 1946 ; Drago Arseinjevic, « Max Petitpierre : ' Le professeur Naville a été un peu imprudent ' », *Tribune de Genève*, 16 mai 1980, p. 12.
[157] *Mémorial des séances du Grand Conseil*, Genève, 1947, p. 39.
[158] *Ibid.*, p. 40 ss.

des parties »[159]. Cette posture, présentée comme apolitique et commandée par des impératifs purement scientifiques, est totalement assumée par un gouvernement cantonal issu des rangs d'une bourgeoisie dont l'idéologie est fortement imprégnée d'anticommunisme. Que l'Allemagne hitlérienne, dont Naville savait en 1943 qu'elle commettait des exactions – quand bien même il n'en saisit pas alors la signification et en sous-estime l'ampleur[160] – ait utilisé le massacre des officiers polonais pour une vaste opération de propagande destinée à torpiller les relations entre ses adversaires n'a aucune pertinence pour le professeur genevois[161], ni d'ailleurs pour le Conseil d'Etat. En effet, celui-ci s'efforce, par la bouche de son président, de minimiser l'importance de cet élément pourtant essentiel, allant jusqu'à qualifier le fait de participer à l'enquête diligentée par le Reich en 1943 de « mission positive »[162]. Il estime

---

[159] ACICR, P FN / 25, lettre de F. Naville à A. Picot, 26 septembre 1946. Il est intéressant de relever que pour Naville, qui partage probablement les préjugés de son entourage à l'égard des juifs, ainsi que le laisse transparaître une notation de son « Annexe au résultat technique » (Archives du CICR, P FN / 23, « Histoire de ma mission à Smolensk »), cette quête semble concerner avant tout les personnes appartenant au même univers social et politique que le sien.

[160] Voir les notes de voyage de Naville (ACICR, P FN / 23), son brouillon de lettre à Gonzague de Reynold, rédigé le 9 mai 1943 (ACICR, P FN / 18), ou sa lettre du 31 janvier 1946 à Wilhelm Röpke, un professeur allemand de tendance libérale conservatrice, opposant dès l'origine au régime hitlérien, et qui enseigne alors à l'Institut de Hautes Etudes internationales à Genève (ACICR, P FN / 24). Selon le médecin légiste, qui appelle les Allemands « les Boches », le Reich de 1943, sous les oripeaux du nazisme, n'est pas différent de celui-de 1914, payant le même tribut à la doctrine prussienne du pan-germanisme. Son analyse historique est fondée sur un ensemble de convictions où le déterminisme géographique le dispute à des considérations d'ordre psychologique ou racial. Seul un démembrement du pays et le retour aux « traditions fédéralistes et monarchiques » (brouillon de lettre à Reynold) de l'Ancien Régime pourrait permettre au peuple allemand, dont les meilleurs éléments – les habitants de la partie rhénane – ont eu « la lâcheté de se laisser asservir progressivement par la Prusse » (lettre à Röpke), de s'approcher de l'idéal que représente la civilisation latine.

[161] La lecture des éditions du *Journal de Genève* à partir du 15 avril 1943, exercice auquel s'est très probablement livré Naville, ne laisse subsister aucun doute sur ce point. Voir notamment les articles suivants : « La Wehrmacht procède à des exhumations – Des milliers d'officiers et de soldats polonais avaient été fusillés par la Guépéou », *Journal de Genève*, 15 avril 1943, p. 2 ; « L'affaire des officiers polonais massacrés » – « Appel à la Croix-Rouge internationale », *Journal de Genève*, 17-18 avril 1943, p. 2 ; « Le massacre des officiers polonais par la Guépéou », *Journal de Genève*, 19 avril 1943, p. 2 ; « La tension polono-russe » – « Une délégation d'officiers polonais à Smolensk » – « L'affaire de la forêt de Katyn à l'étude au CICR », *Journal de Genève*, 20 avril 1943, p. 2. Naville n'ignorait pas non plus les motifs pour lesquels Hitler comme Staline avaient entrepris la liquidation des élites polonaises. Lire à ce sujet l'article de Sven Stelling-Michaud, « Pologne meurtrie », dans le *Journal de Genève* du 21 avril 1943, p. 1. Il avait en outre pu, avant son départ, constater les premiers effets de la campagne développée par les Allemands sur les relations entre Moscou et le gouvernement polonais de Londres. « La tension polono-russe – Une note de l'agence Tass », *Journal de Genève*, 21 avril 1943, p. 8.

[162] « Je ne crois pas davantage que nous puissions reprocher à M. Naville le fait que la propagande allemande, dans la *Frankfurter Zeitung*, l'ait mis en relief. Nous savons ce que sont les propagandes de guerre, quelles qu'elles soient. Et nous ne nous étonnons pas que la propagande allemande ait cherché à se servir politiquement du témoignage de M. Naville. Je

donc en conclusion qu'il n'a aucun reproche à adresser à Naville, « savant très distingué, excellent médecin-légiste, qui a agi sous sa responsabilité et qui n'a manqué à aucune règle de la dignité professionnelle, ni à aucune loi de l'honneur »[163].

...et la réaction de Max Petitpierre

Bien que partageant la même culture politique que les membres de l'exécutif genevois, Max Petitpierre ne peut, de par sa fonction et au vu des circonstances, rester sans réagir au discours de Picot. Dans une lettre datée du 10 février 1947, il fait part à celui-ci de son étonnement à la lecture dans la presse de la réplique du magistrat à l'interpellation de Vincent, laquelle, contrairement aux recommandations qu'il lui avait adressées en octobre précédent, citait de larges extraits du rapport de Naville. Les représentants polonais et soviétique à Berne avaient protesté, écrit Petitpierre, et le ministre russe avait réclamé des explications au sujet des déclarations faites devant le Grand Conseil genevois à propos de l'affaire de Katyn par Picot dont le diplomate mettait en évidence la fonction de vice-président du Conseil national. Selon le représentant de Moscou, en se faisant « le défenseur de la thèse hitlérienne sur cette affaire », le magistrat avait eu « à l'égard du gouvernement de l'URSS une attitude hostile » qui était « de nature à empêcher des relations diplomatiques normales entre la Suisse et l'URSS ». Petitpierre fait en outre part de sa réserve à l'égard de l'opinion favorable exprimée par le conseiller d'Etat au sujet de la participation de Naville à l'expertise allemande. Le chef du Département politique fédéral souligne que celle-ci n'était nullement dictée par des considérations morales ou humanitaires, mais possédait un caractère nettement politique. Il oppose l'attitude adoptée par le CICR, lequel avait refusé de s'y associer sans l'accord de toutes les parties, à celle du professeur genevois qui, seul représentant d'un Etat neutre après que les médecins suédois et espagnol s'étaient récusés, avait fait preuve d'une certaine imprudence en obéissant « aux injonctions de sa conscience »[164].

---

fais remarquer encore que M. Naville a accepté une mission positive et l'on peut mettre ce fait d'une observation scientifique faite par un savant, étudiant librement, en face de l'attitude de la Russie qui, elle, refuse l'expertise de la Croix-Rouge, déclare que l'offre polonaise du gouvernement de Londres, de faire une expertise, est une injure et rompt les relations diplomatiques à ce moment-là. » *Mémorial des séances du Grand Conseil*, Genève, 1947, p. 53.

[163] *Ibid.*, p. 45.

[164] Les passages essentiels de cette lettre figurent dans Arsenijevic, *op.cit.* L'entretien de Petitpierre avec N. Kulagenkov, ministre de l'URSS à Berne, le 30 janvier 1947, est publié dans Antoine Fleury et Danièle Tosato-Rigo (éd.), *Suisse-Russie – Contacts et ruptures 1813-1955*, Berne, Haupt, 1994, p. 601-602. L'attitude du CICR ne semble pas avoir été aussi nette que le prétend Petitpierre. Si l'on en croit le récit de Naville, le représentant du CICR qu'il avait contacté avant son départ pour Smolensk, le diplomate Paul Ruegger, lequel venait de quitter son poste de représentant de la Confédération à Rome et fonctionnait, dans

C'est sans doute avec une certaine satisfaction que Picot envoie à Naville la copie de la réponse qu'il a élaborée pour le Conseil d'Etat. On ne trouve en effet dans celle-ci aucune marque de regret, hormis les excuses protocolaires pour les désagréments mineurs causés au chef de la diplomatie helvétique par la protestation soviétique. Picot se défend d'avoir voulu polémiquer sur l'identité des responsables du massacre des officiers polonais. Il n'aurait lu à la tribune que les passages du rapport de Naville jugés indispensables à la défense d'une personnalité honorable, attaquée avec « une grande violence » par le représentant communiste, lequel, rappelle-t-il, avait de sa propre initiative « mis en demeure le Conseil d'Etat de s'expliquer ». Celui-ci, « placé dans une position défensive », avait eu au contraire « le sang-froid et la sagesse de ne pas se laisser entraîner sur le terrain où, par deux fois, M. Vincent voulait l'engager : la discussion de l'affaire de Katyn elle-même », une affirmation qui paraît tout de même difficile à soutenir quand on examine les propos tenus par Picot. Le magistrat s'en rend d'ailleurs compte lorsqu'il justifie sa position par l'argument selon lequel la réserve imposée par la neutralité ne doit pas devenir, « par crainte d'interventions », un obstacle à la « liberté d'exposer objectivement un cas qui concerne un professeur de notre Université ». Rejetant les objections présentées par Petitpierre – « le Conseil d'Etat, autorité d'un pays libre[165], au sein d'un Grand Conseil désireux d'être complètement renseigné, en face d'un député très agressif, estime avoir agi correctement » –, Picot se déclare convaincu que le chef du Département politique saura faire preuve de fermeté pour défendre « la position spéciale » du gouvernement genevois « dans ce débat délicat »[166].

l'attente de sa mutation à Londres, comme conseiller personnel du président du CICR, Max Huber, lui aurait tenu les propos suivants : « Il me dit que le CICR n'a pas de conseil à me donner, qu'il me laisse libre d'accepter ou de refuser. Il me laisse du reste entendre qu'il pense que la Russie refusera et que dans ce cas la réunion de la commission pour laquelle je suis pressenti lui paraît une bonne chose. Il ne serait pas impossible que le CICR l'utilisât lui-même s'il se décidait à accepter la demande d'enquête qui lui a été adressée. » ACICR, P FN / 23, « Histoire de ma mission à Smolensk ». Sur les débats internes au CICR au sujet de l'expertise allemande à laquelle se préparait à participer Naville et de l'opportunité pour le Comité international d'y avoir, en quelque sorte, un délégué officieux, voir Stauffer, *op. cit.*, p. 188 et 194-195.

165 Il faut voir dans cette expression une référence au triomphe, après une campagne marquée par de vifs incidents, du « bloc gouvernemental », dominé par les communistes, aux élections générales polonaises de janvier 1947, victoire qui provoque le basculement du pays dans le camp des « démocraties populaires », scellant le destin de la Pologne pour plus de quarante ans.

166 ACICR, P FN / 25, copie de la lettre du Conseil d'Etat à Max Petitpierre, 21 février 1947 (confidentielle).

Où Max Petitpierre diffère d'Albert Picot et donne raison à Jean Vincent...

Sur un point donc, la position de Petitpierre rejoint celle de Vincent : la présence du professeur genevois dans la commission d'enquête dirigée par le service de santé du Reich était pour le moins inopportune et constituait indiscutablement une entorse à la neutralité[167]. Les motifs qui fondent cette commune conclusion sont cependant très différents. De nature idéologique chez le second qui cherche, au nom de l'antifascisme, à discréditer l'élite libérale conservatrice en dévoilant ses compromissions, supposées ou avérées, avec le nazisme et, plus généralement, avec les régimes autoritaires[168], ils relèvent de la raison d'Etat pour le premier. Certes, la lutte contre le communisme est une nécessité sur le plan intérieur, pour Petitpierre comme pour Picot[169]. Cette

[167] Dans les Etats qui avaient subi l'occupation, la participation à l'expertise allemande a été considérée comme un acte de collaboration, ainsi qu'en témoignent les lourdes condamnations frappant par exemple les experts belge et néerlandais. ACICR, P FN / 31, correspondance avec W. J. Nijgh (Bruxelles), 21 août 1952, et avec Georg Weissenberg (Genève), 24 septembre 1952.

[168] Lire par exemple la conclusion de l'article de la *Voix ouvrière* consacré à la mort de Maurice Conradi, un Suisse de Russie, qui, après la défaite des armées contre-révolutionnaires où il avait servi comme officier, était rentré dans son pays d'origine et y avait assassiné Vatzlav Vorovsky, le chef de la délégation soviétique à la conférence de Lausanne, en mai 1923, avec la complicité d'un de ses anciens camarades de combat, Arcadius Polounine ; leurs défenseurs, Théodore Aubert et Sidney Schopfer, étaient parvenus, en instruisant le procès du bolchevisme, à obtenir l'acquittement des accusés, un épisode qui avait contribué à envenimer les relations entre la Confédération et l'Union soviétique. « Il reste aussi au peuple suisse à apprendre à se débarrasser de la soi-disant élite qui voulut faire un héros d'un assassin. Cette élite qui hier approuvait le fascisme et accordait les honneurs universitaires à cet autre assassin que fut Mussolini est encore au pouvoir. Elle exerce son influence dans les journaux, les hautes écoles, les tribunaux, souvent aussi à la tête du haut clergé et partout où se retranche le capitalisme. Il faut s'en souvenir et agir en conséquence. » E. N., « La mort de Conradi », *Voix Ouvrière*, 12 février 1947, p. 1. Sur l'assassinat de Vorovsky et le procès intenté à leurs auteurs, voir Annetta Gattiker, *L'affaire Conradi*, Berne – Francfort, Lang, 1975 ; Alfred Erich Senn, *Assassination in Switzerland – The murder of Vtslav Vorovsky*, Université du Wisconsin, 1981.

[169] On peut en voir la confirmation dans les arguments employés par Max Petitpierre, lors de sa tentative malheureuse, en juillet 1945, de convaincre l'avocat d'affaires genevois Théodore Aubert de mettre spontanément fin à l'activité de l'Entente internationale anticommuniste (EIA) que celui-ci dirigeait depuis 1924. Cette organisation, qui avait entretenu des liens avec le régime fasciste et l'Allemagne nazie, constituait alors une cible facile pour la gauche. Le 26 mai 1945, l'EIA avait été l'objet au Grand Conseil genevois d'une interpellation de la part d'un élu socialiste, Albert Dupont-Willemin, qui avait appelé à sa dissolution, en invoquant le fait que la propagande contre l'Union soviétique à laquelle se livrait cette organisation était de nature à compromettre l'établissement de relations diplomatiques normales entre la Suisse et cet Etat. *Mémorial des séances du Grand Conseil*, Genève, 1945, p. 20 sq., ainsi que 722-723. Petitpierre invoquait le même motif, lorsqu'il suggérait à Théodore Aubert, le 13 juillet 1945, de mettre fin à l'activité de l'EIA. C'était d'ailleurs également le souhait de Raymond Deonna, président du parti national démocratique genevois (libéral) de 1943 à 1945, député au Grand Conseil (François Peyrot, « Raymond Deonna et son épouse nous ont quittés », *Opinion libérale*, 12 septembre 1972), et qui avait, depuis janvier 1936,

lutte ne doit cependant pas constituer un obstacle à l'établissement et au maintien de bonnes relations avec l'ensemble des Etats, y compris l'Union soviétique, une thèse à laquelle Picot adhère probablement dans l'absolu.

Si le président du Conseil d'Etat s'est autorisé à ne pas respecter ce principe c'est qu'il accorde la priorité au débat politique genevois, lequel avait pris un tour particulièrement vif à la fin des années 1920, suite à l'évolution de la section cantonale du parti socialiste vers un soutien inconditionnel au régime stalinien et à la radicalisation des partis bourgeois, dont l'anti-socialisme croissant les avait conduits à s'allier avec le mouvement fascisant de l'Union nationale en 1935. Picot refuse de plier, au nom de la raison d'Etat, devant ce qu'il considère comme une provocation de la part du Parti ouvrier. Il y voit au contraire l'occasion de réaffirmer quelques-unes des valeurs, parmi lesquelles le sens de l'honneur, la recherche objective de la vérité, la probité intellectuelle, dont son milieu revendique le monopole. Il juge comme étant de son devoir d'exprimer sa solidarité avec l'un des membres éminents de ce milieu, auquel l'unit par ailleurs des liens de parenté et d'amitié[170], quand celui-ci est attaqué, pour avoir respecté ces valeurs, par un homme au service d'un régime qui en est la négation totale à ses yeux. Et ce devoir prime sur les quelques désagréments que ses propos auront pu entraîner pour le gouvernement fédéral. En faisant leurs les observations et conclusions que contient le rapport de Naville, Picot et, à travers lui, le Conseil d'Etat tout entier se veulent les porte-parole de l'élite sociale à laquelle ils appartiennent, dont ils proclament la supériorité morale face aux sectateurs d'une doctrine à leurs yeux pernicieuse et immorale, d'origine étrangère de surcroît, lesquels ont l'audace de remettre en cause leur comportement pendant la guerre.

...lequel ne retirera aucun bénéfice de son interpellation

La réponse de Picot à l'interpellation de Vincent ne met cependant pas un terme à l'offensive lancée par celui-ci contre Naville, laquelle se poursuit dans la *Voix ouvrière*. Le député reprend les grandes lignes de son argumentation dans deux articles qui paraissent les 22 et 23 janvier 1947. En zélateur aveugle

été employé pendant plusieurs années par le Bureau permanent de l'EIA à titre de spécialiste « dans les questions relevant de la propagande et de l'action communistes en Suisse ». Voir : Archives fédérales suisse [désormais AFS], E 27 / 11226, lettre de Th. Aubert au lieutenant-colonel Roger Masson, chef de la Section de renseignement, 9 octobre 1939. Deonna, dans une note rédigée le 7 juin 1945 pour Petitpierre considérait alors que l'existence de l'EIA, « qui était fondée sur une base internationale tant qu'existait extérieurement l'Internationale communiste », constituait « plutôt un obstacle à une lutte véritablement efficace contre le communisme ». Il décrivait l'Entente comme un instrument « actuellement périmé », parce que donnant l'impression d'une part « de ne pas reposer uniquement sur le terrain suisse » et d'autre part d'être dirigé exclusivement « contre un Etat étranger » (AFS, E 2800 1967/60/9, « Fonds Max Petitpierre », dossier « Ligue Aubert »).

[170] Naville et Picot se tutoient. ACICR, P FN / 40, lettre d'A. Picot à F. Naville, 9 juin 1966.

du stalinisme, le rédacteur se scandalise des propos tenus par le conseiller d'Etat sur les baïonnettes russes qui auraient été à l'origine du renversement de l'opinion du professeur Markov concernant l'identité des assassins des officiers polonais, et promet de poursuivre la polémique[171], en accusant ses adversaires d'avoir la nostalgie de ce que représentait le fascisme : bastion solide de l'ordre établi et « rempart contre la peste rouge et l'invasion bolchevique »[172]. Puis, brusquement, la campagne de presse du Parti du Travail au sujet de l'affaire de Katyn cesse. Faut-il attribuer ce silence soudain à quelque injonction venue de Moscou ? C'est en tout cas la thèse développée par un journal polonais nationaliste paraissant à Londres, *Wilno i Lwow*, dans son édition du 23 février 1947[173]. Il n'est pas impossible que les dirigeants soviétiques aient jugé inopportun la poursuite du débat sur la question dont les développements imprévisibles pouvaient avoir des incidences fâcheuses sur le processus de mise au pas de la Pologne, après le triomphe électoral de la coalition dominée par les communistes aux élections générales de janvier 1947.

Au moment où cesse la polémique sur Naville, la capacité mobilisatrice de l'antifascisme s'est déjà affaiblie, alors que la mainmise progressive de l'URSS sur l'Europe orientale dresse contre elle une part grandissante de l'opinion helvétique. Le soutien sans nuance apporté à cette politique par le Parti du Travail mine sa crédibilité en tant qu'acteur du jeu démocratique. La sanction des électeurs ne se fera d'ailleurs pas attendre : aux élections genevoises de 1948, celui-ci perdra le tiers de ses mandats, au profit quasi exclusif

---

[171] « M. Naville, et à sa suite, M. Picot, n'hésitent pas à insinuer que si contrainte il y eut, contre le professeur Markov, cette contrainte fut exercée par les Bulgares en 1945 et non par les nazis en 1943 ! Les nazis, bien sûr, n'ont jamais contraint personne, jamais extorqué d'aveux à personne, n'ont jamais touché à un seul cheveu d'un innocent. Et M. Picot a osé parler des ' *baïonnettes russes* '. Quelle honte ! Et quelle maladresse. Parce que *la conversation ne fait que commencer entre nous*. Nous la reprendrons. Et les propos que, très imprudemment, tient un conseiller d'Etat, peuvent avoir certaines répercussions, lorsqu'il accuse un ou plusieurs gouvernements étrangers d'avoir usé d'arbitraire et de violence pour contraindre un honorable professeur à rétracter une déposition parfaitement conforme à la vérité et aux intérêts de l'Allemagne hitlérienne. » Jean Vincent, « L'affaire de Katyn – Mauvaise défense », *Voix Ouvrière*, 22 janvier 1947. C'est l'auteur qui souligne.

[172] Jean Vincent, « L'affaire de Katyn – L'étrange expertise », *Voix Ouvrière*, 23 janvier 1947, p. 4.

[173] « Il semble quand même qu'on finit par comprendre qu'en soulevant cette affaire, il y eut une erreur de tactique, puisque la Suisse n'est pas encore la Pologne, ni la Yougoslavie, ni la Lituanie. Et voilà, fait extraordinaire, dès le 23 janvier, la ' Voix ' s'est tue, et alors complètement. On peut supposer qu'à la place d'éloges et de reconnaissance, une verte remontrance arriva de Moscou pour le déchaînement de l'orage et fut suivie d'une défense catégorique de ' soutenir la discussion '. » ACICR, P FN / 25, « Traduction d'extraits du journal polonais *Wilno i Lwow*, Londres 23.2.47 ». Ce document dactylographié est accompagné d'une note manuscrite de Naville : « Envoyé à Picot ».

des partis bourgeois, et le Parti radical retrouvera le statut de première formation du canton qu'il détenait de 1939 à 1945[174].

[174] Aux élections de 1948, les libéraux obtiennent 18 sièges (+2 par rapport à 1945), les radicaux 33 (+8), les catholiques-conservateurs 15 (+1), les socialistes 10 (+1) et le parti du Travail 24 (-12). La section vaudoise du parti du Travail, le POP (parti ouvrier et populaire), perd presque la moitié de ses mandats passant de 42 sièges sur 217 en 1945 à 24. Van Dongen, *op. cit.*, p. 53.

« Comment devons-nous les nommer ? » La Croix-Rouge soviétique, le CICR et les prisonniers de guerre polonais

par

Jean-François Fayet[*]

Les mots ont du pouvoir et reflètent la réalité du pouvoir. Ainsi, lorsqu'en octobre 1939, l'Alliance des Sociétés de la Croix-Rouge et du Croissant-Rouge (ASCRCR) – souvent appelée par commodité l'Alliance, ou la Croix-Rouge soviétique – s'inquiète auprès du Commissariat du peuple aux affaires intérieures (NKVD)[175] de savoir « comment dénommer les personnes se trouvant dans les camps sur le territoire soviétique : internés, prisonniers de guerre ou autre terminologie »[176], il ne s'agit pas d'une obsession taxinomique de sa part, mais d'une question qui va déterminer son attitude vis-à-vis de ses inter-

[*] Historien, Faculté des Lettres, Université de Genève.

[175] Dès l'invasion de la Pologne orientale par l'URSS, le Commissaire du peuple aux affaires intérieures, L. P. Beria, créa par décret la Direction pour les affaires des prisonniers de guerre du NKVD dont la direction fut confiée à P. K. Soprounenko (1908-1992). En 1942, cette structure fut rebaptisée Direction centrale des prisonniers de guerre et des internés du NKVD (GUPVI-NKVD).

[176] Gosudarstvennyi Arkhiv Rossiiskoi Federatsii – Archives d'Etat de la Fédération de Russie, Moscou [désormais GARF], F.9501/5/61, Mémoire du département relations internationales de l'ASCRCR, octobre 1939, doc. 140. Tous les documents en russe ont été traduits par l'auteur.

locuteurs extérieurs et son propre positionnement à l'intérieur de l'Union soviétique. Dès lors, c'est le règne du non-dit. Lorsque l'on questionne les Soviétiques sur le sort des prisonniers de guerre des provinces polonaises annexées par l'URSS, ils répondent : « De qui parlez-vous ? », « nous ne connaissons pas de prisonniers de guerre polonais » ; d'ailleurs « nous ne sommes pas en guerre et il n'existe pas d'Etat polonais » ! [177] Pour sa part, le Comité international de la Croix-Rouge (CICR) fait preuve d'une extrême réserve lexicale, recourant au conditionnel pour parler des prisonniers polonais qui « pourraient se trouver sur votre territoire » ou commençant ses lettres par des « Au cas où des prisonniers de guerre se trouveraient sur votre territoire », et n'évoquant, du moins jusqu'en 1945, jamais explicitement le massacre de Katyn au cours de ses échanges avec la Croix-Rouge soviétique. Dans ses courriers adressés à la Croix-Rouge soviétique après le printemps 1940, le Comité ne parle d'ailleurs plus directement de la Pologne et des Polonais, mais de « prisonniers se trouvant en Ukraine occidentale » ou de « l'ancienne armée polonaise », faisant ainsi sienne la terminologie soviétique[178]. Enfin, dès l'été 1941, les expressions désignant les prisonniers de guerre polonais sont remplacées par des silences. Les échanges épistolaires entre les deux institutions revêtent donc dans ce contexte une forte dimension métaphorique alors que chacun des interlocuteurs sait parfaitement ce dont il est question.

Décrypter ces non-dits, donner un sens à ces silences et expliciter la décision de la non-participation du CICR à la Commission internationale d'experts sur Katyn, autant de démarches qu'il convient d'inscrire dans le contexte plus général des relations de la Croix-Rouge soviétique avec le Comité pendant la Deuxième Guerre mondiale. Première constatation : celles-ci sont moins tributaires de ce que le CICR fait ou dit que de ce que les Soviétiques lui reprochent de ne pas avoir fait ou de ne pas avoir dit. En restituer le déroulement, c'est écrire l'histoire des non-appels ou des silences de l'institution genevoise, car ce sont eux qui permettent d'évaluer la marge de manœuvre dont le CICR disposait ou – dans le cas de Katyn – ne disposait pas. S'agissant de leur déroulement chronologique, ces relations passent par quatre phases qui toutes attestent de la très forte conscience qu'avait chacun des acteurs de la modification du rapport de force intervenant pendant la guerre.

---

[177] L'attitude des autorités nazies est sur ce point globalement identique à celle des Soviétiques. « Rapidement les Allemands cessent de considérer comme tels [des prisonniers de guerre] les Polonais de souche, originaires soit des Etats incorporés au Reich, soit au Gouvernement général. Pour ceux-ci, plus d'Etat, partant plus de puissance protectrice », Jean-Claude Favez, *Une mission impossible ? Le CICR, les déportations et les camps de concentration nazis,* Lausanne, Payot, 1988, p. 214.

[178] Archives du CICR, Genève [désormais ACICR], B G 85, Sociétés nationales URSS, 1, CICR à ASCRCR, 04.05.1940, doc. 44.

Des débuts prometteurs

La Croix-Rouge soviétique apparaît au début de la Deuxième Guerre mondiale comme une société déstabilisée par les purges. L'Alliance n'échappa en effet pas à la grande terreur des années 1937-1938[179] qui entraîna une valse de ses dirigeants. Le IVe Plenum de 1937 condamna le chaos, la désorganisation et la présence d'éléments étrangers au sein de l'Alliance. Cinquante-neuf collaborateurs, dont l'ancien président de l'Alliance jusqu'en janvier 1936, Abel S. Enukidze, et son adjointe, Varvara A. Moirova, furent congédiés, accusés d'être des ennemis du peuple ou d'avoir commis des fautes politiques graves[180]. Varvara Moirova fut remplacée par Pauline Sazonova, elle-même limogée en 1938. Et, au printemps 1941, on substitua Sergueï A. Kolesnikov à son successeur Pierre G. Glebov. Les purges s'accompagnèrent parallèlement d'un renforcement du contrôle étatique sur la société : l'Alliance dut remettre aux divers Commissariats ou à l'armée tous les établissements médicaux et administratifs, ainsi que le matériel sanitaire dont elle avait la charge. Ce processus d'unification et de centralisation fut encore accentué par les nouveaux statuts du 22 février 1941 dont l'article 36 élargissait le droit de dissolution de l'Alliance au gouvernement soviétique[181].

En outre, la Croix-Rouge soviétique est alors une société isolée sur le plan international[182]. La dénonciation de son ancien président comme ennemi du peuple particulièrement dangereux parce qu'il s'était « efforcé de développer des relations avec les organisations internationales de la Croix-Rouge (le CICR et la Ligue) »[183] ne pouvait en effet que favoriser la plus grande réserve de la part des dirigeants de l'Alliance à l'égard des sollicitations de l'étranger. Celle-ci, pourtant membre de la Ligue des Sociétés de la Croix-Rouge depuis qu'elle y avait été invitée par la XVe Conférence internationale de la Croix-Rouge à Tokyo en 1934[184], ne collaborait plus avec la Ligue depuis 1937, date à laquelle elle avait d'ailleurs cessé de payer ses cotisations[185]. Malgré les efforts de la Ligue pour nouer avec elle des relations suivies, notamment par l'intermédiaire de son secrétaire général B. de Rougé et de son président

---

[179] 1,5 million de personnes arrêtées, 1,3 millions de personnes condamnées dont la moitié (690'000) furent exécutées, voir Nicolas Werth, « Un Etat contre son peuple », in Stéphane Courtois *et al.* (dir.), *Le Livre noir du communisme, Crimes, terreur et répression,* Paris, Robert Laffont, 1997, p. 213.

[180] Jiri Toman, *La Russie et la Croix-Rouge (1917-1945) : la Croix-Rouge dans un état révolutionnaire et l'action du CICR en Russie après la Révolution d'octobre 1917,* Genève, Institut Henry-Dunant, 1997, p. 58.

[181] *Ibid.,* p. 60.

[182] Un seul représentant à l'étranger, aux USA, où il est chargé de récupérer les pensions des citoyens russes.

[183] Toman, *op. cit.*, p. 58.

[184] *Ibid.,* p. 49.

[185] GARF, F.9501/5/61, Kolesnikov, président de l'ASCRCR, à NKID, mars 1941, doc. 67.

Norman H. Davis[186], lesquels insistèrent pour que l'Alliance envoie un représentant auprès de la Ligue, puis par la proposition faite en 1938, et encore en 1939, de l'envoi en URSS de son vice-secrétaire, L. E. de Gielgud[187], la Ligue resta sans nouvelles d'URSS jusqu'en 1941[188].

En dépit d'une histoire plus ancienne – la reconnaissance de la Croix-Rouge soviétique par le CICR date du 15 août 1921 – les relations avec le CICR n'étaient à ce moment guère plus importantes. Après le départ, en mai 1937, du représentant de l'Alliance auprès du CICR, le Dr S. J. Bagotski, le CICR avait décidé, dans sa séance du 17 juin 1937, de rappeler dans les douze mois son représentant à Moscou, Woldemar Wehrlin malgré les regrets de celui-ci et les pressions du Département politique fédéral (DPF), notamment de son chef, Guiseppe Motta, lequel fit tout ce qu'il put pour retarder le retour définitif du délégué. En l'absence de toute relation diplomatique entre la Suisse et l'Union soviétique depuis le renvoi de la mission Berzine en 1918, la délégation du CICR à Moscou et celle de la Croix-Rouge soviétique à Berne avaient en effet exercé, en plus de leurs missions traditionnelles, des fonctions quasi-consulaires et diplomatiques[189]. Dans ce contexte, la disparition de ces acteurs de substitution inquiétait la Division des affaires étrangères du DPF[190]. Quelle qu'en fût la cause[191], cette décision de retrait allait priver le CICR de toute possibilité d'intervention sur le front russe pendant la Deuxième Guerre mondiale.

186 Norman H. Davis, président de la Croix-Rouge américaine de 1938 à 1944.

187 L. E. de Gielgud, membre de la Croix-Rouge britannique et vice-secrétaire de la Ligue. Sur les préparatifs entrepris pour son voyage voir GARF, F.9501/5/351, L. E. de Gielgud à M. V. Korj, premier secrétaire de l'ambassade soviétique à Londres, 01.07.1938, doc. 41. Le commissariat du peuple à la santé, qui considérait la venue en URSS de Gielgud comme non souhaitable « en raison de la réorganisation de l'ASCRCR », demanda à l'Alliance de « trouver un prétexte technique » pour refuser. GARF, F.9501/5/351, Commissariat du peuple à la santé à ASCRCR, 11.09.1938, doc. 33.

188 En 1941 l'Alliance envoie 10'000 dollars américains à la Ligue (GARF, F.9501/5/350, ASCRCR à Ligue des Sociétés de la Croix-Rouge, 30.08.1941, doc. 99) et des délégués en Grande-Bretagne et aux Etats-Unis pour organiser l'acheminement de l'aide. GARF, F.9501/5/61, Plan de travail du département relations internationales de l'ASCRCR, 1941, doc. 31.

189 Voir sur ce point Maximilian Reimann, *Quasi-konsularische und schutzmachtähnliche Funktionen des Internationalen Komitees vom Roten Kreuz ausserhalb bewaffneter Konflikte*, Genève ; Frick, Inst. Henry-Dunant ; Arnold Fricker AG, 1971 ; Peter Huber, « Das Russlandschweizerbüro im EPD und der IKRK-Vertreter Wehrlin in Moskau », in Peter Huber, *Stalins Schatten in die Schweiz*, Zürich, Chronos, 1994, p. 59-66 et surtout Jean-Daniel Praz, *La mission Wehrlin du CICR à Moscou (1920-1938). Délégation ou... Légation ? Analyse des relations CICR-Confédération au travers d'un cas particulier de fonctionnement du Département politique*, mémoire de licence non publié, Fribourg, 1996.

190 Le DPF s'inquiétait notamment du sort des 1'500 *Russlandschweizer* encore en URSS.

191 On invoqua des difficultés de financement (un prétexte car la Confédération payait 57% des dépenses), des problèmes de visas, le fait que la mission s'éloignait du cadre fixé par la Croix-Rouge et la disparition des circonstances ayant suscité celle-ci. Voir Praz, *op. cit.*, p. 150-159.

Les premiers contacts entre le CICR et la Croix-Rouge soviétique à l'automne 1939 semblèrent cependant augurer d'une nouvelle période de collaboration malgré la constance du refus soviétique de recevoir un nouveau représentant du CICR en URSS. Dès l'ouverture des hostilités, en septembre 1939, le CICR annonça à l'URSS, comme à tous les belligérants, la création à Genève, conformément à l'article 79 de la convention de 1929, d'une Agence centrale de renseignements en faveur des prisonniers de guerre. Le CICR soulignait son souhait de recevoir « le plus rapidement possible des listes de Polonais tombés aux mains de l'armée russe »[192] et manifesta, à quatre reprises, son intérêt pour l'envoi d'un délégué à Moscou[193]. L'ambassadeur soviétique à Paris fit parvenir le 12 octobre la réponse suivante de son gouvernement : « L'URSS n'a pas signé la Convention de 1929 se rapportant aux prisonniers de guerre ; par conséquent, ses stipulations ne sont pas obligatoires pour elle, et pour cette raison on considère que l'envoi d'un délégué spécial du CICR en Union soviétique afin de régler les questions découlant de la convention sus-nommée n'est pas nécessaire. »[194]

Ne pouvant s'appuyer sur la Convention de Genève de 1929 relative au traitement des prisonniers de guerre, le CICR se référa alors à celle consacrée à l'amélioration du sort des blessés et des malades dans les armées en campagne ratifiée par l'URSS en 1931 et qui devrait, selon le CICR, s'appliquer aux formations sanitaires de l'armée polonaise qui « pourraient se trouver » sur le territoire de l'URSS[195]. Le Comité international continua aussi, bien qu'en vain, à proposer l'envoi de délégués en territoire soviétique. En décembre 1939, l'un de ses membres, Carl J. Burckhardt, eut des discussions en ce sens avec Vladimir A. Sokoline, le secrétaire général adjoint de la Société des Nations[196]. Contacté par le CICR, l'ambassadeur soviétique à Paris, Iakov Z. Surits, déclara au délégué Marcel Junod que « l'envoi d'un délégué du CICR dans les parties occupées de l'ancienne Pologne ne serait point désirable » et que, en ce qui avait trait au conflit russo-finlandais, « l'envoi de délégués dans les deux pays ne correspond[ait] pas aux désirs de son gouvernement »[197]. Lors d'un séjour à Genève de Surits, puis dans une lettre du 1er février 1940, Carl J. Burckhardt fit auprès de celui-ci deux démarches similaires à titre per-

---

[192] ACICR, B G 85, Gouvernement URSS, 1.1. CICR à gouvernement de l'URSS, 26.09.1939, doc. 2.

[193] Le 27 septembre 1939, puis les 24, 25 et 26 octobre 1939 : ACICR, B G 85, gouvernement URSS, 1.1. doc. 5, 7.

[194] Cité par François Bugnion, *Le Comité international de la Croix-Rouge et la protection des victimes de la guerre*, Genève, CICR, 2000, p. 213.

[195] ACICR, B G 85, Gouvernement URSS, 1.1, CICR à gouvernement de l'URSS, 26.10.1939, doc. 9

[196] ACICR, B G 85, Sociétés nationales URSS, 1. Note de Carl J. Burckhardt pour Max Huber, 12.12.1939, doc. 1.

[197] *Ibid.*

sonnel[198]. Le 24 février 1940, le CICR écrivait à l'ambassadeur soviétique en poste à Berlin, lui demandant de recevoir Burckhardt afin de s'entretenir avec lui de cette question. L'entretien ne déboucha sur aucun résultat. Enfin, en avril 1941, Antoinette Quinche fut envoyée par le CICR auprès d'Aleksandra Kollontaï, ambassadrice d'URSS à Stockholm, pour renouveler la proposition de l'envoi d'un délégué. Cette démarche, confirmée dans un courrier du 21 octobre[199], n'obtint pas plus de succès que les précédentes.

Malgré ces refus réitérés de l'envoi d'une délégation du CICR à Moscou et la constance de la position soviétique sur le fait que « la Convention de 1929 sur les prisonniers de guerre ne représent[ait] qu'un développement des principes déjà établis dans la Convention de 1907 et par conséquent ne d[evai]t pas être considérée comme absolument nécessaire »[200], l'URSS considérait comme « obligatoires pour elle, sous réserve de réciprocité, les règles de la guerre telles qu'elles sont exposées dans la IVe Convention de La Haye du 18 octobre 1907 concernant les lois et les coutumes de la guerre sur terre »[201]. Cette convention ne prévoyait pas la visite des camps, mais l'échange de renseignements sur les prisonniers, ce qui explique la création à Moscou, en octobre 1939, d'un Bureau central d'information pour les prisonniers de guerre auprès de la Croix-Rouge soviétique composé de 13 membres[202] sous la présidence de Bolshakov[203].

Un problème de dénomination

Cependant, selon S. A. Kolesnikov, le président de l'Alliance, « il fut décidé ensuite que dans la mesure où l'URSS n'était pas en guerre avec la Pologne, ni avec l'Allemagne, il ne pouvait donc y avoir de prisonniers de guerre en Union soviétique et c'est pourquoi les mots prisonniers de guerre furent supprimés »[204] de la dénomination du Bureau. Mais « cette dénomination non spécifique [le Bureau central d'information auprès de l'Alliance des sociétés de la Croix-rouge et du Croissant rouge] eut pour conséquence que s'adressèrent à lui toutes les familles sur des questions n'ayant pas de relation

[198] ACICR, B G 85, Gouvernement URSS, 1.1, CICR à Gouvernement de l'URSS, 01.02.1940, doc. 27.

[199] ACICR, B G 85, Gouvernement URSS, 1.1, CICR à Gouvernement de l'URSS, 21.10.1941, doc. 48.

[200] Déclaration du premier secrétaire de l'ambassade soviétique en Turquie à W. Wehrlin, citée par Toman, *op. cit.*, p. 64.

[201] ACICR, B G 85, Gouvernement URSS, 1.1. Télégramme de A. Ia. Vyshinski, Commissaire du peuple adjoint aux affaires étrangères, 08.08.1941, doc. 38.

[202] Parmi ceux-ci figure V. S. Bagotski, le fils de l'ancien délégué de la Croix-Rouge soviétique en Suisse.

[203] Décision prise le 23.09.1939 par le Comité Central de l'Alliance : GARF, 9501/5/61, doc.153.

[204] GARF, F.9501/5/61, Note de Kolesnikov, président de l'ASCRCR, 1941, doc. 77.

directe avec la Croix-Rouge »[205]. Le flou ainsi créé suscita la panique du responsable du Bureau, Bolshakov qui s'empressa alors de demander que soient « précisés ses fonctions et ses liens avec le NKVD »[206], proposant même « de renommer [sic] le Bureau ' Bureau central d'information des prisonniers de guerre ' pour éviter ces malentendus »[207]. Ces questions furent évoquées dans un projet de directive élaboré avec le concours des organismes intéressés (c'est-à-dire le NKVD et le commissariat du peuple aux affaires étrangères, NKID), mais celui-ci ne fut jamais entériné. Le Bureau n'avait donc, de l'aveu même de son responsable, « aucune base juridique »[208]. Ce vide était perçu avec inquiétude par Bolshakov qui alla jusqu'à envisager la fusion du Bureau avec le département des relations internationales de l'Alliance, invoquant à l'appui de cette suggestion le fait que ses activités « étaient presque terminées » ![209]

Pourtant l'existence de ce Bureau fut rapidement connue en URSS comme à l'étranger. Chaque levée de courrier amenait ainsi près de 500 plis, soit en quinze mois de travail plus de 5'000 lettres émanant de citoyens soviétiques des territoires occidentaux des Républiques socialistes d'Ukraine et de Biélorussie, dont la plus grande partie concernait la recherche en URSS des officiers de « l'ancienne armée polonaise » et 15'000 messages de citoyens soviétiques destinés à être transmis à des prisonniers de guerre polonais en Allemagne[210]. En mars 1941, le Bureau avait aussi reçu 4'642 demandes de l'étranger (855 du CICR, 214 de la Croix-Rouge allemande et 3'573 directement des familles)[211]. Parmi celles-ci, certaines révèlent que le CICR était bien informé de la répression soviétique en territoire polonais. En mai 1940, le CICR sollicita ainsi de l'Alliance des informations sur 1'900 prisonniers, membres de la police polonaise, déplacés du camp de Kozielsk[212]. En août 1940, le Comité faisait directement référence au camp de Starobielsk[213]. Et le 17 septembre 1940, une nouvelle requête de sa part mentionnait explicitement les prisonniers déplacés des camps de Starobielsk, Kozielsk et Ostachkov[214], c'est-à-dire les 14'700 officiers polonais exécutés à la suite de la décision du Politburo du 5 mars 1940. Ces lettres furent transmises par le Bureau central

---

[205] GARF, F.9501/5/61, Kolesnikov, président de l'ASCRCR, à NKID, mars 1941, doc. 67.
[206] GARF, F.9501/5/61, Note de Kolesnikov, président de l'ASCRCR, 1941, doc. 77.
[207] GARF, F.9501/5/61, Rapport de Bolshakov sur le Bureau central d'information, 25.03.1941, doc. 83.
[208] *Ibid.*, doc. 81.
[209] GARF, F.9501/5/61, Note de Bolshakov, août 1940, doc. 118.
[210] GARF, F.9501/5/61, Rapport de Bolshakov sur le Bureau central d'information, 25.03.1941, doc. 82-83.
[211] En l'absence de réponse, le CICR avait conseillé aux familles de s'adresser directement à l'Alliance. GARF, F.9501/5/61, Kolesnikov, président de l'ASCRCR, à NKID, mars 1941, doc. 67.
[212] ACICR, B G 85, Sociétés nationales URSS, 1, CICR à ASCRCR, 04.05.1940, doc. 44.
[213] ACICR, B G 85, Sociétés nationales URSS, 1, CICR à ASCRCR, 19.08.1940, 1. doc. 49.
[214] ACICR, B G 85, Sociétés nationales URSS, 1, CICR à ASCRCR, 17.09.1940, doc. 53.

d'information au NKVD qui lui renvoya les adresses de 110 personnes. Six de ces 110 adresses furent envoyées à la Croix-Rouge allemande, mais aucune au CICR. La Croix-Rouge allemande demanda aussi à l'Alliance de lui transmettre la cartothèque établie par la section de Lvov de la Croix-Rouge polonaise et recensant les soldats polonais morts ou portés disparus lors des combats de septembre 1939. Dans un courrier interne le président du Bureau reconnut avoir reçu cette cartothèque de la section de Lvov de la Croix-Rouge soviétique, mais il soulignait que l'envoi de cette liste suscitait maintenant toute une série de demandes du côté des familles[215]. Dans le dernier rapport interne que nous avons trouvé sur cette question, le président du Bureau central demandait au NKID s'il fallait « continuer [sic] à transmettre des informations et par qui ». Il ajoutait qu'il « faudrait préciser qui s'occupe des personnes réfugiées et internées. A l'étranger, ce sont les Croix-Rouge qui s'en occupent et il est donc normal qu'elles s'adressent à nous. Or non seulement nous ne pouvons rien dire, mais encore nous est-il impossible de leur indiquer l'adresse d'un organisme s'en occupant ».[216] Bolshakov n'obtint pas de réponse et fut bientôt remplacé à la tête du Bureau central d'information par V. Gorokhovski.

Le 30 juillet 1941, soit un mois après le déclenchement de l'offensive allemande contre l'URSS, le gouvernement polonais en exil à Londres conclut un accord de collaboration avec le gouvernement soviétique selon lequel celui-ci s'engageait à relâcher toutes les personnes civiles et militaires emprisonnées et à accepter la formation d'une armée polonaise. Le 12 août 1941, la Cour suprême de l'URSS publia un décret d'amnistie pour tous les citoyens polonais alors retenus sur le territoire soviétique en tant que prisonniers de guerre ou pour d'autres raisons[217] et, le mois suivant, le NKVD informait la Croix-Rouge soviétique que « tous les anciens prisonniers de guerre polonais se trouvant dans des camps avaient été libérés »[218]. Mais, à l'exception de ceux du camp de Griazowsc, les officiers polonais ne purent évidemment pas être retrouvés.

Un malentendu ?

La seule réponse encourageante reçue par le CICR de Moscou, en l'occurrence de Viatcheslav M. Molotov, le Commissaire du peuple aux affaires étrangères, date du 27 juin 1941, cinq jours après le début de l'offensive nazie contre l'URSS. Prenant position sur l'offre du Comité faite le 23 juin à toutes les parties de servir d'intermédiaire dans l'échange d'informations sur

[215] GARF, F.9501/5/61, Bolshakov, responsable du Bureau central d'information, à Kolesnikov, président de l'ASCRCR, 27.03.1941, doc. 78.
[216] GARF, F.9501/5/61, Rapport de Bolshakov sur le Bureau central d'information, 25.03.1941, doc.84.
[217] *Pravda*, Moscou, 13.08.1941.
[218] GARF, F.9501/5/353, HKVD à ASCRCR, 08.09.1941, doc. 53a.

les prisonniers[219], le gouvernement soviétique se déclarait prêt à accepter cette proposition sous réserve de réciprocité[220]. Le 9 juillet 1941, le CICR transmettait à l'URSS les réponses positives des autres belligérants et se proposait d'organiser un relais à Ankara pour la correspondance entre le Bureau de Moscou et l'Agence centrale des prisonniers de guerre de Genève[221]. Moscou acquiesça[222], et le 22 juillet 1941 le Dr Marcel Junod se rendit dans la capitale turque pour procéder aux négociations[223]. Une première liste de 300 noms de prisonniers de guerre soviétiques en mains allemandes fut transmise aux Soviétiques le 20 août 1941 ; suivirent plusieurs listes provenant de Roumanie et d'Italie, et le CICR fit savoir que d'autres listes provenant de Finlande étaient à la disposition des Soviétiques à condition que ceux-ci en fissent autant. Malgré l'existence du Bureau central d'information, le CICR ne reçut aucune liste de Moscou, ce qui servit de prétexte à l'Allemagne, invoquant l'absence de réciprocité, pour mettre un terme à l'envoi de listes.

L'aide aux prisonniers de guerre allemands et soviétiques étant subordonnée à la possibilité pour le CICR de visiter les camps, le Comité entreprit dès l'été 1941 de nouvelles démarches en vue de rétablir une délégation à Moscou. En septembre, une demande de visas aux noms de Marcel Junod et de Nicole Ramseier, laquelle avait participé à une mission du CICR en Russie en 1921-1922 en tant que traductrice, fut déposée à l'ambassade soviétique d'Ankara[224]. En l'absence de réponse, des démarches identiques furent engagées en octobre à Londres et Stockholm[225]. Le 14 janvier 1942, le CICR fit parvenir une nouvelle liste de six délégués, dont quatre Suédois, au cas où les noms précédemment proposés n'auraient pas obtenu l'agrément des autorités soviétiques[226], mais cette nouvelle démarche se heurta au silence. Le CICR proposa également l'envoi de missions temporaires en URSS, mais aucune ne fut acceptée. N'ayant plus de contact effectif avec Moscou, le CICR remit le 25 juin 1942 à l'Alliance un mémorandum relatif à ses tentatives pour établir des rapports avec l'URSS dans lequel il se demandait s'il s'était produit un malentendu, « malentendu dont il ignor[ait] les raisons », n'ayant pas reçu de

---

[219] ACICR, B G 85, Gouvernement URSS, 1.1, Télégramme du CICR au commissaire du peuple aux affaires étrangères, 23.06.1941, doc. 33.
[220] ACICR, B G 85, Gouvernement URSS, 1.1, Télégramme de V. M. Molotov, commissaire du peuple aux affaires étrangères, au CICR, 27.06.1941, doc. 33.
[221] ACICR, B G 85, Gouvernement URSS, 1.1, CICR à gouvernement de l'URSS, 09.07.1941, doc. 35.
[222] ACICR, B G 85, Gouvernement URSS, 1.1. Gouvernement de l'URSS à CICR, 11.07.1941 doc. 37a.
[223] GARF, F.9501/5/352, CICR à ASCRCR, juillet 1941, doc. 83.
[224] GARF, F.9501/5/352, CICR à gouvernement soviétique, septembre 1941, doc. 100.
[225] ACICR, B G 85, Gouvernement URSS, 1.1. CICR à gouvernement de l'URSS, s. d. expédié le 21.10.1941, doc. 38.
[226] ACICR, B G 85, Gouvernement URSS, 1.1. CICR à gouvernement de l'URSS, 14.01.1942, doc. 56.

signal, positif ou négatif, à sa proposition d'acheminement de vivres à l'intention des prisonniers de guerre soviétiques en Allemagne[227]. Mais Moscou ne répondait plus.

Le terme de malentendu, récurrent dans les mémorandums rédigés par le CICR en 1942, 1945 et 1948 sur ses relations avec l'URSS et l'Alliance[228], révèle le décalage entre les attentes du Comité et celles des Soviétiques dans le domaine de l'action l'humanitaire. Alors que le CICR entend se consacrer principalement au secours des prisonniers de guerre, les Soviétiques qui, comme l'écrit A. Ia. Vyshinski, le vice-commissaire du peuple aux affaires étrangères, à l'Alliance n'ont « pas l'intention d'envoyer des colis à nos prisonniers de guerre en Allemagne »[229], comptent que l'institution genevoise dénonce les exactions commises par les Allemands, contraires aux règles de la guerre élaborées par la IVe Convention de La Haye. Dès juin 1941, la Croix-Rouge soviétique – qui prend à ce moment la décision de traduire *Un souvenir de Solférino* en russe ! [230] – se lance en effet dans un travail de collecte d'informations « sur les violations des conventions par les armées ennemies », c'est-à-dire sur la guerre que « les fascistes, qui ne se sentent liés ni par les conventions, ni par les lois de la morale humaine »[231], mènent contre le peuple soviétique. Le 7 juillet 1941, l'Alliance fait ainsi parvenir au CICR une protestation contre les bombardements allemands de formations et d'organisations sanitaires en territoire soviétique[232]. Souhaitant faire connaître à l'opinion mondiale les atrocités et la cruauté sans pareille des autorités du Reich à l'égard des prisonniers de guerre soviétiques, l'Alliance transmet le 4 juin 1942 au CICR une lettre, datée du 9 février, contenant des déclarations de prisonniers de guerre allemands et un mémoire du Commissaire du peuple aux affaires étrangères sur les infractions de l'adversaire à la Convention de 1929 dans les régions occupées de l'Union soviétique[233].

Le Dr Roland Marti, délégué du CICR en Allemagne, qui avait assisté à l'arrivée de prisonniers soviétiques dans un camp de Poméranie, écrivait au CICR en octobre 1941 que « l'aspect de presque tous ces prisonniers était effrayant : de vrais cadavres ambulants. Des files entières se soutenaient par

---

[227] ACICR, B G 85, Sociétés nationales URSS, 1, Mémorandum sur les relations entretenus par le CICR avec l'URSS et avec l'ASCRCR, 1942, doc. 5-6

[228] Les trois mémorandums sont déposés aux ACICR, B G 85, Sociétés nationales URSS, 1.

[229] GARF, 9501/5/353, A. Ia. Vyshinski, vice-commissaire du peuple aux affaires étrangères, à ASCRCR, 23.12.1941, doc. 62.

[230] GARF, F.9501/5/61, Plan de travail du département relations internationales de l'ASCRCR, juin 1941, doc. 64.

[231] GARF, F.9501/5/61, Plan de travail du département relations internationales de l'ASCRCR, décembre 1941, doc. 3.

[232] ACICR, B G 85, Sociétés nationales URSS, 1, ASCRCR à CICR, 07.07.1941, doc. 7.

[233] André Durand, *Histoire du Comité International de la Croix-Rouge. De Sarajevo à Hiroshima,* Genève, Institut Henry-Dunant, 1978, p. 441.

les épaules, afin de ne pas tomber, d'autres réussissaient encore à porter quelques agonisants. En grande majorité des jeunes gens, dix-sept, dix-huit ans, squelettiques, hagards. »[234] Les chiffres cités par l'historien Christian Streit[235] confirment d'ailleurs l'horreur de leur situation, pressentie par le délégué : sur les 3 350 000 soldats soviétiques capturés en 1941, deux millions décèdent ou sont exécutés ; et sur les quelques 5,7 millions de prisonniers de guerre soviétiques faits par l'Allemagne durant la Deuxième Guerre mondiale, 3,5 millions, soit près des deux tiers, meurent en détention. Le CICR le reconnaîtra ultérieurement : « Il était évident que, quant aux prisonniers de guerre, l'Allemagne ne se comportait pas à l'égard de l'URSS comme elle l'avait fait vis-à-vis de ses ennemis de l'Occident. »[236] Mais en 1942 le Comité refusa de communiquer ce constat aux Sociétés de la Croix-Rouge des différents Etats, ainsi qu'à l'opinion publique mondiale, prétextant le fait qu'il ne diffusait que les informations recueillies par ses délégués.

La non-dénonciation de la guerre d'extermination menée par l'Allemagne nazie à l'Est ne se limita pas aux seules victimes soviétiques. A l'automne 1942, alors que les armées du Reich avançaient en direction du Caucase et que la déportation et l'extermination des juifs battaient leur plein à l'Est, les responsables du CICR résolurent de ne pas s'élever publiquement contre les violations du droit des gens, en refusant de s'exprimer notamment sur les déportés politiques et raciaux. Cette décision s'inscrivait dans la tradition de l'institution qui, selon Jean-Claude Favez, développait depuis l'affaire éthiopienne de 1936 une forte réticence devant toute intervention publique, convaincue qu'elle était que la « Croix-Rouge n'existait pas pour parler, pour prendre position, pour juger, mais pour agir concrètement en faveur des victimes »[237].

Considérant que le Comité international n'avait pas rempli sa tâche de défense des Conventions, les Soviétiques répondirent à cette succession de non-appels par un long silence de huit années – « Nous vous recommandons de ne plus répondre aux courriers du CICR »[238], écrivait le commissariat du peuple aux affaires étrangères à l'Alliance –, un silence dont la première manifestation concrète fut de mettre un terme au paiement de leurs cotisations au CICR[239].

---

[234] *Ibid.*, p. 440.

[235] Christian Streit, *Keine Kameraden. Die Wehrmacht und die sowjetischen Kriegsgefangenen, 1941-1945*, Bonn, Dietz, 1991, p. 130-131.

[236] ACICR, B G 85, Sociétés nationales URSS, 1, Mémorandum sur les relations entretenues par le CICR avec l'URSS et avec l'ASCRCR au cours de la Deuxième Guerre mondiale, 24.08.1945.

[237] Favez, *op. cit.*, p. 157.

[238] GARF, 9501/5/353, A. Ia. Vyshinski, vice-commissaire du peuple aux affaires étrangères, à ASCRCR, 03.02.1942, doc. 64.

[239] GARF, F.9501/5/246, Rapport de V. Gorokhov sur les relations de l'Alliance avec le CICR, 1941-1948, septembre 1948, doc. 140.

Faire la preuve de son impartialité

Le 13 avril 1943, trois mois après la capitulation de l'armée de von Paulus à Stalingrad, entre la liquidation du ghetto de Cracovie et celle du ghetto de Varsovie[240], et alors que vient de s'achever la construction des grands fours crématoires d'Auschwitz, Radio-Berlin annonce la découverte du charnier de Katyn, dans la région de Smolensk, contenant les cadavres d'officiers polonais (ceux du camp de Kozielsk). Le 16, la Croix-Rouge allemande exprime le désir qu'une mission d'enquête du CICR se rende à Katyn. La requête de la Croix-Rouge allemande est reprise le 17 avril par celle du représentant de la Croix-Rouge polonaise en Suisse au nom du gouvernement polonais de Londres[241]. Plusieurs témoignages oraux confirment l'hypothèse que les membres du Comité « se doutaient bien que c'étaient les Russes qui avaient tué ces Polonais », et qu'ils avaient « flairé le danger énorme qui existait de se proposer comme organisme compétent pour mener l'enquête », risquant ainsi « d'être immédiatement discrédités par l'autre partie »[242]. L'appel de Radio-Berlin s'inscrit en effet dans un plan d'action propagandiste organisé par Goebbels, visant à créer des tensions au sein de la Grande Alliance antihitlérienne[243]. Le risque de porter atteinte à l'impartialité – déjà faible, s'agissant de l'URSS – du Comité est d'autant plus grand que personne ne doute en Suisse à ce moment de la responsabilité des Soviétiques[244]. Une réponse favorable du CICR aurait surtout pour conséquence de susciter d'autres demandes allant dans le sens d'une mission d'expertise. « Polonais et Allemands demandent à la Croix-Rouge de faire une enquête [sur Katyn]. Très bien. Peut-être pourrait-on compléter le programme en demandant à la Croix-Rouge de rechercher ce que sont devenus les officiers polonais, les soldats et la population de Pologne transférés en Allemagne, mais surtout les quelques millions de Juifs enlevés des pays occupés, d'Allemagne et surtout de Pologne, dont on n'a plus de nouvelles et au sujet desquels les rumeurs les plus graves cou-

[240] Le 19 avril, l'insurrection du ghetto répond à l'attaque de la Wehrmacht. Les insurgés résisteront pendant vingt jours.

[241] Stanislaw Radziwill fut reçu par Paul Ruegger qui était alors le conseiller de Max Huber.

[242] ACICR, interview de Jean Pictet, 16 janvier 1989, p. 64.

[243] Un éditorial de René Payot dans le *Journal de Genève* du 28 avril 1943 intitulé « Diplomatie allemande » montre que les Suisses en avaient conscience : « Elle [la diplomatie allemande] s'efforce, en premier lieu, de désunir les Alliés. La découverte des cadavres polonais lui fournit un thème qu'elle compte exploiter à fond. [...] L'affaire ne cause aucune satisfaction à Londres, où M. Eden va essayer d'agir comme intermédiaire. La diplomatie du Reich a marqué un point. »

[244] La presse suisse est sur ce point tout à fait unanime. Voir par exemple Sven Stelling-Michaud, « Pologne meurtrie », *Journal de Genève*, 21.04.1943, p. 1 : « L'on ne saurait mettre en doute la véracité des révélations allemandes concernant le massacre collectif de plusieurs milliers d'officiers polonais dans la région de Smolensk au printemps 1940. »

rent l'Europe. »[245] Ces lignes, parues dans le journal genevois *Le Peuple*, sont immédiatement suivies par un appel émanant de citoyens suisses : « Informé par la presse que vous vous proposez de mettre la haute compétence ainsi que tout le prestige de votre institution pour effectuer une enquête judiciaire relative à des crimes de guerre, je me permets de vous demander, si vous envoyez une commission dans les pays de l'est européen à cet effet, d'enquêter également sur le sort réservé à plus de 75% des habitants du ghetto de Varsovie ? »[246]

Se conformant au mémorandum du 12 septembre 1939 de Max Huber, son président[247], le CICR soumet alors sa participation à la condition d'être mandaté par toutes les parties concernées. L'institution humanitaire, qui n'a plus le moindre contact avec Moscou depuis près d'une année, ne s'attend évidemment pas à obtenir l'agrément des Soviétiques[248]. Au même moment, elle s'efforce d'ailleurs précisément de rétablir des liens totalement rompus en dépêchant auprès de l'ambassade soviétique d'Ankara son ancien délégué en Union soviétique, Woldemar Wehrlin, muni d'une liste de 54'000 noms de prisonniers de guerre soviétiques détenus en Roumanie[249], et en envoyant un télégramme à Molotov le 19 avril 1943[250]. Dans sa séance du 19 avril, le Comité note même que « le moment semble opportun » pour de telles démarches, « car le gouvernement soviétique, informé officieusement par le gouvernement britannique de l'attitude [c'est-à-dire la réserve qui ira jusqu'à la non-participation] du Comité au sujet de l'exhumation des officiers polonais[251],

---

[245] *Le Peuple,* Genève, 20.04.1943.

[246] ACICR, A-CL 06-03.00, Jean G. Bloch, La Chaux-de-Fonds, au CICR, 21.04.1943. Dans ses notes de voyage déposées aux archives du CICR, le Dr Naville relève à la date du mercredi 28 avril : « Départ de trois avions de la Lufthansa pour Varsovie où nous arrivons vers midi. Des fumées révèlent de la bagarre et on nous dit qu'il y a eu une affaire dans le ghetto » ! ACICR, P FN 23, Archives privées de François Naville, Katyn : Commission d'experts neutres, 1938-1968 [1995].

[247] « Mémorandum sur l'activité du CICR en ce qui a trait aux violations du droit international », in *Revue internationale de Croix-Rouge,* Genève, n° 249, septembre 1939, p. 766-769.

[248] Les Allemands et les Polonais ne croyaient pas non plus à cette possibilité. Le Professeur Heinrich Zangger de Zurich – qui était membre du Comité et auquel le gouvernement nazi avait proposé une chaire de médecine légale dans une université allemande – constitua néanmoins une liste d'experts que le Comité aurait pu proposer. Mais ce document remis au CICR devait surtout servir à montrer le cas échéant que « le Comité aurait été prêt en cas de besoin ». ACICR, A PV B Pl-002, Procès-verbal de la séance du Bureau du mercredi 7 juillet 1943 à 10 heures.

[249] ACICR, B G 85, Gouvernement URSS, CICR à ASCRCR, 1.1., 16.04.1943, doc. 35.

[250] ACICR, B G 85, Gouvernement URSS, 1.1, Max Huber à V. M. Molotov, 19.04.1943.

[251] Dans la même séance, le Bureau du Comité charge le diplomate Paul Ruegger, alors en congé, mais qui s'apprête à représenter la Confédération helvétique à Londres, de bien vouloir s'assurer auprès des Britanniques que le gouvernement soviétique a été officieusement informé de son attitude à l'égard de l'affaire de l'exhumation. ACICR, A-CL 06-02.00, Procès-verbal de la Séance spéciale du Bureau du CICR du 19 avril 1943, p. 3. Sur les contacts du CICR avec le *Foreign Office*, voir John P. Fox, « Der Fall Katyn und die Propaganda des NS-Regimes », in *Vierteljahreshefte für Zeitgeschichte,* vol. 30, 1982, p. 482, et Paul Stauf-

pourrait être enclin à réserver un bon accueil à notre demande ». Certes il ajoute que « si le gouvernement de l'URSS ne répond pas à la nouvelle communication du CICR concernant les listes [de prisonniers de guerre] nous aurons les mains plus libres pour agir dans l'affaire de Smolensk »[252], mais ce dernier point ne sera jamais réexaminé par le Comité. Le CICR prend aussi le soin d'informer officieusement les Allemands que « toute suite positive donnée à l'appel de la Croix-Rouge allemande aurait probablement pour effet de retarder – et peut-être même d'une manière indéfinie – une réaction favorable du côté des Soviets aux ouvertures que le CICR s'emploie à faire à nouveau en vue d'obtenir des renseignements sur le sort des prisonniers allemands, roumains, hongrois et italiens, etc., en URSS »[253]. Il espère ainsi que « le gouvernement allemand comprendra mieux la réserve que le Comité s'est imposé dans l'affaire de l'exhumation »[254]. Nulle surprise donc que dans son communiqué de presse du 23 avril, le CICR ne fasse pas explicitement référence à l'Union soviétique – se contentant d'évoquer « toutes les parties qu'intéresse cette question »[255] –, témoignant ainsi de sa volonté d'améliorer ses relations avec l'URSS. Dans l'unique explication de cet épisode qu'il fournira aux Soviétiques après la fin des hostilités, le Comité note que c'est en « s'appuyant sur sa tradition de complète impartialité à l'égard de tous les belligérants » et sur les principes fixés en 1939 – c'est-à-dire « à la demande de toutes les parties intéressées » – qu'il avait « suggéré au gouvernement polonais de demander l'assentiment de l'URSS et à la Croix-Rouge allemande d'intervenir auprès de son gouvernement pour lui demander de faire éventuellement une démarche en ce sens auprès de sa puissance protectrice. Le gouvernement allemand fit ensuite savoir au CICR que sa participation à cette enquête était rendue inutile par le départ pour Katyn d'une commission d'experts neutre.

fer, *Polen – Juden – Schweizer*, Zürich, Verlag Neue Zürcher Zeitung, 2004, p. 190-191. Selon Stauffer, les Britanniques refusèrent de donner suite à ces démarches.

[252] ACICR, A-CL 06-02.00, Procès-verbal de la séance spéciale bureau du CICR du 19 avril 1943, p. 3.

[253] ACICR, A-CL 06-02.00, Notice paraphée par Paul Ruegger du 19.04.1943.

[254] ACICR, A-CL 06-02.00, Procès-verbal de la séance spéciale bureau du CICR du 19 avril 1943, p. 3.

[255] Communiqué de presse n° 183, 23.04.1943, in *Revue internationale de Croix-Rouge,* Genève, n° 293, mai 1943, p. 414.

Le gouvernement polonais retira alors sa demande[256]. Le CICR n'avait ainsi plus de rôle à jouer dans cette affaire. »[257]

La non-participation du CICR à la commission d'enquête, mise en avant comme une preuve de son impartialité, ne suffit pourtant pas à améliorer ses relations avec l'URSS. Malgré les multiples tentatives entreprises par Woldemar Wehrlin auprès de l'ambassade soviétique de Téhéran d'avril 1943 à décembre 1944, les malentendus ne se dissipent nullement. Toujours négatives sur le fond, les réponses des Soviétiques aux propositions du CICR se font d'ailleurs de plus en plus dures sur la forme, témoignant de la conscience qu'ont alors les Soviétiques du rapport de force qui s'est établi en leur faveur à la suite de la victoire de Stalingrad. Si, en août 1943, le Dr O. A. Baroyan, le délégué de l'Alliance envoyé en Iran pour rencontrer Wehrlin, se contente de déclarer que l'Alliance était trop absorbée par ses actions de secours à l'intérieur de l'URSS pour pouvoir poursuivre des activités extérieures[258], en décembre, l'ambassade soviétique à Téhéran informe le délégué que « l'ensemble du problème [sic] des relations du CICR avec l'URSS était à l'étude à Moscou »[259]. Enfin, en août 1944[260], le délégué du CICR apprenait du délégué de l'Alliance que le gouvernement soviétique n'autorisait plus celle-ci à entretenir des relations officielles avec le CICR[261]. Cette fin de non-recevoir annonçait les critiques auxquelles allait devoir faire face l'institution genevoise – et d'une façon plus générale la Suisse[262] – au sortir de la guerre[263].

---

[256] Le 4 mai 1943, le gouvernement polonais de Londres, avec lequel le gouvernement soviétique avait suspendu ses relations diplomatiques depuis le 23 avril, retira, à la suite des pressions du gouvernement britannique, la requête faite au CICR en faveur d'une commission d'enquête. ACICR, A-CL 06-02.00, Lettre de la Croix-Rouge polonaise, signée S.A. Radziwill, à Max Huber, président du CICR, 04.05.1943.

[257] ACICR, B G 85, Sociétés nationales URSS, 1, Mémorandum sur les relations entretenues par le CICR avec l'URSS et avec l'ASCRCR au cours de la Deuxième Guerre mondiale, 24.08.1945, p. 10-11.

[258] Bugnion, *op. cit.*, p. 216.

[259] Cité par Toman, *op. cit.*, p. 68.

[260] Il y eut entre-temps encore deux démarches : en janvier 1944, le CICR demanda à son délégué à Téhéran de refaire une tentative en vue d'établir des relations directes avec l'Alliance. Le 12 mai 1944, le CICR renouvelle la proposition d'échange de délégués. ACICR, B G 85, Gouvernement URSS, 1.1.

[261] ACICR, B G 85, Sociétés nationales URSS, 1, Mémorandum sur les relations entretenus par le CICR avec l'URSS et avec l'ASCRCR au cours de la Deuxième Guerre mondiale, 24.08.1945, p. 11.

[262] Rappelons en effet, à la suite de Daniel Bourgeois – *Business helvétique et Troisième Reich. Milieux d'affaires, politique étrangère, antisémitisme,* Lausanne ; Genève, Editions Page deux ; Le Courrier, 1998, p. 110 –, que l'offensive des armées nazies contre l'URSS en 1941 avait été célébrée par les élites suisses comme une tentative de détruire le communisme, ce qui amena « le gouvernement à outrepasser les limites que la neutralité aurait dû lui imposer ». Or pour les Soviétiques, il n'existait aucune différence entre les positions du CICR et celle de la Confédération, une interprétation d'ailleurs légitimée par la participation du Conseiller fédéral Philippe Etter au Comité.

L'ostracisme soviétique à l'égard de l'institution genevoise n'allait en réalité jamais cesser. En mai 1946 – peu après l'accord de mars sur l'établissement de relations diplomatiques entre la Suisse et l'URSS –, le CICR s'efforça une nouvelle fois de rétablir le contact avec la Croix-Rouge soviétique. Lors du Conseil des gouverneurs de la Ligue, tenu à Oxford en juillet 1946, où la délégation soviétique proposa de « réduire significativement les fonctions du CICR »[264], le président du Comité suggéra au président de l'Alliance d'envoyer une délégation à Genève pour « examiner tous les griefs[265] que vous pourriez avoir à notre égard »[266], une proposition confirmée par lettre, puis renouvelée peu après au ministre soviétique en poste à Berne. Cependant, à l'occasion d'une visite à Genève en avril 1948, le ministre de l'URSS à Berne, A. G. Kulazenkov, informa le CICR que son gouvernement n'estimait « pas opportun un échange de vues actuellement sur l'activité de la Croix-Rouge »[267]. Et parmi les justifications de la non-participation du gouvernement soviétique et de l'Alliance à la XVIIe Conférence internationale de la Croix-Rouge (Stockholm, juillet 1948) figurait en bonne place la question de la présence du CICR, dont « l'attitude avait toujours été inamicale envers eux »[268]. Le premier contact effectif du Comité avec les autorités soviétiques eut lieu en novembre 1950, lors de la visite à Moscou de son président d'alors, Paul Ruegger, mais elle ne déboucha sur aucun résultat concret, les Soviétiques reprenant dès 1952 les critiques contre l'institution, notamment à propos de la question de l'enquête sur la guerre bactériologique en Corée. L'espace soviétique, et plus généralement communiste, demeura ainsi fermé au CICR jusqu'en 1992, date à laquelle le Comité signait un accord de siège

---

[263] La presse communiste allait par exemple souligner les liens de Max Huber avec Aluminium Industrie SA dont la filiale allemande a participé à l'effort de guerre et employé des travailleurs forcés. Catherine Rey-Schyrr, *De Yalta à Dien Bien Phu. Histoire du Comité international de la Croix-Rouge 1945-1955,* Genève, Georg, 2007, p. 45.

[264] GARF, F.9501/5/246, Rapport de V. Gorokhov sur les relations de l'Alliance avec le CICR, 1941-1948, septembre 1948, doc. 140-142.

[265] Les griefs de l'URSS à l'égard du CICR étaient les suivants selon Kolesnikov : les rapports des délégués du CICR sur les camps allemands ne correspondaient pas à la réalité ; l'attitude germanophile du CICR était révélée par l'appel adressé le 30 décembre 1943 à tous les belligérants, que l'URSS interprétait comme une allusion au procès de Kharkov (1er procès soviétique de criminels de guerre allemands) ; la germanophilie du CICR continuait à se manifester par l'aide apportée aux prisonniers de guerre allemands ; d'une façon générale, la non-dénonciation des infractions allemandes au droit de la guerre, notamment du sort des prisonniers soviétiques, avait montré aux Soviétiques que le CICR n'était pas impartial. Rey-Schyrr, *op. cit.,* p. 65.

[266] ACICR, B G 85, Sociétés nationales URSS, 1, Max Huber-CICR à Kolesnikov, ASCRCR, 31.07.1946.

[267] Rey-Schyrr, *op. cit.,* p. 47.

[268] ACICR, B G 85, Sociétés nationales URSS, 1, Addenda du 24.01.1949 au Mémoire du 22.06.1948 sur les relations entretenues par le CICR avec les autorités soviétiques et l'ASCRCR depuis 1939, p. 7.

avec le Ministère des affaires étrangères de la Fédération de Russie après plus de 54 ans d'absence.

Conclusion : le poids des nombres et l'importance de la chronologie

Dans une Deuxième Guerre mondiale particulièrement meurtrière, tant par le nombre absolu des victimes (environ 50 millions) que par l'exceptionnelle proportion de civils parmi elles (50%), la guerre à l'est de l'Europe représente un drame humanitaire sans précédent. Le conflit porté par les armées allemandes sur les territoires polonais et soviétique bascula dans une brutalité préméditée sans précédent pour revêtir le caractère d'une guerre d'extermination contre le « judéo-bolchevisme ». Cette première étape du plan hitlérien de réorganisation raciale du continent conduisit au génocide de 5,3 millions de Juifs[269]. L'Union soviétique déplora 20 à 25 millions de morts (10 à 12 % de la population) et la Pologne 5,5 à 6 millions (15 à 20 % de sa population), dont 3 millions de Juifs. On ne peut que partager le constat de l'historien Jean-Claude Favez lorsqu'il écrit : « Mis à part l'envoi de quelques secours, le CICR ne put rien pour les prisonniers de guerre soviétiques en Allemagne (et allemands en URSS), ce qui constitua, numériquement parlant, son principal échec – ou son impuissance majeure – durant la Seconde Guerre mondiale. Le cas des Polonais est un peu différent, puisque ce n'est pas l'absence des Conventions de Genève qui est la cause du traitement particulier infligé aux prisonniers de guerre, mais la destruction de l'Etat polonais. Allemands et Russes en tirent, dès l'hiver 1939, la conclusion qu'ils disposent en quelque sorte librement des prisonniers qu'ils détiennent. »[270]

Dans cette histoire macabre, où les Polonais, privés de statut juridique, furent exclus du champ d'intervention du CICR, fondé exclusivement sur le droit humanitaire, les 21 837 officiers polonais exécutés à la suite de la décision du Politburo du 5 mars 1940 apparaissent comme doublement victimes. Victimes d'abord du pouvoir soviétique qui procéda selon l'expression de Victor Zaslavsky à un « nettoyage de classe », mais aussi victimes de la chronologie. Chronologie qui fit d'abord de l'URSS le complice du IIIe Reich dans la destruction de la Pologne et de sa population[271], puis une victime du nazisme,

---

[269] Sur les liens entre l'opération Barbarossa et la solution finale, voir Omer Bartov, « L'opération Barbarossa et les origines de la solution finale », in Stéphane Audoin-Rouzeau et al. (dir.), *La violence de guerre, 1914-1945. Approches comparées des deux conflits mondiaux,* s.l., Complexe, 2002, p. 193-218.

[270] Favez, *op. cit.*, p. 213.

[271] Durant les quelques 18 mois d'occupation soviétique de la Pologne, 3% de la population de Pologne orientale, à savoir plus de 400 000 personnes, furent victimes de la répression sous une forme ou une autre (emprisonnement, déportation ou exécution). Victor Zaslavsky, *Le massacre de Katyn. Crime et mensonge,* Monaco, Editions du Rocher, 2003, p. 61. Le taux exact de mortalité des différentes catégories de déportés polonais demeure incertain, mais

avant d'être le principal acteur de la victoire sur celui-ci. Et dans ce contexte, le CICR ne pouvait ajouter au reproche d'impuissance celui d'une partialité trop évidente qui aurait résulté d'une dénonciation des crimes soviétiques à l'encontre des officiers polonais alors qu'il avait renoncé à lancer des appels explicites en faveur des victimes du IIIe Reich.

---

plusieurs auteurs, dont Andrej Paczkowski (« Pologne, la "nation-ennemi" », in Courtois et al., *op. cit.*, p. 407), parlent sur la base des données du NKVD de 100 000 personnes mortes dans les camps ou au cours des transports, auxquelles il faut ajouter les 21 857 officiers polonais exécutés à la suite de la décision du Politburo du 5 mars 1940. Ces chiffres sont contestés par Alexandra Viatteau, (*Staline assassine la Pologne, 1939-1947,* Paris, Editions du Seuil, 1999, p. 68) qui évoque pour sa part le chiffre de 1 764 000 morts et disparus polonais, mais pour la période allant de 1939 à 1945.

L'affaire Naville dans le contexte des relations diplomatiques entre la Suisse et l'URSS

par

Sophie Pavillon[*]

La diplomatie helvétique face à l'URSS au sortir de la Seconde Guerre mondiale

Le massacre de Katyn figure aujourd'hui parmi les crimes de masse majeurs commis sur ordre de Staline et de son entourage. Il fallut attendre les années 1990 pour que les autorités russes le reconnaissent finalement[272], non sans réticences et revirements, analysés dans d'autres contributions à ce volume, en particulier celles de Natalia Lebedeva et Irène Herrmann. En octobre 1946, au moment où le Conseiller fédéral radical Max Petitpierre, en charge du Département politique fédéral (affaires étrangères), tente d'intervenir pour empêcher que « l'enquête sur le massacre de Katyn auquel

* Historienne, Lausanne.

272 Alexandra Viatteau, « KATYN (massacre de) », in Serge Cordellier (dir.), *Le dictionnaire historique et géopolitique du 20e siècle,* Paris, La Découverte, 2003, p. 394-395. N. B. Pour davantage de références bibliographiques, on voudra bien consulter les ouvrages mentionnés au fil de cet article.

a participé M. le Professeur Naville »[273] ne fasse l'objet d'une entrée en matière au Grand Conseil de Genève, on n'en est pas là. De surcroît, le dossier des relations diplomatiques entre la Confédération et l'Union soviétique est très épineux.

Pour expliquer l'intervention que Max Petitpierre effectue, s'adressant à Albert Picot en automne 1946, on peut revenir à novembre 1944, quand l'URSS refusa d'établir des relations diplomatiques avec la Suisse et lança contre elle de virulentes attaques dans la presse, largement relayées par les journaux et radios de nombreux pays européens et aux Etats-Unis. Voici par exemple ce que l'on pouvait lire à propos de la Suisse, dans une dépêche de l'agence Reuter de Londres :

« Radio Moscou a cité aujourd'hui un commentaire sur la Suisse publié par la *Revue internationale de la Pravda.*

Il y est dit : ' Il y a encore, dans la presse à l'étranger, des défenseurs de la Suisse neutre qui sont blessés par le refus soviétique d'établir des relations diplomatiques avec elle.

Selon les faits actuels, au cours de toute la seconde guerre mondiale, la Suisse a apporté à l'Allemagne une aide économique considérable, lui fournissant des armements, des munitions, des roulements à billes, des moteurs, des machines outils, des instruments et d'autre équipement. Au cours des années écoulées toute l'industrie mécanique suisse a travaillé pour les pays de l'Axe et en particulier pour l'Allemagne. Cette dernière a même fourni à la Suisse des matières premières pour assurer la livraison du matériel de guerre '. »

La *Pravda* donne alors une liste de maisons suisses accusées d'avoir livré du matériel de guerre à l'Allemagne. Elle dit :

« L'un des principaux fournisseurs des pays de l'Axe en armes et en munitions est la firme suisse ' Oerlikon '. En 1942, cette maison a livré à l'Allemagne 1185 canons de DCA de 20 mm, 1604 canons de DCA de marine, 1230 canons pour avions, 1630 platines de rechange pour canons et 17.850 tambours. La production des armes indiquées ci-dessus et leur livraison a continué en 1943. [...]

Ces faits ont déchiré le masque de l'hypocrite neutralité de la Suisse démocratique la révélant comme une complice active du fascisme allemand. »[274]

---

[273] Archives fédérales suisses, Berne [désormais AF], E 2001 (E) 1/139, Petitpierre à Picot, 24 octobre 1946 (DoDis-1879 : les sources indiquées ainsi proviennent de l'édition en ligne des Documents Diplomatiques Suisses, accessibles à l'adresse : www.dodis.ch).

[274] Dépêche *Reuter,* transmise au Département politique fédéral (DPF) par *l'Agence télégraphique suisse,* 27 novembre 1944, publiée in Sophie Pavillon, *L'ombre rouge. Suisse-URSS 1943-1944 – Le débat politique en Suisse,* Lausanne, Antipodes, 1999, p. 282-283.

Si cette dépêche est un document singulier, c'est davantage pour sa longueur et le caractère très détaillé des éléments qu'elle avance, mais assurément pas du fait qu'elle serait un article isolé. Partie de Moscou début novembre 1944, simultanément au refus soviétique d'établir des relations diplomatiques avec la Suisse, ce fut une véritable campagne de presse dénonçant la Suisse et ses relations avec les pays de l'Axe qui se répandit partout dans le monde comme une traînée de poudre, pendant plusieurs semaines[275].

Cet échec retentissant entraîna la démission du Conseiller fédéral radical Marcel Pilet-Golaz, prédécesseur de Max Petitpierre au poste de Ministre des affaires étrangères de la Confédération. Avec l'aide de la diplomatie helvétique, le nouvel élu remit l'ouvrage sur le métier pour aboutir, le 19 mars 1946, à l'établissement de relations diplomatiques entre Berne et Moscou. Trente ans s'étaient donc écoulés avant cet accord, émaillés de conflits plus ou moins importants – que j'évoquerai en partie. En octobre 1946, l'apaisement obtenu depuis peu par la Confédération devait sans doute apparaître fragile aux yeux du Conseiller fédéral Petitpierre. Dès lors, l'ouverture d'un débat concernant la participation du Professeur Naville à la mission d'expertise médicale sur le massacre de Katyn lui semblait inopportune, puisque susceptible de déclencher à nouveau l'ire de Staline contre la Suisse, en raison de ses conclusions aboutissant à attribuer à l'Union soviétique la responsabilité de ce crime de masse et du fait que le Troisième Reich avait pris l'initiative d'organiser cette mission.

L'entente diplomatique entre la Suisse et l'URSS, obtenue non sans peine, devait sans doute apparaître fort précieuse aussi aux yeux de Max Petitpierre à un moment où les autorités fédérales se préoccupaient beaucoup de l'évolution conjoncturelle, soucieuses qu'elles étaient d'éviter une crise sociale et politique aussi grave que celle survenue lors du premier après-guerre, marqué notamment par la Grève générale de novembre 1918[276]. En corollaire, le gouvernement helvétique s'efforçait de restaurer la position du pays dans les relations internationales issues de la Seconde Guerre mondiale. Il apparaît évident que Max Petitpierre y pense en s'adressant à Albert Picot, puisqu'il écrit d'emblée : « Une discussion publique sur le massacre de Katyn au sein de votre Grand Conseil pourrait avoir les répercussions les plus fâcheuses sur nos relations avec l'URSS et pourrait, dans une certaine mesure, rendre plus difficiles notre position internationale, en particulier nos relations avec les

---

[275] Pavillon (1999), *op. cit.*, p. 135-149.

[276] Jean-François Bergier (dir.), Commission indépendante d'experts Suisse-Seconde Guerre mondiale (CIE), *La Suisse et les réfugiés à l'époque du national-socialisme,* Paris, Fayard, 2000, p. 69.

Nations Unies. En outre, il s'agit d'une affaire qui, en elle-même, ne concerne pas notre pays. »[277]

De leur côté, les diplomates soviétiques indiquent avoir été conscients de l'enjeu international à la base des démarches helvétiques auprès de l'URSS à l'époque où Max Petitpierre en avait la direction, comme en témoigne cet extrait du rapport annuel de la Légation d'Union soviétique à Berne, revenant sur les motivations qu'avait la Confédération à établir des relations diplomatiques avec l'Union soviétique. Son auteur observe en effet que « les cercles dirigeants suisses se rendaient compte que l'absence de relations diplomatiques avec l'URSS pouvait conduire la Suisse à un certain isolement politique et être un obstacle à sa participation aux diverses organisations et conférences internationales, ainsi qu'à l'utilisation du territoire suisse comme lieu de séjour pour ces organisations et ces conférences ».[278]

Au début du second après-guerre, survenant au sein même de la Genève internationale, un débat concernant le massacre de Katyn et la mission d'expertise médicale à laquelle participa François Naville ne pouvait qu'inquiéter le responsable des affaires étrangères helvétiques qui venait de franchir l'obstacle auquel Marcel Pilet-Golaz s'était brutalement heurté, même si l'on peut aujourd'hui considérer que ses craintes n'ont pas été confirmées par une réaction de Staline ou de ses diplomates, en dépit de la discussion qui eut bel et bien lieu au Grand Conseil genevois. Rétrospectivement, on peut considérer que dans ce temps entre Seconde Guerre mondiale et Guerre froide, les deux Etats souffraient d'un certain isolement et de fragilités internationales qui contribuèrent sans doute à ce qu'ils puissent trouver entre eux des arrangements[279].

---

[277] AF, E 2001 (E) 1/139, Petitpierre à Picot, 24 octobre 1946 (DoDis-1879).

[278] Extraits du rapport annuel de la Légation de l'Union soviétique à Berne (ERALUSB) au Ministère des Affaires étrangères de l'Union soviétique (MAEUS), Berne, 25 mai 1949, publié in Antoine Fleury et Danièle Tosato-Rigo (éd.), *Suisse-Russie. Contacts et ruptures 1813-1955,* documents tirés des Archives du Ministère des Affaires étrangères de Russie et des Archives fédérales suisses, Berne/Stuttgart/Vienne, 1994, Doc. 243 (traduit du russe, désormais TdR), p. 684 (AVPRF, f. 0141, op. 31ª, p. 121, d. 2, II 77-84).

[279] ERALUSB au MAEUS, 25 mai 1949 (analyse de l'attitude de la Suisse vis-à-vis de l'URSS, depuis 1946), publié in Fleury et Tosato-Rigo, *op. cit.*, Doc. 243 (TdR), p. 684-693, en particulier p. 686, (AVPRF, f. 0141, op. 31ª, p. 121, d. 2, II 77-84) ; Ministre de l'Union soviétique à Berne, F. F. Molockov, au ministre soviétique des Affaires étrangères de l'Union soviétique, V. M. Molotov, 16 mars 1953 (Commentaire sur la réaction de la Suisse à la mort de Staline), publié in Fleury et Tosato-Rigo, *op. cit.*, Doc. 267 (TdR), p. 780-784, en particulier p. 780-781, (AVPRF, f. 0141, op. 35, p. 131, d. 18, II 6-9) ; Bergier, *op. cit.*, p 367 ; Antoine Fleury, « Max Petitpierre », in Urs Altermatt (dir.), *Conseil fédéral. Dictionnaire biographique des cent premiers conseillers fédéraux,* Yens, Cabédita, 1993, p. 431-436, en particulier p. 433 ; Hans Ulrich Jost, « La Suisse dans le sillage de l'impérialisme américain », in *À tire d'ailes. Contributions de Hans Ulrich Jost à une histoire critique de la Suisse,* Lausanne, Antipodes, 2005, p. 537-547.

Quelques aspects des relations entre la Suisse et l'Union soviétique entre 1918 et 1945

Peu après la Révolution russe, une mission soviétique – dite « Mission Berzine » – avait résidé sur le territoire de la Confédération, mais elle en fut expulsée par le Conseil fédéral au moment de la Grève générale qui éclata en Suisse au début de novembre 1918. Selon le gouvernement de l'époque, la Mission Berzine avait secondé les organisateurs de la grève dans ce qu'il considéra comme une tentative de révolution, thèse ensuite adoptée durant des décennies par la bourgeoisie helvétique et souvent invoquée dans sa lutte contre le communisme en Suisse[280]. Dans les jours même où le Conseil fédéral renvoyait la Mission Berzine, le représentant suisse Albert Junod prenait son poste à Petrograd, non sans trembler pour sa situation qu'il jugeait délicate, car l'instabilité régnait dans le pays ravagé notamment par la guerre civile et du fait que l'expulsion de Jan Berzine et de ses collaborateurs risquait d'avoir des répercussions en URSS (à l'époque RSFSR), tant sur la représentation fédérale qui s'y trouvait que sur les ressortissants suisses y demeurant[281]. On peut donc dire que les relations diplomatiques entre la Suisse et l'Union soviétique furent d'emblée compromises, mais il faut souligner ici que les conflits entre Berne et Moscou qui surviendront entre 1918 et 1945 reposaient davantage sur des bases idéologiques et juridiques que sur des questions humanitaires *stricto sensu*.

Maintes fois, l'Union soviétique dénonça l'attitude « inamicale » de la Suisse à son égard en l'accusant de mener une politique anticommuniste[282], tandis que les autorités fédérales voulaient en permanence brider la propagande communiste sur le territoire de la Confédération. Durant l'entre-deux-guerres et la Seconde Guerre mondiale, on s'accorde à dire qu'un fort climat

---

[280] Voir Willi Gautschi, *Der Landesstreik 1918,* Zürich, Chronos, 1988 et Hans Ulrich Jost, « L'importance de la Grève générale dans l'histoire de la Suisse », in Jost, *op. cit.*, p. 187-203.

[281] Sur la guerre civile, voir F. Suter, vice-consul de Suisse à Moscou, au DPF 15 septembre 1918, in Fleury et Tosato-Rigo, *op.cit.* Doc. 114 (AF, E 2300 Moskau), p. 290-297. Sur la situation consécutive à l'expulsion de la " Mission Berzine ", voir A. Junod à F. Calonder, 16 novembre 1918 in Fleury et Tosato-Rigo, *op. cit.,* Doc. 119 (AF, E 2001 (B) 1/23), p. 310-313, en particulier p. 312-313 ; et Dietrich Dreyer, *Schweizer Kreuz und Sowjetstern. Die Beziehungen zweier ungleicher Partner,* Zürich, Verlag NZZ, 1989.

[282] Cela sera notamment invoqué lors de l'entretien entre le Ministre de l'URSS en Suisse, Kulagenkov, et Petitpierre, le 30 janvier 1947, lors duquel ils s'entretinrent du débat genevois concernant Katyn. Petitpierre insista *« sur le caractère privé du mandat accepté par le Professeur Naville »,* et affirma que le but de Jean Vincent, du Parti du Travail, était de perturber les relations entre la Suisse et l'Union soviétique. Voir « Note du 30 janvier 1947 », in Fleury et Tosato-Rigo, *op. cit.*, Doc. 211(AF, E 2802 1967/78/10), p. 601-603 (citations p. 602).

antibolchevique régnait en Suisse, apparaissant régulièrement dans la presse et solidement ancré au gouvernement[283].

À plusieurs reprises, chacun des deux Etats protesta contre le sort réservé à ses ressortissants vivant dans l'autre Etat. On mentionnera les nombreuses démarches de Moscou auprès de Berne, en particulier pour tenter de remédier à l'expulsion de la Mission Berzine[284] ; pour s'insurger contre l'acquittement de Moritz Conradi, proche des milieux russes blancs réfugiés en Suisse après la Révolution soviétique, qui assassina le diplomate soviétique Vorovsky à deux pas de Lausanne [285]; ou encore pour obtenir le rapatriement des prisonniers de guerre soviétiques internés en Suisse durant la Seconde Guerre mondiale, tentant même de convaincre les autorités fédérales de procéder au rapatriement forcé de certains d'entre eux[286]. Dès la Révolution russe, la Confédération se préoccupe quant à elle du rapatriement des Suisses de Russie et, par la suite, de leur indemnisation, ainsi que des problèmes de citoyenneté (Suisses dotés d'un passeport soviétique, femmes suisses ayant épousé un ressortissant russe soviétique, enfants nés d'unions entre Suisses et Russes, etc.)[287]. La Suisse fut également une terre d'asile pour de nombreux Russes fuyant la Révolution d'Octobre, ce qui n'était pas sans lien avec l'orientation

[283] Voir par exemple Daniel Bourgeois, « ' Barbarossa ' et la Suisse », in *Business helvétique et Troisième Reich. Milieux d'affaires, politique étrangère, antisémitisme,* Lausanne, Page Deux, 1998, p. 109-131 ; Mauro Cerutti, « Politique ou commerce ? Le Conseil fédéral et les relations avec l'Union soviétique au début des années trente », in *Études et Sources,* 7, 1981, p. 119-143.

[284] Junod au DPF, 10 décembre 1918, in Fleury et Tosato-Rigo, *op. cit.*, Doc. 125 (AF, E 2001 (B) 1/23), p. 329-331. p. 329-331 ; Gautschi, *op. cit.*, p. 216-224.

[285] Comité central exécutif panrusse et Conseil des Commissaires du Peuple de la RSFSR, 20 juin 1923 (Décret sur le boycott de la Suisse), in A. Fleury et D. Tosato-Rigo, *op. cit.*, Doc. 141 (TdR) (VPS, n° 205), p. 371-373 ; Annetta Gattiker, *L'affaire Conradi,* Berne/Francfort (Main), Lang, 1970.

[286] Petitpierre au Colonel Flückiger, chef de la délégation suisse aux négociations sur les internés soviétiques, 20 septembre 1945, in Fleury et Tosato-Rigo, *op. cit.*, Doc. 195 (AF, E 2001 (E) 1/105), p. 559-560 ; le ministre de l'Union soviétique à Berne, A. G. Kulazenkov, au vice-ministre des Affaires étrangères, V. A. Zorin, 18 février 1949, in Fleury et Tosato-Rigo, *op. cit.*, Doc. 241 (TdR) (AVPRF, f. 0141, op. 31, p. 115[a], d. 19, 7-8), p. 675-677 ; la Section consulaire de la Légation de l'Union soviétique à Berne (descriptif de la colonie soviétique en Suisse), 13 avril 1949, in Fleury et Tosato-Rigo, *op. cit.*, Doc. 242 (TdR) (AVPRF, f. 0141, op. 31, p. 114, d. 14, II 81-85), p. 678-683 ; Olivier Grivat, *Internés en Suisse 1939-1945,* Chapelle-sur-Moudon, Ketty & Alexandre, 1995.

[287] Junod au DPF, 23 janvier 1919, in Fleury et Tosata-Rigo, *op. cit.*, Doc. 128 (AF, E 2001 (B) 1/23), p. 336-337 ; Junod, au DPF, 6 février 1919, in Fleury et Tosata-Rigo, *op. cit.*, Doc. 130 (AF, E 2001 (B) 1/23), p. 340-341 ; Comité des Colonies suisses en Russie au DPF, 26 février 1919, in Fleury et Tosata-Rigo, *op. cit.*, Doc. 131 (AF, E 2001 (B) 1/23), p. 342-344 ; DPF, 14 août 1946, in Fleury et Tosata-Rigo, *op. cit.*, Doc. 205 (AF, E 2015 1/53), p. 589-593 ; Jean-François Fayet et Peter Huber, « Die Russlandschweizer ohne Schutz ? Die IKRK-Mission in Moskau als 'verdecktes Konsulat' 1921-1938 », in *Etudes et Sources,* 28, 2002, p. 153-185.

politique des autorités fédérales, comme le relève le récent rapport final de la « Commission Bergier » :

« Si l'on considère l'attitude de la Suisse officielle face aux deux axes principaux d'action de la communauté internationale envers les réfugiés [durant l'entre-deux-guerres], il apparaît qu'elle s'est plus volontiers mobilisée, sur le plan de son discours et de son action humanitaire, pour les réfugiés russes et "assimilés" que pour les Allemands, bien qu'elle ait finalement, par le fait de la réalité géographique, accueilli beaucoup plus d'Allemands que de réfugiés russes ou arméniens. Ces derniers ont bénéficié, en effet, de l'anticommunisme qui inspire les autorités fédérales, celles-ci ne représentant à l'époque que les partis bourgeois. Ce constat n'est d'ailleurs pas propre à la Suisse, bien qu'il y soit plus marqué. »[288]

Ce qui frappe, pour cette période, c'est que les autorités fédérales n'entrèrent pas sur le terrain de la dénonciation des crimes du stalinisme. Pour en donner un exemple, une notice d'avril 1944, émanant du Département politique fédéral, évoquait les problèmes rencontrés en Union soviétique par des citoyens suisses en les regroupant selon les rubriques que voici : déportations, arrestations, déplacements, assassinats, exécutions. L'auteur de cette notice introduisit sa présentation en précisant qu' « on peut certainement penser que d'autres cas encore seront découverts après la guerre actuelle, pour l'instant, des recherches à cet égard sont tout à fait exclues »[289], mais il ne commenta pas la gravité de cette situation, pour tous ceux qui vivaient en URSS à l'époque et qui étaient menacés par l'impitoyable appareil répressif de Staline. Ainsi, en lisant des documents concernant des Suisses maltraités en URSS dans les années 1930, on s'aperçoit que Berne les mentionnait pour ainsi dire comme une évidence – elle en prenait acte –, mais n'en faisait pas véritablement un « *casus belli* » avec l'URSS, ni à cette époque-là, ni par la suite.

Aux dossiers relevant des problématiques de l'entre-deux-guerres s'ajoutera, dès 1943-1944, celui de la sauvegarde des intérêts helvétiques dans les zones d'occupation alliée. L'enjeu économique n'était pas négligeable, quand on pense par exemple aux filiales d'entreprises suisses en Allemagne du Sud, contrôlées par les autorités françaises[290]. Plus à l'est, les territoires passèrent progressivement aux mains des Soviétiques, ce qui motiva tout d'abord certains diplomates à intervenir auprès du Département politique fédéral pour qu'il envisage d'établir des relations diplomatiques avec l'URSS.

---

[288] Bergier, *op. cit.*, p. 46.

[289] DPF, avril 1944, in Fleury et Tosata-Rigo, *op. cit.*, Doc. 190 (AF, E 2015 1/53), p. 545-547 (citation originale en allemand, p. 545).

[290] Christian Ruch, Myriam Rais-Liechti, Roland Peter, *Geschäfte und Zwangsarbeit. Schweizer Industrieunternehmen im "Dritten Reich"*, Zürich, Chronos, 2001 (publications de la CIE, vol. 6) ; Sophie Pavillon, « Trois entreprises suisses en Allemagne du sud et leur développement durant la période nazie », in *Etudes et Sources*, 23, 1997, p. 209-251.

Cependant, le chef des affaires étrangères ne donna pas suite à ces demandes et l'on peut se figurer, en lisant les documents provenant des représentations suisses en Europe de l'Est, que l'évolution du front occasionna bien des difficultés sur le terrain, péjorées sans doute par l'absence de relations entre la Suisse et l'URSS[291]. À titre de comparaison, si, en Allemagne du Sud, les autorités fédérales firent parvenir des lettres de protection et autres écussons suisses à placarder sur les usines propriétés d'entreprises helvétiques afin de dissuader les Alliés de loger ces établissements à la même enseigne que les usines allemandes, des mesures semblables étaient plutôt compromises en Europe de l'est, faute de relations diplomatiques entre la Suisse et l'URSS. La légation britannique à Moscou servira de puissance protectrice des intérêts suisses dans les territoires occupés par les Soviétiques et la diplomatie helvétique œuvrera à la création d'une mission auprès du Conseil de contrôle interallié pour l'Allemagne : « Le Foreign Office est au fait de l'importance des intérêts que nous devons protéger en Allemagne ; à elle seule, la liste – longue de trois pages – des filiales suisses en Allemagne que nous avons transmise au Foreign Office, est parfaitement révélatrice. »[292]

Les autorités soviétiques voudront pour leur part protéger leurs ressortissants internés en Suisse pendant la Seconde Guerre mondiale et elles dénonceront les mauvais traitements réservés aux prisonniers de guerre soviétiques réfugiés sur le territoire helvétique. Le Conseiller fédéral Petitpierre s'assurera de l'apaisement des tensions survenues dans ce domaine, manifestement désireux de classer cette affaire au plus vite[293].

Incidences des relations germano-suisses sur celles de la Confédération avec l'Union soviétique

Pour tenter de placer « l'affaire Naville » dans le contexte des relations diplomatiques entre la Suisse et l'Union soviétique, il nous semble encore essentiel de la situer par rapport aux relations germano-suisses, dans la mesure où ce sont les autorités du Troisième Reich qui convoquèrent cette mission d'expertise médicale, et aussi parce que les relations que ces deux Etats entretenaient avec l'Allemagne hitlérienne infléchirent les relations soviéto-suisses durant la Seconde Guerre mondiale.

En février 1941, un important accord commercial fut signé entre la Suisse et l'URSS pendant qu'était en vigueur le Pacte germano-soviétique. Mais, dès le début de l'opération Barbarossa, les délégués commerciaux soviétiques

---

[291] Pavillon (1999), *op. cit.*, p. 30-34 et 131.

[292] AF, E 2001 (D) 9/3, Ruegger à Stucki, chef de la Division des Affaires étrangères (DAE) du DPF, 6 juillet 1945, (Original en allemand), p. 3 (DoDis-1914).

[293] Voir Fleury et Tosato-Rigo, *op. cit.*, note 1, p. 677, relative à la lettre de Petitpierre du 6 novembre 1952.

quittèrent le territoire fédéral pour regagner l'URSS, tandis que les avoirs soviétiques en Suisse furent bloqués. Les substantiels échanges commerciaux promis par cet accord furent donc réduits à néant par l'agression du Troisième Reich contre l'Union soviétique[294]. Une fois de plus, la Confédération préférait éviter de prendre en considération les intérêts économiques qu'il pouvait y avoir à développer des relations avec l'Union soviétique ; la politique prenait le dessus, comme elle l'avait fait dans la crise des années 1930, au grand dépit, par exemple, de certains secteurs de l'industrie horlogère helvétique.

La Suisse et l'Allemagne avaient quant à elles des intérêts économiques en commun et construits de longue date, depuis le 19e siècle pour n'en évoquer que les développements les plus récents. L'anticommunisme et l'antisémitisme les rapprochaient (les deux Etats ayant, bien entendu, leurs responsabilités et leur politique particulières dans ces deux domaines)[295]. Cela se traduisit par une prise de parti assez claire des milieux dirigeants suisses pour soutenir plus particulièrement l'Allemagne dans sa guerre contre l'Union soviétique, notamment dans l'affaire des missions sanitaires suisses sur le front de l'Est. Non sans relever les résistances que la Suisse opposa à l'Allemagne nazie, l'historien Daniel Bourgeois évalue en ces termes la situation qui prévalut :

« Mais enfin, envoyer du personnel médical pour soigner les soldats d'un seul parti belligérant [le Troisième Reich], sous le patronage de la Croix-Rouge suisse, dont l'idée maîtresse est sa vocation de soigner indifféremment les soldats blessés des deux camps, est bien l'expression même de la démission de l'esprit de neutralité et d'une éclatante partialité.

L'attaque allemande du 22 juin contre l'URSS produit, dans certaines sphères dirigeantes, une sorte d'effondrement des barrières mentales, comme si l'on avait vécu dans l'irréel pendant la période du pacte germano-soviétique. Cette offensive rétablit la cohérence de la primauté de l'adversaire communiste sur le nazi. Ce qui est tout de même paradoxal pour une Suisse directement menacée par le pangermanisme. »[296]

À partir de 1943-1944, la situation changea. La Confédération veilla à maintenir de bonnes relations avec le Reich tout en développant ou en améliorant progressivement celles qu'elle pouvait entretenir avec les puissances alliées. Il est intéressant du reste de constater des points communs entre la politique menée par les autorités fédérales à l'égard des victimes du national-socialisme et au niveau des relations diplomatiques avec l'Union soviétique. Dans les deux cas, le parlementaire socialiste Ernst Reinhard intervient. Il lance un débat au Parlement pour demander la mise en place d'une aide aux

[294] Le délégué aux accords commerciaux, H. Ebrard, au DPF, 19 mai 1941, Fleury et Tosato-Rigo, *op. cit.*, Doc. 184 (AF, E 2001 (D) 9/1), p. 516-518 et la note 1 p. 518.
[295] Bergier, *op. cit.*, p. 46.
[296] Bourgeois, *op. cit.*, p. 129.

enfants victimes des persécutions nazies (annonciateur du Don suisse) et il y affirme aussi la nécessité que l'Etat fédéral établisse des relations diplomatiques avec l'URSS. La chronologie des deux dossiers indique une assez forte simultanéité dans l'assouplissement de la politique d'asile et dans l'amorce de démarches en vue d'établir des relations diplomatiques avec l'Union soviétique.

Dans le domaine des relations avec l'Union soviétique, c'est bien à partir de 1944 que les autorités fédérales songeront à établir certains contacts, et ce, parce que l'URSS compterait à l'évidence parmi les puissances victorieuses. S'il est clair que le gouvernement helvétique s'y emploie avec d'énormes réticences, il n'en demeure pas moins qu'à partir de ce moment, la politique extérieure suisse devait être exempte de toute manifestation d'hostilité envers l'URSS. Dans ce contexte, la mission à laquelle participa le Professeur Naville, indépendamment des mobiles que ce dernier trouva à y participer et indépendamment aussi de la justesse de ses conclusions, intervient en décalage par rapport à la politique extérieure suisse. On comprend, dès lors, pourquoi le Conseiller fédéral Petitpierre insiste pour dire qu'il s'agissait-là d'une décision personnelle du Professeur Naville à laquelle les autorités cantonales genevoises et fédérales n'étaient pas mêlées.

Quand la politique étrangère éclipse la défense des Droits de l'Homme

Quelques facettes de l'Union soviétique reflétées par le prisme des discours de la diplomatie helvétique

En 1943-1944, le Conseiller fédéral Pilet-Golaz exprima ses réticences à l'idée d'établir les relations diplomatiques avec la Russie soviétique, notamment devant le Parlement et dans les consignes adressées par l'administration fédérale aux représentations suisses à l'étranger. Il affirma alors que la neutralité suisse fut cristallisée en 1939, ce qui écartait, selon lui, toute modification des relations diplomatiques entretenues par la Confédération avec les Etats étrangers tant que durerait la guerre. Il souligna qu'aucun intérêt économique prépondérant, favorable à l'industrie suisse, ne semblait devoir infléchir cette situation.

Sans manifester la moindre attitude favorable à l'Union soviétique, le Conseiller fédéral Pilet-Golaz adoptait cependant un argumentaire à vrai dire assez original pour un représentant des autorités helvétiques, dans la mesure où il s'abstenait de tout commentaire négatif vis-à-vis de l'URSS et du communisme. Le Ministre de Suisse à Bucarest, René de Weck, réagit de suite à ces directives et les commenta en ces termes : « Le Chef du Département politique me semble avoir été particulièrement bien inspiré en écartant du débat toutes considération relatives au régime intérieur de la Russie comme aux principes dont le gouvernement des Soviets s'est successivement inspiré de

1917 à nos jours. »[297] Il est difficile d'imaginer que René de Weck ne songeait pas au discours que le prédécesseur de Pilet-Golaz au Département politique fédéral, le catholique-conservateur Giuseppe Motta, avait prononcé, en 1934, devant la Société des Nations, pour s'opposer à l'admission de l'Union soviétique en son sein. Reflet d'une majorité du Conseil fédéral, selon l'historien Mauro Cerutti, la vigoureuse intervention de Motta contenait de longs développements au sujet du communisme, dont il affirma :

« [...] [Il] est dans chaque domaine – religieux, moral, social, politique, économique – la négation la plus radicale de toutes les idées qui sont notre substance et dont nous vivons. La plupart des Etats interdisent déjà la simple propagande communiste, tous la considèrent comme un crime d'Etat dès qu'elle cherche à passer du champ de la théorie à celui de l'action.

Le communisme combat l'idée religieuse et la spiritualité sous toutes ses formes. [...] Les Eglises chrétiennes du monde entier se sentent frappées dans l'esprit et dans la chair de tous ceux qui, là-bas, clament et professent leur croyance dans le Christ. [...]

Le communisme dissout la famille ; il abolit les initiatives individuelles ; il supprime la propriété privée ; il organise le travail en des formes qu'il est difficile de distinguer du travail forcé. La Russie est visitée par le sombre fléau de la famine, et les observateurs les plus impartiaux se posent la question de savoir si cette famine est un phénomène purement naturel ou s'il est la conséquence d'un système économique et social vicié dans ses racines.

Mais ces caractéristiques du communisme, telles que j'essaye de les tracer objectivement, ne donneraient pas encore une idée suffisante du communisme russe. Il faut y ajouter un autre trait essentiel et saillant qui achève de le mettre en opposition avec un des principes les plus indispensables et universellement reconnus quant aux relations des Etats. Le communisme russe aspire à s'implanter partout. Son but est la révolution mondiale. »

À la fin de son discours, Motta réitéra un grief qui lui tenait particulièrement à cœur :

« Et surtout, lorsque les délégués soviétiques se trouveront à Genève, nous espérons bien que des voix retentiront ici pour demander, au nom de la conscience humaine, des explications à leur Gouvernement. Elles dénonceront cette propagande antireligieuse qui ne connaît pas sa pareille dans les annales du genre humain et qui plonge dans le deuil et dans les larmes la chrétienté, avec tous les hommes qui croient en Dieu et qui invoquent la justice. »[298]

---

[297] AF, E 2001 (D) 9/2, de Weck à la Division des Affaires étrangères du DPF, 3 mars 1943. Cf. Pavillon (1999), *op. cit.*, p. 30-33.

[298] Motta, à la VIe Commission de la Société des Nations : discours sur la demande d'admission de l'Union soviétique dans la Société des Nations, Genève, 17 septembre 1934, in Fleury et Tosato-Rigo, *op. cit.*, Annexe au Doc. 169, p. 452 et 454 (texte reproduit du *Journal officiel de la SdN,* Genève, 1934).

À cette époque, René de Weck aurait souhaité que le gouvernement de son pays ne s'opposât pas à l'entrée de l'Union soviétique à la SdN. Il écrivit alors à Motta :

« Il ne faut pas oublier que la campagne antisoviétique de ces derniers mois est partie de Genève, que l'existence dans ce canton d'un gouvernement socialiste a contribué à rendre la polémique plus violente qu'elle ne l'eût été si M. Nicole n'existait pas, que tout le débat s'est trouvé faussé dans une large mesure par ce point de départ. Ne pourrait-on pas démontrer aux partis bourgeois qu'ils feraient le jeu des socialistes en leur abandonnant l'honneur de défendre la SdN ? »[299]

Son vœu ne sera pas exaucé, comme on le sait. Motta expliquera que la décision du Conseil fédéral se justifiait pour son « effet d'apaisement sur une opinion publique qui se cabrait à l'idée d'une collaboration soviétique dans le sein de la Société des Nations. Sans le 'non' catégorique du Conseil fédéral, il est probable qu'un mouvement de sortie de la Société des Nations aurait été déclenché en Suisse »[300].

En 1943-1944, René de Weck ne ménagera pas ses efforts pour convaincre Pilet-Golaz d'établir des relations diplomatiques avec l'URSS avant la fin de la guerre, mais se retrouvera une fois encore à contre-courant. Selon lui, Staline avait abandonné le projet d'une révolution internationale :

« Au surplus, même en admettant que Moscou pèche contre la 'pureté d'intention', au sens évangélique du terme, il n'est guère vraisemblable qu'un engagement solennel, souscrit envers les puissances occidentales comme l'empire britannique et la République américaine, demeure sans influence sur la suite des événements et, en particulier, sur les conditions de la paix future. On peut présumer, à tout le moins, qu'il ne permettra pas à l'URSS, même si elle le voulait, de reprendre la politique de Lénine et de Trotzky. Les récentes déclarations de Staline sont très claires sur ce point. »[301]

On voit ici que le Ministre de Suisse à Bucarest s'intéressait prioritairement à la politique extérieure. De ce point de vue, il considérait qu'aucune ingérence soviétique dans la politique en Suisse n'était à redouter – on est loin du climat de confrontation et de révolution du premier après-guerre – et que l'Etat fédéral avait tout intérêt à clarifier sa situation diplomatique avec l'une des futures grandes puissances victorieuses du second conflit mondial. Ajoutons à cela qu'à Bucarest, René de Weck était aux premières loges pour avoir conscience des réalités du terrain et des développements imminents de la guerre à l'est, avec

---

[299] Cité in Cerutti, *op. cit.*, p. 137-138.

[300] Motta à de Weck, 11 octobre 1934, cité in Fleury et Tosato-Rigo, *op. cit.*, p. 449, note 1.

[301] AF, E 2001 (D) 9/2, de Weck à Pilet-Golaz, 30 mai 1943. Voir Pavillon (1999), *op. cit.*, p. 31.

leurs conséquences pour les Suisses se trouvant dans les zones passées sous contrôle allié ou en voie de l'être. René de Weck devra attendre.

Après le bref examen de ces correspondances et discours, il est intéressant de remarquer que, dérivée des premières lignes de la Constitution fédérale, la lettre de créances adressée par le gouvernement helvétique au Praesidium du Conseil Suprême de l'Union soviétique s'achève en ces termes : « Sur quoi nous vous recommandons, avec nous à la protection du Tout-Puissant. »[302]

On peut penser que l'hostilité nourrie par les autorités suisses envers l'Union soviétique était avant tout de nature politique – avec une priorité à la politique intérieure suisse – et religieuse. Les conceptions économiques passaient au deuxième plan, tout comme, me semble-t-il, la question des Droits de l'Homme en Union soviétique.

Le Conseiller fédéral Max Petitpierre apparaît comme continuateur de cette politique. Au moment où il accède à la direction des affaires étrangères, la Suisse se trouve en position de négocier cette délicate phase de transition entre l'époque de la guerre et celle de l'après-guerre. Le gouvernement fédéral ménage l'Allemagne tout en cherchant à apaiser la politique des Alliés à l'égard de la Suisse. Dans ce contexte, le Ministre suisse des affaires étrangères doit faire preuve de prudence vis-à-vis de l'URSS. Ensuite, dès que se confirmera la constellation qui prévaudra durant la Guerre froide, le gouvernement helvétique pourra derechef exprimer son hostilité envers l'Union soviétique sans risquer l'isolement – au contraire. Ainsi, le discours que tenait Max Petitpierre, au début des années 1950, fut relevé avec dépit par le diplomate soviétique en poste en Suisse, mais ne pouvait guère déplaire aux autres anciennes puissances alliées : « Le conflit idéologique qui oppose ce qu'on appelle sommairement l'Est et l'Ouest, [...] qui oppose les partisans du communisme et ceux qui le rejettent, pèse lourdement sur le monde actuel et apparaît comme insoluble, à brève échéance, à cause du but proclamé par le communisme lui-même, qui est la révolution mondiale, c'est-à-dire la destruction successive de toutes les sociétés humaines qui n'acceptent pas de vivre selon ses principes. Voilà pourquoi, continuait Petitpierre, il serait difficile de prendre au sérieux la propagande communiste en faveur de la paix. La révolution mondiale exclut la paix puisqu'elle tend à la suppression ou à l'élimination de tout ce qui s'oppose à elle. »[303]

---

[302] Lettre de créances remise au Ministre Flückiger, Conseil fédéral au Praesidium du Conseil Suprême de l'Union soviétique, Berne, 30 avril 1946, in Fleury et Tosato-Rigo, *op. cit.*, Doc. 203 (AF, E 2200 Moskau 1970/256/1), p. 582.

[303] Petitpierre, conférences sur *La Suisse dans le monde actuel,* février 1952, ERALUSB au MAEUS, Berne, 25 février 1953, in Fleury et Tosato-Rigo, *op. cit.*, Doc. 266. p. 772-773 (le texte du discours de Petitpierre se trouve aux AF, E 2800 1967/59/79).

La subordination de l'humanitaire à la politique

Pour conclure, on peut constater que dans sa forme et son contenu, répondant aux vœux des Allemands et concluant à la responsabilité des Soviétiques dans le massacre de Katyn, la commission d'experts associant François Naville était gênante pour les autorités fédérales, en 1943 peut-être déjà, mais assurément en 1946. Le moment était inopportun pour elles qui visaient à établir, dès 1943-1944, puis à ménager, en 1946 et dans les années qui suivirent, leurs relations diplomatiques avec l'URSS. De plus, même en la considérant comme une commission indépendante, la mission d'expertise médicale révélatrice d'un épisode majeur de la violation des droits de l'homme par l'Union soviétique se situait dans un domaine que les autorités fédérales n'abordaient pas pour mener leur politique extérieure envers l'URSS, puisqu'elles ne cherchèrent pas véritablement à dénoncer les milliers de crimes dont était responsable le régime stalinien. D'un point de vue idéal, le massacre de Katyn aurait pourtant pu fournir au gouvernement fédéral une raison légitime de prendre ses distances vis-à-vis de l'URSS et du communisme qu'elle disait représenter.

Fig. 7. Katyn. Vue générale du travail de la Commission internationale d'experts, avril 1943.
ACICR, P FN-092.

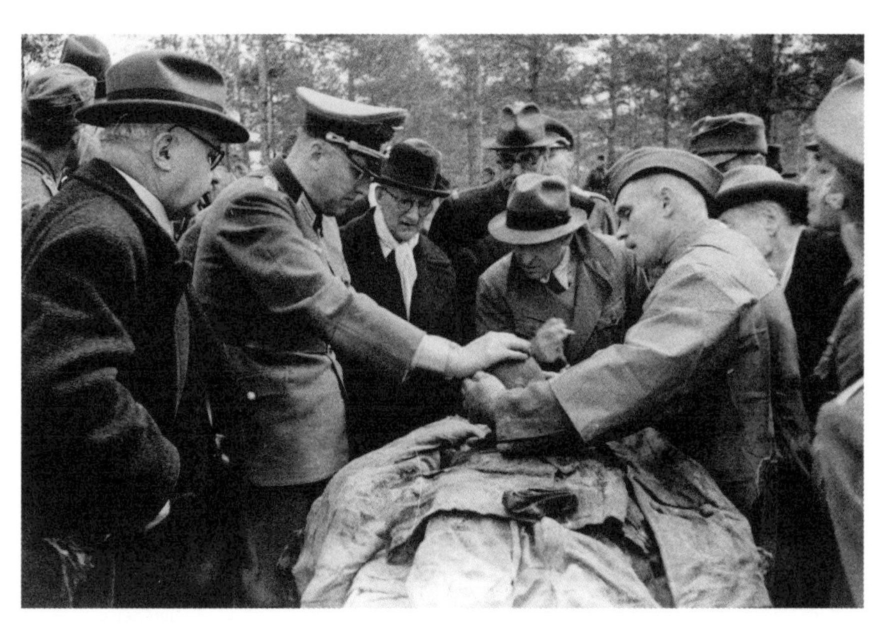

Fig. 8. Katyn. Observation d'un corps exhumé par des experts de la Commission internationale, des membres de l'armée allemande et des civils, 30 avril 1943.
ACICR, P FN-093.

Fig. 9. Katyn. Discussion entre les experts de la Commission internationale. Au centre : François Naville, 30 avril 1943. ACICR, P FN-094.

Fig. 10. Les membres de la Commission internationale d'experts de Katyn. 30 avril 1943. ACICR, P FN-093.

III

DESTINS DES EXPERTS DE LA COMMISSION DE KATYN

WHAT EVENTUALLY HAPPENED TO THE MEMBERS OF THE COMMISSION OF INQUIRY

Vincenzo Mario Palmieri et les polémiques à Naples autour des expertises médico-légales de Katyn*

par

Antonio Di Fiore**

Le thème de ce colloque, qui associe étroitement les faits relatifs au massacre de Katyn au territoire helvétique, ne saurait être étudié en profondeur sans faire appel aux documents qui sont conservés à Naples. En effet, Vincenzo Mario Palmieri [fig. 11], membre de la Commission médicale internationale chargée de faire la lumière sur les circonstances de ce massacre – et surtout d'établir la date à laquelle il s'était produit – était, on le sait, Napolitain. Or, les recherches effectuées par Victor Zaslavsky sur le massacre de Katyn[304] ont en quelque sorte, de ce fait, touché Naples et la figure de cet illustre professeur de médecine légale, qui fit l'objet, dans l'après-guerre, d'une succession d'attaques de la part de la presse communiste de la ville, précisément à cause

* Je tiens à remercier tout particulièrement le directeur des archives de la bibliothèque de périodiques Emeroteca Tucci de Naples, M. Salvatore Maffei, pour sa grande finesse de chercheur et pour m'avoir facilité la consultation des documents sur lesquels se fonde le présent travail de recherche.

** Assistant d'histoire de la médecine et bioétique, Università di Napoli "L'Orientale". Texte original italien traduit par les soins des éditeurs.

[304] Victor Zaslavsky, *Il massacro di Katyn. Il crimine e la menzogna*, Roma, Ideazione, 1998.

du rôle qu'il avait tenu à cette occasion (en tant que rédacteur du rapport final de la Commission qui contredisait les affirmations des Russes)[305].

Le 24 avril 1943, veille du dimanche de Pâques, Palmieri reçut un appel téléphonique de l'ambassade d'Allemagne à Rome, l'informant du fait qu'il avait été désigné – avec le plein accord du gouvernement italien – pour faire partie de la Commission médicale internationale chargée d'effectuer des expertises médico-légales des corps gisant dans les fosses communes de Katyn, et lui demandant s'il acceptait cette charge.

Palmieri fut flatté de cette mission prestigieuse qui témoignait de la haute considération dans laquelle il était tenu en Italie comme à l'étranger. Il était bien loin de s'imaginer les tourments et les désagréments que cette entreprise allait lui apporter. L'épisode de Katyn allait marquer sa vie et le projeter, bon gré mal gré, dans l'histoire.

La Commission médicale internationale effectua plusieurs inspections sur le site, interrogea des témoins, étudia les habits, effets personnels et documents trouvés sur les cadavres et, enfin, procéda à l'autopsie de certaines des dépouilles. Après plusieurs réunions, elle parvint à un verdict unanime, consigné par Palmieri dans le rapport final, signé par tous les autres membres de la commission. L'état des cadavres, qui tous portaient la marque d'un coup de feu à la nuque, ainsi que le niveau de la végétation sur les fosses et les documents trouvés sur les corps, permettaient d'établir avec certitude que le massacre avait été commis en mars ou en avril 1940, lorsque la zone se trouvait sous contrôle soviétique, avant l'invasion nazie. Près de mille cadavres furent exhumés au total.

Les conclusions de la Commission médicale internationale furent immédiatement contestées par les Russes qui accusèrent les médecins d'être au service des nazis et de s'être prêtés à une ignoble manipulation antisoviétique. Ce fut le début d'une longue œuvre de dissimulation de la vérité qui ne devait en quelque sorte s'achever qu'avec l'ouverture récente des archives de l'ex-URSS et la demande publique de pardon adressée par Boris Eltsine à la Pologne.

* * *

Le rapport final signé par Palmieri parut dans le numéro 364 de *La Vita italiana* (juillet 1943), sous le titre « Risultati dell'inchiesta nella foresta di Katyn ». On peut supposer que des personnes en haut lieu agirent immédiatement pour faire disparaître cette publication des bibliothèques. Le fait est que le fascicule incriminé qui présentait la vérité dérangeante au sujet des faits de

---

[305] L'affaire Palmieri a fait l'objet d'une série d'articles de Gianni Caroli parus dans le *Corriere del Mezzogiorno*, le supplément napolitain du quotidien national *Corriere della Sera*, en février-mars 1999.

Katyn est désormais introuvable, caché, égaré ou détruit. Ajoutons à cela que *La Vita italiana* cessa de paraître la même année[306].

Ni le 25 juillet 1943, date de la chute de Mussolini, ni la capitulation italienne du 8 septembre, ne mirent un terme à la guerre qui, en Italie, était désormais menée contre l'ancien allié allemand devenu occupant. C'est dans ce climat confus de résistance et de militantisme que Palmieri fit l'objet d'une première attaque violente dans l'édition méridionale du journal *L'Unità*. Il s'agissait d'une publication hebdomadaire, dépendant de l'édition nationale du quotidien du même nom, mais dotée d'une rédaction et d'une direction autonomes, situées Via Medina à Naples (les responsables de la publication étaient Eugenio Reale et Paolo Tedeschi, *alias* Velio Spano). Elle allait cesser de paraître le 23 juillet 1944 pour céder la place à un autre journal communiste, mais quotidien cette fois, *La Voce*, qui eut la vie brève, cessant de paraître à son tour en 1948, non sans avoir hébergé dans ses pages d'autres attaques contre Palmieri.

Le 7 mai 1944, l'édition napolitaine de *L'Unità* publiait, dans sa rubrique « In galleria », l'article suivant :

> « *Fosse de Katyn*
>
> Un homme qui s'est fait l'esclave de la propagande nazie, qui a trahi sa dignité de chercheur en tenant délibérément des propos mensongers, et en affirmant, armé tel un illusionniste d'affirmations pseudo-scientifiques, la véracité des balivernes nazies sur les cadavres des fameuses fosses de Katyn, ne peut en aucun cas enseigner à la jeunesse.
>
> Tel est pourtant le cas du titulaire de la chaire de médecine légale à l'Université de Naples, le professeur V. M. Palmieri, qui, sur ordre et aux frais de l'état-major allemand, s'est rendu à Katyn, a déclaré avoir expertisé les cadavres des fosses, et a tenu une série de conférences, à Naples, Venise, Milan, etc., pour confirmer, avec une autorité prétendument scientifique, les immondes thèses nazies. Le prof. Palmieri doit libérer l'alma mater de Naples de sa présence odieuse ! »[307]

A cette période, on le sait, les commissions d'épuration chargées, sous la supervision étroite des Alliés, d'évincer des structures de l'Etat les hauts dignitaires fascistes et les personnes qui s'étaient le plus compromises avec le régime déchu, avaient déjà commencé leur activité.

Après cet « oukase » péremptoire, l'édition méridionale de *L'Unità* laisse Palmieri tranquille pendant quelques semaines. Le 25 juin 1944, cependant, le journaliste – sans doute s'agissait-il du directeur en personne, Eugenio

---

[306] Voir : Gianni Caroli, « Katyn, ecco la relazione Palmieri », in *Corriere del Mezzogiorno*, 11 février 1999, p. 12, article dans lequel le journaliste explique avoir reçu une photocopie du rapport introuvable de la part de Luigi Palmieri, le neveu du professeur.

[307] *L'Unità*, 7 mai 1944, p. 1.

Reale[308] – revient à la charge par un entrefilet intitulé « L'homme de Katyn est toujours en poste » :

« En dépit de notre appel, M. le ministre Omodeo n'a pas trouvé le temps de s'occuper du cas proprement scandaleux du professeur V. M. Palmieri, professeur titulaire de médecine légale à l'Université de Naples, agent de la propagande de Goebbels, et « expert » italien membre de l'équipe d'une demi-douzaine de spécialistes de divers pays, asservis au nazisme, chargés de réaliser une expertise sur les cadavres de la tristement célèbre fosse de Katyn. Le professeur Palmieri continue à déshonorer de sa présence notre Université, et va clamant qu'il n'a rien à craindre ni du Recteur, ni du Ministère, ni de la Commission d'épuration. Nous invitons derechef qui de droit à se saisir du cas avant que les étudiants, exaspérés par tant de cynisme et d'effronterie, ne se chargent eux-mêmes de la tâche que les autorités auraient dû accomplir depuis longtemps. Professeur de Ruggiero, au travail ! »[309]

C'est sur cette exhortation au président de la Commission d'épuration que l'auteur concluait son bref entrefilet. Passons sur les imprécisions (les médecins de la Commission n'étaient pas « une demi-douzaine », mais douze, épaulés par deux médecins supplémentaires ; il n'y avait pas « une fosse » mais plusieurs à Katyn), ainsi que sur les menaces larvées de justice sommaire par la vindicte populaire que l'auteur anonyme lançait dans un style vaguement mafieux, en encourageant les autorités politiques et académiques à ses yeux rétives ou apathiques. On soulignera cependant les guillemets désobligeants qui entourent le terme « expert » qui semblent suggérer que le professeur Palmieri était incompétent dans son domaine d'études ou qu'il n'était qu'un imposteur corrompu, et l'insistance sur la présence « déshonorante » du professeur pour l'Université.

Après cette attaque, Palmieri rédigea une lettre succincte à l'hebdomadaire *Il Popolo*, l'organe officiel du parti de la Démocratie chrétienne, qui la publia le 8 juillet 1944 :

> « *Une lettre du professeur Palmieri*
>
> Nous avons reçu du professeur Palmieri la lettre suivante :
>
> "Monsieur le Directeur,
>
> "*L'Unità* évoque mon nom, pour la deuxième fois, en rapport avec les tristes événements de la fosse de Katyn.
>
> "Comme je relève, dans le même hebdomadaire, que les autorités compétentes ont été saisies de l'affaire, je considère qu'il est de mon devoir de

---

[308] Je tire cette conclusion du fait que les attaques se poursuivirent dans les pages du journal *La Voce*, dirigé par le même Reale, lequel allait en outre, en janvier 1948, informer personnellement l'ambassadeur russe en Italie, Mikhail Kostylev, des activités de Palmieri, qu'il surveillait visiblement encore de près, vraisemblablement sur instructions de Moscou.

[309] *L'Unità*, 25 juin 1944, p. 1.

m'abstenir, pour l'instant, de toute déclaration publique, dans l'attente du jugement que ces autorités rendront sur mes actes. J'attends ce jugement avec la sérénité et la tranquillité d'esprit d'un homme de science qui sait avoir accompli sa tâche avec rigueur.

"Veuillez agréer...

"V. M. Palmieri"

La lettre était suivie du bref commentaire que voici :

En publiant la lettre du professeur Palmieri, nous ne pouvons que souligner la réserve et le tact qui l'animent. Nous ne doutons pas, nous non plus, que les autorités compétentes ne manqueront pas de protéger – contre toute passion politique – la réputation d'une personne de la stature morale et scientifique du professeur Palmieri.

Sans vouloir préjuger de rien, nous ne pouvons manquer de relever que le fait de rendre un avis sur des questions techniques relevant de sa propre discipline fait partie des attributions d'un professeur d'université. »[310]

Ces quelques lignes ne passèrent pas inaperçues. Le 16 juillet 1944, un bref entrefilet intitulé « Épuration » paraissait dans l'édition méridionale de *L'Unità*. L'auteur anonyme invitait la Commission pour l'épuration à se saisir des cas « les plus scandaleux », au nombre desquels figurait celui du professeur Palmieri. En deuxième page du même numéro, on trouvait un autre petit entrefilet intitulé « L'affaire Palmieri » : l'auteur y désignait désormais Palmieri sous l'expression *l'homme de Katyn* et formulait pour la première fois le parallèle entre le massacre de Katyn et celui des fosses ardéatines. Ce dernier, dont la responsabilité était parfaitement établie, était présenté par l'auteur comme la suite logique du premier, ce qui conduisait nécessairement à la conclusion que les auteurs étaient les mêmes : les nazis.

« L'homme de Katyn a fait parvenir au *Popolo* une petite lettre dans laquelle, avec la pudeur et la discrétion qui le caractérisent, il annonce qu'il s'abstiendra de toute déclaration publique jusqu'au moment où les autorités compétentes rendront leur jugement sur ses actes. Dans l'attente que ceci se produise (et en ce qui nous concerne, nous entreprenons sans tarder de présenter une documentation complète à ce sujet à la Commission pour l'épuration), nous conseillons au professeur Palmieri de se rendre en pèlerinage expiatoire dans la fosse ardéatine, où gisent les cadavres de 320 Italiens impunément assassinés par les bêtes sauvages hitlériennes qu'il a servies et dont il s'est fait, en parfaite connaissance de cause, l'instrument de la propagande mensongère. »[311]

[310] *Il Popolo*, 8 juillet 1944, p. 3.
[311] *L'Unità*, 16 juillet 1944, p. 1-2.

Le numéro contenant cette attaque contre le professeur Palmieri devait être l'avant-dernier de l'édition méridionale de l'organe du Parti communiste italien qui allait, comme nous l'avons indiqué plus haut, cesser de paraître après le numéro du 23 juillet 1944, annonçant la parution prochaine de *La Voce,* journal qui avait vocation, selon la vision optimiste du parti, à devenir le grand quotidien communiste de l'Italie méridionale, aux côtés de *L'Unità,* l'organe national traditionnel.

C'est en septembre que le quotidien communiste nouveau-né décoche sa première flèche à Vincenzo Palmieri. *La Voce* se présentait sous la forme d'une feuille unique imprimée recto-verso, avec exceptionnellement un numéro de deux, ou plus rarement encore de quatre pages. A l'instar de l'hebdomadaire tout juste disparu dont il avait pris la succession, il était dirigé par Eugenio Reale (qui quittera le parti communiste italien en 1956, après les événements de Hongrie, ou qui, plus précisément, sera expulsé du parti pour son attitude critique à ce sujet) ; à partir du 24 octobre 1944, il passa sous la direction de Mario Alicata, pour cesser définitivement de paraître le 21 juillet 1948.

A propos de cette succession, on peut lire dans le rapport d'une réunion de la direction du parti du 11 août 1944 que « étant donné son état de santé, le camarade Reale est autorisé à prendre une période de congé qu'il passera en clinique ». Cette précision superflue avait peut-être pour objet de ne pas laisser place au soupçon qu'Eugenio Reale pourrait partir en villégiature, d'autant plus que la période était celle des fêtes de l'Ascension. En tout état de cause, Reale fut, semble-t-il, vite rétabli, puisqu'on le retrouve le 28 août participant à nouveau aux travaux de la direction[312]. Nous ignorons donc quel est le rôle véritable tenu par le patron de La Voce dans les attaques lancées contre le professeur Palmieri, mais on sait que dans la pratique du journalisme italien, les articles qui ne sont pas signés reflètent la ligne éditoriale du journal et sont généralement attribués au directeur ou à l'un de ses proches collaborateurs.

Quoi qu'il en soit, on put lire en septembre, dans la rubrique « Spiccioli » du nouveau quotidien une attaque soudaine contre Vincenzo Palmieri et d'autres professeurs de l'Université de Naples, que nous reproduisons ci-dessous dans son intégralité.

> « L'épuration pratiquée à l'Université juste après l'entrée des Alliés à Naples n'a guère été une affaire sérieuse et n'a, de fait, touché que cinq professeurs, dont quatre s'étaient épurés tout seuls en s'en allant à la suite des Allemands. Maintenant que l'épuration, à Naples comme ailleurs, sera le fait des commissions désignées à cet effet auprès de chaque ministère, il convient que celle de l'instruction publique se saisisse sans tarder des cas napolitains et procède à l'examen de la situation des divers enseignants

[312] Voir : Archives de la Fondation Gramsci, Rome [désormais AFGR], *Fondo Mosca*, Verbali Direzione, b. 438, pacco 24 (I), MF 271, fasc. 22; *ibid.,* fasc. 28.

avant le début de la nouvelle année académique, afin d'empêcher de nombreux maîtres indignes, qui doivent être impitoyablement éliminés, d'avoir la possibilité de remonter sur des chaires qu'ils ont prostituées et déshonorées depuis tant d'années.

Nous recommandons tout particulièrement à l'attention de la Commission désignée plus haut les noms du professeur Remo Dominici, consul général de la milice, revenu voici peu sans tambour ni trompette dans sa ville de Pérouse; celui du professeur Vincenzo Mario Palmieri, l'homme de la « fosse de Katyn »; celui du professeur Adolfo Tesauro, qui refusait de faire passer leurs examens aux étudiants réticents à porter la chemise noire; celui enfin du professeur Pietro Verga, qui aimait à se définir comme le plus fasciste des professeurs de la Faculté de médecine. Ces quatre Messieurs méritent abondamment d'être parmi les tout premiers à libérer l'Université de Naples de leur odieuse présence.

Au sujet du professeur Palmieri, nous avons relu ces jours derniers l'expertise qu'il a rédigée à Katyn sur ordre des services de propagande nazie. Son rapport, publié dans la revue *La Vita italiana* de don Preziosi, s'ouvre par le récit de l'appel téléphonique qu'il reçut le jour de Pâques 1943 de l'Ambassade allemande à Rome, pour lui annoncer sa désignation en tant que membre de la commission internationale d'enquête appelée à se rendre immédiatement à Katyn. "Jamais je n'aurais imaginé – commente modestement le professeur Palmieri – qu'un tel honneur pourrait m'échoir."

Eh bien, cher Professeur, les honneurs se paient. Et si celui d'avoir été choisi par Goebbels pour une mission aussi infâme ne vous vaut que d'être déchu de votre chaire de médecine légale, c'est bien simple : vous ne l'aurez pas payé assez cher. »[313]

On le voit, l'auteur anonyme vouait une rancune toute particulière au professeur Palmieri, signataire d'une expertise qui ne laissait aucun doute quant aux responsabilités des Russes. Dans le climat passionné de cette période où le propos militant, l'affiliation politique et la confrontation idéologique obscurcissaient la rationalité et suggéraient des complots même là où rien ne le justifiait, de tels excès n'ont en réalité rien d'étonnant[314]. Nous voulons croire que Eugenio Reale, auquel nous reviendrons plus loin, ou son porte-parole, ait été de bonne foi en attaquant ainsi Palmieri, considéré comme « serf de Goebbels », sincèrement animé par la conviction intime que le Professeur s'était chargé de la tâche indigne de salir les Russes en leur attribuant un ignoble massacre dont les auteurs étaient en réalité les nazis.

---

[313] *La Voce*, 21 septembre 1944, p. 1.

[314] On annonçait à cette époque une insurrection prochaine des ex-partisans communistes, voir : Victor Zaslavsky, *Lo stalinismo e la sinistra italiana*, Milano, Mondadori, 2004, p. 47 s.

La publication de cet entrefilet représentait une critique explicite des membres de la commission d'épuration qui procédait à ce que l'on appelait alors la « défascisation ». Il convient ici de préciser que les documents de cette époque viennent tout juste d'être ouverts au public et transférés par la Préfecture de Naples, où ils se trouvaient conservés, aux Archives d'Etat de Naples. Ils ne sont cependant pas consultables en totalité, précisément parce qu'il s'agit de matériel très récent qui doit de ce fait être manipulé avec soin et prudence. Les documents que les chercheurs souhaitent consulter doivent d'abord être examinés par un employé des archives qui décide si la consultation est possible. Quoi qu'il en soit, un premier sondage effectué sur les catalogues des pièces contenues dans ces dossiers montre que le nom du professeur Palmieri n'apparaît pas dans les dossiers ayant fait l'objet de procès-verbaux de la Commission d'épuration.

L'entrefilet contre Palmieri paru dans *La Voce* mettait en cause une nouvelle fois Adolfo Omodeo, éminente figure de savant et d'opposant au fascisme, recteur de l'Université de Naples et ministre de l'instruction publique dans le deuxième gouvernement Badoglio, entre avril et juin 1944, qui, précisément en raison de ses fonctions, avait déjà été appelé par l'édition méridionale de *L'Unità* à intervenir sur la prétendue affaire Palmieri. Adolfo Omodeo, premier responsable de l'Université de Naples, fut piqué au vif par cette accusation de légèreté dans les opérations d'épuration et il fit parvenir à *La Voce* une brève missive de protestation qui ne fut pas jugée digne d'être publiée par le directeur. Agacé par le comportement ouvertement discourtois et indélicat du quotidien qui lui niait ainsi le droit de réponse, Adolfo Omodeo adressa la lettre que *La Voce* avait refusé de publier à un autre quotidien napolitain, mais de tendance libérale, apparu lui aussi depuis quelques mois, *Il Giornale*, qui la publia sans se faire prier.

C'est ainsi que le 8 octobre 1944, sous le titre « L'épuration à l'Université. Une lettre du recteur », parut la réponse d'Adolfo Omodeo qui, même si elle ne citait pas nommément le professeur Palmieri (le recteur, avec une discrétion consommée, ne citait d'ailleurs pas un seul nom), esquissait le cadre des critères sur lesquels se fondait la Commission d'épuration dans l'accomplissement de sa tâche. Voici donc le texte intégral de la lettre d'Adolfo Omodeo, précédé d'une brève introduction de la rédaction du *Giornale*. Bien entendu, le recteur s'adressait dans sa lettre au directeur de *La Voce* et l'on ne peut qu'être frappé par son utilisation du terme *massacre* qui n'est certainement pas à sa place dans ce contexte (il était en effet question d'épuration et non de massacres), et qui pourrait être un lapsus sous la plume du professeur qui songeait peut-être, précisément, à Palmieri et à Katyn.

> « M. le professeur Omodeo, Recteur de notre Université, nous prie de publier intégralement la lettre suivante, qu'il a adressée le 21 septembre

dernier à la rédaction de *La Voce*. Nous donnons bien volontiers suite à la demande de notre illustre correspondant.

"Je lis dans le numéro d'hier de votre journal un entrefilet qui affirme que l'épuration réalisée par mes soins à l'Université n'a pas été menée sérieusement.

"Permettez-moi en premier lieu de revendiquer le sérieux de mon action passée et présente : j'estime en avoir pleinement le droit, sans avoir à produire des documents à l'appui.

"A titre de précision, et non pas pour me vanter de commettre des massacres (car mon désir profond serait de ne frapper personne et de trouver une Université irréprochable), je me dois d'apporter une rectification : les professeurs touchés à ce jour par une mesure d'épuration sont au nombre de douze titulaires, et non pas cinq, auxquels s'ajoutent de nombreux chargés de cours. L'épuration a été réalisée par une commission de professeurs, et elle a été approuvée par la sous-commission alliée de contrôle, qui a assumé jusqu'à ce jour à Naples les fonctions du Ministère.

"En ce qui concerne les cas signalés, ils ont souvent été l'objet d'avertissements amicaux émanant de personnes appartenant à divers partis. J'ai invariablement répondu en invitant chacun à assumer les responsabilités de l'accusation et de la preuve, car il est évident que l'on ne saurait sanctionner des professeurs sur la foi de rumeurs qui peuvent avoir pour origine des étudiants recalés, ou, pire encore, des rivalités professionnelles dont j'ai eu plus d'une occasion de mesurer l'inimaginable ignominie.

"Dans la mesure où les témoignages ou les documents probants ont fait défaut (ce qui a été constaté par la Commission alliée du rectorat), je suis en droit de demander que l'on ne perturbe pas, par une légèreté irresponsable, la sérénité d'une grande institution culturelle. Fidèle à mon sentiment d'adversaire inflexible du fascisme, je déclare que je serais heureux si l'ensemble des corps et des administrations italiens procédaient en leur sein à une épuration aussi rigoureuse, mais en même temps aussi juste, que l'Université de Naples, par l'œuvre de ses professeurs. Je ne suis troublé que par une seule crainte : que nos mœurs relâchées et une sorte de faiblesse interne devant le tapage extérieur n'amènent à juger trop sévèrement cette œuvre douloureuse mais indispensable d'assainissement.

"Que votre journal, Monsieur le Directeur, fasse preuve de vigilance en ce sens, et il fera œuvre réellement utile.

"Croyez, Monsieur le Directeur...

"Adolfo Omodeo. »[315]

---

[315] *Il Giornale*, 8 octobre 1944, p. 1.

A vrai dire, si l'on en juge par les propos que tiendra, bien des années plus tard, le professeur Palmieri lui-même, Adolfo Omodeo ne semble pas véritablement être monté aux barricades pour prendre sa défense. Mais procédons par ordre. L'écrivain polonais Gustaw Herling qui, dans sa jeunesse, séjourna dans les goulags staliniens et qui connut bien le Naples de l'après-guerre (il épousa l'une des filles de Benedetto Croce), raconte qu'après une première tentative – restée vaine – de rencontrer Vincenzo Mario Palmieri en 1955, le professeur accepta de le recevoir en 1978 :

> « A peine installé à Naples, à la fin de l'année 1955, je décidai de rendre visite au professeur Vincenzo Mario Palmieri (...). Le père C. – de mes amis, lui-même professeur à l'Université, qui le connaissait bien – chercha à organiser une rencontre ; Palmieri lui opposa un refus courtois. Tout en "comprenant parfaitement" mon intérêt, il préférait "ne pas évoquer à nouveau les fosses de Katyn, ne pas réveiller les douloureux fantômes du passé". Ce refus, que j'attribuai à des motifs politiques (Palmieri avait été pendant un certain temps maire chrétien-démocrate de Naples, et il avait très probablement appris dans l'intervalle la prudence diplomatique sous les coups de la gauche communiste locale, particulièrement agressive), fut adouci par mon sympathique barnabite, qui, dans un geste typiquement ecclésiastique, ouvrit les bras en levant les yeux au ciel. »[316]

Les souvenirs de Gustaw Herling manquent de précision : lorsqu'il chercha à rencontrer le professeur Palmieri en 1955, ce dernier n'avait pas encore été maire de Naples (il n'occuperait ces fonctions que pendant une brève période entre septembre 1962 et juin 1963) ; mais il est vrai qu'il avait appris « la prudence diplomatique » après avoir été attaqué – nous dirons même « menacé » – par « la gauche communiste locale » qui était à cette époque non seulement « particulièrement agressive », comme l'écrit Herling, mais aussi, pour certains des éléments qui la composaient en tout cas, bien peu fiable et même turbulente, si l'on en croit les dirigeants du parti eux-mêmes. Lors d'une réunion de la direction, les 9 et 10 octobre 1946, Emilio Sereni, commentant l'échec du parti communiste italien dans les élections administratives au sud du pays, souligne « la tendance des camarades, là où nous ne sommes pas en position de force, au transformisme, et l'orientation de classe contre classe » qui représentent à ses yeux « les deux éléments expliquant l'échec dans la province de Naples », pour ajouter ensuite : « il y a à Naples de nombreuses sections dans lesquelles un intellectuel ne mettra jamais les pieds, parce qu'elles sont le siège des miséreux et de ceux qui sortent leur couteau pour un rien »[317].

---

[316] Gustaw Herling, *Diario scritto di notte*, Milano, Feltrinelli, 1992, p. 98.
[317] AFGR, *Fondo Mosca*, Verbali Direzione, b. 440, pacco 25 (I), MF 272, f. n. n.

C'est sans aucun doute en agitant l'épouvantail de cette masse turbulente que le groupe dirigeant du parti communiste à Naples cherchait à intimider le professeur. Mais revenons à Gustaw Herling. C'est, comme nous l'indiquions plus haut, en janvier 1978, bien des années après cette première tentative manquée, qu'il réussit enfin à rencontrer Palmieri, lequel le reçut à l'Institut de médecine légale et lui montra les photographies des victimes du massacre. Laissons la parole à l'écrivain :

> « Il parlait d'une voix neutre et posée, avec tout juste une trace d'émotion, comme s'il profitait d'une occasion inattendue pour récapituler, au terme de son existence et du travail d'archivage, un événement qui n'a pas eu d'équivalent dans ses cinquante années de carrière de criminologue. Il prit sur une étagère une grosse boîte, bourrée de centaines de photographies, et la posa devant moi. C'était l'image d'un cimetière polonais en plein cœur de la vieille ville de Naples. Je l'ai parcouru des yeux, posant sur la table des piles toujours plus nombreuses de photographies, tout en saisissant au moins quelques passages de son récit. »[318]

Gustaw Herling relate alors les propos du professeur, que nous reproduisons ici intégralement, et qui montrent combien ce terrible souvenir hantait encore Palmieri, quarante-cinq ans plus tard :

> « La puanteur ! une puanteur terrible, que je n'oublierai jamais. Elle était telle qu'il était difficile de travailler, même si les cadavres, dans ce terrain très sec, étaient bien conservés : on trouvait même dans les poches des uniformes des cartes d'identité, des lettres, des coupures de journaux, des photographies de famille intactes. Voyez ces photographies : ce sont des têtes dans un bloc de terre, on dirait des bas-reliefs oblongs sur la façade d'un temple déterré...
>
> Le doute n'était pas permis, aucun des douze experts n'eut le moindre doute, il n'y eut pas même une objection. L'autopsie d'un crâne effectuée par le professeur Orsos, de Budapest, fut décisive : on trouvait sur la paroi interne une substance qui commence à se former trois ans après le décès. Le bosquet qui poussait sur la fosse avait trois ans, lui aussi. Nous avons travaillé jusqu'à trois heures du matin pour rédiger le rapport, car tous les signataires devaient donner leur accord sur la moindre correction et la plus petite nuance. Le rapport est irréfutable. Le professeur Markov, de Sofia, et le professeur Hajek, de Prague, le signèrent eux aussi sans la moindre hésitation. Il ne faut pas s'étonner qu'ils se soient rétractés par la suite. J'aurais probablement fait de même si Naples avait été libérée par l'armée soviétique...

[318] Herling, *op. cit.*, p. 99.

Non, il n'y eut pas la moindre pression de la part des Allemands; nous avions simplement l'appui d'un chargé de liaison désigné d'office, le professeur Buhtz, de l'Université de Breslau, qui fut d'ailleurs fusillé par la suite dans l'affaire de l'attentat manqué de Stauffenberg contre Hitler. De nombreux livres ont été publiés sur Katyn, paraît-il. Je ne les ai pas lus. Je ne vois pas ce qu'ils pourraient ajouter à ce que j'ai vu de mes yeux...

Le crime a été commis par les Soviétiques, il n'y a strictement aucun doute à ce sujet. Les Russes devront bien le reconnaître un jour. On dit que Krouchtchev l'aurait proposé. Il n'y aurait rien de plus facile que de rejeter la faute sur Staline, et de demander pardon aux Polonais. Aujourd'hui encore, je suis obsédé par cette vision des officiers polonais à genoux, les mains liées, poussés à coups de pieds dans la fosse avec une balle dans la nuque...

Au lendemain de la guerre, après la libération de Naples, on m'a fait la vie dure parce que j'avais fait partie de la Commission. Jour après jour, Mario Alicata, qui avait été un militant fasciste prometteur à l'Université, me mettait littéralement en pièces et m'insultait dans les pages de *L'Unità.* Il exigeait que l'on me chasse de l'Université. On en arriva même au point où Adolfo Omodeo, une personne respectable, qui avait été nommé recteur sur recommandation de Benedetto Croce, me conseilla de démissionner de ma propre initiative, parce qu'il redoutait les manifestations des communistes et les affronts de la part des étudiants. Je ne me suis pas laissé intimider, j'ai réussi à tenir bon... Notre rencontre, mon cher ami, est le point final d'une longue histoire... »[319]

Ce témoignage précieux recueilli par Herling nous apprend que Vincenzo Mario Palmieri avait été le rédacteur du rapport de la Commission, travaillant presque jusqu'à l'aube pour terminer le texte qui serait signé par la totalité des membres. Le professeur ne s'étonnait guère du fait que certains de ses collègues (de pays qui allaient se trouver au-delà du rideau de fer) se soient rétractés par la suite ; il allait même jusqu'à reconnaître, avec une sincérité qui force l'admiration, qu'il aurait probablement lui aussi désavoué sa propre expertise si l'Italie était tombée sous le joug soviétique. Enfin, il considérait, de manière prophétique, que les Russes ne pourraient guère occulter longtemps la vérité historique et qu'ils devraient tôt ou tard reconnaître leur responsabilité.

Le récit de Herling témoigne aussi du fait qu'en 1978, le professeur Palmieri disposait d'un grand nombre de photographies prises sur les lieux du massacre et que ces clichés furent sans doute pour lui, de longues années durant, son assurance sur la vie. Son neveu, Luigi Palmieri, a déclaré en 1999 que son oncle, « à l'approche des élections du 18 avril 1948, et au vu des ré-

[319] *Ibid.,* p. 99-100.

sultats escomptés, enterra le rapport et les photographies, placés dans une boîte en carton imperméabilisé, dans l'une de ses propriétés près de Cassino », et que par la suite il exhuma ce précieux paquet pour l'enterrer à nouveau lors de la campagne électorale de 1953 (celle de la loi électorale dite en Italie « loi escroquerie » (*legge-truffa*)[320].

On a dit de ces photographies, d'une inestimable valeur historique et documentaire, qu'elles avaient été détruites dans un incendie ; selon le journaliste Caroli, « l'histoire de l'incendie, qui circula dans les années agitées d'après 1968, n'était qu'une couverture destinée à faire croire à la disparition de ces précieux documents afin de mieux les dissimuler ». On peut lire dans le même article que Luigi Palmieri était convaincu que les photographies prises par son oncle étaient bien gardées par sa famille dans leur maison[321].

Herling, interrogé par Caroli dans le courant de son enquête, a déclaré que « l'attaque dissuasive » lancée par le parti communiste italien contre le professeur avait pour objet de le convaincre « de garder secrète une série de photographies d'une immense valeur historique : les clichés réalisés par la Commission dans ce site maudit, témoignages à charge irréfutables, car ces images avaient été prises non pas du point de vue d'un simple photographe, mais bien dans l'optique strictement professionnelle d'experts légistes, parfaitement capables d'immortaliser les détails probants aux fins d'une expertise médico-légale »[322].

Le récit de Gustaw Herling révèle un autre fait intéressant, à savoir qu'au moment où les pressions exercées par le parti communiste étaient sur le point de réussir à faire exclure Palmieri de l'Université, Adolfo Omodeo fut loin de se montrer inébranlable dans sa défense. Intimidé par la presse communiste, l'homme qui, si l'on en croit Herling, devait son poste de recteur à Benedetto Croce (lequel deviendrait par la suite, comme on l'a vu, le beau-père de Herling), ne trouva rien de mieux à conseiller à Palmieri que de démissionner. Et c'est le refus que le professeur opposa à ces invitations – dont nous ignorons à quel point elles furent pressantes – que le même Omodeo dut, peut-être malgré lui, se résigner à assurer une défense formelle de son collègue, en termes génériques et sans le nommer[323].

[320] Voir : Gianni Caroli, « Katyn ecco la relazione Palmieri », in *Corriere del Mezzogiorno*, 11 février 1999, p. 12.
[321] *Ibid.*
[322] Voir : Gianni Caroli, « Katyn, il mistero napoletano », in *Corriere del Mezzogiorno*, 7 février 1999, p. 11.
[323] Mario Alicata, Calabrais, né en 1924, fut un membre combatif du parti communiste italien et un proche collaborateur de Togliatti; après avoir succédé en 1962 à Alfredo Rechlin au sein de la direction nationale de *L'Unità,* il disparut prématurément en 1966. Sous sa conduite, le quotidien du parti attaqua à plusieurs reprises – mais toujours dans les limites d'une polémique politique correcte – le professeur Palmieri qui était alors chef de groupe de la démocra-

Cependant, il est possible que le professeur Palmieri se trompât, tant d'années plus tard, en attribuant la paternité des attaques anonymes lancées contre lui par le journal à Mario Alicata (lequel, comme nous l'avons indiqué plus haut, ne reprit la direction de l'organe du PCI pour le sud du pays que le 12 octobre 1944). Il est plus vraisemblable que ces attaques émanaient d'Eugenio Reale.

Revenons maintenant au dernier chapitre de cette polémique, celui précisément qui concerne Adolfo Omodeo. Commençons par relever que le quotidien communiste, résolu à avoir le dernier mot, tant contre Palmieri que face au recteur, recourut bientôt à un langage encore plus violent. Voici la réplique butée et méprisante à Omodeo qui parut dans *La Voce* le 12 octobre 1944, et qui confirme que, même s'il est cité parmi d'autres personnes à « épurer » de l'Université, Vincenzo Palmieri représentait la cible principale, en tant que signataire d'une expertise qui accusait le glorieux peuple russe qui luttait avec tant d'énergie contre les nazis, payant un lourd tribut en vies humaines.

« *L'épuration et l'Université*

"Le 21 septembre dernier, nous évoquions dans notre rubrique *Spiccioli* en première page l'épuration de l'Université de Naples, en relevant que certains professeurs, qui ont rendu d'insignes services fascistes, s'étaient vu donner la possibilité de retrouver une année encore des chaires qu'ils ont pendant tant d'années prostituées et déshonorées.

"Comme nous avions défini l'épuration comme « manquant de sérieux », le recteur s'en insurgea dans une lettre que nous décidâmes de ne pas publier, pour ne pas avoir à en faire des commentaires acerbes.

"Le professeur Omodeo a cependant jugé nécessaire de faire publier sa missive, et il s'est pour cela adressé à la rédaction d'*Il Giornale,* qui l'a bien volontiers accueillie dans ses pages. Voilà qui nous contraint, bien malgré nous, à appeler l'attention de nos lecteurs sur les points suivants :

"1) Le professeur Omodeo, qui visiblement suppose que *La Voce* le rend responsable des manquements de l'épuration, revendique le sérieux de son action;

"2) Le professeur Omodeo affirme que l'épuration de l'Université a été réalisée non pas par lui-même, mais par une commission de professeurs désignée à cet effet, qui a agi avec équité, et avec l'approbation de la sous-commission alliée de contrôle;

"3) En ce qui concerne les cas signalés, qui ont fait l'objet d'avertissements fréquents adressés au professeur Omodeo, les témoignages et les documents ont manqué, ce qui lui donne le droit de demander que l'on ne

---

tie chrétienne dans l'appareil municipal et, par la suite, comme nous l'avons vu, maire de Naples.

perturbe pas par un comportement d'une légèreté irresponsable la sérénité d'une grande institution culturelle;

"4) *La Voce* est invitée à faire preuve de vigilance en ce qui concerne les mœurs relâchées et la faiblesse interne qui accompagnent le tapage extérieur, afin que l'œuvre douloureuse d'assainissement ne paraisse pas par trop sévère.

"Nous répondons comme suit :

"Un certain professeur Palmieri, connu essentiellement pour l'expertise de la « fosse de Katyn », qui lui fut confiée par les services de propagande nazie, continue à enseigner la médecine légale à l'Université de Naples. Cet imposteur éhonté, qui prostitua la renommée de l'Université de Naples en prêtant son concours à l'établissement d'une fausse attestation qui devait servir à Goebbels pour transformer les atrocités nazies en arme de propagande antisoviétique, devra être jugé en tant que criminel de guerre. Aux termes de l'art. 2 de la loi sur les crimes fascistes, il devra répondre d'avoir contribué, par ses actes, à maintenir au pouvoir le régime fasciste, et il doit, dans l'intervalle, être démis de ses fonctions, puisqu'il s'est montré indigne de servir l'Etat, comme le prévoit l'art. 11 de ladite loi. Le maintien dans ses fonctions de ce répugnant faussaire, qui s'est servi de ses titres académiques pour avaliser un mensonge, est intolérable pour la sérénité d'une institution culturelle de la renommée de l'Université de Naples, tout particulièrement après que la lumière ait été faite sur les modalités du carnage commis par les nazis dans les fosses ardéatines.

"Si l'expulsion de l'Université de ce personnage représente pour le professeur Omodeo un acte sévère et douloureux, il constitue pour nous et pour l'opinion publique un devoir nécessaire d'épuration.

"Nous n'évoquons même pas le nom de Tesauro, dignitaire fasciste, consul de la province de Salerne, qui a pendant de longues années utilisé la chaire de Giorgio Arcoleo pour faire l'apologie de la constitution dictatoriale fasciste et qui, comme il ressort de ses cours imprimés, s'est fait le paranymphe du fascisme au point de demander que Lemetre, président du tribunal spécial, se voie décerner un diplôme *ad honorem.*

"Comme on le voit, le professeur Omodeo aurait été bien inspiré de ne pas écrire sa lettre et de ne pas en demander la publication ; comme on le voit, *La Voce* était bien inspirée de qualifier l'épuration à l'Université comme une affaire bien peu sérieuse. »

On notera la précision avec laquelle le journaliste énumère les chefs d'accusation et formule, presque comme un procureur général, la demande de condamnation du prévenu. Le professeur Palmieri aurait été, à en croire l'auteur anonyme, plus qu'un suppôt du régime fasciste : un criminel de guerre indigne de servir l'Etat. On est frappé, dans cette diatribe disproportionnée, par le nouveau rappel habile du massacre des fosses ardéatines qui rappellent jusque dans leur nom les fosses de Katyn, invoquées comme exemple de la pratique des nazis sous toutes les latitudes, et l'on ne peut que se demander si l'auteur était véritablement persuadé de la véracité de ses propos ou s'il ne faisait qu'exécuter des ordres venus d'en haut.

Quoi qu'il en soit, une pause s'ensuivit et *La Voce* ne reviendra plus sur le cas Palmieri, pour autant tout au moins que nous ayons pu nous en assurer en consultant tous les numéros de la collection rarissime qui est conservée par la bibliothèque de périodiques Tucci de Naples (avec il est vrai quelques lacunes), et le professeur eut ainsi un peu de répit.

Le quotidien communiste napolitain battait d'ailleurs déjà de l'aile à cette époque. Quelques mois plus tard, lors d'une réunion des instances dirigeantes du parti communiste italien à Rome tenue les 10 et 11 février 1945, l'ex-directeur Eugenio Reale proposait de réduire le personnel de *La Voce,* soulignant son « peu d'influence parmi les intellectuels »[324]. Reale, appelé à d'autres tâches et à des responsabilités gouvernementales, cessa de s'occuper pendant un certain temps du journal et de Palmieri.

Le cas Palmieri se situait en réalité à la fois dans le contexte général de l'épuration et de la « défascisation », qui progressait lentement, et dans le cadre plus vaste de la reconnaissance difficile des « massacres » dont des forces de gauche s'étaient aussi rendues coupables, problème qui commence tout juste, depuis quelques années, à recevoir, en Italie, le degré d'attention nécessaire de la part des historiens[325]. Dans un procès-verbal de réunion de la direction du parti communiste italien du 16 février 1946, Mauro Scoccimarro soulignait :

> « La nécessité de nous différencier des autres partis de manière plus claire et énergique, en affirmant plus précisément notre identité. Sur la question de l'épuration, je pense que nous pourrions dire une chose que nous n'avons jamais dite jusqu'ici, à savoir qu'il est inexact que l'épuration ait été un échec total, mais que, en raison de l'intervention des autres partis, il n'a pas été possible d'imprimer à cette action un élan plus énergique et mieux ciblé. Bien entendu, nous ne pouvons pas attaquer Nenni, mais il est hors de doute qu'il a été l'élément le plus néfaste de l'épuration... »[326]

La période d'après-guerre s'ouvrait sur un monde divisé entre deux blocs opposés ; au conflit armé faisait suite la guerre froide et d'autres conflits périphériques dans lesquels les tensions entre les deux superpuissances allaient trouver leur exutoire.

---

[324] AFGR, *Fondo Mosca*, Verbali Direzione, b. 440, pacco 25 (II), MF 272, f.n.n.

[325] Voir entre autres : Claudio Pavone, *Una guerra civile. Saggio storico sulla moralità nella Resistenza*, Torino, Bollati Boringhieri, 1991.

[326] AFGR, *Fondo Mosca*, Verbali Direzione, b. 440, pacco 25 (I), MF 272, f. n. n.

Dans un entretien accordé au quotidien catholique *Avvenire*, le 19 avril 2006, V. Zaslavsky a déclaré :

> « Lorsque nous portons jugement sur les événements politiques dans un contexte tel que celui de la Seconde Guerre mondiale, gardons-nous d'une attitude de moraliste. Churchill avait sans doute raison de vouloir pactiser, fût-ce avec le diable (Staline, en l'occurrence) si cela pouvait permettre la défaite de l'ennemi numéro un, Hitler ; mais une fois la victoire obtenue, la politique de censure ne se justifiait plus. Or, elle perdura, même après 1989, lorsqu'un rapport du Foreign Office, après avoir correctement reconstitué les événements de Katyn, se concluait sur ces paroles : "N'oublions jamais ces événements, et n'en parlons jamais". Voilà bien de la *Realpolitik*. Même le gouvernement des Etats-Unis fit le silence sur les documents relatifs à Katyn, mais seulement jusqu'au début des années 1950. Le gouvernement britannique, lui, a gardé le secret sur ses documents, pour obtenir des faveurs économiques et commerciales de la part de l'URSS. »

Interrogé plus spécifiquement au sujet de l'Italie, Zaslavsky répond ceci :

> « Le cas du professeur Vincenzo Palmieri, sommité de la médecine légale (et par la suite maire de Naples), qui avait participé en 1943 à la Commission médicale internationale convoquée par les nazis pour enquêter sur Katyn et qui établit la responsabilité des Soviétiques dans le massacre, est très intéressant. Palmieri fit après la guerre l'objet de nombreuses attaques, il fut chahuté dans les salles de cours par des étudiants communistes, menacé d'être exclu de l'Université, et sa vie a même été en danger, puisque Moscou avait demandé au parti communiste italien de le tenir à l'œil en tant que témoin gênant de l'affaire Katyn. D'ailleurs, ses collègues des pays de l'Est qui avaient fait partie de la même commission, furent contraints à rétracter leur signature des rapports d'expertise, et l'un d'entre eux fut éliminé. »[327]

La contestation à l'égard du professeur Palmieri s'intensifia à la veille des élections du 18 avril 1948 qui allaient voir la défaite du Front populaire des socialo-communistes et la victoire du parti de la démocratie chrétienne, sous la conduite d'Alcide De Gasperi.

Ernesto Quagliariello a évoqué un épisode survenu dans les jours précédant ces élections décisives. Il se trouvait à l'Université de Naples, en compagnie d'autres étudiants, pour y suivre un cours de médecine légale du professeur Palmieri, lorsque l'un d'entre eux, « bien connu pour ses opinions socialo-communistes », se mit à hurler et à injurier le professeur, « en lui ordonnant de se taire, car il était indigne d'enseigner, en tant que fasciste et même en tant que nazi, menteur et falsificateur de la vérité historique, puis-

[327] Roberto Beretta, « Stalin inciampò nelle fosse di Katyn », in *Avvenire*, 19 avril 2006.

qu'il avait attribué aux glorieuses troupes soviétiques de Stalingrad le massacre de Katyn », laissant le professeur interdit et troublé[328].

Il n'est pas inutile de donner quelques informations supplémentaires sur Eugenio Reale qui, si l'on en croit les documents trouvés par Zaslavsky dans les archives soviétiques, joua un rôle central dans les attaques et les intimidations lancées contre le professeur Palmieri.

Napolitain comme Palmieri, issu d'une famille très aisée qui comptait quelques membres illustres (il était le descendant du célèbre peintre Giacinto Gigante), Reale fut sans aucun doute à l'origine des premières flèches lancées contre Palmieri, dès l'époque où il dirigeait l'édition méridionale de *L'Unità,* pour prendre ensuite les commandes de *La Voce*. Reale fut bientôt appelé à assumer des responsabilités institutionnelles : il devint en septembre 1944 membre de la Haute Cour de justice, puis sous-secrétaire d'Etat aux affaires étrangères dans le deuxième gouvernement Bonomi (décembre 1944) et dans le gouvernement Parri qui lui succéda et, enfin, à compter de septembre 1945, ambassadeur d'Italie en Pologne, poste qu'il occupa jusqu'au mois de décembre de l'année suivante. Juste avant les élections de 1948, période à laquelle Palmieri dut faire face aux contestations évoquées ci-dessus, Reale essuya des coups de feu près de San Sebastiano al Vesuvio, dans une attaque dénoncée par *La Voce* le 3 avril 1948.

On peut lire dans une étude relativement récente que, nommé ambassadeur, Eugenio Reale se trouva « dans un pays dévasté par la guerre et occupé par l'armée rouge, dans lequel flottaient les spectres des fosses de Katyn et des insurgés de Varsovie, abandonnés en 1944 par les Soviétiques à la furie de la vengeance nazie. Ici, le parti communiste, anéanti lors des purges des années 1930, n'était pour ainsi dire que le bras de Moscou »[329].

L'auteur de ce passage, malgré la sympathie qu'il éprouve visiblement à l'égard de Reale, est néanmoins contraint de reconnaître et de souligner l'ambiguïté du personnage, notamment lorsqu'il relève que :

> « Dans la correspondance touchant ses activités au gouvernement, Reale – appelé en 1946 à faire partie de la délégation italienne à la conférence de Paris – se montre très attaché à la défense des intérêts nationaux, en particulier sur la question de Trieste ; or, dans ses lettres au dirigeant du parti communiste italien, il ne trouve pas de mots assez durs contre la politique de De Gasperi, politique "antisoviétique, antiyougoslave, aveugle, obstinée et, disons-le, totalement fausse depuis le départ" ; pourtant, une fois qu'il aura quitté le parti, Reale aura pour De Gasperi des propos élogieux. »[330]

[328] Voir : Ernesto Quagliariello, « Per verità di storia », in *Nuova Antologia*, 4 (1991), p. 528.
[329] Antonio Carioti (éd.), *Eugenio Reale l'uomo che sfidò Togliatti*, Firenze, Libriliberal, 1998, p. 16.
[330] *Ibid.,* p. 17.

En janvier 1947, Reale quitte son poste à Varsovie et il est coopté au sein de la direction du parti communiste italien. C'est dans le troisième gouvernement De Gasperi qu'il occupe son dernier poste officiel, en tant que sous-secrétaire d'Etat aux affaires étrangères. Antonio Carioti qui aurait dû être au courant, à l'époque où il rédigea son livre sur Reale, des recherches effectuées par Victor Zaslavsky et Elena Aga-Rossi dans les archives de l'ex-URSS, voit surtout le parcours de Reale à la lumière de sa sortie du PCI, ce qui l'amène à écrire :

> « L'avancement des préparations (pour la fondation du Cominform) doit, dès septembre 1947, avoir ébranlé ses certitudes. La morgue des Soviétiques, intimant l'ordre de serrer les rangs contre l'Occident, et la rigidité des autres délégués des pays de l'Est (...) contribuent à semer en lui des doutes profonds sur la nature de l'URSS et des "démocraties populaires". (...) De fait, peu après sa participation à un événement crucial – la fondation du Cominform –, Reale commence à s'éloigner progressivement, sans raison apparente, des instances dirigeantes du parti communiste italien. Ce n'est pas le parti qui l'exclut, comme le confirmeront par la suite ses détracteurs eux-mêmes : c'est lui qui demande à être libéré de ses fonctions importantes pour se consacrer à un travail moins en vue. C'est ainsi qu'on le voit quitter la direction lors du VIe Congrès (5-10 janvier 1948), puis le Comité central lors du VIIe Congrès (3-8 avril 1951); lors des élections de 1953, il ne se représentera pas au Sénat, où il avait été élu cinq ans plus tôt... »[331]

Il paraît étrange qu'Eugenio Reale – qui semble, à la lecture de ces lignes de son biographe, être à cette époque déjà en crise avec le parti – se soit empressé, lors d'une entrevue qui eut lieu en janvier 1948, d'informer Kostylev, l'ambassadeur soviétique à Rome, du fait que le professeur Palmieri, défini dans ces circonstances comme « collaborateur et serf de la propagande de Goebbels », avait « donné des conférences et publié un livre d'inspiration antisoviétique »[332].

Nous ignorons quelle publication de Palmieri était visée par Reale; pour autant que nous sachions, le professeur, prudent, se gardait d'évoquer cette affaire, et il nous paraîtrait curieux qu'il ait laissé circuler sous son nom un écrit quelconque sur Katyn, après avoir reçu tant d'avertissements et de menaces, et à plus forte raison à l'approche d'élections – celles du 18 avril – que le Front populaire se disait certain de remporter. D'ailleurs, dans un volume paru encore des années plus tard, en 1960, qui contient la liste des quelque

---

[331] *Ibid.*, p. 18-21.

[332] Voir : Zaslavsky (1998), *op. cit.*, p. 62. L'auteur évoque l'entretien entre Reale et Kostylev le 28 janvier 1948, après avoir consulté dans les archives de l'ex-URSS les documents transmis par l'ambassadeur lui-même, comme il l'indique dans la note relative à cette citation (*Archives de la politique étrangère de la Fédération de Russie, Entretiens de l'ambassadeur Kostylev en Italie entre le 22 décembre 1947 et le 30 mars 1948*).

250 publications du professeur ainsi qu'une brève notice biographique, on chercherait en vain la moindre mention de l'affaire de Katyn, ni à titre d'activité scientifique, ni sous la forme d'une mention bibliographique (même l'expertise n'y figurait pas, comme si Palmieri n'avait jamais été appelé à faire partie de la Commission médicale internationale). Cette omission ressemble fort à une occultation[333].

Le comportement d'Eugenio Reale dans l'affaire Palmieri a suscité la stupeur douloureuse de M. Brunazzi, qui fut l'un des premiers à commenter le livre de Zaslavsky :

> « Quelle tristesse de lire aujourd'hui que même un homme tel qu'Eugenio Reale, en janvier 1948, s'empressait de signaler à l'ambassadeur soviétique à Rome les activités antisoviétiques du "collaborateur et esclave de la propagande de Goebbels Vincenzo Palmieri", professeur de médecine à l'Université de Naples, dont le seul tort fut d'avoir été l'un des experts qui examinèrent en 1943 les restes macabres extraits des fosses de Katyn et d'en avoir établi correctement la datation en la faisant remonter à l'époque de l'occupation soviétique. »[334]

Même après avoir quitté le parti, et même s'il y eut dans sa vie un tournant politico-idéologique, Eugenio Reale n'éprouva pas le besoin de présenter des excuses à Palmieri pour l'avoir attaqué si injustement. Rappelons cependant que Reale, disparu en 1986, ne vit ni l'effondrement de l'Union soviétique, ni, à plus forte raison, la reconnaissance partielle, par Gorbatchev, puis totale, par Eltsine, de la vérité sur Katyn. Cependant, si Reale mourut avant de pouvoir éventuellement – à supposer qu'il l'eût souhaité – faire amende honorable de ses attaques injustes contre Palmieri, ses biographes les plus récents auraient pu, semble-t-il, consacrer quelques lignes à cette affaire. Or, on ne trouve pas la moindre allusion ni à Palmieri, ni à Katyn, non seulement dans le livre déjà cité de Carioti, mais pas davantage dans un ouvrage encore plus récent sur Eugenio Reale, dû à Giuseppe Averardi. Dans sa préface, Ettore Gallo, ex-président de la Cour constitutionnelle, fait l'éloge de la discrétion de Reale, comme si la discrétion était un titre de gloire lorsqu'il s'agit de contribuer à la vérité historique (nous ne parlons pas, bien entendu, du colportage de ragots). Selon Ettore Gallo, en effet, Eugenio Reale, « même lorsqu'il exprime des critiques sévères, n'enfreint jamais sa loyauté exemplaire. Jamais il ne révéla des informations délicates, jamais il n'utilisa ce qu'il savait de la vie intime de Togliatti, jamais il n'autorisa la publication par ses amis des lettres (qu'il leur

[333] Voir le recueil d'articles *Volume in onore del Prof. V. M. Palmieri nel venticinquennio del suo insegnamento ufficiale (1935-1960)*, avec préface de S. Caccuri, Napoli, Idelson, 1960.

[334] Marco Brunazzi, « Compte rendu de lecture de l'ouvrage de Victor Zaslavsky, *Il massacro di Katyn* », in *L'Indice*, 6, 1999.

montrait) qui auraient pourtant pu le laver des soupçons les plus odieux à son encontre »[335].

Cette allusion obscure aux « soupçons les plus odieux » pourrait peut-être nous ramener à l'affaire Palmieri ; mais comme nous l'avons dit, Reale se garda bien d'évoquer ce dossier, alors qu'il aurait certainement eu bien des choses à dire.

Nous ignorons d'ailleurs si Reale était au courant de la sourde hostilité que vouaient les autorités du parti à son épouse, juive polonaise, à laquelle, comme cela a été révélé récemment, ils attribuaient, à tort ou à raison, l'effritement supposé de l'esprit révolutionnaire de son mari. C'est précisément au cours de ce fatidique mois de janvier 1948 qui vit le professeur Palmieri, bien malgré lui, évoqué dans les entretiens entre Reale et Kostylev que ce dernier était informé par le secrétaire du parti communiste italien, Palmiro Togliatti, de la « réduction de la charge de travail » d'Eugenio Reale :

> « Sa femme, Sulamith, une juive polonaise qu'il a épousée lorsqu'il était ambassadeur d'Italie en Pologne, le détourne du travail de parti, explique Togliatti. Les camarades proches de Reale lui ont conseillé avec insistance de se séparer d'elle. L'ambassadeur soviétique, quant à lui, ajoute que certains autres dirigeants du parti communiste italien ont eux aussi signalé que l'épouse de Reale n'est pas une personne de confiance. Les conseils donnés n'ont visiblement pas eu l'effet souhaité, car quelques mois plus tard Giuliano Pajetta a signalé à l'ambassade que l'épouse polonaise de Reale "est un personnage extrêmement négatif, sur le plan personnel comme sur le plan politique", proposant une solution radicale. Le diplomate a noté que Pajetta, à titre strictement confidentiel, a suggéré qu'il serait opportun d'envoyer Reale se faire soigner en compagnie de sa jeune épouse en Union soviétique ou dans l'une des nouvelles démocraties (...) où l'on pourrait arrêter sa femme et l'empêcher de revenir en Italie. »[336]

L'évocation d'une ingérence aussi lourde dans la vie privée des membres du parti permet de comprendre à quel point le parti communiste italien de l'époque était totalitaire et exigeait un dévouement complet à la cause. Pour se rendre compte du climat pesant de cette époque, on lira avec profit l'excellent livre d'Ermanno Rea, Mistero napoletano, consacré aux dirigeants de la fédération napolitaine du parti communiste italien dans la période de l'après-guerre[337].

---

[335] Voir : Giuseppe Averardi, *Le carte del PCI. Dai taccuini di Eugenio Reale la genesi di Tangentopoli*, Manduria-Bari-Roma, Lacaita, 2000, p. V de l'introduction.

[336] Elena Aga-Rossi, Victor Zaslavsky, *Togliatti e Stalin. Il PCI e la politica estera staliniana negli archivi di Mosca*, Bologna, Il Mulino, 1997, p. 259.

[337] Voir : Ermanno Rea, *Mistero napoletano*, Torino, Einaudi, 2002.

La presse communiste de Naples ne devait plus évoquer celui qu'elle appelait dédaigneusement, à une certaine époque, « l'homme de Katyn », lequel poursuivit sa carrière politique au sein de la Démocratie chrétienne. On ne trouve guère que des mentions occasionnelles du professeur en rapport avec son activité professionnelle : ainsi, le 3 octobre 1957, *L'Unità* (qui, dans l'intervalle, avait repris sa parution avec une page locale) rendait compte, dans la chronique citadine, du congrès national de la Société italienne de médecine légale (dont Palmieri était président) ; le 8 septembre 1959, le professeur était cité dans le même quotidien au sujet de l'expertise dont fut chargé l'Institut qu'il présidait à la suite de la découverte macabre d'un rat mort dans une bouteille de lait de la centrale laitière municipale (c'était l'époque où cette entité importante et rentable faisait l'objet d'une bataille où tous les coups étaient permis). Palmieri fut à nouveau pris à partie par l'organe du parti communiste au fur et à mesure de l'avancement de sa carrière politique ; ainsi, le 3 juin 1962, le quotidien communiste l'attaqua pour avoir autorisé l'affichage de ses dépliants électoraux dans la vitrine de l'Institut de médecine légale et, par la suite, au sujet de son activité de conseiller municipal (il fut élu lors des élections administratives du 15 juin 1962 avec 54'248 voix, en deuxième position derrière Achille Lauro qui en obtint 136'091)[338], puis de maire, de septembre 1962 à juin 1963. A cette époque, cependant, Katyn n'était plus qu'un souvenir désagréable, une plaie que l'on préférait ne pas raviver, une triste affaire que personne ne souhaitait ramener au grand jour.

---

[338] Voir : *L'Unità*, 15 juin 1962, p. 4.

Fig. 11. Portrait du professeur Vincenzo Palmieri au milieu des années 1980.
Photographie mise à disposition par Mme Lina Palmieri.

Témoignages au sujet du professeur Palmieri

recueillis par
Luigia Mellilo*

Le professeur Palmieri, homme de science et de foi, dans le souvenir de son élève Achille Canfora

Vincenzo Mario Palmieri acheva ses études brillamment à Naples en 1922. À l'époque, les professeurs d'université étaient rares ; la carrière universitaire n'était guère promise qu'à de rares élus, après un dur travail qui les rendait aptes, aux yeux des enseignants, sur la base exclusive de leur mérite. Il suffit de songer au fait que l'on ne comptait alors, dans toute l'Italie, que 18 professeurs dans les facultés de médecine, âgés de 50 à 55 ans. Il devint professeur ordinaire à Sassari alors qu'il n'avait que 36 ans.

Le professeur Achille Canfora, élève et collaborateur de Vincenzo Mario Palmieri, est âgé aujourd'hui de 86 ans ; sa clarté d'esprit n'a d'égale que sa grande disponibilité. Il se rappelle encore avec émotion son maître vénéré, pour lequel il éprouve une affection toujours aussi vive et, surtout, il témoigne du fait que, « après les événements de Katyn, il fut mal vu des historiens de l'époque ».

Par « historiens de l'époque », l'élève du professeur Palmieri désigne les historiens militants d'inspiration marxiste qui n'avaient guère d'indulgence à l'égard des personnes qui, comme Vincenzo Palmieri, étaient tout sauf communistes, de par leur formation, leur caractère et leur personnalité.

Écoutons encore Achille Canfora :

C'était un homme juste qui avait une vision de Dieu qui lui appartenait en propre et dont tous les actes s'inspiraient des principes de la morale chrétienne. J'ai été proche de lui et de son activité infatigable de chercheur et de médecin pendant vingt-cinq longues années, durant lesquelles j'ai eu tout loisir de le connaître à fond. Sa conscience professionnelle ne cédait jamais aux pressions des politiques ni aux favoritismes si fréquents dans le jeu d'échanges entre les fiefs et les baronnies universitaires.

Catholique et intègre, sa dévotion religieuse l'amenait à entendre la messe tous les dimanches, comme il l'avait appris par l'exemple de sa mère, catholique et très croyante, tandis que c'est de son père qu'il avait hérité sa passion du travail. Il était exigeant sans être sévère, réservé mais ouvert et disponible,

---

* Historienne, professeur d'histoire de la médecine et bioéthique, Università di Napoli « L'Orientale ».

jusque dans les moments d'intimité, comme lorsque nous partagions des instants de prière dans son bureau en récitant la Supplique à la Reine du rosaire de Pompéi. En tout état de cause, il s'entendait aussi avec les gens qui ne partageaient pas sa foi ; il y avait parmi nos collaborateurs des non-croyants, comme Lo Vero, un communiste très militant, et les deux hommes éprouvaient l'un pour l'autre de l'estime et du respect.

C'était un homme au savoir encyclopédique. Son père, médecin colonel originaire de Calabre, veilla à ce qu'il reçoive dès son jeune âge une éducation très érudite pour l'époque : de fait, Palmieri parlait l'anglais, le français et l'allemand, ce qui lui fut précieux pour asseoir sa renommée internationale.

Il était très religieux, il croyait à la providence divine et, à ce titre, il faisait partie de l'Action catholique dont les réunions étaient à l'époque interdites en Italie. Elles se déroulaient en Suisse où la présidente de l'Action catholique était une baronne que Palmieri épousa par la suite et qui lui donna trois enfants.

Vincenzo Palmieri avait fréquenté les facultés de chirurgie les plus renommées, à Turin et à Rome ; il avait étudié d'abord la dermatologie, puis la médecine du travail et, enfin, la médecine légale auprès du professeur Corrado, un spécialiste de renom, spécialisé surtout dans les questions d'infanticide et de gynécologie légale. Parmi ses nombreux domaines d'activité, il avait surtout approfondi l'étude des assurances sociales et sa maîtrise très étendue de tous les domaines de la médecine légale l'avait amené à rédiger un opuscule sur la médecine légale à Naples, car il était conscient de l'importance que l'on accordait aux médecins légistes, chirurgiens ou cliniciens. Au cours de sa longue carrière universitaire, il avait été l'assistant volontaire de Ferranini et le collègue de Caccuri, professeurs célèbres, qui à cette époque étaient à Naples des experts en médecine du travail. Comme étudiant, il put approfondir diverses disciplines : il avait suivi des cours de dermatologie et sur les maladies vénériennes, en étudiant notamment la syphilis.

Il pouvait nous donner des conseils en toute matière, que ce soit en hématologie ou dans n'importe quel autre domaine. Sa carrière l'avait mené en Espagne, en France et en Allemagne ; il avait étudié avec des sommités mondiales de la médecine légale, comme Gellimek et Strassmann, dont il fut l'élève. Strassmann était un professeur de médecine légale de renommée internationale et Palmieri avait, sous son égide, fréquenté à Berlin les instituts de médecine légale les plus avancés. Devenu professeur à 36 ans, alors qu'en général il fallait attendre la cinquantaine, il suscita la jalousie d'un grand nombre de ses collègues, comme c'est souvent le cas dans le monde académique. Au cours de sa longue carrière, Vincenzo Mario Palmieri a toujours donné lui-même ses cours, sans jamais se faire remplacer et, pendant ses trois jours d'enseignement, à savoir le lundi, le mercredi et le vendredi, il parlait invariablement dans des auditoires pleins d'étudiants qui, conscients de sa rigueur et de sa valeur, se pressaient pour ne pas manquer un seul de ses cours.

Il connaissait toutes les branches de la médecine légale, en particulier la toxicologie. La médecine légale était une matière inscrite au programme des études de droit; il s'agissait de former les futurs magistrats qui auraient un jour à résoudre des cas ayant fait l'objet d'enquêtes par la police scientifique, avec les problèmes juridiques liés aux blessures par arme à feu ou par arme blanche. Dans ce type d'affaire, le magistrat doit pouvoir juger sans hésitation le travail effectué par le médecin légiste; il joue en quelque sorte le rôle d'« expert des experts ». L'examen de médecine légale était obligatoire en Espagne et en Allemagne, mais pas en Italie.

Parmi ses travaux les plus intéressants, il faut citer un livre sur les accidents et les maladies professionnelles. Le gouvernement fasciste se préoccupait des questions d'assurance qui prenaient toujours plus d'importance. De tous les pays d'Europe, l'Italie est sans doute celui qui lui voua la plus grande attention, que ce soit pour les maladies et les accidents en général ou pour les maladies professionnelles. On peut dire que l'existence même des assurances doit beaucoup à Palmieri; ce n'est en effet qu'après ses travaux approfondis que la médecine légale prit le nom de « médecine légale et des assurances ».

Toujours selon Canfora, les dirigeants fascistes décidèrent d'envoyer Palmieri en tant que représentant italien à la Commission internationale sur Katyn parce qu'il était déjà, à cette époque, une autorité sur le plan professionnel est un scientifique de renom ; à ces qualités s'ajoutait sa connaissance des langues étrangères. Il était indubitablement le médecin le plus renommé d'Italie.

Membre de la Démocratie chrétienne, il s'était présenté aux élections municipales contre le très populaire Achille Lauro. Sa campagne électorale, sobre et austère, lui permit de récolter de très nombreuses voix, notamment grâce à l'appui de l'Action catholique. Une fois élu maire, il ne se départit jamais de son honnêteté innée; il cherchait à éviter l'endettement des comptes publics et c'est ce qui amena ses propres camarades du parti démocrate-chrétien – qui souffraient beaucoup de son intransigeance incorruptible – à le remplacer après deux ans à peine, car ils avaient compris que l'honnêteté absolue de Palmieri n'autorisait aucune manigance. Cependant, ce bref mandat lui permit de démontrer son intégrité sans faille. Il décida que les postes d'enseignants à l'école élémentaire seraient attribués exclusivement sur concours, alors qu'auparavant les titulaires étaient nommés.

Achille Canfora revient ensuite sur la carrière académique de Palmieri :

Dans son activité professionnelle, il était d'un perfectionnisme absolu et donnait toujours des réponses précises et vérifiables sur le plan scientifique. Il n'aimait pas évoquer une théorie sans avoir une vision directe du phénomène et sans une parfaite connaissance de cause.

Le professeur Palmieri était un grand travailleur : il consacrait toute la journée à son travail, répartissant son temps entre son domicile et l'Institut. Il aurait pu abandonner son activité une fois devenu professeur émérite, mais comme il était apprécié et estimé de tous, il ne cessa jamais de travailler, même quand il devint adjoint au maire ; il ne cessa pour ainsi dire pas de travailler de son entrée à l'université en 1941 à la date de sa retraite en 1980.

Lorsqu'il avait une expertise à effectuer, il arrivait vers 9 heures à l'Institut, pour repartir vers 13 heures et revenir à 16 heures pour poursuivre sa tâche jusqu'à 20 heures. Il ne manquait jamais à son poste, même s'il avait de la fièvre, pas plus qu'il ne laissait à d'autres professeurs le soin de présider aux examens. C'était un examinateur sévère, mais généreux. Il a ainsi contribué à former une quantité d'anthropologues légistes à l'enseignement universitaire et à l'enseignement de la médecine légale. Il était invariablement président de la commission et tous les professeurs respectaient ses décisions.

Sa figure paternelle se révélait soit par les conseils simples, de haute tenue morale, qu'il dispensait, soit dans la vie de tous les jours, où l'on était frappé par son extrême probité. Il avait décidé que son traitement ne devait pas dépasser celui d'un assistant, alors même qu'il était conseiller municipal et président de l'Association mondiale de médecine légale, sans le moindre souci de s'enrichir... Je me rappelle surtout de son extraordinaire droiture.

L'homme Vincenzo Palmieri dans le souvenir de sa fille Lina

C'est dans une demeure du XVIe siècle – où vécut et mourut son père – que Lina Palmieri, enseignante à la retraite, nous reçoit. Nous commençons par nous présenter et par décrire le but de notre visite (réaliser une enquête qui rende justice au professeur), mais la défiance de Lina Palmieri se manifeste par un silence embarrassé qui ne réussit pas à dissimuler sa déception :

Parmi les innombrables choses que mon père a réalisées, on n'évoque plus son souvenir qu'en relation avec le massacre de Katyn ! Je ne comprends pas pourquoi on ressort régulièrement cette histoire...

Elle tente de mettre immédiatement un terme à l'entretien en déclarant :

Ses écrits et les photographies se trouvaient à l'Institut de médecine légale[339], mais le bruit a couru ensuite qu'au cours d'un incendie, les pompiers avaient endommagé les documents que Papa avait conservés sur les fosses de Katyn. Je ne sais pas ce que sont devenues ces archives en 1968. Je le répète, Papa conservait ces documents pour lui, il ne mêlait pas sa famille à ses activités.

La réserve bien connue de la famille Palmieri à l'égard de ce dossier se dissipe cependant peu à peu grâce à l'évocation du portrait tracé par le vieux

---

[339] Lina Palmieri est aujourd'hui présidente honoraire de l'Institut de médecine légale.

et fraternel professeur Canfora, qui, à 86 ans, grâce à sa mémoire limpide, a fait revivre son maître en insistant surtout sur son sens du devoir et de l'honneur, sur son antipathie à l'égard des recommandations, sans exclusion (comme lorsqu'il s'opposa à ce que ses enfants passent l'examen de médecine légale, afin d'éviter d'avoir à les recommander), et sur le fait qu'il avait été nommé au sein de la Commission internationale sur la seule base de ses mérites et de sa valeur.

En 1943, il eut beaucoup de problèmes parce que Naples était le quartier général des forces alliées et il y avait là un général polonais du nom d'Anders qui fut parmi les premiers à divulguer les faits dans un livre. Il affirma que nous savions parfaitement comment les événements s'étaient déroulés...

La conversation aborde alors le cadre familial :

Mon grand-père était médecin des armées et à l'époque les militaires étaient fréquemment transférés, ce qui fit qu'il a eu trois enfants dans des villes différentes. Ma mère était une immigrée « à l'envers », puisque c'était une Bernoise installée à Naples. Mon père lui avait conseillé de s'établir d'abord provisoirement dans cette ville, si différente de Berne, pour s'assurer qu'elle s'y trouverait bien, avant de déménager définitivement. Ma mère avait un caractère bien trempé, c'était une Suisse allemande très vivante, elle parlait plusieurs langues et s'occupait déjà d'œuvres sociales à l'époque où elle vivait encore en Suisse. Amoureuse de Naples, elle décida d'y demeurer, même quand sa santé déclina. Je me souviens d'un congrès médical où quelqu'un fit remarquer combien mon père semblait avoir vu le jour dans les froides hauteurs des Alpes suisses, tandis que ma mère donnait l'impression d'être née dans le quartier populaire de Santa Lucia. Entre eux, ce fut un authentique coup de foudre ; ils s'étaient rencontrés à Genève en 1924 et se sont mariés à Berne, à la nonciature apostolique, le 20 septembre 1930. Papa était très affectueux avec nous : un grand nombre de ses livres sont dédiés à nous, ses enfants adorés.

Mon père avait fréquenté l'Institut de médecine légale de Berlin, où il avait été l'élève de Strassmann ; c'est après la guerre qu'il se lança dans la politique. Il se présenta aux élections administratives en 1946 sur la liste Buonocore, convaincu par un ami proche, Mario Riccio, qui avait deux enfants, professeur de droit canon et qui devint par la suite ministre et sénateur.

Lina Palmieri passe en revue avec fierté les étapes de la carrière scientifique et politique de son père :

Papa a été assistant, puis il a été reçu en 1936 au concours pour le professorat et a été envoyé à Sassari, ensuite à Bari pendant cinq ou six ans, et enfin à Naples. Il était né en 1899 et avait donc réussi très vite, mais il se heurta à des obstacles pour enseigner à Naples, car le frère d'un ministre lorgnait la chaire. Il était titulaire à la faculté de médecine et chargé de cours à la faculté de droit. Dans cette faculté, l'examen était facultatif. Il travaillait à San Patrizio, où il y avait d'autres instituts de médecine légale, d'anatomie pathologique, où le titulaire était le professeur Verga, avec Mazzei pour l'hygiène et Lambertini pour l'anatomie.

Après l'expertise de Katyn, il y eut aussi quelques étudiants hostiles qui l'interpellaient pendant ses cours, se levant pour le menacer et pour proférer de lourdes insultes. Le recteur Omodeo le réconforta en disant que l'homme de science n'a qu'une parole, et que s'il était sûr de ce qu'il avait vu, il n'avait rien à craindre. À 65 ans, mon père subit une attaque cérébrale qui le rendit incapable d'écrire correctement. A partir de cet instant, il eut de grosses difficultés à marcher ; il préférait se déplacer en voiture. Je me souviens qu'il traînait la jambe, mais je peux néanmoins affirmer qu'il vécut relativement bien jusqu'à l'âge de 95 ans. Nous nous trouvions en Calabre lorsqu'il subit cette attaque et, par chance, nous avions avec nous un ami médecin, Condorelli, qui le secourut immédiatement. Il mourut le 23 décembre 1994, alors que nous avions déjà décoré le sapin de Noël. Pour être tout à fait sincère, j'espère que vous n'allez pas accabler mon pauvre père dans votre article.

Conclusion

Peut-on vraiment critiquer une personne qui, après avoir sauvé la vie d'autrui, a naturellement pensé à sauvegarder la sienne ? Clamer haut et fort les conclusions de la Commission internationale aurait très probablement, pour Vincenzo Palmieri, signifié sa propre fin : un acte d'héroïsme inutile dans un monde qui, à cette époque, ne souhaitait pas que l'on évoquât Katyn. Ce que d'aucuns jugent comme un silence complice nous apparaît plutôt comme une discrétion prudente. Si la tâche d'un médecin légiste consiste à établir les faits, il est indiscutable que Vincenzo Palmieri n'a jamais manqué à son devoir. Un médecin ne peut être tenu qu'au respect du serment d'Hippocrate, et Palmieri ne l'a certainement jamais enfreint.

Nous sommes encline à interpréter le silence que le vieux professeur préféra garder sur l'affaire de Katyn non seulement comme une mesure de prudence qui ne saurait lui être reprochée, mais aussi comme une forme de respect religieux pour toutes les victimes innocentes de la barbarie humaine. Il est probable que ces milliers de corps sacrifiés auront hanté plus d'une fois les rêves du professeur, et qu'il souhaitait sans doute – de même que ses enfants aujourd'hui – oublier ces tragiques événements.

František Hájek:
A Czech professor of forensic medicine in Katyn
With supplementary information on Professors
F. Šubík (Slovakia) and M. A. Markov (Bulgaria)*

by

Petr Svobodný**

František Hájek: a Czech professor of forensic medicine in Katyn

Czechoslovakia was created in 1918 as one of the 'successor states' of the Austro-Hungarian Empire, and a nation of 'Czechoslovaks.' In fact, about half the population was Czech, a quarter spoke German, Slovaks accounted for 15%, and the rest belonged to other minority groups. Most Germans did not identify themselves with Czechoslovakia, and neither did a growing proportion of Slovaks. By the late 1930s, as a result of increasing ethnic tensions and, crucially, of the pressure exerted by Nazi Germany, the "second Switzer-

* This text has been published as a part of research project MSM 0021620827, The Czech Lands in the Midst of Europe in the Past and Today, at the Faculty of Arts, Charles University, in Prague. It was translated into English by Anna Pilátová.

** Historian, Institute of the History of Charles University and Archives of Charles University, Prague.

land" in eastern Central Europe was moving towards an insurmountable crisis. The disintegration of the state began with the annexation of the so-called Sudetenland by Nazi Germany, the consequence of a decision taken at the Munich conference of 29 September 1939. The demise of Czechoslovakia took place in mid-March 1939. It was brought about by the proclamation of an independent Slovakia, the military occupation of the Czech territory that was left, and the proclamation of the so-called Protectorate of Bohemia and Moravia.[340]

The relationship between the Czechs and Germans living in Bohemia and Moravia was a complex one. From the end of the 19th century on, the relationship between the two Prague universities became equally complex. From 1882 onwards, Prague was the site of two universities, one Czech and the other German; they had been created by the division of the original institution, which was established in 1348. They were more or less equal in status and this was unaltered by the foundation of Czechoslovakia in 1918. But the occupation of the Czech lands by Nazi Germany brought dramatic changes with it. Together with all the other Czech universities, the Czech university in Prague was closed, and the Nazified German university of Prague became, until May 1945, an integral part of the network of universities of the Third Reich.[341]

During the period of the Nazi, the medical faculty of the Czech university in Prague, and that of the university in Brno, were unusual among Czech universities. Most of their clinics and research institutes, which were of consequence to public health, had, even after the ban on teaching, managed to continue to function as medical institutions; not only that, a special dispensation of the Nazi administration also safeguarded and preserved their scientific functions. One of the institutes in the medical faculty of Charles University in Prague to benefit from this dispensation was the institute of forensic medicine, where the protagonist of this story worked.[342]

Professor Hájek's role in the international medical commission in Katyn in April 1943 has been described in some details in the Czech literature on the subject.[343] For the purposes of this article, I tried to find, without much success, sources that had not yet been tapped.

---

340 Hugh Agnew, *The Czechs and the Lands of the Bohemian Crown*, Stanford, Hoover Institution Press, 2004, p. 175-222.

341 Jan Havránek, Zdeněk Pousta (eds), *A History of Charles University*, vol. 2: 1802-1990, Prague, Karolinum, 2001, p. 185-201, 257-262.

342 Petr Svobodný, "Die Medizin im Protektorat Böhmen und Mähren", in Thomas Ruzicka *et al.*, *Mensch und Medizin in totalitären und demokratischen Gesellschaften*, Essen, Klartext, 2001, p. 71-82.

343 Mečislav Borák, "Zločin v Katyni a jeho české a slovenské souvislosti" ["The Czech-Slovak Context of the Crime of Katyn"], in Miroslav Šesták *et al.* (eds), *Evropa mezi*

František Hájek (1886-1962) received his medical degree from the medical faculty of the Czech university in Prague in 1912. Before and after his graduation, he worked as an assistant at the faculty's institute of forensic medicine. After his *habilitation* in the field of forensic medicine in 1922, he was made a *docent* (the rough equivalent of 'assistant professor' at an American university) at the institute in 1928. In 1933, he became assistant head of the institute; the next year he was appointed its head. On 6 March 1937, the title of 'Professor' was formally conferred to him. In the fateful academic year of 1939-1940, he was the dean of the medical faculty of the Czech university in Prague. Hájek is generally regarded as the founder of classical forensic medicine in Czechoslovakia. He developed numerous original forensic methods, and though he published on many topics in the field, he focused on forensic toxicology. He was kept extraordinarily busy by the demands of giving expert testimony. He wrote the original textbook *Soudní lékařství v praxi* (*The Practice of Forensic Medicine*), which went through many editions (1925, 1937, 1949, and 1952). In addition to his own research and practice, he was interested in the history of the field and created an important collection of works on forensic medicine.[344]

The most difficult period of his career was linked to an incident that was also instrumental in sealing the fate of the Czech university's medical faculty during the period of the Nazi. Because of his professional position, Hájek was appointed to conduct the autopsy of Jan Opletal, a student who died of gunshot wounds during an anti-Nazi demonstration on 28 October 1938. Hájek joined the funeral procession, which, setting out from the chapel of the institute of forensic medicine, turned into a student demonstration.[345] This was the pretext that the Protectorate authorities used to close down Czech universities on 17 November 1939.[346]

Německem a Ruskem [*Europe between Germany and Russia*], Prague, Historický ústav AV ČR, 2000, p. 505-522.

[344] Jaromír Tesař, "Šedesátiny prof. dr. Františka Hájka" ["60th Birthday of Prof. dr. F. Hájek"], in *Časopis lékařů českých* [henceforth *ČLČ*] 85, 1946, p. 1598-1601; "Seznam prací prof. dr. F. Hájka" ["Bibliography of Professor F. Hájek"], in *ČLČ*, 85, p. 1626; "Bibliografie prací prof. MUDr. F. Hájka z let 1947-1951" ["Bibliography of Professor F. Hájek 1947-1951"], in *ČLČ*, 90, 1951, p. 1475; Josef Adamec, Ludmila Hlaváčková (eds), *Biografický slovník pražské lékařské fakulty 1348-1939* [*Biographical Lexicon of the Faculty of Medicine in Prague 1348-1939*], Prague I, Univerzita Karlova,1988, p. 207.

[345] František Hájek, "Soudní lékařství za války" ["Forensic Medicine during the War"], in *ČLČ*, 85, 1946, p. 199-205, p. 200; photograph of the autopsy in Jaroslav Čvančara, *Někomu život, někomu smrt. Československý odboj a nacistická okupační moc 1939-1941* [*Life or Death. Czechoslovak Resistance and Nazi Occupation 1939-1941*], Prague, Laguna, 2002, p. 88.

[346] Tomáš Pasák, *17. listopad a Univerzita Karlova* [*November 17th and Charles University*], Prague, Karolinum, 1997.

Though the institute of forensic medicine was allowed to remain open even after the closure of Czech universities, its work was hindered in various ways by both the Protectorate authorities and its 'colleagues' at the German university. In November 1941, it was merged *de facto* with the institute of forensic medicine at the German medical faculty, which was headed by Professor G. Weyrich; but both Professor Hájek and his assistant, Dr J. Tesař, continued to work there.[347]

From 27-30 April 1943, Hájek participated in the work of the 'international' commission in Katyn.[348] For details of this episode and to learn what Hájek's feelings at the time were, we have once more to rely on the post-war testimonies of Hájek and his assistant, Dr Tesař. The order to go to Katyn came from the Office of the Reich Protector but was communicated by the Protectorate's interior ministry. Apparently, the order was such that it was impossible to excuse oneself for reasons of ill-health or on any other grounds. According to Hájek himself, the task was unpleasant in the extreme; Tesař has testified that the professor was quite miserable. Hájek apparently knew in advance that he would not be able to give objective testimony and would have to sign anything placed before him by the Germans. He also "did not want to and could not" help the Germans prove that the massacre had been committed by the Russians. He decided to accept the task only after discussing the issue with officials from the ministry of education and with friends who promised to testify afterwards that he had accepted only under duress.[349] I have not been able to find the official record – the order itself or any accompanying correspondence – in the files of the institutions mentioned above.

On 30 April, Hájek personally carried out an autopsy on two corpses in Katyn, and together with others signed a protocol, which bears the same date.[350] He says himself that he was free to choose the bodies on which he wished to perform autopsies.[351] This has been confirmed by the testimony provided by others. Hájek says also that the protocol was drawn up by Professors Buhtz and Orsós. The most important aspect of this document is its conclusion that the bodies in Katyn had been buried in the spring of 1940, and that the perpetrators must therefore have been Russian.[352] Hájek claims to

---

[347] Hájek, "Soudní lékařství za války", *op. cit.*, p. 199-205.
[348] Friedrich Herber, *Gerichtsmedizin unterm Hakenkreuz*, Leipzig, Militzke Verlag, 2002, p. 305-313.
[349] F. Hájek, *Důkazy katynské* [*The Katyn Evidence*], Prague, Spolek čekých lékařů, 1946, p. 3; J. Tesař, "Šedesátiny prof. dr. Hájka", *op. cit.*, p. 1601.
[350] "Protokoll der Internationalen Aerztekommission", in *Amtliches Material zum Massenmord von Katyn*, Berlin, Zentralverlag der NSDAP, 1943, p. 114-118; See also the autopsy reports, in *ibid.*, p. 129-131.
[351] "Profesor Hájek o Katynu" [Professor Hájek on Katyn], in *České slovo* [the *České Slovo* daily newspaper], Prague, 6 May 1943, p. 1.
[352] Hájek, *Důkazy katynské*, *op. cit.*, p. 5.

have signed the protocol because, it was, allegedly, common knowledge that not signing would mean not returning from Katyn.[353] In 1952, however, witnesses who testified before an American investigation committee denied that there had been any pressure to sign on either Hájek or the Bulgarian Professor Markov, or any reluctance on the part of either to do so.[354] The conclusions drawn by the protocol of the medical commission about the date of the crime are based on the testimony of witnesses and on the documents and newspapers found with the murdered officers. According to the commission, they were in full accordance with what was found in the mass graves and on individual corpses.[355] The autopsy reports of Professor Hájek and others do not, however, establish a time period.[356] This was also pointed out by Professor Markov in Nuremberg, when he defended the discrepancy between his views in 1943 (when he signed the protocol) and in 1945 (his conviction that the state of the bodies did not correspond to the claims about the date of the crime that are made in the protocol).[357]

Immediately after Hájek's return to Prague, the Protectorate press mounted a propaganda campaign that made use of his knowledge of the crime scene.[358] In the scholarly literature on the subject, the articles from the Protectorate press in which Hájek's name appears have been seen quite unequivocally as not only confirming the conclusions of the medical commission's protocols, but also as being clearly anti-Soviet and anti-Bolshevik.[359] After the war, Hájek argued that he had never done more than answer journalists' questions and was annoyed when statements that he had never made were attributed to him in published interviews. Allegedly, he even protested against this practice at a press conference in May 1943 in the presence of Wolfram von Wolmar, the head of the press department of the Office of the Reich Protector. He emphasized that a doctor could render a professional opinion, but not a verdict, about someone's guilt or innocence. He was forced to say, in a radio interview, that the bodies had lain in the graves for three years, but left out the word "certainly," which the German censor urged on him. He made similar

[353] *Ibid.*, p. 22.
[354] *The Katyn Forest Massacre. Final Report of the Select Committee to Conduct an Investigation and Study of the Facts, Evidence, and Circumstances on the Katyn Forest Massacre*, Washington D.C., US Government Printing, 1952, p. 42.
[355] *Amtliches Material, op. cit.*, p. 118.
[356] *Ibid.*, p. 129-131.
[357] http://www.yale.edu/lawweb/avalon/imt/proc/07-02-46.htm (30 May 2007).
[358] Pavel Suk, "Odkrycie masowych grobów v Katyniu oraz probelmatyka polska w prasie Protektoratu Czech i Moraw w okresie od kwietnia do czerwca 1943 roku" [The Disclosure of Mass Graves in Katyn and the Polish Question in the Press of the Protectorate of Bohemia and Moravia between April and June 1943], in *Pamięc i sprawedliwóc – Pismo Instytutu pamięci narodowej* [*Remembrance and Justice – Papers of the Institute of National Remembrance*], 2 (8), 2005, p. 237-255.
[359] Borák, *op. cit.*, p. 507.

statements in his article in a journal, *Přítomnost.*[360] Some Czech journalists defended this shift in his statements by citing the exigencies of censorship; others admired him for his protest at the press conference.[361] The Protectorate press also exploited, for propaganda purposes, a visit made by a delegation of European writers to Katyn on 20 April 1943, in which a well-known Czech writer, František Kožík, took part.[362] It is impossible to determine now the extent to which the Protectorate press misrepresented Hájek's or Kožík's views. However, it is certain that the witnesses found it extremely difficult to serve Nazi propaganda even if they were convinced of the Russians' guilt and believed in the dangers of communism. The Czech public, too, had no way of telling whether, and to what extent, German propaganda had exaggerated the affair. However, it has been claimed that shortly after his return from Katyn, Hájek was already expressing – to his closest friends – his doubts about the commission's conclusions regarding the age of the graves and the Russian guilt that that implied.[363] He is said to have then prepared his own statement regarding the Katyn case, which included proofs of German guilt, and left it with his assistant, Dr Tesař.[364]

Between the liberation of the country in May 1945 and the seizure of power by the Communists in February 1948, a span of time that has come to be known as the 'period of restricted democracy,' Czechoslovakia entered the orbit of Soviet influence.[365] General enthusiasm over the Soviet Union and its role in the liberation of Czechoslovakia, growing sympathies for its social order, and an almost universal hatred of not only everything Nazi but even everything German: all these sentiments affected not only the general public, but also the Czech intelligentsia. On 17 May 1945 – the occasion was the resumption of activities at the medical faculty – Hájek, as the dean of the faculty, delivered a formal address. In it he took a position that was extremely anti-German; for a university professor this was almost incomprehensible. The tone, the manner of argumentation, and even the choice of words in this speech are, ironically, rather close to the style of German propaganda.[366] Yet

---

[360] Hájek, *Důkazy katynské*, *op. cit.*, p. 21-22. Photograph from the press conference in Jaroslav Čvančara, *op. cit.*, p. 88.

[361] Tesař, "Šedesátiny prof. dr. F. Hájka", *op. cit.*, p. 1601.

[362] Borák, *op. cit.*, p. 514-518.

[363] Hájek, *Důkazy katynské*, *op. cit.*, p. 22; testimony of professor Karel Kácl, according to the *Report of the testimony of Ing. J. Nováková-Káclová (February 23, 2005)*, Institute for the History of Medicine and Foreign Languages, 1st Faculty of Medicine, Charles University in Prague.

[364] Tesař, "Šedesátiny prof. dr. F. Hájka", *op. cit.*, p. 1601.

[365] Agnew, *op. cit.*, p. 222-232.

[366] "Proslov, který pronesl prof. F. Hájek, děkan lékařské fakulty, dne 17.5.1945 ve schůzi sboru učitelského při příležitosti znovuzahájení její činnosti" [Address Presented by Prof. F. Hájek, Dean of the Faculty of Medicine on 17 May1945 at the Session of the Faculty on the Occassion of its Reactivation], in *ČLČ*, 84, 1945, p. 1009-1011.

even this speech did not save him from the suspicion of collaboration with the Nazi regime in the affair of the Katyn testimony.

Less than a week later (on 23 May), he was arrested and interrogated. The interrogation focused on three questions: why he went to Katyn, what statements he made in public, and why he signed the protocol. I have not been able to find any archival materials regarding Hájek's arrest and detention; once again, the only accessible sources are his own words and the testimony of his friends.[367] As it turned out, he had to answer not only to the interrogators: after his release from custody, which lasted for almost three weeks (until 6 June), he had to face the general public. With the help, possibly, of his notes from 1943,[368] he prepared, perhaps while already in custody, a detailed statement regarding the Katyn case.[369] This time, his account supported the Soviet version, which had become available to the Czechoslovak public as a formal investigative report (published in Moscow in 1944, and translated into a number of languages, of which Czech was one).[370]

Hájek first presented his post-war version of the Katyn case in an abbreviated form at a meeting of the Union of Czech Physicians on 9 July 1945. One year later, he published the full version in a booklet titled *Důkazy katynské* (The Katyn Evidence). This document is 22 pages long; the appendices contain 28 maps and photographs. For the foreign public, he produced a French version titled *Le problème Katyn*, which was published in 1950.[371] In the first part of the Czech publication (p. 3-8), Hájek briefly describes the composition and work of the German-sponsored international commission of which he was a member, and the details of the Soviet commission of September 1943. The core of his argumentation can be found in the second part (p. 9-18), where he presents medical and legal evidence that refutes the German claim and supports the Russian one. He attributes some of the discrepancies between the earlier and later versions of his testimony to his inexperience in examining mass graves and to not having enough time to acquaint himself with the specifics of the case. The third part (p. 21-22) contains Hájek's apology: he begins by emphasizing that the booklet was published at his own initiative and that no one, neither the Czech nor the Russian authorities, ordered him to do

[367] Hájek, *Důkazy katynské*, *op. cit.*; J. Tesař, "Šedesátiny prof. dr. F. Hájka", *op. cit.*, p. 1601; Borák, *op. cit.*, p. 507-508.

[368] Tesař, "Šedesátiny prof. dr. F. Hájka", *op. cit.*, p. 1601.

[369] Borák, *op. cit.*, p. 507.

[370] *Zpráva zvláštní komise pro zjištění a vyšetření okolností, za kterých byli německými fašistickými vetřelci postřílení v katynském lese zajatí polští důstojníci* [*Report of the Special Commission on Findings and Examination of Circumstances of the Murders of Polish Officers by German Fascist Invaders in the Katyn Forest*], Moscow, Vydavatelství cizojazyčné literatury [Literature in Foreign Languages Publishers], 1944.

[371] F. Hájek, "Le problème Katyn", in *Acta medicinae legalis et socialis*, 3(1950), n° 3-4, p. 93-206.

so. He explains his participation in the German inquiry by referring to the pressure exerted upon him by the German and Protectorate authorities. He blames the incompetence of journalists for the pro-German and anti-Soviet tone of his remarks in the Protectorate press. Finally, he ends by thanking the Soviet authorities for their magnanimity in not demanding that the signatories of the German protocol be punished.[372]

We can only speculate about the kinds of pressure that Hájek was under while in custody. Given his situation, and that of the country, we cannot take at face value his vehement denial of being under any kind of pressure from the Russian authorities. It is possible that Soviet security agencies, which were looking for witnesses for the Nuremberg tribunal, took an interest in his case.[373] We should not be surprised if Hájek was afraid – even the Danish Professor Tramsen was afraid of pressure from the Communists, or the possibility that they might take revenge, if he decided to collaborate with the American investigation committee.[374] Later, even Professor Palmieri expressed understanding for Hájek's change of position.[375] Testifying for the Germans in 1943, the arrest in 1945 and the revision of his views on the Katyn affair: all this had a powerful impact on Hájek, psychologically and morally. Around the time of his arrest, he was regarded by some people as a German collaborator, but many of his friends defended him. Ever since then, according to his assistant, Dr Tesař, he had felt wronged and bitter.[376] According to his close friend, Professor Karel Kácl, who was very active in his defence, the events of 1943 and 1945 left Hájek a broken man. That is also why, afterwards, he was more easily manipulated.[377] Despite his problems with the Czechoslovak – and probably also Soviet – authorities, after his release from custody he returned to his post as a professor and head of the faculty institute, where he remained until his retirement in 1957.

In 1948 – after the Communist *coup d'état* – when Hájek briefly responded to the questions put to him by Julius Epstein, a journalist looking for statements for the investigation committee planned by the US Congress Senate, he admitted that the Germans had not put any pressure on him. He also stated that he no longer held the views formulated in the protocol that he had signed. When asked to testify, either before the US Congress or for a private American investigative organization, Hájek indicated his refused by referring

[372] Hájek, *Důkazy katynské*, *op. cit.*, p. 21-22.
[373] Borák, *op. cit.*, p. 511.
[374] Bundesarchiv Koblenz, Sammlung Epstein, ZSg 111/26, Letter from H. Tramsen to J. Epstein, 22 November 1949.
[375] Borák, *op. cit.*, p. 511.
[376] Tesař, "Šedesátiny prof. dr. Hájka", *op. cit.*, p. 1601.
[377] Testimony of Professor Karel Kácl, according to the *Report of the testimony of Ing. J. Nováková-Káclová (23 February 2005), op. cit.*

the journalist to *Revue Internacionale* [*sic*], a journal of the International Academy of Forensic and Social Medicine, in which his current views had been presented.[378]

At the beginning of 1951, a special committee of the US Congress began its investigation, and a little later, at the beginning of 1952, the Soviet Union and its satellites began an extensive propaganda campaign. In Communist Czechoslovakia now, Professor Hájek became a part of it. His new testimony, which appeared in the communist party daily, *Rudé právo*, was even more markedly different from his original statement and from the testimony of witnesses that was being heard by the Congressional committee at about the same time. The tone of the text published in *Rudé právo* once again took rank with the diction of the Protectorate press.[379]

We will probably never find out just what Hájek really believed in 1943 and after 1945. Only forensic experts or other scientists can judge whether the shift in Hájek's professional opinion regarding the age of the graves can be justified by the circumstances of the case or by the lack of sufficient time for autopsy and examination. That Hájek changed his testimony to fit the circumstances can be explained (but not necessarily excused) by the pressure that he was under, and by the fears this raised for himself and for his family and friends. It is hard, if not impossible, to determine the extent to which his testimony was misused by Nazi and, later, by Communist propaganda; and equally hard to determine his personal share in such misuse and his readiness to comply with the demands that were made of him. Regardless of which he regarded as a personal failure – his subjectively false testimony in favour of the Germans in 1943 or his objectively false testimony in favour of the Russians after 1945 – these events marked him irrevocably. He came to be regarded as untrustworthy and easily manipulated; this was often remarked on during the inquiry into the suspicious death of the Czechoslovak Minister of Foreign Affairs, Jan Masaryk, in March 1948, and later in connection with the autopsies of the victims of political trials in the 1950s.[380] We can surmise that

---

[378] Bundesarchiv Koblenz, Sammlung Epstein, ZSg 111/26, Letter from F. Hájek to J. Epstein, 21 August 1948. I have not found the publication mentioned by Prof. Hájek. It might have been identical with Hájek's article published in 1950 (see footnote 369), which was being prepared or had even been sent to the publishers in 1948.

[379] "Usvědčení lháři. Prohlášení univ. Prof. F. Hájka" ["Convicted Liars. Press release of Professor Hájek"], in *Rudé právo* [the *Rudé Právo* daily newspaper], Prague, 11 March 1952, p. 2; according to Borák, *op. cit.*, p. 509-510.

[380] *Ibid.*, p. 510. Details on the autopsy of Jan Masaryk's body made by Prof. F. Hájek in Lubomír Boháč, "Kauza Masaryk v průběhu let" ["Masaryk's Cause over the Years"], in Antonín Sum *et al.*, *Jan Masaryk: úvahy o jeho smrti* [*Jan Masaryk: Accounts of his Death*], Prague, Úřad dokumentace a vyšetřování zločinu komunismu [The Office for the Documentation and the Investigation of the Crimes of Communism], 2005, p. 19-100, p. 40-42. Available at http://www.mvcr.cz/policie/udv/publik/masaryk.pdf (30 May 2007).

he himself was aware of this. He is reputed to have said, in connection with Masaryk's death, and in the company of a few of his closest friends: "Listen, my boy, they wrote about me and Katyn, and I don't want them to write about me again."[381]

František Šubík and Marko A. Markov: Slovak and Bulgarian representatives in Katyn

The Slovak Republic, a satellite state of Nazi Germany, was represented in the medical commission by František Šubík (1903-1982), a professor of pathological anatomy at the medical faculty of the Slovak University in Bratislava.[382] He went to Katyn at the request of the German embassy and on the recommendation of the Slovak interior minister. After his return to Slovakia, he took part in a propaganda campaign similar to that in which Hájek participated in the Protectorate.[383] His testimony was published not only in the Slovak, but also in the Czech and German press. His friends reproached him for endorsing German propaganda. Shortly before the end of the war, he fled from the approaching Soviet army to Austria, but was extradited by the American authorities to Czechoslovakia. According to Slovak historians, after the war he did not revoke his signature on the German protocol, but he did dispute the objectivity of the commission and the charge that he had signed the document of his own volition. When describing the pressures that the Germans brought to bear on the doctors, he cited Professor Hájek's testimony. In November 1946, charges were brought against him for the Katyn testimony as well as for the work that he had done for the authorities of the Slovak Republic. However, the Medical Chamber took his part and he received a light sentence. He did, however, lose his professorship and the university post, and after his release from prison, worked as a general practitioner. In 1952, after the Soviet Union began a campaign to falsify the facts of the Katyn case, Šubík fled to Austria. In 1953 he emigrated to the United States, where he worked as a doctor. It has not been ascertained whether he, like many of his colleagues, testified in the Katyn case after his emigration.

Bulgaria, another Slavic satellite of Germany, was represented in the commission by Marko Antonov Markov, senior lecturer in forensic medicine and criminology at a university in Sofia.[384] One of his autopsy reports is in-

---

[381] *Ibid.*, p. 73.
[382] Borák, *op. cit.*, p. 511-514.
[383] M. Lacko, "Masakra katyńska a Slowacja. Obraz tragedii w prasie slowackiej wiosna 1943 roku" ["The Katyn Massacre and Slovakia"], in *Pamięc i sprawedliwósć – Pismo Instytutu pamięci narodowej*, *op. cit.*, p. 217-236.
[384] *Amtliches Material*, *op. cit.*, p. 114, 118.

cluded in the protocol of the Katyn medical commission.[385] After the war, like his Czech and Slovak colleagues, he found that he was the citizen of a country within the Soviet sphere of influence. In February 1945, he found himself before the Highest People's Court of Bulgaria in Sofia, where he had to account for having signed the protocol. He admitted that he had not had the courage to refuse to go to Katyn, and he withdrew his signature. Later, he was discharged and released.[386] Unlike Hájek, Markov was chosen by the Soviet authorities to testify in Nuremberg as a witness for the prosecution against the Nazis, who were required to account for the Katyn massacre. In his testimony before the Nuremberg tribunal, Markov said that the doctors in Katyn were pressured by the German authorities and were therefore afraid to state that the bodies had lain in the ground for a shorter time than the protocol claimed. He also questioned the credibility of the protocol and pointed out discrepancies in its dating. The evidence presented by the Soviet prosecution, whose intent was to secure the conviction of the Germans for the Katyn massacre, was, in fact, so shaky that the whole Katyn case was dropped in the end.[387] In 1952, the Congressional committee in the United States discussed the changes in both Markov's and Hájek's views. It noted that both lived behind the Iron Curtain and both have made public statements – on the radio as well – in which they claimed that they had disagreed with the Katyn protocol even as they were signing it. However, several witnesses have testified before the committee that in Katyn, neither Markov nor Hájek expressed any doubts about Russian culpability and that they fully identified with the protocol.[388] I have not been able to find out any more about Markov's subsequent career.[389]

---

[385] *Ibid.*, p. 128-129.

[386] Borák, *op. cit.*, p. 508.

[387] *Ibid.*, p. 509; protocols of Prof. Markov's interrogation in Nuremberg can be found in *Nuremberg Trial Proceedings*, Volume 17, 2 July 1946; available at http://www.yale.edu/lawweb/avalon/imt/proc/07-02-46.htm (25 May 2007).

[388] *The Katyn Forest Massacre. Final Report, op. cit.*, p. 42.

[389] More detailed information on Markov can be found in ЗЛАТЕВА, Анка [Anka Zlateva], "Залогът Катин и българската следа в него" ["The Stake of Katyn and the Bulgarian Connection"], in *Историческо бъдеще* [*Historical Future*], 1-2, 2004, p. 206-230. I had no access to this article.

Le médecin légiste Alexandre Bircle : devoir, sacrifices et souffrances pour la vérité sur Katyn

par le

Dr Florin Alexandre Auguste Stanescu*

Le professeur Mina Minovici et la médecine légale en Roumanie

Vers la fin du XIXe siècle, suite à l'activité et à la persévérance du professeur Mina Minovici, la médecine légale en Roumanie acquiert une organisation moderne et se développe sur de solides bases scientifiques. Par ses efforts et son insistance, il parvient à obtenir l'appui du Gouvernement de la Roumanie et de la Mairie de Bucarest et, finalement, à inaugurer, en 1892, une construction monumentale, la « Morgue » de la ville de Bucarest qui, en 1898, prend le nom d' « Institut de médecine légale » – un des premiers instituts de ce type en Europe. A sa fondation, l'Institut est un centre d'instruction en médecine légale pour les étudiants en médecine en dernière année d'étude de formation ; un centre effectuant des expertises pour aider la justice à découvrir

---

* Médecin-légiste, ancien directeur adjoint de l'Institut de médecine légale « Prof. Mina Minovici » de Bucarest, membre de la Société roumaine d'histoire de la médecine et de la section roumaine de la Société des médecins-écrivains.

et prouver la vérité des faits, à prendre de justes décisions ; un centre réalisant des expertises à des fins préventives, pour des services sociaux et des recherches scientifiques.

Durant ses études à Paris, le futur professeur Mina Minovici est l'élève du professeur Paul Brouardel. Il a également pour collaborateur le médecin légiste, psychiatre et criminologue, Jean Stanesco, élève, à Paris, du professeur de médecine légale Henry Claude et du professeur Levi Valensi pour la psychiatrie et collègue du futur professeur Henry Ey. Bien apprécié par les autorités scientifiques françaises, Mina Minovici refuse toutefois les propositions qui lui sont faites de poursuivre sa carrière en France et préfère rentrer au pays où il prend un certain nombre d'initiatives novatrices comme l'intégration à l'Institut d'un laboratoire de sérologie et de bio-criminalistique ; l'organisation des premiers cours de police scientifique et d'identification par la méthode Bertillon ; l'introduction en Roumanie, avec son collaborateur le Dr V. Sava, de l'identification dactyloscopique ou encore l'engagement de spécialistes du casier judiciaire auprès de chaque tribunal des villes du pays. En outre, en 1929 et en 1930, il décide d'organiser, pour répondre au manque de compétences dans ce domaine, des cours de formation de médecins spécialistes en médecine légale. En 1933, après la mort du professeur, la direction de l'Institut – qui a reçu, par Décret du Roi, le nom d'Institut de médecine légale « Prof. Dr Mina Minovici » – revient au professeur Nicolas Minovici, son frère et continuateur.

Alexandre Bircle

Né le 1er janvier 1896 à Bucarest, Alexandre Bircle [fig. 12] participe à la Première Guerre mondiale comme enrôlé volontaire. Après cette expérience, de 1919 à 1925, il entreprend des études de médecine à la Faculté de Bucarest, puis pratique dans des petites villes de province.

En 1929, Alexandre Bircle suit le cours de spécialisation en médecine légale organisé par le professeur Mina Minovici. Il travaille ensuite comme médecin légiste auprès du Tribunal de la ville et du district de Brasov, avant d'être transféré, en 1936, à l'Institut médico-légal « Prof. Dr Mina Minovici » de Bucarest. Au début, il travaille comme médecin légiste du département d'Ilfov, mais ses compétences professionnelles sont rapidement reconnues et il obtient un poste universitaire, d'abord d'assistant, puis de chef de travaux à la chaire de médecine légale de la Faculté de médecine de Bucarest. Durant cette période, il a pour professeur Nicolas Minovici, et, après la retraite de ce dernier, le professeur Théodore Vasiliu.

Fig. 12. Portrait du Dr Alexandre Bircle, médecin légiste.
Photographie mise à disposition par Mme Rodica Marta Bircle.

L'expertise du « massacre de Katyn »

Après le pacte Ribbentrop-Molotov du 23 août 1939, les deux signataires mettent en application leurs accords secrets pour partager l'Europe. Le 22 juin 1941, la guerre éclate entre l'Allemagne nazie et l'URSS. En avril 1943, Les forces allemandes ayant mené l'offensive sur le territoire de la Russie soviétique découvrent, dans la forêt de Katyn, près de Smolensk, des fosses communes contenant des cadavres en uniforme de l'armée polonaise. Pour l'Etat allemand, il s'agit d'une bonne occasion de montrer au monde entier les crimes contre l'humanité perpétrés par les Soviétiques, même si tout le monde connaît déjà l'histoire des milliers de morts par famine dans l'Ukraine des années 1930 pour construire le soi-disant « bonheur » de la collectivisation, transformant les paysans en *kolhoznici*, et donner au mot « Sibérie » une résonance et une signification bien connues.

Les autorités allemandes prennent la décision – qui peut être considérée comme correcte – de former une commission de spécialistes pour faire un examen des cadavres dans le but de clarifier leur identité, la cause de la mort et la date des décès. L'invitation est notamment lancée par le Dr Conti, « Chef (*Führer*) sanitaire du Reich » dans un article intitulé « Les horreurs bolcheviques de Katyn »[390].

La commission adopte un caractère international, par la participation de douze pays européens, avec parmi les experts, un représentant d'un pays non belligérant et non engagé, la Suisse. Les membres qui prennent finalement part à cette commission sont :

- de Belgique, le Dr Speleers, professeur d'ophtalmologie à l'Université de Gand ;
- de Bulgarie, le Dr Markov, chargé de cours de médecine légale et de criminologie à l'Université de Sofia ;
- de Croatie, le Dr Miloslavić, professeur de médecine légale et de criminologie à l'Université de Zagreb ;
- du Danemark, le Dr Tramsen, prorecteur de l'Institut de médecine légale de Copenhague ;
- de Suisse, le Dr Naville, professeur de médecine légale à l'Université de Genève ;
- de Finlande, le Dr Saxen, professeur d'anatomie pathologique à l'Université d'Helsinki ;
- d'Italie, le Dr Palmieri, professeur de médecine légale et de criminologie à l'Université de Naples ;
- des Pays-Bas, le Dr Burlet, professeur d'anatomie à l'Université de Groningen ;

---

[390] « Les horreurs bolcheviques de Katyn », in *Le Soldat*, n° 275, 6 mai 1943, p. 7.

- du Protectorat de Bohême et Moravie, le Dr Hájek, professeur de médecine légale et de criminologie à l'Université de Prague ;
- de Slovaquie, le Dr Šubík, professeur d'anatomie pathologique à l'Université de Bratislava, chef des autorités sanitaires ;
- de Hongrie, le Dr Orsós, professeur de médecine légale et de criminologie à l'Université de Budapest ;
- de Roumanie, le Dr Bircle, médecin légiste du Ministère de la Justice, Institut médico-légal « Prof. Dr Mina Minovici », et – alors – assistant universitaire à la Faculté de médecine de Bucarest, discipline de médecine légale.

En dehors de ces experts, ont participé aux travaux et aux discussions : le Dr Buhtz, professeur de médecine légale et de criminologie à l'Université de Breslau, chargé par le Haut Commandement de l'Armée allemande (*Oberkommando der Wehrmacht*) de la direction des excavations de Katyn, et le Dr Costedoat, médecin-inspecteur, délégué du chef du gouvernement français de Vichy pour assister aux travaux de la commission.

A l'activité d'identification des cadavres, ont également participé des représentants d'une Commission principale polonaise – le comte Ronikier, président de la Commission, et Seyfried, directeur de la Commission – et des représentants de la Croix-Rouge polonaise – son président, Waclaw Lacher (de Varsovie) ; son secrétaire général, le comte Skarzynski ; le directeur de la Croix-Rouge de Cracovie, le Dr Szebesta.

Alors âgé de dix ans, je me souviens pourtant des discussions tenues dans ma famille – mon père le Dr Jean Stanescu étant médecin légiste, collègue du Dr Bircle – et des photos qui se trouvaient dans la revue allemande *Signal*. En dehors de ces informations directes, j'ai lu, après 1989, diverses publications, sur les crimes de Katyn et je me suis documenté sur un article et les souvenirs de la Dr Rodica Bircle Marta, fille du Dr Bircle qui, en 1943, avait 17 ans.

En avril 1943, le professeur Th. Vasiliu, directeur de l'Institut de médecine légale « Prof. Dr Mina Minovici », a appelé dans son bureau les médecins légistes de l'Institut et leur a présenté la demande des autorités roumaines de déléguer un médecin légiste pour investiguer sur les cadavres de Katyn dans le cadre d'une commission internationale. La question était déjà connue par les informations publiées dans la presse et les émissions de radio. La décision a été prise d'envoyer le médecin légiste Alexandre Bircle pour représenter la médecine légale de Roumanie.

La cause de la mort était clairement établie : exéuction par armes à feu, dans la majorité des cas, une balle dans la nuque. Des problèmes d'identification existaient seulement pour quelques cadavres qui n'avaient pas de documents d'identité dans leurs poches. L'appartenance à l'armée polonaise était claire pour la plupart des dépouilles, à l'exception de quelques rares cadavres qui étaient en costume civil. Les journaux de Pologne et de Roumanie ont publié des listes des noms des morts. La date de la mort des victimes – 1940 – était démontrée non seulement par les méthodes de la médecine légale – le terrain argileux de la forêt de Katyn avec un degré d'humidité élevé a favorisé la conservation des cadavres sous la forme connue en médecine légale d'adipo-cire – mais aussi, du point de vue criminalistique, par la date des documents qui ont été trouvés dans les poches des morts et par les témoignages des habitants des villages voisins qui ont vu presque chaque jour pendant les mois de mars et avril 1940 des camions et les fameux fourgons pour personnes arrêtées – surnommée par la population « les corbeaux noires ») faire la navette entre la gare Gnezdovo et la forêt de Katyn (au retour, ils passaient vides et sans escorte armée –.

Comme tous les membres de la commission, le légiste roumain Bircle[391] a signé le document final, avec la conscience d'affirmer la vérité. La date de la mort était imputable à la période d'administration soviétique du territoire de Katyn et, de plus, il y avait des cadavres qui avaient des plaies en forme d'étoile en X, blessure typique faite par les baïonnettes utilisées par l'armée soviétique. Plus tard, des doutes ont été relevés quant à l'origine de la munition utilisée par les assassins, puisque les Allemands avaient vendu des munitions de leur fabrication aux Soviétiques pendant les années 1930.

Le front de l'Est change de configuration et continue à se déplacer vers l'ouest : Katyn revient sous autorité soviétique. Le 12 janvier 1944, en URSS, une « Commission spéciale » est constituée pour « clarifier » le problème de Katyn. Présidée par Nicolai Burdenko, chirurgien, membre de l'Académie soviétique, elle a pour membres Alexei Tolstoi, écrivain, membre de l'Académie soviétique et membre du P.C.U.S. ; Nicolai, métropolitain de la ville de Kiev et de l'Ukraine ; le général Alexandr Gundorov, président du Comité pan-slave ; le professeur S. A. Kolesnikov, président de l'Alliance des Croix-Rouges et Croissants-Rouges d'URSS, Commissaire du peuple pour l'éducation de l'URSS et membre de l'Académie de l'URSS ; Vladimir Potiomkin ; le général Efim Smirnov, chef de la Croix-Rouge militaire, président du Comité exécutif régional de Smolensk ; R. I. Melnikov, secrétaire de la commission et ancien chef de l'organisation locale du parti et N. V. Makarov.

La Commission spéciale nomme pour experts de médecine légale V. I. Prozorovski, V. M. Smolianovski, M. D. Svaikov et D. N. Viropaiev[392]. Suite à leur visite à Katyn du 18 au 24 février 1944, les membres de la commission

---

[391] Le rapport d'autopsie rédigé par le Dr Bircle est conservé aux Archives du CICR à Genève sous le cote : P FN 008, Protocole d'autopsie (pratiqué par) Alex. Bircle à Katyn, 30.04.1943.

[392] Gasudarstvennii Arhiv Rossiskoi Federatii – Fond 7021 n° 114, f° 8, 39, cité par Wojciech Materski, « Le crime de Katyn – Le problème de la culpabilité », conférence des 6-7.10.2006, donnée à Bucarest.

– les uns par peur, les autres par cynisme ou même par conviction – ont réaffirmé les conclusions déjà formulées par une autre commission d'experts – la Commission Merkulov et Kruglov – qui accusait les Allemands. Après la conférence de Téhéran, des officiers allemands, prisonniers de guerre en URSS, ont été jugés pour les crimes de Katyn. Parmi eux, dix-huit ont été condamnés à mort et exécutés à Maruipol, ville qui se trouve près de la mer d`Azov et qui a pris le nom de « Jdanov ». Le 5 janvier 1946, sept autres officiers allemands ont été interrogés, jugés et exécutés par le NKVD sous la même accusation.

L'évolution de la guerre, avec la victoire de l'Armée rouge et sa pénétration sur le territoire du Royaume roumain, pousse S. M. le Roi Michel de Roumanie, le 23 août 1944, à rompre l'alliance avec l'Allemagne nazie, à arrêter le maréchal Antonescu et à ordonner à l'armée roumaine un retour à l'alliance traditionnelle qui existait durant la Première Guerre mondiale. L'armée roumaine a continué la guerre de l'autre côté de la barricade ; elle a collaboré avec l'Armée rouge jusqu'au 9 mai 1945. Il faut rappeler la déclaration du ministre des affaires étrangères de l'URSS, Viaceslav Molotov, qui affirme, de sa propre initiative, en mars 1944, que « l'URSS n'a pas des prétentions territoriales et n'a pas l'intention de modifier la forme d'Etat de la Roumanie ».

A l'automne 1944, le Dr Bircle a reçu une information alarmante : son collègue, le légiste bulgare Markov, lui aussi membre de la commission de Katyn, a disparu et les efforts pour le retrouver ont été vains. Se rendant compte des risques encourus, Alexandre Bircle pense aux possibilités de se sauver. Dans les premières années d'après-guerre, la majorité de la population roumaine, alors sous occupation étrangère, croit que le pays se trouve dans une situation politique provisoire et est convaincue que la seule possibilité pour un retour à une situation considérée comme normale pourrait être un conflit armé entre les pays occidentaux et l'URSS. Seuls les activistes politiques du « nouveau » régime qui s`installait confortablement au pouvoir, sous la protection d'une force étrangère, pensaient différemment.

L'inévitable se produit dans la nuit du 22 novembre 1944, quand un troupe militaire de l'Armée Rouge se présente à la porte de la maison du Dr Bircle. Accompagnés d'un interprète, ils ont d'abord une discussion polie avec son épouse, prétextant un besoin urgent d'un médecin pour leur unité militaire se trouvant dans un aéroport. Pendant que son épouse leur explique qu'en tant que médecin légiste Alexandre Bircle n'est pas équipé pour des cas d'urgence, celui-ci quitte la maison par une autre porte et se dirige vers une maison en ruine du voisinage qui a été bombardée. Lorsque finalement son épouse annonce que son mari n'est pas dans la maison, les « visiteurs » changent de tactique et pénètrent en force dans la maison. Leur fouille n'aboutit pas. Toutefois, trois militaires restèrent postés plusieurs jours dans le bâtiment et des personnes en observation dans la rue, attendant un possible retour du docteur.

Encore libre, celui-ci se rend au poste de police où il explique qu'il est en danger et qu'il a besoin de protection. En sa qualité de médecin légiste, il est connu de beaucoup de policiers et des chefs de la police. Au début, un colonel lui vient en aide et des officiers de la gendarmerie le reçoivent à leurs domiciles. Il doit toutefois changer fréquemment de cachette sans jamais divulguer sa nouvelle adresse. Sa fille réussit de temps en temps à tromper les surveillants pour visiter son père, lui apporter des objets nécessaires, l'aider à changer de demeure provisoire. Avant de rencontrer son père, elle change plusieurs fois de moyen de transport et passe par des zones désertes de la ville pour découvrir si elle est suivie par des agents. Beaucoup de ses amis reçoivent le docteur avec amabilité quelques jours. Cependant, la peur des nouvelles autorités prend bientôt le dessus et quelques personnes veulent être dédommagées pour les risques pris et l'hébergement offert.

Les nouvelles autorités communistes imposées le 6 mars 1945 ont licencié, mis à la retraite ou emprisonné la majorité des fonctionnaires et policiers de l'ancien gouvernement et des officiers de l'armée, les remplaçant au sein de la police secrète et de sûreté par des hommes de confiance.

Ces derniers convoquent plusieurs fois par semaine la femme et la fille d'Alexandre Bircle pour les interroger pendant des heures dans des conditions humiliantes. Ils cherchent à savoir où se trouve le Dr Bircle et posent d'autres questions sans jamais prononcer le mot Katyn. Afin qu'il ne se rende pas aux autorités dans l'intention de les soulager, elles ne lui parlent pas de ces interrogatoires.

En 1946, au procès de Nuremberg, l'accusateur en chef de l'URSS a essayé, sans succès, d'accuser l'Allemagne du massacre de Katyn. Les nazis ont répondu aux accusations de génocide par des contre-accusations visant l'URSS, en soutenant qu'elle était coupable, à leur avis, du crime de génocide pour le massacre commis à Katyn en 1940. Le tribunal a entendu des témoins. Pendant son audition, le légiste bulgare Markov a affirmé qu'il avait « été obligé » par les Allemands à signer les documents de Katyn en 1943 et qu'en « réalité », il avait la « conviction » que les troupes allemandes avaient assassiné les officiers polonais. Les analyses faites de ses affirmations perdent de vue le fait essentiel : sa réapparition soudaine et non expliquée, probablement après avoir subi un « traitement » par diverses « méthodes spécifiques » plus ou moins connues.

Cette même année, les autorités communistes roumaines décident de faire un procès au Dr Bircle malgré son absence. La décision du Tribunal militaire est publiée dans les journaux : condamnation à 20 ans de travaux forcée sous l'inculpation de « crime de guerre »... sans que soit spécifié le nom de « Katyn » ! Alexandre Bircle était encore en liberté, encore bien caché.

Le 30 décembre 1947, la Roumanie devient une « république populaire ». Les autorités n'espèrent plus retrouver le Dr Bircle. Sa femme et sa fille sont cependant arrêtées et détenues au poste central de police de Bucarest pendant une période d'environ un mois. Elles sont surveillées par des hommes de l'ancienne police dans des conditions de détention généralement acceptables – et exceptionnelles – pour cette période.

La vie du Dr Bircle est de plus en plus difficile. En deux ans de vie cachée et de fuite, il a perdu plus de 20 kilos et, par manque de soleil, a une pâleur de teint effrayante. Un de ses derniers « logements » est une armoire qui se trouve dans la niche d'un mur d'une maison, ressemblant à un cachot d'une surface d'environ 0,80 m^2. Une seconde armoire est placée devant la porte de cette armoire pour la masquer. Il y passe ses journées, y dort, et sort seulement pendant la nuit pour faire quelques mouvements et pour les nécessités physiologiques.

Rodica Bircle, sa fille, alors étudiante en médecine, a fait preuve d'un grand courage lorsqu'elle a visité les représentations diplomatiques des Etats-Unis et du Royaume-Uni pour leur expliquer le rôle de son père dans l' « affaire de Katyn » et leur demander leur aide. Leur réponse a été : « Katyn, les Allemands disent que c'est les Russes, les Russes disent que ce sont les Allemand... C'est leur problème, nous, ça ne nous intéresse pas ! Et que voulez-vous ? Vous voulez que, pour votre père, on entre en conflit avec les Russes ? » Très découragée, elle rentre chez elle et son retour est, comme d'habitude, enregistré par le surveillant qui se trouve près de sa porte.

Avec l'aide de connaissances, et au prix de dix monnaies d'or, la famille obtient un faux passeport avec lequel Alexandre Bircle peut fuir vers Vienne, puis la France. Il établit un système de correspondance avec sa famille pendant son exil : il écrit à une connaissance en Italie et celle-ci, par un code convenu d'avance, avec des phrases banales, transfère les nouvelles en Roumanie à une autre connaissance commune qui donne finalement la lettre à la famille Bircle lors d'une rencontre fortuite.

En 1950, Rodica Bircle finit ses études de médecine. Elle échappe aux vérifications de son dossier et obtient un poste de médecin dans la zone de Dobrogea, tout près de la zone où, sous le prétexte de la construction d'un canal navigable reliant le Danube à la Mer Noire, des milliers de détenus politiques, anciens hommes d'Etat, membres des anciens partis politiques ou même de simples individus ayant exprimé des opinions en désaccord avec le nouveau régime, travaillent dans des conditions humiliantes et d'extermination. Elle aide ces malheureux « coupables sans faute » dans la limite de ses possibilités. Elle se marie avec un médecin – avec pour nom de famille Marta – et donne naissance à une fille en 1952. Quelques mois plus tard, une nuit, elle est arrêtée par la police secrète, comme sa mère. Elles sont jugées pour « complicité de crime de guerre » et condamnées chacune à cinq ans de prison (détention politique). Cette arrestation pourrait être une conséquence de l'enquête de la Commission du Congrès américain sur le massacre de Katyn, enquête survenant en pleine guerre froide.

Le 3 mars 1953, à la mort de Staline, une certaine détente s'installe. Dans un article autobiographique, le Dr Rodica Bircle Marta raconte qu'elle a été amenée devant les juges pour un nouveau procès. Dans la salle du Tribunal militaire, elle a vu ses beaux-parents, accompagnés d'une petite fille. Lors d'un moment de silence dans la salle, elle a entendu la voix cristalline de la fillette : « Vous m'avez dit que vous alliez me montrer maman. Qui est maman ? » Sa grand-mère a montré en direction du box où se trouvaient plusieurs femmes : « La voilà, c'est elle, maman ». La petite s'est arrachée de la main de sa grand-mère et est venue tout près du box, a regardé sa mère et a dit : « Elle est jolie, je l'aime ! » Tout le monde dans la salle a été impressionné par cette scène. Même le procureur a essayé de faire le moraliste : « Nous espérons qu'elle ne fera pas de telles fautes… ». A la suite de ce procès, aucun acquittement n'a été prononcé pour les deux femmes, mais seulement une réduction de peine de cinq à deux ans et demi de prison.

A cette date, le Dr Bircle ne réside plus en France, mais en Amérique du sud, peut-être en Argentine, où il est professeur de médecine légale. En 1952, il témoigne devant le Congrès américain sous haute protection[393]. Des mesures spéciales sont prises pour que son visage soit caché. Il est possible que cette sortie de l'anonymat soit à l'origine du suspect « accident mortel d'automobile » survenu en Amérique et dans lequel le Dr Bircle a trouvé la mort.

Il est intéressant de rappeler une anecdote : lors d'un congrès de médecine à l'étranger, un médecin, professionnel de renom, ministre de la santé, professeur d'université et membre du « Comité central » du parti communiste, rencontre le Dr Bircle. A son retour, il contacte Rodica Bircle Marta et lui transmet une petite lettre de son père. Il lui permet de la lire, puis, la brûle dans la cuvette de son cabinet en disant : « Nous ne pouvons rien faire, les communistes sont montés sur notre dos ! »

En 1976, le Dr Rodica Bircle Marta a reçu une citation de la Banque du Commerce extérieur. Elle a été invitée à signer une procuration pour une personne inconnue donnant mandat à celle-ci de régler en son nom la succession de son père pour des biens se trouvant aux Etats-Unis. Suite à son refus caté-

---

[393] Le Congrès américain a publié un rapport de 2362 pages sur le problème de Katyn et la Chambre des représentants a adopté la résolution n° 390 / 82 composée de deux chapitres : l'un portant sur la nation responsable du massacre et l'autre sur la culpabilité des agences gouvernementales américaines qui ont caché la réalité des faits à la nation américaine.

gorique de parapher ce document, elle a été convoquée plusieurs fois encore par cette même banque, connue comme gestionnaire des affaires financières de la police secrète du régime. Lors d'une entrevue, qui se déroulait toujours en présence d'un officier de la police politique – la *Securitate* –, on lui a demandé si, chez son père, se trouvait une photo de sa fille. Sans y penser, elle a confirmé qu'il y avait bien une photo d'elle. Ce fut la dernière rencontre à la banque. Une personne, engagée par la police secrète et les représentants de la banque s'est peut-être présentée aux autorités américaines sous son identité pour se charger de la succession du Dr Bircle. Après 1989, en étudiant les registres de la banque, Rodica Bircle Marta a remarqué que le numéro d'enregistrement des invitations qu'elle avait reçu en 1976 concernait d'autres personnes. Dès lors, elle a acquis la certitude d'avoir été victime d'un abus, d'une nationalisation ou d'une confiscation, sous une forme quasi-légale des biens de son père qui se trouvaient à l`étranger.

Epilogue

En 1974, le président Nixon, pendant sa visite en URSS dépose une couronne de fleurs dans la localité de Katyn se trouvant à 160 milles du vrai Katyn. Chacun, le président américain d'un côté et les autorités soviétiques de l'autre, ont donné une signification différente à ce geste – le nom de Katyn n'existe ni sur les cartes géographiques ni même dans la *Grande Encyclopédie* soviétique dans son édition de 1992.

Le 13 mai 1990, l'Agence de presse TASS publie un communiqué de presse affirmant *expressis verbis* que les coupables des assassinats de Katyn sont les autorités soviétiques.

En 1992, pendant sa visite en Pologne, Boris Eltsin transmet au président polonais Lech Walesa un dossier avec une copie du Décret du 12 mars 1940, signé par Staline et qui ordonne l'exécution des officiers polonais. C'est, finalement, le triomphe de la vérité !

L'école de médecine légale de Roumanie, fondation du professeur Mina Minovici, doit être honorée par le sacrifice du médecin légiste roumain Alexandre Bircle et de sa famille, victimes d'une expertise menée dans le cadre de sa profession et de manière irréprochable, au service de la vérité et considérés comme coupables par un système totalitaire et criminel. C'est une page qui doit figurer dans l'histoire de la médecine légale roumaine.

Le sujet de « Katyn » a été, pendant des années, interdit. Après 1989, beaucoup de publications roumaines ont décrit et ont essayé de découvrir et de présenter la réalité historique. Il est regrettable que, dans les publications spécialisées dans le domaine médico-légal d'après 1989, les assassinats de 1940 à Katyn et la contribution du légiste Bircle pour établir la vérité ne soient pas rappelées comme il convient. Une seule exception : dans la rubrique « Lettres à la rédaction » de la *Revue de médecine légale* – en 2004 seulement ! – trois médecins du centre universitaire de Iassy, en collaboration avec un légiste grec de l'Université de Crète, publient un article intitulé « Expertise médico-légale dans l'évaluation de la vérité historique (Le massacre de Katyn) »[394].

Sur le site internet de l'Institut de médecine légale de Bucarest, on ne trouve pas les mots « Katyn » ou « Bircle ». Le site présente une chronologie de l'histoire de la médecine légale en Roumanie avec des dates biographiques du professeur Minovici et de trois autres professeurs, mais aucune explication n'est donnée pour l'omission des autres professeurs de l'Institut. Dans le texte de la présentation du professeur de l'Université de la ville de Cluj, M. Kernbach, comme dans le préambule du rapport d'activité médico-légale pour l'année 1999, on trouve une affirmation surprenante : « Il a été coopté dans l'équipe internationale d'expertise médico-légale de *clarification* de la situation de Katyn »[395], « clarification » est le terme utilisé par la commission Burdenko !

Pour un expert des tribunaux, y compris pour un médecin légiste, seul le respect du devoir, de l'indépendance à tout prix, de l'autonomie, du droit à une opinion librement exprimée, en dehors de toute ingérence politique, économique, sociale ou administrative, peut être la garantie d'une activité irréprochable au service de la vérité.

[394] *Revue de médecine légale*, n° 12 (1), 2004, p. 149-153.
[395] Mis en évidence par l'auteur de cet article.

Helge Tramsen (1910-1979)

by

Nils Rosdahl*

Helge Andreas Boysen Tramsen, the son of a timber trader and a teacher, was born 30 August 1910 in Copenhagen. His family had roots in the Duchy of Schleswig,[396] which at that time was part of Germany. After graduating from high school in 1929, he studied medicine at the University of Copenhagen. He graduated in June 1936 with a first class honours degree *laudabilis*. The following month he married.[397] He and his wife had three children.[398]

He then worked as a junior medical officer in the Danish Navy[399] as part of his conscription service. In 1937 he started a one-year internship in medicine and surgery at the University Hospital in Copenhagen and then embarked on a career as an orthopaedic surgeon in Copenhagen hospitals.

---

* Department of Medical History, University of Copenhagen.

[396] The northern part of the duchy was returned to Denmark following a referendum in 1920.

[397] According to Tramsen's autobiography dated 8 October 1962, written for the historiographical office of the royal orders of knights after he was awarded the Knight's Cross of the Order of Danebrog, he married Sylvia Evans (born 30 April 1910 in Radmorshire, the daughter of rural dean John Evans and Elizabeth Lewis) on 10 July 1936 in Wales.

[398] Elisabeth (born 1937, died 1973 in Warsaw), Margrethe (born 1941, received medical degree 1965) and Christian (born 1946, received medical degree 1975).

[399] According to his autobiography (see note 397), Tramsen participated in an operation off Iceland to rescue one surviving and 20 dead crew from the French Artic expeditionary vessel *Pourquoi pas ?* The French decoration *Chevalier du mérite maritime* was subsequently conferred on him.

He started working for the Danish Navy on a part-time basis in June 1939 in parallel with employment in the civil medical services. In December 1941 he was appointed "assistant and prosector" at the Institute of Forensic Medicine, University of Copenhagen. According to the autobiography he wrote for the historiographical office of the royal orders of knights, this affiliation lasted until March 1944. Up to the end of the Second World War and during the period just following he held various positions in surgical departments and ultimately became a "senior registrar."

Denmark during the Second World War

The Danish government composed of social democrats and social liberals had kept the nation's military forces at low strength for the 10 years preceding the war. When war threatened, the British informed the government informally that they would be unable to come to its assistance in the event of a German invasion, although they "understood the predicament" of Denmark ("Hitler's canary," as Churchill put it).

During the war between the Soviet Union and Finland in the winter of 1939-1940, the Danes overwhelmingly sympathized with the Finnish cause, and Danish military volunteers and surgical teams went to the front. They returned to Denmark at almost the same time that German forces invaded on 9 April 1940. (Norway, which was attacked simultaneously, fought for almost two months and subsequently established a government in exile, under the king, in London.) The Danish government decided after a few hours of fighting to accept the German occupation with the understanding that internal affairs would be handled by Danish authorities and in accordance with Danish law. According to the government, the situation was a "peaceful occupation"[400] similar to that experienced by Luxembourg in the First World War. Despite constant German meddling, this situation – this illusion, you might call it – endured until August 1943, when the Germans put forward a number of unacceptable demands, including introduction of the death penalty. Parliamentary government was brought to a halt at a time of mounting popular unrest and increasing sabotage.

[400] A country enduring such a fate may protest against military occupation but would not be justified either in declaring war on or in allying itself to the occupier.

Mission to Katyn

In the spring of 1943 a Danish government was formally still in existence. A request came through the Danish foreign ministry, which handled all affairs with the German authorities, for a Dane to join a group of forensic experts going to Katyn. The request was sent to Hans Sand, the professor of forensic medicine at the University of Copenhagen, who declined, apparently for health reasons. It was then passed on to Helge Tramsen as the department's "prosector." According to family accounts, Tramsen had meetings with two people before taking a decision. He met with Nils Svenningsen, the most senior civil servant in the Danish foreign ministry, who told him that he had to go. He also had a meeting with a member of the resistance movement whose identity is unclear but may have been Ole Chievits,[401] a professor of surgery, who had been Tramsen's supervisor a few years earlier. Tramsen later stated that at this meeting and possibly others he was persuaded that he had to participate. Tramsen's nephew Klaus Neiiendam[402] has reported that Tramsen, when terminally ill, told him that members of the resistance movement had asked him to go to a certain address in Berlin and collect items to be brought to Denmark.[403]

According to Tramsen's report,[404] he [Tramsen himself] was flown in a special plane from Copenhagen to Berlin on 27 April and met with the other members of the delegation at Hotel Adlon. The following day the delegation was taken to Smolensk by plane. They spent the night there and were taken the following day to inspect the graves at Katyn and to hear explanations of

---

[401] Ole Chievits (1883-1946), chief surgeon of the Finsen Institute. In 1939 he became a professor of surgery at the University of Copenhagen. In 1918 and during the Finnish-Soviet war of 1939-1940 he worked with surgical teams on the Finnish side of the front. In 1942 he co-founded the illegal organization "Frit Danmark" and was sentenced to prison in 1942-1943 for anti-German writings. From 1943 onwards he was a member of the "Freedom Council," which until the end of the war was a joint forum for the various groups in the resistance movement and obtained an informal standing vis-à-vis the Danish population and the allied countries as representative of the "fighting Denmark."

[402] Klaus Neiindam, born 1938, was the son of Karen Neiindam, born 1907, the older sister of Helge Tramsen. He became a lecturer in the history of theatre science at the University of Copenhagen.

[403] This statement and others attributed to Klaus Neiindam have mostly been taken from a television programme entitled "The Head," an English version of a documentary produced by *Denmarks Radion* and first broadcast on the Danish channel DR2 on 15 and 22 October 2006. A previously produced radio feature entitled "Dr Tramsen's report" was first broadcast in Danish on 30 April 2004.

[404] "Rapport over Prosector H. Tramsen's Arbejde som Deltager i den internationale Kommision af Retsmedicinere, der på den tyske Regerings opfordring undersøgte Forholdene ved de polske Officerers Massegrave i Katyn i Hviderusland 20/4 til 4/5 1943." The typewritten report dated 12 May 1943 and signed Helge Tramsen was made available to me by the Institute of Forensic Medicine of the University of Copenhagen. On the first part of the report is written in "diary format" and it is strictly chronological.

what has been discovered. The next day, 30 April, a number of corpses were taken from a mass grave. Tramsen performed an autopsy on a body of a Polish army officer he selected personally. In his autopsy report,[405] he stated that papers in the officer's uniform identified him as Ludwig Szymanski of Krakow, a captain in the Polish Army reserve. The cause of death was a gunshot through the skull from rear to front.

According to Tramsen's notes, the delegation assembled later in the day on 30 April in the German Army headquarters in Smolensk for "a three-hour-long scientific discussion, which resulted in the published report. How to identify the bodies and the mode (cause) of death was clarified, but there was not insignificant disagreement on how to determine the time of death." The following day, the delegation returned to Berlin by plane. On 2 May it officially handed over its report to *Reichsgesundheitsminister* Conti before spending the evening at the opera. The following day it visited health-care facilities before again spending the evening at the opera. The delegation left Berlin on 4 May after checking out of Hotel Adlon in the morning. Tramsen had lunch at the Danish legation. "At 4 p.m. departure from Tempelhof with customs passport from the German Ministry of Foreign Affairs authorizing all written and photographic materials to pass unhindered. At 6.30 p.m. landing in Kastrup (Copenhagen)" (this concludes Tramsen's own account).

Tramsen's nephew, Neiiendam, reported in the television interview referred to above[406] that his uncle told him he had done what he was asked to do by the Danish resistance: he had gone to a certain address in Berlin where he was given a small parcel ("by an Alsatian slave labourer" [*sic*]) which he took back to Denmark in his suitcase. Neiiendam reported further that Tramsen also carried Ludwig Szymanski's head back with him. The parcel was handed over to an employee in the Copenhagen airport. According to Tramsen's report of 12 May 1943, he apparently had ample time to fetch the parcel in Ber-

[405] From retired Danish Army medical officer Arne Skipper I received a copy of an autopsy report signed by Tramsen specifying "Wald bei Katyn 30.4.1943, 10.30 Uhr. Obducent Dr Tramsen, Kopenhagen." The report describes the position of the corpses in the grave. One hand is on the back and the other on the abdomen – so the hands were evidently not tied together. Clothing is meticulously described ("*Uniformmantel, Rock, Weste, Hemd, kurze Stiefel*") as are personal belongings, including a passport in Polish in the name of Szymanski Ludwig, Krakow-Miasto, Hauptmann der Reserve. An examination of Szymanski revealed an entrance gunshot wound in the right side of the back of the head ("auf der rechten Seite in der Nackengegend"); the exit hole was on the left side of the forehead ("linke Seite der Stirn"). Various fractures are described in detail. No other lesions or pathological findings of organs are described. Conclusion: "*Todesursach: Der Tod ist durch eine Querschussverletzung durch den Kopf, die von hinten nach vorn verläuft, eingetreten. Andere Verletzungen und krankhafte Veränderungen sind nicht festgestellt.*" The report does not contain any indication of how long the person might have been dead, or at what time of year the death might have occurred.

[406] See note 403.

lin, and the special passport from the German foreign ministry enabled him to get through the otherwise strict wartime airport security measures.

Based on information received from Tramsen, Neiiendam stated that the parcel contained drawings of the Möhne and Eder dams which were useful to the RAF bombing raids carried out on 17 May. Neiiendam also reported that Tramsen at first took Szymanski's head to his flat, but because of the smell he later moved it to the university's Institute of Forensic Medicine. According to Arne Skipper, a retired army medical officer, Tramsen used the skull in 1967 at a lecture for students in forensic medicine to demonstrate a gunshot wound to the back of the head. The skull was left otherwise undisturbed until 2005.

After Katyn

After his mission to Katyn, Tramsen resumed work at the Institute of Forensic Medicine where he remained until March 1944.

The German propaganda machine soon publicized the results of the delegation's work in Katyn and the names of those who participated. Tramsen later said in an interview on Radio Free Europe that he had received threats from communist groups within the Danish resistance. He also received offers of membership in German scientific organizations and of financial rewards, all of which he declined. Tramsen was debriefed after his return from Katyn by the British agent "Hamilcar", who filed his report on 22 June 1943. According to the British scholar George Sanford, "Tramsen stated that he had only agreed to participate as he had been misled into believing that it was a fully independent Red Cross inquiry. He confirmed that he had been given a free hand to investigate the large pit and that none of the papers discovered on the corpses were dated later than 1940. Tramsen also claimed to have insisted on less definite statements in the final report."[407] Together with Hamilcar's report at the Public Record Office the agent forwarded a detailed diary of Tramsen's activities at Katyn over the 27 April to 4 May period. Sanford says nothing about Tramsen possibly having transported a severed head and a parcel from Berlin.

We have no information on British questioning of other members of the German-sponsored international commission. François Naville from Switzerland might have been an obvious choice for further questioning. Whether the interview with Tramsen had any impact on British views on the responsibility for Katyn is not known or even relevant, as official British policy for decades was one of refusal to take a firm stand on Soviet responsibility.

[407] George Sanford, *Katyn and the Soviet Massacre of 1940*, London, Routledge, 2005, p. 131.

Tramsen became a "registrar" in the surgical department of the Copenhagen Military Hospital in the spring of 1944. We do not really know when he became active in the resistance movement. He was involved with the conservative-leaning "Holger Danske" in July 1944, but his name does not appear in an early history of that group.[408] However, Tramsen must have participated in an attack in the afternoon of 18 July 1944 on the Taarbæk Fortress north of Copenhagen[409] which was observed by a passing Danish policeman (the Danish was functioning up to 19 September 1944 when it was arrested by the Germans). The Danish police report stated that two trucks marked as civil-defence ambulances, later identified as stolen from the fire brigade, drove up to the entrance to the fortress with 15-16 men who opened fire on the guards, who returned fire. The shooting lasted approximately 15 minutes. Two of the attackers may have been shot, as two men were picked up off the ground when the trucks departed. The German account, by the *Befehlshaber der Ordnungspolizei*, stated that there was an "Assault on the fortress by terrorists on two trucks. They opened fire on the guards. Three members of the *Wehrmacht* were seriously wounded. After the guards were overwhelmed the trucks entered the fortress, but because of the actions of men from other parts of the garrison they were prevented from stealing weapons, ammunition or explosives. The culprits escaped. No known casualties." The Danish police investigated and found the trucks. One had been abandoned with a punctured tyre, the other parked where it had been stolen. "No useful fingerprints !"

According to the account of his family, Tramsen went underground in the seaside resort of Hornbæk but later returned to his flat in Copenhagen. The Danish police were notified by the hospital on 28 July that Tramsen had not reported for work. A check on the flat revealed that it had been ransacked. The caretaker said that Tramsen had been taken away by Germans early the same morning. According to a German report dated 29 July, he had been arrested by German security police the previous day and placed in the German section of Copenhagen's main prison; a police notice dated 2 August stated that "Bunke (*Kriminalrat* in Gestapo) informs that Tramsen is heavily incriminated – among other things he participated in the attack on Taarbæk fortress."

Because Germans had been seriously wounded in the attack on the fortress, Tramsen was in serious danger. In the end, he was tortured.[410] (I have not looked into this part of his story, but after the war he gave evidence at the trial against Ib Birkedal, one of the most notorious Danes in Gestapo employ.)

---

[408] By Dr Jørgen Kieler, a medical student active in the "Holger Danske" during its early years.

[409] Information on the attack on the Taarbæk fortress and Tramsens's arrest was received from historian Peter Birkelund, who is researching the history of "Holger Danske." This is the only recorded evidence that Tramsen was seriously involved in resistance activities.

[410] Klaus Neiiendam, interviewed in Poul Pilgaard Johnsen, "Dr. Tramsens lange rejse," in *Week-end avisen*, 29 April-3 May 2005, section 1, p. 1-2.

In a chapter he contributed to a book on Danes held captive by the Germans, Tramsen described how he was subjected to a mock execution in the basement of the Gestapo headquarters in Copenhagen.[411]

In the television interview referred to above[412] Tramsen's nephew, Neiiendam, stated that his mother – Tramsen's sister – was understandably worried about her brother. She went to see Nils Svenningsen, head of the Danish foreign ministry. In the absence of any Danish government, Svenningsen was the *pater inter frares* of the civil service heads of the (still functioning) administration. He advised her not to contact the Germans, but promised to get in touch with Dr Best, the high representative of the German Reich in Denmark. He did so, and apparently succeeded in obtaining a promise that a Dane who had taken part in the Katyn expedition would not die in German captivity. Whatever the facts, Tramsen ended up in a German-run internment camp just north of Denmark's border with Germany. There the survival rate was significantly higher than in the German concentration camps, where Danish prisoners would normally be sent if not executed.

Tramsen went home after the liberation in May 1945. All that we know from the official accounts is that he resumed his career in surgery. His participation in the Katyn expedition may have made him vulnerable to communist propaganda, and that may have influenced his decision in 1947 to leave surgery and work as a general practitioner in Copenhagen. At the same time, he was appointed to a permanent position as a naval medical officer (*overlæge*, roughly equivalent in rank to a captain or major in an army). In 1953 he served as chief hospital officer on the third tour of duty of the hospital ship *Jutlandia*, which was stationed off the Korean coast as Denmark's contribution to the UN during the Korean War. He wrote a general account of the *Jutlandia* expedition which did not include any references to personal experiences.[413] When he was appointed staff physician second class in the Navy in 1959 (equivalent to lieutenant colonel in an army) he became the most senior medical officer in the Navy Medical Corps. He remained in that post until normal retirement in 1973, and stayed in the reserve until 1975.

Besides his general practice in Copenhagen and his service as a naval medical officer, he held a number of part-time positions, including that of staff physician to the Copenhagen Fire Brigade. In addition, he held various honorary positions including the presidency of the Association of Military Physi-

---

[411] George Anders (ed.), *I Tysk Fangenskab*, Copenhagen, Poul Branners Forlag, 1945. See Tramsen's chapter entitled "Shellhuset."

[412] See note 403.

[413] L. M. K. Skern (ed.), *Danmark i FN's fredsstyrke*, Copenhagen, H. Henriksens Forlag, 1976. See Tramsen's chapter entitled "Den danske deltagelse i FN's aktivitet i Koreakrigen 1950-1953; Jutlandia ekspeditionen" in vol. 12, p. 2-19.

cians (1953-1968) and of the Society of Military Medicine (1965-1969). His published writings were mostly on first aid.

At first glance, Tramsen's busy life in many different branches of medicine did not seem to be influenced by his wartime experiences. This was not the case, however. The communist counter-attack on those involved in Katyn was also felt in Denmark. Tramsen's son suggested in a radio interview that his father may have been prevented from resuming his duties at the Institute of Forensic Medicine by the "liberation government," formed in May 1945, which included Communist ministers. There is no indication, however, that he suffered any setback in his naval carrier after being appointed to a permanent position in 1947. His service as the highest-ranking medical officer on the *Jutlandia* in 1953 would seem to confirm this, as would his work for the defence ministry as a delegate to the international conference held in Geneva from 1974 to 1977 that led to the adoption of two protocols supplementing the Geneva Conventions. He was awarded the usual honours corresponding to his rank.

Tramsen gave evidence on his mission to Katyn at US congressional hearings held in Frankfurt, Germany, in 1952. Like others who had taken part, he testified that the statements in the report had been made voluntarily, that the conclusion that the killings had occurred in the spring of 1940 had been reached unanimously and that there had been no German pressure. Tramsen also spoke out on the issue on other occasions, most notably in a broadcast to Poland by Radio Free Europe in March 1962. But he evidently also feared Soviet retaliation. According to his son, Tramsen was prepared to leave Denmark for Britain at a moment's notice during the Hungarian crisis in 1956 because he feared a Soviet invasion of Denmark. Of course, he did not go in the end.[414]

By 1971 Tramsen had divorced and remarried. His second wife and Tramsen's nephew have spoken out on the death of Tramsen's oldest daughter in 1972 in Warsaw, where she lived after meeting a Polish musician while studying in Paris. The cause of death was gas poisoning. The mode of death could in theory have been suicide, an accident or homicide. Tramsen feared that his daughter's death was revenge by Soviet or Polish security forces, and thus that he himself may have been responsible for her tragic death. He suffered a mental breakdown and subsequently required treatment.[415] In 1979 he died of a somatic illness. As he neared death he gave his nephew, Klaus Neiiendam, a detailed description of events relating to Katyn, some of which was made public in the radio feature and television programme mentioned above.

---

[414] This information is taken from the television and radio programmes referred to in note 403.
[415] *Ibid.*

Postscript

In the broadcast he made to Poland by Radio Free Europe in 1962, Tramsen identified the Polish officer on whom he performed an autopsy as Ludwig Sieminski of Krakow, using a surname clearly different in pronunciation from Szymanski. This led the two Polish families, which both lost an officer in Soviet camps, to claim the head Tramsen took back to Copenhagen. The skull has been handed over to Polish authorities, who will seek to establish who it belonged to.

Ljudevit Jurak (1881-1945) and Eduard Miloslavić (1884-1952) Founders of Croatian pathological and forensic medicine and experts at the investigations of mass graves at Katyn and Vinnitsa During World War II

by

Stella Fatović-Ferenčić[*] and Vladimir Dugački[**]

Ljudevit Jurak (1881-1945) [fig. 13] and Eduard Miloslavić (1884-1952) [fig. 14] were two eminent Croatian physicians who played a key role in the development of modern pathological anatomy and forensic medicine in Croatia. Both were involved in the investigation of war crimes during World War II, Miloslavić in Katyn and Jurak in Vinnitsa. They lived in times of crisis and world war, times of great anxiety. At the end of World War II, their professional integrity and enthusiasm for work finally collided with a political regime. They were not prepared to settle for the falsification of history. As a result, Jurak was executed and Miloslavić had to flee the country to avoid

[*] Scientific Adviser, Croatian Academy of Science and Arts Institute of History and Philosophy of Sciences, Department for the History of Medicine, Zagreb.

[**] President of Croatian Society for the History of Medicine in Zagreb.

arrest. For a long time, it was dangerous even to mention their names. Consequently, references to Miloslavić and Jurak are fairly sparse, and most archive sources and documentation are unbalanced. The majority of the documentation on Jurak is missing, because his property and every trace of his existence have been carefully destroyed. Miloslavić, on the other hand, lived and worked in several countries, leaving behind a larger body of documentation on which to base a study of his life and career.

Childhood and youth

Ljudevit Jurak (6 October 1881-6 June 1945) was born in northern Croatia in the village of Zalug, Hum commune, Pregrada district, on the river Sutla. He went to primary school in Sveti Križ and Prišlin, followed by secondary school in Zagreb.[416]

Eduard Miloslavić (20 December 1884-11 November 1952) was a child of emigrants who had left Dubrovnik for the USA in search of a better life. He was born in Oakland, California.[417] In 1889, the Miloslavić family returned to Dubrovnik, where Eduard grew up and where he attended both primary and secondary school.

Medical training

After finishing secondary school, both young men decided to study medicine, Jurak in Innsbruck and Miloslavić in Vienna, two leading medical schools of the time. At the time they were studying, medical researchers were particularly interested in the microstructure of tissues and the world of micro-organisms. Increasing scientific curiosity and awareness of the importance of autopsies made the two young Croats eager to learn more about the traces that disease and death leave on human corpses.

According to documents that have been preserved, Miloslavić started his studies at Vienna University Medical School in 1903.[418] After graduating on 22 December 1908, he started work as an assistant to Anton Weichselbaum. Weichselbaum was a pathologist who introduced the etiological trend in both teaching and research at Vienna Medical School and discovered the *meningococcus* bacterium in 1887. The new generation of pathologists working with Miloslavić at Weichselbaum's Department of Pathological Anatomy (K. Landsteiner, H. Albrecht and A. Ghon) considered Weichselbaum their

---

[416] Vladimir Dugački, "Jurak Ljudevit", in Darko Stoparić (ed.), *Tko je tko u NDH*, Zagreb, Minerva, 1997, p. 174-175.

[417] V. Dugački, "Miloslavić Eduard", in Stoparić (ed.), *op. cit.*, p. 275-276.

[418] Archiv der Universität Wien, Personalstand und Personalakt Miloslavic(h).

Fig. 13. Portrait de Ljudevit Jurak (1881-1945).
Photographie mise à disposition par la prof. Stella Fatović-Ferenčić.

Fig. 14. Photographie d'Eduard Miloslavić (1884-1952).
Photographie mise à disposition par la prof. Stella Fatović-Ferenčić.

honoured teacher.[419] When Miloslavić applied for the position of assistant professor at Vienna Medical School in 1914, Anton Weichselbaum himself wrote the report on Miloslavić's work and publications for the Ministry.[420] Miloslavić also worked under Emil Mattauschek in the Department of Pathological Anatomy at Vienna Military Hospital, where he taught the basics of forensic autopsy. During that period he published several papers, mostly on the trigeminovagal reflex, primary cancer of the appendix, the pathogenesis of appendicitis and testicular pathology.[421]

Jurak entered Innsbruck Medical School in 1902, graduated on 19 October 1910, and continued to work as a volunteer at the Institute for Pathological Anatomy in Innsbruck. At the beginning of 1911, he became a city *secundarius* in Innsbruck and worked as an assistant at the Institute for Pathological Anatomy of Innsbruck Medical School, where he stayed until 1914. Most of his research focused on the heart – he studied the atrioventricular conducting system under normal and pathological conditions in embryos, children, and adults, particularly the Adam-Stokes syndrome. Jurak's pathological and histological description of what we now call Lev's disease was presented to the Scientific Society of Physicians in Innsbruck in 1914[422] and published in 1915,[423] half a century before Lev and Lenegre published their most important observations on the disease in 1964. Jurak also conducted research on syphilitic changes in the cerebral arteries, the meninges and the aorta.[424]

---

[419] Eduard Miloslavić, "Anton Weichselbaum", in *Wiener Medizinische Wochenschrift*, 70 (1920), p. 1870-1871.

[420] Archiv der Universität Wien, Z. 928 ex 1914/15, Bericht über Dr. Eduard Miloslavić von Anton Weichselbaum.

[421] E. Miloslavić, "Über Trigeminus-Vagus-Reflexe", in *Wiener Medizinische Wochenschrift,* 60 (1910), p. 1-8; "Zur Pathogenese der Appendizitis", in *Wiener Klinische Wochenschrift,* 25 (1912), p. 1-5; "Die Hodenpathologie. Kritisches Übersichtsreferat aus der italienischen Literatur", in *Wiener Medizinische Wochenschrift,* 62 (1912), p. 1-4; "Ein weiterer Beitrag zur pathologischen Anatomie der militärischen Selbstmörder", in *Virchows Archiv für pathologische Anatomie und Physiologie und für klinische Medizin,* 28 (1912), p. 45-53.

[422] Lj. Barić, B. Belicza, "Jurakov opis Levove bolesti pola stoljeća prije Leva", in *Medicus,* 1 (1992), p. 99-110; Lj. Jurak, "Bericht über den mikroskopischen Befund des Hisschen Bundels in einem Fall von Adams-Stokes'schem Symptomenkomplex nebst vergleichenden Untersuchungen über das Reizleitungssystem in menschlichen Herzen", in *Wiener klinische Wochenschrift*, 27 (1914), p. 827.

[423] F. Gaisbock, Lj. Jurak, "Klinische und anatomisch-histologische Untersuchungen über einen Fall mit Adams-Stokes'schem Symptomenkomplex", in *Zentralblatt für Herz und Gefässkrankeheiten*, 7 (1915), p. 37.

[424] B. Mažuran, "Zavod za patološku anatomiju", in Stjepan Rapić (ed.), *50 godina Veterinarskog fakulteta 1919-1969*, Zagreb, Veterinarski fakultet Sveučilišta u Zagrebu, 1969, p. 337.

Foundation of the Pathology Department of the Zagreb Public Health Institutions

In the autumn of 1913, Jurak declined an offer from the Board of Professors of Zagreb Law School to take the chair in legal medicine. At the same time, the Pathological Department of the Zagreb Public Health Institutions was established by a decree of the Croatian-Slavonian Territorial Government, Department of Internal Affairs. This was a milestone in the development of pathological anatomy in Croatia.[425] Jurak became city prosector in 1914, a post that he held until 1945. The oldest preserved reports on autopsies performed by Jurak date from 1915 and represent the first evidence of the Department's work.[426] The Department had a high autopsy rate. Certain post mortem examinations motivated Jurak to publish his work in *Liječnički Vjesnik,* the Journal of the Croatian Medical Association. As a result, reports on aneurysms of the aorta and the femoral artery appeared during 1915,[427] together with case reports on dissociation in the functioning of the left and right ventricles, gangrenous stomatitis after tooth extraction, and brain herniation.[428] Together with his associates, Jurak performed autopsies for the following institutions: the Charity Sisters Hospital, the Charity Brothers Hospital, the Hospital for Infectious Diseases, the Hospital for Mental Diseases in Stenjevac, the War Veterans Nursing Hospital at Šalata, the Red Cross Hospital, the Military Hospital, the State Maternity Hospital, the mortuary at the Mirogoj Cemetery and, during World War I, also for the Garrison Hospital, the Home Guard Hospital, the Home Guard Barracks, the Reserve Military Hospitals in Zagreb and Ogulin and a convalescence home in Črnomerec.[429] Retrospective analysis of preserved autopsy data from the 1915-1918 period showed that 1,580 autopsies were performed during World War I, 96.6% of them on men aged between 19 and 69. The most frequent autopsy findings were infectious diseases, followed by respiratory diseases, injuries, and violent deaths.[430] Jurak published many case reports in *Liječnički Vjesnik,* particularly in the period from 1915 to 1919, and most intensely in 1917.[431]

---

[425] M. Belicza, "Zavod za patologiju", in *Anali Kliničke bolnice "Dr. M. Stojanović"*, 24 (1985), p. 145-146.

[426] Sektionsprotokol, pohranjeno u Zavodu za kliniku patologiju "Dr Ljudevit Jurak", Kliničke bolnice "Sestre Milosrdnice", u Zagrebu.

[427] Lj. Jurak, "Aneurysma aortae", in *Liječ Vjesn*, 37 (1915), p. 175-176; "Slučaj aneurizma femoralne arterije", in *Liječ Vjesni*, 37 (1915), p. 150-151.

[428] Lj. Thaller, Lj. Jurak, "Slučaj disocijacije rada lijeve i desne klijetke srca", in *Liječ Vjesn*, 37 (1915), p. 159-168; Lj. Jurak, "Slučaj gangrenozne stomatide nakon extrakcije zuba", in *Liječ Vjesn,* 37 (1915), p. 55-59; "Referat o sekciji slučaja prolapsa velikog mozga sa demonstracijom preparata", in *Liječ Vjesn*, 37 (1915), p. 147-150.

[429] Belicza, *op. cit.*

[430] S. Šain, S. Fatović-Ferenčić, B. Belicza, "A retrospective anlysis of the autopsy reports of the Zagreb Pathological Department made during the First World War", in *Acta Clinica*

Jurak's work at the schools of medicine and veterinary medicine

Germ theory and increasing use of animal experimentation made comparative medicine a major field of interest. Many bacteriologists and physiologists worked with animals at that time, as did the majority of pathologists. Due to his exceptional knowledge of comparative animal anatomy and pathology, Jurak was named *publicus ordinarius* (full-time professor) of pathology and pathological anatomy at the Zagreb School of Veterinary Medicine. According to the King's decree dated 20 November 1921, he was also appointed Chief Pathologist at the Zagreb City Institute of Public Health.[432]

Lectures in forensic medicine for medical students at Zagreb Medical School started in 1922, when Professor Ernest Miler of Zagreb Law School was made Head of the Department of Forensic Medicine. Between 1923 and 1932, he taught the theoretical part while Jurak covered the practical aspects, including autopsies. Due to his numerous obligations and intensive routine work, Jurak stopped publishing and there is no trace of any publications between 1920 and 1927. The only paper he published in 1928 was on the intravenous injection of kinin in forensic procedure.[433]

As a person of high moral principles, Jurak was also a member of the Court of Honour of the Croatian Medical Association.

Eduard Miloslavić's military service during World War I

In 1913, during the Balkan war, Miloslavić went to Serbia at the invitation of the International Committee of the Red Cross. He served in the Austro-Hungarian army as a regimental physician on the SMS *Sophie Hohenberg* in Boka Kotorska, Montenegro. In April 1915, he became Head of the Medical Department of Risno Military Hospital, also in Boka Kotorska, and was made director of the hospital soon after. In early 1916, he was summoned back to Belgrade, where he took command of the temporary military hospital and became the main prosector of the Austro-Hungarian army in occupied Serbia. Miloslavić's descriptions of *typhus exanthematicus* and Spanish flu epidemics in Serbia during this time are recorded, as are his important studies

---

Croatica, 30 (1991), p. 155-163; S. Šain, "Uzroci smrti u gradu Zagrebu od 1916. do 1918. godine prema podacima obdukcijskih zapisnika Prosekture javnih zdravstvenih zavoda", in Ivo Padovan, Biserka Belicza (eds), *Rasprave i građa za povijest znanosti*, Book 7, 3rd vol., Zagreb, HAZU, 1992, p. 255-280.

431 Z. Zane, A. Laboš, *Bibliografija Liječničkog Vjesnika*, Zagreb, Zbor Liječnika Hrvatske, 1978, p. 224.

432 M. Belicza, *op. cit.*; Mažuran, *op.cit.*, p. 337.

433 Lj. Jurak, "Intravenozna injekcija kinina kao predmet sudbenog postupka", in *Liječ Vjesn*, 50 (1928), p. 787-798.

on the organization of military prosectors.[434] On 22 March 1917 he was given the title of assistant professor in the Department of Pathological Anatomy at Vienna University, a position he had first been offered in 1914.[435] After the end of the World War I, he worked at Vienna Medical School,[436] and held the position of Head of the Garrison Hospital Institute of Pathology.

Miloslavić's work in Milwaukee, Wisconsin, USA

Zagreb University Medical School opened at the end of 1917.[437] Miloslavić, who was already a well-known and established assistant professor of medicine, was offered the chair in Forensic Medicine. However, the Medical School's Board of Professors did not elect him to the position.[438] Disappointed, Miloslavić accepted the chair of Pathology and Bacteriology at Marquette University in Milwaukee, Wisconsin, USA, in 1920. There he succeeded Frank A. McJunkin, a 1906 graduate of the University of Michigan and Director of the Department of Pathology, who resigned in 1920.[439] At Marquette University, Miloslavić was a member of the Board of Trustees and official referee for forensic medicine for the journal *Archives of Pathology*. He was also elected to the first Executive Faculty of Marquette University (Rev. Albert C. Fox, president of the University; Rev. P. A. Mullens, regent; Dean L. F. Jermain; C. J. Coffey; B. F. McGrath and C. J. Sargent), but the minutes indicated that Miloslavić frequently missed Executive Faculty meetings. He often provided medico-legal opinions on cases in litigation, and his other interests were taking more and more of his time. In 1929, by mutual consent, he left the school to become the pathologist at St Mary's Hospital in Milwaukee, where he served as a supervisor of interns.[440] He was engaged in criminology investigations and introduced criminological pathology in the USA.[441] In addition to his work at St Mary's Hospital, he acted as an expert witness for

---

[434] E. Miloslavić, "K.U.K. Kriegsprosektur des Militär-General-Gouvernment Serbien in Belgrad", in *Der Militärarzt*, 4 (1917), p. 1-14; "Ueber die Organisation einer wissenschaftlichen, pathologisch-anatomischen Tätigkeit im Frontbereiche", in *Wiener Klinischen Wochenschrift*, 30 (1917), p. 1-7.

[435] Archiv der Universität Wien, Erlass des Ministeriums für Kultus und Unterricht Z. 7245 vom 22. März 1917.

[436] Archiv der Universität Wien, Personalstand und Personalakt Miloslavic(h) von Studienjahr 1917/18 bis zum Studienjahr 1920/21.

[437] B. Belicza, "Foundation of the Zagreb School of Medicine", in *Croatian Medical Journal*, 33 (1992), p. 63-79.

[438] V. Dugački, "Eduard Miloslavić, Zmaj od Sv. Mandaljene, svjedok istine o Katynskoj šumi", in A. Getliher (ed.), *Znameniti članovi Družbe "Braća Hrvatskoga Zmaja"*, Zagreb, Acta et studia draconica, 1997, p. 13-24.

[439] Norman H. Engbring, *An anchor for the future. A history of the Medical College of Wisconsin 1893-1990*, Milwaukee (WI), Medical College of Wisconsin, 1991, p. 34-62.

[440] *Ibid.*

[441] *Ibid.*

St Joseph's Hospital, the Evangelical Deaconess Hospital in Milwaukee and a dozen more hospitals throughout the USA. He was among the experts who investigated the famous St Valentine's Day Massacre (Chicago, 1929), when Al Capone's men, disguised as policemen, killed 16 members of a rival gang.[442] He published many scientific papers in American journals.[443] Nevertheless, he was longing to return to his homeland. In a melancholic letter addressed to his friend Miroslav Mikuličić, professor of pharmacology at Zagreb Medical School, he wrote: "I would be delighted to obtain the chair of forensic medicine at Zagreb Medical School. Alone and abandoned here, I often dream of my home, where by misfortune or providence I was given no chance to earn my living."[444]

Work in Zagreb

The parallel lives and careers of Miloslavić and Jurak eventually crossed in Zagreb, and remained intertwined between 1933 and 1944. The two men set high standards and introduced scientific methods into anatomical pathology, forensic pathology and teaching, and their achievements led to the advancement of medicine in our country.

The optional course in forensic medicine at Zagreb Medical School became mandatory in 1932, when Eduard Miloslavić returned from the USA and was finally appointed the school's first full-time professor of forensic medicine on 24 June 1932.[445] He was given three premises in the Department of Morphology and Biology. Autopsies were performed at Zagreb Mirogoj Mortuary and at the Institute for Pathological Anatomy. On 3 November 1933, Professor Miloslavić gave his inaugural lecture, "The modern development of forensic medicine and the formation of a new branch of science – forensic pathology". The Rector, the Dean, Professor Jurak, and many other professors, assistants, students and representatives of the civil and military authorities

---

442 Dugački, "Eduard Miloslavić...", *op. cit.*

443 E. Miloslavić, "Occurrence of lipids in urine and their diagnostic importance", in *Journal of Laboratory and Clinical Medicine*, 13 (1928), p. 542-546; "Medical testimony", in *Wisconsin Medical Journal*, 27 (1928), p. 236-241; E. Miloslavić, F. D. Murphy, "Agranulocytic syndrome", in *American Journal of Clinical Pathology*, 1 (1931), p. 33-38; E. Miloslavić, "Medical necropsy: pathological anatomy of death by drowning", in *American Journal of Clinical Pathology*, 4 (1934), p. 42-49.

444 Archive of Zagreb School of Medicine, Miloslavić/Mikuličić correspondence October 2, 1930.

445 D. Zečević, "Sixty years of the Department of Forensic Medicine and Criminology from Zagreb", in D. Strinović, V. Petrovečki (eds), *Proceedings of the 5th International Meeting on Forensic Medicine [symposium not held]*, Zagreb, University of Zagreb School of Medicine, 1995, p. 3-4.

attended.[446] The Institute of Forensic Medicine, located in the Institute of Anatomy building, was rebuilt and redecorated in a manner similar to that of modern forensic institutes in Europe and the USA at that time, and opened on 7 June 1935. The laboratory at the Institute consisted of a histological laboratory, a rich archive including photographs, a library containing 10,000 books and a museum. It also had a stroboscope. A toxicological laboratory was established in 1941.[447]

When the "Independent State of Croatia" (NDH) was established – allied to Nazi Germany – Prof. Andrija Štampar, the dean of the School of Medicine, was interned and Miloslavić was appointed acting dean until elections the following autumn. During those six months he successfully petitioned for a school of medicine in Sarajevo, which finally opened in 1944.[448]

Miloslavić and Jurak – witnesses of truth

At the peaks of their respective careers, Jurak and Miloslavić were to act as experts during the investigations into the Vinnitsa and Katyn massacres (Katyn near Smolensk, not Katyn near Minsk, where the Germans committed war crimes). Contrary to some reports, Jurak did not go to Katyn, and Miloslavić did not go to Vinnitsa; only Professors Orsós from Budapest and Bircle from Romania were present at both locations.[449] The examinations that Jurak and Miloslavić performed on the victims of these Soviet massacres had a tremendous impact on their futures, making them the victims of the same perpetrator.

The Katyn massacre

In 1939, 17 days after the Germans invaded Poland from the west, Soviet forces invaded the eastern part of Poland, without declaring war. The men detained and transported to the Soviet Union included more than 20,000 Polish army officers. The victims were not just Polish officers and cadets who had surrendered to the Red Army but also reservists and other officials who had been arrested in their homes in the Soviet-occupied zone of Poland.[450] Polish civilians suffered many Red Army atrocities and a number of Polish

---

[446] "Novi profesor Medicinskog fakulteta dr. E. Miloslavić, povodom njegovog nastupnog predavanja o modernom razvitku sudske medicine", in *Novosti*, 27 (1933), p. 5.

[447] D. Zečević, "Obnovljeni zavod za sudsku medicinu i kriminalistiku", in Anton Švajger (ed.), *Medicinski fakultet u Zagrebu 1917-1997*, Zagreb, University of Zagreb School of Medicine, 1997, p. 73-76.

[448] Dugački, "Eduard Miloslavić...", *op. cit.*

[449] "Svjedočanstvo europskih učenjaka o boljševičkom zločinu kod Katyna", in *Hrvatski narod*, 5 (1943), p. 8; Lj. Jurak, "Skupni grobovi u Vinici. Razmatranje o nalazima u Vinici prigodom rada Medjunarodnog povjerenstva", in *Hrvatski narod*, 5 (1943), p. 3.

[450] Janusz K. Zawodny, *Death in the forest – the story of the Katyn forest massacre*, Notre Dame (IN), University of Notre Dame, 1962, p. 5.

officers were murdered immediately upon capture, despite Soviet assurances of good treatment. Approximately 15,000 Polish officers and cadets were captured.[451] Many of them were reservists; doctors, lawyers, or college professors in civilian life. They were incarcerated in three internment camps: Kozielsk (south-west of Moscow), Ostashkov (between Moscow and Leningrad), and Starobielsk (south-east of Kharkov). Among them was a woman, Polish aviator Janina Lewandowski.[452] In April-May 1940, having been supplied with food – and assurances that they were to be sent home – the Poles were shipped out by train. They were on their way to the three killing sites. Katyn Forest, 17 km from Smolensk near the river Dnieper, was the final destination of those who had been in Kozielsk camp.

When seven large mass graves containing the corpses of Polish officers were found in Katyn Forest in the winter of 1943, Soviets and Germans each accused the other. An international committee was therefore set up, consisting of 12 respected anatomists, pathoanatomists and forensic experts, and was invited by Leonardo Conti, Head Physician of Nazi Germany, to investigate the Katyn massacre in 1943.[453] These experts represented the countries from which Germany could obtain respected experts – mainly occupied countries, those allied with Germany, and neutral regimes. The members therefore came from Belgium, Bulgaria, the Czech "Protectorate," Denmark, Finland, Hungary, Italy, Moravia, the Netherlands, Romania, Slovakia, Switzerland, and Croatia (Eduard Miloslavić). Professor Gerhard Buhtz, head of the medico-legal investigation undertaken by the German Committee, was also present, as were representatives from France and the Polish Red Cross, plus a forestry expert.[454]

All post-mortem examinations found single close-range gunshot wounds to the head, with the wound track passing through the brain and the exit wound always on the front of the skull. Examination showed that 7.65 mm ammunition had been used, produced by German manufacturer Genschow and Co. This type of ammunition was exported to Baltic countries, and was also available to the notorious People's Commissariat of Internal Affairs (NKVD) in the USSR. According to Raszeja and Chróścielewski,[455] Miloslavić stated in Chicago before the Select Committee that stab wounds to the victims matched

---

[451] Wladyslaw Anders, *An army in exile*, London, Macmillan, 1949, p. 10-11.
[452] Louis R. Coatney, *The Katyn massacre: an assessment of its significance as a public and historical issue in the United States and Great Britain, 1940-1993* [dissertation], Macomb (IL), Western Illinois University, 1993.
[453] Aleksandar Vojinović, *Katyn u Zagrebu*, Start 1989 March, p. 68-72; *Nije sramota biti Hrvat ali je peh*, Zagreb, Naklada Pavičić, 1999.
[454] S. Raszeja, E. Chróścielewski, "Medicolegal reconstruction of the Katyin forest massacre", in *Forensic Science International*, 68 (1994), p. 1-6.
[455] *Ibid.*

the square cross-section bayonets that were used exclusively by the Red Army. The majority of cadavers had their arms tied behind their backs with ropes. The corpses were tightly pressed together, lying in five to nine layers.[456] The number of victims was estimated at 12,000. The uniforms and documents on the victims identified about 72% of the corpses as Polish army officers and non-combatants. Gold watches and rings were missing.[457] Most corpses had been mummified, because the men were killed in cold weather and buried in dry, sandy soil. Young pine trees were purposely planted over the graves to hide them. Cross sections of the trees showed that they were planted three years prior to examination of the site. The same technique had been used to cover up the traces of other executions carried out by the Russians.[458] This eliminated all doubt as to who had committed the massacre at Katyn. According to newspapers, diaries, letters and witness statements, the executions were performed in March and April 1940. After the German attack on Poland on 1 September 1939, the Polish army tried to withdraw to the East. Polish officers caught armed on Soviet territory were considered not prisoners of war but counter-revolutionaries. Furthermore, the Soviet government had not signed the Geneva Convention on the Treatment of Prisoners of War and so did not feel obliged to obey the rules of behaviour commonly accepted in time of war.[459] According to some authors,[460] exterminating the Polish army officers was part of a policy to annihilate the Polish intelligentsia. Such a policy was followed by both German and Soviet occupying forces during World War II, and afterwards by the communist government.[461]

Miloslavić returned to Zagreb with Major Solski's diary, in which 22 April 1940 was the last date entered. He also brought a skull, a Polish officer's cap, and the rope with which the arms of one of the victims had been tied. He talked about the Soviet crime in the newspapers,[462] on Zagreb and Berlin radio stations, and in public lectures.

The Vinnitsa massacre

In May 1943, units of the German army were stationed in the Ukrainian city of Vinnitsa, a community of 100,000 people in a primarily agricultural

---

[456] *Ibid.*

[457] E. Miloslavić, "Znanstvena istraživanja grobova u šumi kod Katyna", in *Hrvatski narod*, 5 (1943), p. 3; "Svjedočanstvo europskih učenjaka o boljševičkom zločinu kod Katyna", in *Hrvatski narod*, 5 (1943), p. 8.

[458] Raszeja, Chróścielewski, *op. cit.*

[459] *Ibid.*

[460] G. Sedek, "Katyn massacre", in *Nature*, 377 (1995), p. 380.

[461] "Svjedočanstvo europskih učenjaka o boljševičkom zločinu kod Katyna", in *Hrvatski narod*, 5 (1943), p. 8.

[462] Miloslavić, "Znanstvena istraživanja...", *op. cit.*, p. 3.

district near the river Bug. The Germans were told by Ukrainian officials that the Soviet secret police (NKVD) had buried the bodies of many executed political prisoners in a city park five years earlier. Once again, the Germans and the Soviets accused one another of the mass executions. An international team consisting of forensic pathologists from Belgium, Bulgaria, Finland, France, Hungary, Italy, the Netherlands, Romania, Slovakia, Sweden, and Croatia (Ljudevit Jurak) was therefore asked to examine 95 mass graves and perform autopsies.[463] Within a month, 9,439 corpses had been exhumed from mass graves in the park and a nearby orchard. Including the autopsies previously performed by Ukrainian medical personnel in Vinnitsa, a total of 1,670 of the corpses were examined in detail. The international committee carried out its investigations between 13 and 15 July 1943.[464] The identities of 679 victims were established either from documents found in their pockets or by relatives, who came to Vinnitsa after hearing that the graves had been uncovered. In contrast with the bodies in the Katyn Forest graves, all those found at Vinnitsa were of civilians, most of them middle-aged Ukrainian farmers or workers. All the bodies of the men had their hands tied behind their backs, like the Polish officers at Katyn. Although the men's bodies were clothed, seven female corpses were found naked, and the victims had probably been raped before being killed. All the victims had been killed by a bullet in the back of the head. In some cases the skull had been smashed, probably with a rifle butt. The executions had been carried out using 5.6 mm rounds (smaller than at Katyn), which were unable to make the exit wound on the skull. Execution with a small-bore pistol was a particularly brutal choice. Of the 9,432 corpses exhumed at Vinnitsa, 6,360 had been shot twice, 78 three times, and 2 four times, while many others had been killed by being struck on the head with some blunt object.[465]

The authorities estimated that in addition to the 9,439 bodies exhumed, there were another 3,000 in unopened mass graves in the same area. The international team concluded that all the victims had been killed about five years earlier, in 1938. Relatives testified that the Soviet secret police had arrested the victims on charges of being "enemies of the people" in 1937 and 1938. The police had said that the prisoners would be sent to Siberia for 10 years.[466] When Jurak returned to Zagreb, he reported on the Vinnitsa massacre and wrote about the subject, just as Miloslavić had done in the case of Katyn.[467]

---

[463] Lj. Jurak, "Skupni grobovi u Vinici. Razmatranje o nalazima u Vinici prigodom rada Medjunarodnog povjerenstva", in *Hrvatski narod*, 5 July 1943, p. 3.
[464] V. Dugački, "Tragična sudbina svjedoka istine prof. dr. Ljudevita Juraka", in *Marulić*, 28 (1995), p. 587-588.
[465] Robert Conquest, *The great terror*, London, Macmillan, 1968.
[466] *Ibid.*
[467] Jurak (1943), *op. cit.*, p. 3.

Miloslavić was a dynamic and curious man, attracted to action – war, travel, migration, criminal cases, politics, public performances and the media. He saw when it was time to get out of Zagreb, and at the end of 1944 moved to Vienna and then back to the USA. He settled in St Louis, Missouri, where he continued his practice. He never returned to his homeland. Miloslavić performed his last autopsy at the Institute for Forensic Medicine in October 1944. While attending a conference in Madrid in 1952, he suffered a severe heart attack and was taken back to St Louis, where he died on 11 November 1952.[468] He was buried far from his birthplace.

Unlike Miloslavić, Jurak was a rather withdrawn and modest man, living a quiet life. He was a tireless pathologist and gained international recognition for his teaching, professional practice, humanism and strong sense of justice. After reporting on the crimes committed in Vinnitsa, he remained in Zagreb. As a result, his fate was far more unfortunate than that of Miloslavić. One week after communist authority was established (15 May 1945), the Soviet secret police ordered the Yugoslav secret police to arrest him. They assured him that nothing would happen to him if he stated that he had signed the Vinnitsa document under compulsion. He refused. On 9 June 1945 he was deprived of his rights as a citizen and declared a war criminal, and his property was confiscated.[469] The circumstances of his death are still unknown. To this day, his place of burial is also unknown, and for the past five decades his name has rarely been mentioned.

These two Croatian physicians belonged to the same generation. They followed similar careers and had similar perspectives on history. Their fates show how difficult and dangerous it was to pursue the ideals of truth and professional integrity. Jurak's fate is a particular reminder of the precariousness and pain of human destiny.

After the Second World War, Soviet responsibility for the Katyn Massacre was either widely disbelieved or ignored. Many western journalists and scholars were unable or unwilling to report accurately on Katyn and its importance until the 1990s, for reasons ranging from honest confusion to pure ignorance about the massacre.[470] The decades passed; too many leaders and institutions remained indifferent to the issue of mass graves, and the world failed to grasp its importance. The twentieth century continued to witness millions of brutal deaths (including Jasenovac and Stara Gradiška in Croatia), together with unprecedented efforts to erase or hide the scenes of mass murder. Recent

[468] "Miloslavich Edward Lucas", in *The Journal of the American Medical Association*, 151 (1953), p. 38.

[469] Conquest, *op. cit.*; B. Jukić, "Prof. dr. Ljudevit Jurak (1881-1945)", in *Veterinarski arhiv*, 60 (1990), p. 229-234; "Dr. Ljudevit Jurak: smrt zbog istine", in Josip Grbelja, *Uništeni naraštaj*, Zagreb, Regoč, 2000, p. 130-131.

[470] Coatney, *op. cit.*

events in Croatia,[471] Bosnia and Herzegovina,[472] Sri Lanka, Chile, Guatemala, Cambodia, the killing grounds in Africa and the province of Kosovo have showed that the end of a dictatorship does not automatically mean the end of massacres and concealment.

---

[471] I. Kostović, M. Judaš, N. Henigsberg, "Medical documentation of human rights violations and war crimes on the territory of Croatia during the 1991/93 war", in *Croatian Medical Journal*, 34 (1993), p. 285-293.

[472] M. Judaš, M. Radoš *et al.*, "War crimes and grave breaches of the Geneva Conventions committed by Muslim Army and paramilitary forces against Croatian civilian population in Central Bosnia and Northern Herzegovina (September 3, 1993)", in *Croatian Medical Journal*, 34 (1993), p. 334-341; A. Smajkić (ed.), *Zdravstveno-socijalne posljedice rata u BiH*, Sarajevo, Svjetlost and Federalni zavod za zdravstvenu zaštitu BiH, 1997.

IV

INTERPRÉTATIONS ET RÉACTIONS AUTOUR DU MASSACRE DE KATYN

INTERPRETATIONS OF AND RESPONSES TO THE KATYN MASSACRE

Execution of Polish officers, policemen and prisoners, February-May 1940
Preparation and implementation

by

Natalia Lebedeva*

On 1 September 1939, Nazi Germany attacked Poland. In the USSR, active political and military preparations were under way for the annexation of territory in eastern Poland. On 1 September, the Communist Party Politburo decided to increase the Red Army by 76 divisions, bringing the total number to 173. On 3 September, another decision delayed by one month the discharge of Red Army recruits who had completed their service, a total of 310,632 men.[473]

On 3 September, Germany officially proposed to the USSR that it despatch units of the Red Army to those parts of Poland which, in accordance with the secret protocol of 23 August 1939, were assigned to the USSR's sphere of influence. In accordance with the Politburo's 3 September decisions, intensive preparations began for military operations: new units were formed, technical services were improved and large military units were deployed.

---

* Institute of Universal History of the Russian Academy of Sciences, Moscow.

473 Rossiiskii Gosudarstvennyi Arkhiv Sotsialno-Politicheskoi Istorii [Russian State Archive of social-political history] – [hereafter: RGASPY], f. 17, op. 162, d. 25. L. 162.

On 7 September, Stalin told Comintern Secretary General Georgi Dimitrov: "War is going on between two groups of capitalist countries [...] for the division of the world, for domination of the entire world !" Describing Poland as a fascist State that had opposed Ukrainians, Belarusians and others, he stated that "under current conditions, the liquidation of this government would mean one less fascist government. It would be no bad thing if, as result of the destruction of Poland, we extended the socialist system to new territories and populations."[474]

On 9 September, reacting to misinformation from Berlin regarding the occupation of Warsaw by German troops, people's commissar for foreign affairs V. Molotov informed German ambassador V. von Schulenburg that Soviet military activity would begin very shortly. The same day, K. Voroshilov, the commissar of defence, and B. Shaposhnikov, chief of the general staff, signed an order for troops from the Ukrainian and Belarusian fronts to cross the Soviet-Polish border during the night of 12-13 September. However, the news that Warsaw was still holding out evidently convinced the Soviet leadership to postpone the invasion until dawn on 17 September.[475]

On 8 September, commissar of internal affairs L. Beria ordered special chekist groups to be formed in each of the nine armies comprising the Ukrainian and Belarusian 'fronts'. They were given the task of seizing prisons, post offices, banks and presses. They were also to set up provisional authorities and detain prominent statesmen, the leaders of political parties, etc.[476]

The Red Army crossed the Polish frontier on 17 September. Acting in close coordination with the Wehrmacht, it seized 190,000 square kilometres of territory, with a population of more than 12 million people. Beria's men entered the country with regular army units and proceeded to carry out mass arrests among the ruling elite. One of the nine chekist groups alone had arrested 1,923 people by 28 September, for example.[477]

Upon completion of the occupation, on 1 October 1939, the Politburo launched a wide-ranging sovietization programme in the occupied territories. Following the 'reunification' of western Ukraine and western Belarus with the Ukraine and Belarus Soviet Republics, formally implemented on 1-2 November, their total administrative, economic, financial, social and ideological uni-

---

[474] G. Dimitrov, *Dnevnik (9 mart 1933 – 6 fevruary 1949)* [*Diary (9 March 1933 – 6 February 1949)*], Sofia, 1997, p. 181-182.

[475] Tsentral'nyi arkhiv Ministerstva oborony [Main Archive of the Defence Ministry of RF], f. 148a, op. 3763, d. 69, ll. 1-3; see also Natalia Lebedeva, W. Materski (eds), *Katyn. Dokumenty zbrodni.* [*Katyn. Documents of the Crime.*], Warsaw, 1995, Vol. 1, p. 543-547.

[476] *Organy gosudarstvennoi bezopasnosti SSSR v Velikoi Otechestvennoi voine. Sbornik dokumentov.* [*The USSR State Security Boards in the Great Patriotic War. Volume of Documents.*], Vol. 1, Nakanune, Book 1, Moscow, 1995, p. 70-73, 79-81.

[477] *Ibid.*, p. 96-97.

fication with the Soviet Union became the key task of the Stalinist establishment.[478]

By the end of September, more than 240,000 Polish soldiers were prisoners of war, and 124,000 of them were transported to the USSR. The NKVD proved highly thorough in preparing to receive POWs. As early as 19 September 1939, Beria signed Order No. 0308 establishing a USSR NKVD Directorate for the Affairs of Prisoners of War (DAPOW). The new entity was led by Major (subsequently Captain of State Security) P. Soprunenko and Regimental Commissar S. Nechoroshev. On 22 September, V. Chernyshov, deputy people's commissar of internal affairs responsible for the DAPOW, informed Shaposhnikov that the NKVD had established eight camps for 10,000 inmates each. In addition, 138 reception centres and transit camps were functioning in September-October 1939.[479]

However, the camps and assembly points established by the NKVD were unable to house and feed the prisoners, or even to provide them with water. On 2 October, a Politburo commission composed of A. Zhdanov, L. Beria and L. Mekhlis therefore recommended releasing soldiers and junior ranks of the Polish Army who lived in western Ukraine and western Belarus, transferring soldiers and junior officers from the central Polish provinces to Kozielsk and Putyvl camps, Polish police personnel to Ostashkov and officers to Starobielsk.

The Politburo approved these proposals on 3 October, and between 7 and 18 October 42,400 POWs were sent home. Shortly after, the USSR and Germany reached an agreement on the exchange of Polish POWs. On 11 October, the Politburo and the Council of People's Commissars adopted the appropriate resolutions. As a result, between 24 October and 23 November the Soviet Union received 13,757 non-commissioned officers and soldiers and handed 42,492 over to the Germans. All officers, police, gendarmes, prison officers, frontier troops and military colonists (*osadniki*) received from Germany underwent normal screening and were transferred to camps. The remaining POWs were sent home. At the same time, the Politburo assigned 25,000 captured Polish soldiers to construction work on the Novohrad-Volynskyi-Lviv highway. Shortly afterwards, some of them were transferred to work in enterprises of the iron and steel commissariat in Krivoi Rog and Donbass.[480]

By 1 November 1939, three special camps had been established, including two for 8,500 officers (in Kozielsk and Starobielsk) and one in Ostashkov for

---

[478] RGASPI, f. 17, op. 3, d. 1014, ll. 57-62.

[479] See N. S. Lebedeva, *Katyn: prestuplenie protiv chelovechestva* [*Katyn: A Crime against Humanity*], Moscow, 1994, p. 42-134.

[480] Arkhiv Prezidenta Rossiiskoi Federatsii [hereafter: APRF] [Archive of the President of the Russian Federation], f. 3, op. 50, d. 410, ll. 151-152, d. 614, ll. 228-230.

6,500 policemen, gendarmes and border guards. Four labour camps were set up for 25,000 POWs. A total of 108,000 people were arrested in western Ukraine and western Belarus between September 1939 and June 1941.[481]

As of 1 December 1939, there were 4,727 POWs in Kozielsk, including one admiral (K. Czernicki) four generals (B. Bohaterewicz, H. Minkiewicz, M. Smorawinski and J. Wolkowicki), 24 colonels, 79 lieutenant-colonels, 258 majors, 654 captains, 17 naval captains, 3,420 other officers, 85 privates, seven chaplains, three 'landowners,' one prince, 43 officials and 131 refugees. The inmates of the Kozielsk camp included over 20 university professors, about 300 surgeons, several hundred lawyers, engineers and teachers, over 100 men of letters and journalists and 200 pilots, all of whom were reservists called up at the outbreak of war.[482]

The camp in Voroshilovgrad Region was another 'special' camp, occupying the former Starobielsk monastery. As of 15 November, the camp held 3,946 inmates. In mid-February the number stood at 3,909, among them eight generals (N. Billewicz, S. Haller, A. Kowalewski, K. Lukowski-Orlik, W. Sikorski, K. Plisowski, L. Skierski and R. Skuratowicz), 55 colonels, 127 lieutenant-colonels, 316 majors, 846 captains, 2,529 other officers, 18 chaplains, two 'landowners,' five officials, one police colonel, one student and one hall-porter. Those in Starobielsk included about 20 university professors, 400 surgeons, several hundred lawyers, engineers and teachers, 600 pilots, many public figures, men of letters, journalists, staff members of the Polish Army Institute for Armaments, Rabbi B. Steinberg of the Polish Army and others.[483]

As of 1 December 1939, Ostashkov camp (in the former Nilova Pustyn monastery, on an island on Lake Seliger, Kalinin Region) held 5,963 prisoners, including 5,033 policemen, 150 prison officers, 40 gendarmes, 41 members of the Frontier Guards Corps (KOP), 27 *osadniks* and eight *junaks*. Among them were 263 army officers, 169 police reserve officers and 105 civilians.[484]

In the winter of 1939-1940, measures were taken to decide the fate of the majority of the POWs, the 15,000 officers, police, gendarmes and border guards and others spread over Starobielsk, Kozielsk and Ostashkov NKVD camps. As early as November 1939, several high-ranking officers of the central apparatus of the NKVD, together with Major of State Security V. Zarubin and Captain of State Security M. Efimov were assigned to the officers' camps to conduct an investigation. As a result, the Stalinist authorities received full

---

[481] O. A. Gorlanov, A. B. Roginsky, "Ob arestach v zapadnykh oblastiakh Belorussii i Ukrainy" ["The Repression in western Belarus and western Ukraine"] in *Istoricheskie sborniki 'Memoriala.'* fascicle 1, Moscow, 1997, p. 77-113.

[482] N. S. Lebedeva, "The Katyn Tragedy," in *International Affairs*, No. 6, 1990, p. 102-103.

[483] *Ibid.*, p. 103-104.

[484] *Ibid.*, p. 103.

information on Polish officers and policemen detained in Kozielsk, Starobielsk and Ostashkov camps. The DAPOW's 'agent-operational analysis of prisoners,' together with investigations conducted by the central NKVD apparatus, revealed that the Polish prisoners did not accept the four-way partition of Poland and that they were ready to fight for independence. No submissiveness or readiness to cooperate was shown by the inmates of Kozielsk, Starobielsk and Ostashkov 'special' camps, either. They made no secret of their patriotic sentiments and expressed confidence in the defeat of Germany and the restoration of Polish independence. Frequently, prisoners in labour camps refused to work and disobeyed the instructions of the administration.

On 3 December 1939, the Politburo decided to arrest all registered officers of the former Polish Army. As a result, 1,057 officers were arrested in one week, between 3 and 10 December.[485]

On 4 December 1939, the Politburo decided to organize the first deportation of Poles to the far north and Siberia. In accordance with that decision, the NKVD deported 139,590 Polish citizens (28,612 families) on 10 February 1940. Of these, only 33,000 were men over 18 years of age; the rest were women and children. Many of the men were old and sick.[486]

On 4 December 1939, Lieutenant S. Belolipetsky of the NKVD State Security Department (GUGB) arrived at Ostashkov camp with a team. At the end of January 1940, he was ordered to prepare a case for handing the entire contingent over to the authority of the special commission (Russian abbreviation: OSO). This commission was invested with extra-judicial competence, and reviewed the cases in the absence of the accused and without the accused having the right of defence.[487]

On 31 December 1939, Beria issued a series of orders directed at ending the investigation in late January and dispatching additional teams of agents to Ostashkov, Kozielsk and Starobielsk for that purpose. The head of the DAPOW, P. Soprunenko, was ordered to go in person to the town of Ostashkov and "look into the work done by the USSR NKVD investigators' team to prepare the cases of former Polish police officers taken prisoner, for submission to the USSR special commission". Soprunenko was to take whatever steps were necessary to complete this work by the end of January.[488]

A special investigators' team under Rodionov, head of the Second Section of the NKVD Economic Department, went to Starobielsk camp, while another special investigators' team under I. Jorsh, head of the First Section, went to

[485] RGASPI, f. 17, op. 162, d. 26, l. 119; *Katyn. Dokumenty zbrodni*, Vol. 1, *op. cit.*, p. 297.
[486] See N. S. Lebedeva, "The Deportation of Polish Population to the USSR, 1939-41" in *The Journal of Communist Studies and Transition Politics*, No. 1-2, Vol. 16, March/June 2000, p. 32-36.
[487] *Katyn. Dokumenty zbrodni.*, Vol. 1, *op. cit.*, p. 310.
[488] *Ibid.*, p. 338-340.

Kozielsk.[489] However, the presentation of the cases of officers from Kozielsk and Starobielsk to the USSR Special Commission had not been planned.

On 1 February 1940, Soprunenko and Belolipetsky informed Beria that "the investigation at Ostashkov camp is complete and 6,050 cases have been prepared. The cases are being forwarded to the Special Commission. Transmittal will be complete on 8 February". Towards the end of the same month, the OSO delivered its sentences on 600 of the policemen among the POWs. The NKVD prepared for the deportation of the entire Ostashkov contingent to the gulag camp on Kamchatka (the northernmost camp). It was decided to announce the sentences to the POWs only upon their arrival in Kamchatka "in order to avoid extreme reactions and delays".[490]

At the end of February, the head of the special section of Ostashkov camp, G. Korytov, wrote to his superior in the Kalinin UNKVD, V. Pavlov: "How soon will we be clearing out the camps ? Of the 6,005 cases we have submitted [to OSO], 600 have been examined so far, resulting in sentences of three, five or eight years (on Kamchatka). Further examination has been suspended by the People's Commissar [Beria] for the time being. But it is rumoured that in March we must basically clear out the camps and prepare for the reception of Finns".[491] The question of preparing for the arrival of Finnish POWs had already been raised in a government order on 1 December 1939. By 21 February 1940, the POW camps were ready to receive 25,000 of them. Evidently, it was planned to empty the largest and best-constructed camp for this purpose.

On 20 February, DAPOW chief Soprunenko submitted his proposals for emptying Starobielsk and Kozielsk camps to Beria. He wrote: "I request your permission to draw up cases against the officers of the KOP, personnel of law courts and prosecutors' offices, landowners, activists of the POV and Strelty parties, officers of the Second Department of the former Polish General Staff and intelligence officers (about 400 men), for examination by the Special Commission under the NKVD". The document bears the handwritten note: "C-de Merkulov. Discuss this with me. Beria. 20 Feb." As a result, Merkulov issued a special directive on 22 February concerning the categories of POWs listed above. It ordered their transfer to a UNKVD prison and stated as follows: "All existing material on them is to be transferred to the investigative units of the UNKVD for the purpose of investigation. Additional instructions will be given on the procedure for further action in these cases."[492]

The Special Commission about which Soprunenko wrote to Beria did not figure in Merkulov's directive of 22 February. This indicates that Beria had

---

[489] *Ibid.*, p. 341.
[490] *Ibid.*, p. 390.
[491] *Ibid.*, p. 468-469.
[492] *Ibid.*, p. 424-426, 432.

not yet taken a final decision as to which body would investigate the cases of the Poles who were being transferred to jails. It seems that he decided to discuss with Stalin the measures to be taken regarding the Polish POWs. The choice of body to investigate their cases depended on that decision. The Special Commission had no authority to sentence people to be shot.

From NKVD documents, it is clear that after 20 February Beria suspended the examination of POW and police cases by the Special Commission and the transfer of these persons to Kamchatka. Beria met Stalin on 27 February, and it is evident that it was at that meeting that the decision to shoot POWs from the three special camps was taken. What were the reasons for the decision ?

Stalin was piqued by the defeat he sustained in 1920 and must have felt a particular dislike for Polish Army commanders. Having recognized the liquidation of the Polish State by signing a treaty with Germany on 28 September 1939, he clearly wanted to rid himself quickly of those who might subsequently join a struggle for the renaissance of their country. At the end of February/beginning of March 1940, the international situation (W. Sikorski's cabinet activity at the time of the USSR's exclusion from the League of Nations) and the home situation (emergence of a Polish underground and March elections to the Supreme Council of the USSR) shifted the attention of the Soviet authorities back to the issue of army officers and police POWs, and to those jailed in the western provinces of the Ukrainian SSR and the Belarussian SSR.[493]

N. Khrushchev proposed guarding the State borders in the Western *oblasts* (regions) of Ukraine by deporting to Kazakhstan for a term of ten years all the families of those who were in POW camps – officers and police – and those who had been imprisoned on the annexed territory (22,000-25,000 in number). This proposal was supported by Beria and approved by the Politburo on 2 March 1940.[494]

On 3 March, Beria wrote to Stalin: "The USSR NKVD prisoner-of-war camps and prisons in the western regions of Ukraine and Belarus currently contain a large number of former officers of the Polish Army, former employees of the Polish Police and intelligence services, members of Polish nationalist c[ounter]-r[evolutionary] parties, participants in exposed c[ounter]-r[evolutionary] insurgent organizations, refugees and others. They are all sworn enemies of Soviet power, filled with hatred for the Soviet system of government. The POW officers and police in the camps are attempting to

---

493 See N. S. Lebedeva, "Proces podejmowania decyzji katynskiej" ["The process of decision-making in the case of Katyn"] in *Europa NIE Prowincjonalna* [*Non-provincial Europe*], Warsaw/London, 1999, p. 1155-1174, 1371-1372.

494 RGASPI, f. 17, op. 162, d. 27, ll. 48-49; *Katyn. Dokumenty zbrodni*. Vol. 1, *op. cit.*, p. 460-461.

continue their c[ounter]-r[evolutionary] work and are conducting anti-Soviet agitation. Each one of them is just waiting to be released in order to be able to enter actively into battle against Soviet power. The NKVD organs in the western oblasts of the Ukraine and Belarus have exposed several c[ounter]-r[evolutionary] insurgent organizations. In all these c[ounter]-r[evolutionary] organizations, an active guiding role is played by former officers of the former Polish Army and former police and gendarmes. A considerable number of individuals who are participants in c[ounter]-r[evolutionary] espionage and insurgent organizations have also been uncovered among the detained refugees and those who have violated State borders. The prisoner-of-war camps are holding a total of 14,736 former officers, officials, landowners, police, gendarmes, prison guards, [military] settlers and intelligence agents, plus soldiers and NCOs – more than 97% are Polish by nationality."

Beria suggested applying the supreme penalty – shooting. The four authentic signatures of J. Stalin, K. Voroshilov, W. Molotov and A. Mikoyan are clearly visible across the first pages of Beria's letter. In the left margin is written: "For – Kalinin", "For – Kaganovich". These names were added by Stalin's personal secretary.[495]

On 5 March, the Politburo approved a resolution containing the following provisions:

I. To direct the USSR NKVD to:

1) Examine the cases of the 14,700 former Polish officers, officials, landowners, police, intelligence agents, gendarmes, [military] settlers and prison guards being held in prisoner-of-war camps.

2) and also to examine the cases of those who have been arrested and are in the prisons of the western oblasts of Ukraine and Belarus, numbering 11,000 persons, members of various c[ounter]-r[evolutionary] espionage and sabotage organizations, former landowners, manufacturers, former Polish officers, officials and refugees [and] using a special procedure, apply to them the supreme punishment – [execution by] shooting.

II. To examine [these] cases without calling in the arrested men and without presenting [them with] the charges, the decision regarding the end of the investigation or the charge sheet, according to the following procedure:

a) [examine the cases] against individuals in the prisoner-of-war camps on the basis of investigations presented by the USSR NKVD DAPOWs;

---

[495] APRF, f. 3, Closed packet N 1; *Katyn. Dokumenty zbrodni.* Vol. 1, *op. cit.*, p. 469-475.

b) [examine the cases] against individuals who have been arrested – on the basis of investigations presented by the NKVD of the U[kranian] SSR and the NKVD of the B[elorusian] SSR.

III. To assign the examination of cases and the carrying out of decisions to a 'troika' [three-person tribunal] consisting of comrades Merkulov, Kobulov and Bashtakov (the head of the First Special Department of the USSR NKVD).[496]

The Politburo decision of 5 March, taken on the basis of Beria's letter, establishes a link with the decision of 2 March 1940. Both decisions refer to Polish prisoners in the jails of western Ukraine and Belarus, and to POWs – officers and police. Before this point, there is no evidence of such a connection in the documents.

On 5 March, immediately after the Politburo decision, intensive preparations began for shooting the POWs and deporting their families. From 7 to 15 March, a series of conferences took place in Moscow involving representatives of the central apparatus of the NKVD, the heads of regional NKVD administrations (the UNKVD), their deputies and commandants who would responsible for the shootings, the heads of the three special POW camps and the heads of the NKVDs of the Ukrainian and Belarusian republics.[497]

On 7 March, Beria ordered Soprunenko to draw up lists containing the names and addresses of family members, on the basis of questionnaires distributed to officers and policemen. The lists were drawn up in the POW camps according to region and *voivoda*, and also included those who had lived on Polish territory but had departed for Germany.[498] While the registers of names and addresses of those living in the USSR were necessary for the intended deportations, the lists for the *voivoda* of central Poland could not have served any purpose for the NKVD. It is not inconceivable that they were prepared in response to a request from the German side. The simultaneous mass shooting of Poles in the USSR and the deplorable *Aktion A-B* perpetrated by the Nazis in the German-administered General Government lends credence to this hypothesis.

On 7 March, Beria sent the interior commissars of the Ukrainian and Belarusian republics, I. Serov and L. Tzanava respectively, the order to deport the families of those who were in POW camps and jails on annexed territory.[499]

Investigations immediately started in the camps, on the basis of a sample compiled by deputy commissar of internal affairs B. Kobulov. According to

---

[496] *Ibid.*, p. 476.

[497] See N. S. Lebedeva, W. Materski (eds), *Katyn. Dokumenty zbrodni.* Vol. 2. *Zaglada.* [*Katyn. Documents of the Crime. Vol. 2, Extermination, March-June 1940*], Warsaw, 1998, p. 5-7.

[498] *Ibid.*, p. 47-48, 52.

[499] *Ibid.*, p. 43-47.

these investigations, and on the basis of the March 1940 Politburo decision, *troikas* (three-person tribunals) would decide whether a POW or jail prisoner was to be shot. A short form of accusation was entered in the last column of the investigation form, along with an article from the penal code (UK) of the RSFSR. In the case of prisoners in jails, the article was from the UK of the Ukrainian or Belarusian SSR.[500]

From 16 March, POWs in NKVD camps were forbidden to send or receive correspondence. This measure was introduced to camouflage the forthcoming disappearance of 15,000 POWs.

On 22 March, Beria signed an order for the emptying of the prisons in the western regions of the Ukrainian and Belarusian republics, which mainly contained officers and police. To facilitate the operation, the prisoners of the western Belarusian jails were assembled at the Minsk NKVD prison, while those in western Ukraine were assembled in Kiev, Kherson and Kharkov. The transfers were to be completed within ten days – i.e. by the time the mass shootings of POWs commenced.[501]

During the shootings, the jails and special camps continued to fill up. On 4 April, Beria ordered I. Serov and L. Tsanava to arrest all non-commissioned officers of the Polish army who were engaged in counter-revolutionary activity. Officers and police and anyone else who showed signs of resistance to the administrative authorities, refused to work, demanded to be sent home and so forth were transferred from the labour camps at Kozielsk, Starobielsk and Ostashkov. Military officers and police who had been undergoing lengthy treatment in hospitals, including those diagnosed with cancer, tuberculosis and other serious diseases, were also brought into the camps. Those who had been sent to the UNKVDs of three areas at the end of February/beginning of March, in accordance with a directive issued by Merkulov and dated 22 February 1940, were also to be shot.[502]

Steps were taken to ensure the escorting and organized transfer of POWs to the Smolensk, Kharkov and Kalinin regional directorates of the NKVD. The Main Transport Directorate (GTU) of the NKVD, under Commissar of State Security 3rd Rank Milshtein, who controlled the operation personally, drew up a highly detailed plan for the transfer of POWs from the camps. The plan specified how many prison wagons were to be entrained or detrained, what routes and timetables should be followed, at what junctions wagons should be added and so on. Representatives of the Main Board of Convoy Troops were present in the camps. Colonel I. Stepanov, Deputy Chief of Staff,

---

[500] *Ibid.*, p. 63.
[501] *Ibid.*, p. 83-85.
[502] N. S. Lebedeva, W. Materski (eds), *Katyn 1940-2000. Dokumenty.*, Moscow, 2001, Doc. NN 16, 22, 33, 38, 41, 48, 52, 77, 83.

Special Department of Convoy Troops, was sent to Kozielsk. The head of the same department, A. Rybakov, went to Starobielsk. The head of the Convoy Troops Staff, M. Krivenko, went to Ostashkov. Shortly before the beginning of operations, Captain of State Security M. Efimov, who had earlier headed the operations brigade, moved to Starobielsk. V. Zarubin returned to Kozielsk camp and D. Kholichev went to Ostashkov.

Starting on 1 April, the camps received lists of POWs from Moscow, with instructions to hand over those named in them to the Smolensk Regional Directorate of the NKVD (UNKVD) in the case of Kozielsk camp, to the Kharkov UNKVD in the case of Starobielsk camp and to the Kalinin UNKVD in the case of Ostashkov camp. Most of the lists contained 98 to 100 names, and occasionally a day's transportation involved prisoners from three such lists.[503]

No corresponding lists signed by Deputy People's Commissar for Internal Affairs Merkulov have survived, but the documents that have survived demonstrate their existence. Merkulov's lists addressed to the chiefs of the UNKVD in Smolensk, Kharkov and Kalinin regions, i.e. E. Kuprijanov, P. Safonov and D. Tokarev, contained instructions about the shooting.[504] Lists of prisoners sentenced by *troikas* to be shot were being sent to the peoples' commissars of internal affairs of the Ukrainian and Belarusian SSRs.

97% of all officers, policemen and other POWs detained in Starobielsk, Kozielsk and Ostashkov camps were included on the death lists. They included senior armed forces reservists, elderly retired military personnel, members of political parties and people far removed from politics, Poles and Jews, Ukrainians and Belarusians. Doctors who had been doing humanitarian work in the army were condemned to death together with gendarmes and counterintelligence operatives. In reality, the question was not about who to sentence but about who to leave alive after putting them on the list of those to be sent to Yukhnov camp. The motives for sparing 395 POWs from Kozielsk, Starobielsk and Ostashkov camps remained unclear for many years. Archive documents now allow us to answer the question. With the operation over, the DAPOW compiled a summary saying how many prisoners had been put on the Yukhnov list and why. Of 395 men, 47 were included in the list at the request of the Fifth (Intelligence) Department of the GUGB. Forty-seven were included at the request of the German Embassy and 49 at the request of the Lithuanian Legation, while another 24 were spared because they were ethnic Germans. Ninety-one persons – those on whom the GUGB planned to go on 'working' – were added to the list on Merkulov's orders. The remaining 161

[503] Jędrzej Tucholski, *Mord w Katyniu. Kozielsk. Ostashkow, Starobilsk. Lista ofiar.* [*Murder in Katyn. Kozielsk, Ostashkov and Starobielsk. List of Victims.*],Warsaw, 1990.

[504] *Katyn 1940-2000. Dokumenty., op. cit.*, p. 25, 129.

POWs on the list had either informed on fellow prisoners and comrades or else were neither officers nor police.[505]

On 4 April, Merkulov's task of investigating "confidential persons" and despatching the results along with the DAPOW files on these persons was delegated to the chiefs of three camps and representatives of the central apparatus of the USSR NKVD. The names of the latter were Zarubin, Mironov and Kholichev. The order was also given to check all the lists and, if the name of an agent were found, to detain him in his camp pending further instructions.[506]

The cases of the remaining 97% of POWs were apparently dealt with as follows: the DAPOW received from the camps the personal files and the conclusions of investigations, with the last column blank. The DAPOW checked the documents, returning them if they had any shortcomings.

If the papers were in order, the DAPOW prepared a case for reporting to Merkulov, after entering a recommendation on Kobulov's investigation form. The case was then handed over to the First Special Department where it was processed under the guidance of the deputy head of department, Captain of State Security A. Gertsovsky. In the NKVDs of the Ukrainian and Belarusian Republics, the cases of those who were to be shot were prepared by the heads of the jail departments, while the lists were processed by the deputy heads of the First Departments.[507]

Some of the information was confidential, with Merkulov himself issuing decisions on the persons concerned. Other names were included on the lists of those to be shot and then passed for confirmation to a *troika* consisting of V. Merkulov, B. Kobulov and L. Bashtakov. After confirmation of the list, the POWs and jail inmates on it were considered sentenced to the highest degree of punishment, i.e. shooting. The decisions of the *troika* were documented in special records. Following that instruction, lists signed by the head of the DAPOW or his deputy were sent from Kozielsk, Starobielsk and Ostashkov camps to the Smolensk, Kharkov and Kalinin UNKVDs. Instructions regarding shooting signed by Merkulov were sent to the heads of the UNKVDs of the Smolensk, Kharkov and Kalinin region and to the people's commissars of internal affairs of Ukraine and Belarus.

Soprunenko had already signed the first three lists for dispatch from Ostashkov camp on 1 April. These comprised 343 men. Exactly that number were sent by train from Ostashkov to Kalinin and received by the assistant to the head of the UNKVD in the Kalinin area, T. Kachin. On 5 April, D. Tokarev reported to V. Merkulov: "The first order regarding the 343 has been car-

[505] *Ibid.*, p. 26, 172-173.
[506] *Ibid.*, p. 27, 80-81, 89-90, 102-103.
[507] The head of the Ukrainian NKVD prisons department was Major-Lieutenant of State Security Sudakov. His deputy was Lieutenant of State Security Smirnov.

ried out". In other words, the 343 POWs who had been sent from Ostashkov camp were shot on 5 April.[508]

Thirteen lists, comprising 1,297 POWs, were signed on 9 April.[509] Could this murderous organization have examined almost 1,300 cases in one day ? Clearly not – it would have been physically impossible. But nor was it necessary; the *troika*'s job was just to stamp the lists.

There were also unique cases of people returning from the 'road of death'. The most famous was that of Stanisław Swianiewicz, a professor at Vilnius University specializing in the economies of Germany and Russia. He was included in a group sent from Kozielsk camp on 29 April and taken with others to Gnezdovo Station, 15 km from Katyn Forest. After the train stopped, Professor Swianiewicz was placed in an empty wagon, and through a crack in the wall he could observe POWs being unloaded and sent somewhere in buses with the windows painted over. After all the wagons had been unloaded, Swianiewicz was taken to the inner jail of Smolensk UNKVD and immediately after the Mayday celebrations was sent to Moscow, to Lubianka.[510] Orders concerning his detention and further transfer to Moscow, where he was to be placed at the disposal of the Second Department of the GUGB, were issued by Merkulov on 27 April and on 28 April by Beria himself.

The last POWs had been transferred by the end of May and the last prison inmates by the beginning of June. According to the DAPOW, 15,131 POWs were transferred to the UNKVDs of the three regions. According to a letter from Alexander Shelepin to Khrushchev dated 3 March 1959, 21,857 men were shot, among them 7,305 prison inmates, 11 generals, a rear-admiral, 77 colonels, 197 lieutenant-colonels, 541 majors, 1,441 captains, 6,061 *poruchiks*, *lieutenant-poruchiks*, *rotmistrs* and *khorunzhies*, plus 18 chaplains and other clergy.[511]

Those who were placed "at the disposal of the NKVD" had no idea what awaited them. Camp commissars informed Nekhoroshev that the mood among the POWs was high when a transfer was due to take place. The Poles were only worried on days when there were no transfers, fearing they would not be sent to the Motherland as they thought.

So far, we have been unable to find any NKVD documents about the shooting procedure itself. However, the former chief of the UNKVD in the Kalinin region, D. Tokarev, and an employee of the Kharkov UNKVD,

---

[508] *Katyn. 1940-2000. Dokumenty., op. cit.*, p. 72-75, 82.

[509] Rossiiskii Gosudarstvennyi Voennyi Arkhiv (hereafter: RGVA) [Russian State Military Archive], f. 1/v, op. 2/ e, d. 10; J. Tucholski, *op. cit.*, p. 639-655, 783-795.

[510] Stanislaw Swianiewicz, *In the Shadow of Katyn. "Stalin's Terror"*, Pender Island, BC, Borealis Publ., 2002, p. 114-120.

[511] RGVA, f. 3a, d.1, ll. 257-262; op. 1e, d. 4, ll. 3, 3об.; op. 01e, d. 1, ll. 38-39. *Katyn 1940-2000. Dokumenty, op. cit.*, p. 384-385, 563-564.

M. Siromjatnikov, gave detailed testimonies to investigators of the Chief Military Prosecutor's Office.[512] Tokarev stated that a group of senior NKVD personnel came from Moscow to supervise the shooting. The group consisted of the deputy head of the GTU, Senior Major of State Security N. Sinegubov, the head of the Commandant Department of the USSR NKVD, Major of State Security V. Blokhin, and the head of convoy troop headquarters, Brigade Commander M. Krivenko. Several weeks before, the same Blokhin had shot Isaak Babel, Vsevjlod Meyerhold, Mikhail Koltsov, etc.

The POWs were taken from Ostashkov to Kalinin by train and held in the UNKVD inner jail, which was temporarily emptied of other prisoners. "From their cells, the Poles were led into the 'red corner,' i.e. Lenin's room, where their details were checked: first and second name, father's name, date of birth, etc. Then the Poles were handcuffed, led into a prepared cell and shot in the back of the head. That's all." This declaration was made by Tokarev to Prosecution Office investigators.[513] Thirty men acted as executioners in Kalinin, with 23 personnel of the commandant departments performing the same duties in the other two UNKVDs. In Kalinin, Blokhin carried out more shootings than anybody else. Between 200 and 350 men were shot each night, using German Walther pistols. Five or six vehicles took the bodies to burial places near the village of Mednoye, close to some UNKVD summer houses. German troops never occupied this area, although the village of Mednoye itself was in their hands for several days.

In Kharkov, as in Kalinin, the Polish officers were shot in the inner NKVD jail, to which POWs were brought by *voronoks* from the railway station. After the POW's identity had been verified, his hands were tied behind his back, he was led into a room and was killed by a bullet in the back of the head. In the opinion of NKVD medical experts, the round passed through the vertebral column in such cases, causing muscle spasms but minimal bleeding. The bodies of those executed were taken by night to Section 6 of Kharkov Forest Park, 1.5 km from the village of Piatikhatka. There they were buried near UNKVD summer houses, mixed in with the graves of Soviet citizens who had been shot by the same executioners earlier.

The records of the talented 32-year-old wood-carver *poruchik* Vatslav Kruk and of Major Adam Solski found during exhumation of the Katyn graves bear eloquent witness to the last hours of the Polish officers assassinated in Katyn forest. The results of exhumation showed that the officers were brought to Katyn forest on "black vorons" and were then executed in groups, in mass graves, in uniform, by a bullet in the back of the head fired from close range. German 7.65 mm rounds were used. In 20% of cases, the POW's hands

[512] *Katyn. Documenty zbrodny., op. cit.*, Vol. 2, p. 423-500.
[513] L. Elin, *53 palacha – i dva svidetelia // Novoe vremia,* 1991, No. 42, p. 32-35.

were bound with wire or wicker string. In one of the eight graves, bodies were discovered with greatcoats over their heads. The greatcoat was secured by a string around the neck, and the string was connected to the victim's bound hands by a loop, in such a way that any attempt to move the hands tightened the loop around the neck.[514]

It is most likely that some of the officers were brought to Smolensk and shot in the NKVD inner jail. This is confirmed by a grave in which the bodies were lying face down in regular rows. That contrasts with other pits, where the victims were in different positions. This hypothesis is confirmed by the reports of S. Milshtein: the unloading of wagons carrying Poles at Smolensk station had sometimes continued for two days. S. Swianiewicz, who was taken to Smolensk jail, discovered that it had been completely emptied of other prisoners. That also tends to corroborate this account.

After the end of the "unloading operation" in the special camps and jails, Beria issued an order on 26 October 1940, rewarding 125 NKVD employees who had taken part in the shooting of Polish military personnel and other prisoners "for the successful implementation of a special task".

The Politburo CK VKP(b) decision to deport the families of the Katyn victims was carried out at the peak of the shooting, on 13 April. 66,000 men were sent to northern Kazakhstan under a compulsory order. The final decision regarding the implementation of the mass deportation order concerning the Polish population was adopted by Politburo CK VKP(b) and Sovnarkom on 10 April.[515] Overall, in the course of four mass deportations, nearly 400,000 Poles were deported, including women, children and old people. The living conditions of the deportees were extremely harsh; they lived in huts with walls of earth or clay and suffered from a lack of drinking water. Most of the settlements had no schools or medical services. On 20 May, the day when the last shooting took place, a group of Polish children – Ivan Denyshin, Figej Zawadzki, Zbigniew Jedrzeczyk and Barbara Kowalewska – wrote to Stalin:

"Beloved father Stalin! We are tiny tots with big request to Great Father Stalin, beg with warmest hearts that returned to us will be our father who work in Ostashkov. They sent us of western Belarus to Siberia and not let us took something with us. It is hard living now, we tiny tots doesn't have mother who are not sick and who cannot due work and in general do not think anything about us, how we live and don't give us any work. 'Cause of this we tiny tots are 'ungry and dyin' and beg father Stalin not forgive us, we will always be

---

[514] The bodies of 4,143 police officers were found during exhumation between April and June 1943. One grave could not be investigated, owing to the approach of the Red Army. Documents, records and diaries were found during the excavation work, with the help of which it was possible to identify 2,815 men. (*Zbrodnia Katynska w swietle dokumentow* [*The Katyn Crime in the Light of the Documents*], Wydania 9, London, 1982, p. 96-113).

[515] *Katyn. Dokumenty zbrodni., op. cit.,* Vol. 2, p. 161-167.

good working people in the Soviet Union, only its hart to living without our fathers. Goodbye, Papa."[516]

The purpose of these executions and mass deportations was to root out Polish statesmanship, and they constitute a crime against humanity. The leaders of the Soviet Union and its wartime allies concealed and denied the truth for over half a century. Revealing the full details of this crime is both an act of repentance before the people of Poland and a debt owed to the people of Russia.

---

[516] RGVA, f. 1/p, op. 4e, d. 1, l. 79.

British Reactions to the Katyn Massacre[*]

by

Dr Alastair Noble[**]

Much of the content of the following contribution is taken from the Foreign and Commonwealth Office's (FCO) Historians' history note *Katyn: British reactions to the Katyn Massacre, 1943-2003*.[517] It was published in April 2003 to mark the 60th anniversary of the German announcement of their discovery of thousands of Polish corpses in the Katyn forest outside Smolensk. The German authorities accused the Soviets of killing their Polish prisoners in the spring of 1940. The Soviets in turn denied the charge and attributed the crime to the Nazis. The Katyn History Note can still be downloaded from the FCO's website.[518]

Foreign Office (FO) papers chronicling the initial British reaction to the Katyn revelations have been open to the public since 1972. Subsequently, in line with the 30-year rule established by the Public Records Acts, further papers have been released to the Public Record Office (now The National Ar-

---

[*] The views and opinions expressed in this article are the author's own and do not necessarily reflect those of the Foreign and Commonwealth Office. I would like to thank Professor Patrick Salmon and Dr Joanna Hanson for their comments on this paper.

[**] Historian, Foreign and Commonwealth Office, London.

[517] FCO Historians, *History Note No. 16, Katyn: British reactions to the Katyn Massacre*, London, Foreign and Commonwealth Office, 2003.

[518] The direct link is http://www.fco.gov.uk/en/about-the-fco/publications/historians1/history-notes/katyn-massacre/.

chives) at Kew. In 1994, the FCO confirmed that all FCO files over 30 years old concerning Katyn were in the public domain. The British line on Katyn remained largely unaltered for the period 1943-1990, namely that in the absence of conclusive documentary proof of responsibility for the massacres, no official public statement imputing guilt could be made. The FO monitored developments on Katyn and filed any papers of interest. It produced a major internal memorandum, completed by Rohan Butler, historical adviser to the foreign secretary, in 1973.[519] Following the Soviet admission of responsibility in 1990, FCO historians produced two publicly available history notes on Katyn. *The Katyn Massacre: an SOE perspective* was published in February 1996 and coincided with the release of Special Operations Executive records to the Public Record Office.[520] In April 2003, the aforementioned *Katyn: British reactions to the Katyn Massacre*, incorporating Butler's 1973 memorandum, was issued.[521]

Britain was deep into the fourth year of war when Katyn was suddenly thrust into the spotlight. The country had endured heavy air attack. Supplies had to run the gauntlet of enemy submarine packs. The British Army had been pushed off the continent of Europe and suffered some humiliating defeats in North Africa and the Far East. The overwhelming burden of the fighting against the Nazi enemy was endured by the long-suffering peoples of the Soviet Union. As advertisements for donations to Mrs Churchill's Red Cross "Aid to Russia Fund" proclaimed, the Red Army were "indomitable Allies." At the same time, when German propagandists highlighted Katyn it was viewed as the latest Nazi ploy to fracture the Allied coalition and to divert attention away from their crimes. After all, Nazi crimes in Poland were already well publicized and the Nazis, on Hitler's express orders, had attempted to liquidate potential Polish leadership cadres. Further doubts arose because it had taken the Germans over 18 months of occupation in Smolensk to locate

---

[519] "The Katyn Massacre and reactions in the Foreign Office: Memorandum by the historical adviser, 10 April 1973," in *Departmental Series Eastern European and Soviet Department,* DS No. 2/73 (ENP 10/2) [thereafter Butler Memorandum]. It is reproduced in *Katyn: British reactions to the Katyn Massacre, op. cit.* See also The National Archives, Kew [thereafter TNA], FCO 28/1946; FCO 28/2309.

[520] FCO historians, *History note No. 10, The Katyn Massacre: an SOE perspective,* London, Foreign and Commonwealth Office, 1996.

[521] The publication of the history note was greeted quite favourably in Poland where it received significant coverage. A representative from a veterans' association said on national radio that "it was good to have the FCO History Note now, even if late." The history note received minimal coverage in Britain. There was a critical column by the commentator Kevin Myers in the *Sunday Telegraph*, 27 April 2003. It was also mentioned in passing in an article on the recognition of Poland's wartime slights, published in the *Financial Times*, 5 September 2003. A piece on BBC Radio Four's *Today* programme on 17 September 2003 claimed that the British government had "behaved shabbily" over Katyn and was critical of the conclusions drawn by Butler's memorandum.

the bodies of the Polish officers. Inconsistencies were also noticeable in the German reporting of the killings.[522] Some in the FO doubted the Soviet denial, such as Sir Owen O'Malley, the British ambassador to the Polish government in exile in London, but there could be no possibility of an open break with Moscow.

Prime Minister Winston Churchill and Polish Prime Minister Wladyslaw Sikorski met at Downing Street on 15 April 1943, two days after German radio had first publicized in graphic detail their findings at Katyn.[523] Churchill mentioned that this was "an obvious German move to sow discord between allies." But he added in manuscript: "I may observe, however, that the facts are pretty grim."[524] Britain was engaged in a precarious diplomatic balancing act. Despite the resumption of diplomatic relations following the Polish-Soviet agreement signed in London on 30 July 1941, their relationship was one of mutual suspicion. All too fresh were the memories of the Nazi-Soviet pact, the carving up of Poland and the mass deportations to Soviet hinterlands. Repeated questions by leading Polish figures about the whereabouts of their officers captured after the Red Army had marched into eastern Poland on 17 September 1939, and last heard of in Soviet camps in early 1940, fell upon deaf Soviet ears.[525]

Neither Churchill, nor his foreign secretary, Anthony Eden, were able to persuade the Poles to issue a statement indicating that the Katyn issue was a piece of German propaganda. The Poles could not be dissuaded from their

---

[522] *The Times*, 28 April 1943.

[523] On 13 April 1943, the German authorities announced the discovery of over 4,400 bodies in the Katyn forest outside Smolensk. These were the corpses of Polish prisoners held from the autumn of 1939 at the Kozielsk camp south-east of the city. At first the Germans genuinely believed that there were 10,000 corpses at Katyn, but their exhumations came up with just over 4,100 bodies. George Sanford, *Katyn and the Soviet Massacre of 1940: Truth, justice and memory*, Abingdon, Routledge, 2005, p. 135.

[524] TNA, FO 371/34568, C 4230/258/G55, memorandum of conversation between the prime minister and General Sikorski, 15 April 1943. The Polish account of the discussions summed up Churchill's thoughts as follows: "Unfortunately, therefore, the German revelations are perhaps true. We know what the Bolsheviks are capable of and how they know how to be cruel; I know all this and I understand your many difficulties. I often, very often, share your point of view. However, no other policy is possible. Our duty is to proceed in such a manner to save the fundamental aims agreed by ourselves and to serve them as effectively as possible." General Sikorski Institute, London, GSI.KO1/DCNW/44, 15.IV.43.

[525] A statement was issued by the Polish minister of national defence, Lieutenant-General Marjan Kukiel, following the German announcement. He stated that the Polish government and its embassy in Kuibyshev had repeatedly asked about the location of the prisoners but had never received an answer. He acknowledged that "We have become accustomed to the lies of German propaganda and understand the purpose of its recent revelations." However, the detailed information provided by the Germans and their allegation that the Soviets were responsible led the Polish government to call for the mass graves to be investigated and the facts verified by a proper international body such as the International Red Cross. *The Times*, 17 April 1943.

appeal to the International Red Cross to investigate German claims. Sir Archibald Clark Kerr, the British ambassador in Moscow, advised on 20 April 1943 that "to pursue the proposal made to the International Red Cross might be to court something little short of disaster."[526] The Soviets broke off diplomatic relations with the London Poles on 25 April 1943. Churchill told Eden on 28 April that he regretted the Soviet-Polish breach and the circumstances which had caused it. But he added that it was "no use prowling morbidly round the three-year old graves of Katyn."[527] *Soviet War News*, Moscow's mouthpiece in London, reprinted *Pravda* and *Izvestia* articles accusing Sikorski's government of taking up "the foul slander of the Hitlerites" and condemning them as "Hitler's Polish collaborators."[528] The break between the London Poles and Moscow was final. It would be used by the Soviets as a pretext to embark on their ultimately successful policy to install a subservient regime in Warsaw on the coat tails of the advancing Red Army and accompanying NKVD.[529]

Sir Owen O'Malley's despatches of 29 April 1943, 24 May 1943 and 11 February 1944 articulated the Polish cause and commanded significant support in the FO. O'Malley drew on Polish testimony to present a case which underlined Soviet culpability for the crime. Assessing the Soviet occupation of eastern Poland from September 1939 to June 1941,[530] O'Malley asserted that "it is difficult to escape the conclusion that, even if the Soviet Government did not humiliate the Poles by treating them as an inferior race, as the Germans undoubtedly have done, the amount of human suffering inflicted by them on the Polish race was not less than that inflicted on them by Nazi Germany during the same period."[531] Responding to the German Commission of

---

[526] Butler Memorandum, *op. cit.*, p. 9.

[527] TNA, FO 371/34571, C 4798/258/G55, Churchill to Eden minute, 28 April 1943.

[528] TNA, FO 371/34571, C 4776/258/55, *Soviet War News*, 28 April 1943; 1 May 1943.

[529] An intercepted German Foreign Ministry telegram, issued by State Secretary Baron Adolf Steengracht von Moyland, to all posts on 22 May 1943, summed up the situation thus: "The Polish-Soviet conflict is a splendid example of the differences which exist between the Allies...when the Poles and other émigré governments in London entertain hopes of effective support from England and the United States, their hopes are a complete illusion." See *Katyn: British reactions to the Katyn Massacre*, *op. cit.*, selected documents.

[530] One recent study has noted that "the Soviets undoubtedly smashed the political, social and cultural bases of Polish domination in the Eastern Provinces during 1939-1941." See Sanford, *op. cit.*, p. 29.

[531] TNA, FO 371/34571, C 4850/258/55, O'Malley despatch, 29 April 1943. Following the Soviet invasion on 17 September 1939, according to older studies around 240,000 Polish officers, mostly reservists, and soldiers were taken into Soviet detention. The lowest possible figure, from Soviet documentation, is that 43,000 were interned as POWs. They were not given prisoner-of-war status. The Soviets justified the Red Army's invasion as a move to liberate their Ukrainian and Belorussian brothers. The disintegration of the Polish State had, according to Moscow, made all existing Polish-Soviet agreements void. The Polish government did not declare war on the invading Soviets. See Sanford, *op. cit.*, p. 20-29. Wide-

Criminologists and Pathologists[532] protocol based on their scientific examination of the Katyn graves between 28 and 30 April 1943, O'Malley's famed despatch of 24 May highlighted the overwhelming evidence pointing to Soviet guilt and unravelled Moscow's claim of innocence. As one biographer noted, "O'Malley reminded the policymakers that the Soviet alliance was simply a matter of grim necessity: they should not deceive themselves or others that it was built on anything more fundamental, such as shared values."[533] O'Malley also tried to give a Polish interpretation of Stalin's mind, adopting equine terminology to explain the deportations and massacres:

" 'These men are no use to us,' they imagine him as saying; 'in fact they are a nuisance and a danger. Here is an *elite* of talent, here is valour and a hostile purpose. These stallions must not live to sire a whole herd of Christian thoroughbreds. Many of the brood-mares have already been sold to Siberian peasants and the camel-pullers of Kazakstan [*sic*]. Their foals and yearlings can be broken to Communist harness. Rid me of this stud farm altogether and send all the turbulent bloodstock to the knackers.' "[534]

---

spread arrests of Polish citizens in the occupied territories were initiated. In February 1940 the first of four waves of mass deportations began. According to most older studies more than one million people, the majority of them ethnic Poles deemed "unreliable" by the occupying authorities, were deported to Siberia and Soviet Central Asia. Thousands perished in transit, from the inhospitable conditions they encountered at their places of exile or from the effect of arduous forced labour. See *Katyn: British reactions to the Katyn Massacre*, *op. cit.*, p. ii; Jerzy Lukowski & Hubert Zawadzki, *A concise history of Poland,* Cambridge, Cambridge University Press, 2001, p. 227. Some more recent work, while not attempting to downplay Polish suffering, has suggested that the number deported to Soviet labour camps was between 400,000 and 500,000. See www.videofact.com, 13 January 2003. The historian Wojciech Materski told journalists in February 2005, on the 65th anniversary of the first deportations, that 320,000 Poles were deported in four mass deportations, commencing on 10 February 1940. *International Herald Tribune*, 11 February 2005.

[532] This International Forensic Medical Commission had 14 members, 13 from Germany, Germany's satellites and occupied States and Dr François Naville (1883-1968), professor of forensic medicine at the University of Geneva. Dr Naville's testimony to the Swiss Council of State in Geneva on 11 September 1946 detailed the work of the International Commission, highlighted their local contacts and stressed their independence. Dr Naville also confirmed his findings, the absence of German pressure and the International Commission's unanimous agreement that the Poles had been killed in the spring of 1940 when interviewed by a US congressional committee (1951-1952). Sanford, *op. cit.*, p. 120-131, 142-243. Members of the Polish Red Cross and some Allied POWs were conveyed to the scene by the Germans for varying periods from April 1943. Polish forensic specialists and other representatives from various fields were also flown to Katyn by the Germans to view the mass graves.

[533] *Oxford Dictionary of National Biography* entry for Sir Owen O'Malley by Alan J. Foster.

[534] TNA, FO 371/34577, C 6160/258/55, O'Malley despatch, 24 May 1943. One who was less impressed was Denis Allen of the Office's Northern Department. He minuted that O'Malley's despatch was "brilliant, unorthodox and disquieting." But he particularly objected to the passage "leading up to a final ghoulish vision of Stalin condemning the Poles to the knacker's yard...[which] seems to serve no other purpose than to arouse anti-Soviet passions and prejudices in the reader's mind."

Both Churchill and King George VI saw this despatch and O'Malley was promoted to KCMG (Knight Commander, Order of St Michael and St George) in the King's birthday honours list in June 1943. Sir Alexander Cadogan, the permanent under-secretary at the FO, minuted on 18 June 1943 on Katyn that there may be further evidence still to be found but "on the evidence that we have, it is difficult to escape from the presumption of Russian guilt."[535] Churchill also sent a copy of O'Malley's despatch to President Roosevelt on 13 August 1943. The prime minister described it as a "grim, well-written story, but perhaps a little too well written." He also asked the president to return the report when he was finished with it as "we are not circulating it officially in any way."[536]

The Red Army recaptured Smolensk on 25 September 1943. A special commission was charged by the Soviet authorities with "ascertaining and investigating the shooting of Polish officer prisoners by the German-Fascist invaders in the Katyn Forest." The commission published its findings in late January 1944. O'Malley was asked by Churchill to give his views on the Soviet report. O'Malley highlighted the entirely Russian composition of the commission's officials and scientists. He thought that the Soviet case would have been bolstered had British and American scientists been brought in to assist but reasoned "that a guilty conscience had prevented them from doing so."[537] O'Malley commented on the discrepancies between the German and Soviet reports – the main one being that the Germans maintained that the victims had been killed in April 1940 while the Soviets argued that they had perished between September and December 1941. One proposal suggested by O'Malley was for the British minister in Berne to get the opinion of Dr François Naville, professor of forensic medicine at the University of Geneva. He had been a member of the German commission and was the only neutral and accessible expert from either side. Eden vetoed the proposal with the marginal manuscript remark "Certainly we should not [underlined] do this." The prime minister added on 3 March 1944, "I agree."[538] Following the Soviet report and

[535] Butler Memorandum, *op. cit.*, p. 12.

[536] Sanford, *op. cit.*, p. 190, quoting TNA, PREM 3/353, M.51/4, letter from Churchill to Roosevelt, 13 August 1943.

[537] TNA, FO 371/39390, O'Malley despatch, 11 February 1944. O'Malley commenced his final paragraph with the prophetic remark, "Let us think of these things often and speak of them never."

[538] *Ibid.* As well as the O'Malley reports of 24 May 1943 and 11 February 1944, Churchill was given written briefing on the Polish source material and diplomatic developments by Professor Douglas Savory. See Sanford, *op. cit.*, p. 173-174. Churchill's young secretary, John Colville, recalled a meeting with the leaders of the Polish government-in-exile on 6 February 1944. He noted that the eastern frontier of Poland was the main bone of contention and observed, "the Poles do not believe in Stalin's good faith." O'Malley stayed for dinner and told Colville that the countries of the Balkans and eastern Europe still felt that Germany was their only hope of protection against Russia. On 14 February 1944, Coville wrote:

an FO Research Department memorandum assessing it, the Office's legal adviser, Sir William Malkin, minuted on 7 March 1944, "We are not likely ever to know the truth about this, but it should at any rate justify a suspension of judgement on our part."[539]

Despite sympathies for O'Malley's stance in the FO, *Realpolitik* dictated that diplomatic recognition lay with the Soviet-installed regime in Warsaw rather than with the London Poles. Britain and the United States transferred recognition on 6 July 1945.[540] The advent of the Nuremberg war crimes trials revived parliamentary interest in Katyn. Denis Allen, of the FO's Northern Department, which dealt with Anglo-Soviet relations, wrote that "HMG (His Majesty's Government)... have no direct evidence on the subject in their own possession." He noted that the Soviet report provided "sufficient *prima facie* evidence of German guilt to justify the inclusion of this charge in the indictment against the major German war criminals."[541] During the trial the Katyn charges were handled solely by the Soviets. Britain's attorney-general, Sir Hartley Shawcross, advised Foreign Secretary Ernest Bevin on 28 December 1945 that "We did our best to persuade the Russians not to include the charge about Katyn in the indictment, but they insisted on doing so."[542] Others in the FO doubted Moscow but were nervous about the repercussions of "blowing" the Soviet case publicly or privately. Frank Roberts, the acting counsellor in Moscow, put it bluntly: "whatever the facts... the effect on Anglo-Soviet relations of any apparent tendency on our behalf to accept the German case about Katyn would be calamitous."[543]

A copy of the Polish Red Cross report on Katyn and further information from Polish military sources in London were passed to the FO in the spring of 1946. The Polish Red Cross report accepted the German version of Soviet responsibility but had at the time, April 1943, refused to attribute culpability for the crime or to suggest when the deaths had occurred. The new head of Northern Department, Robert Hankey, remarked on 10 April 1946 in the light of the Nuremberg trial, "I wish the Russians would drop it, myself; the whole

"O'Malley ...is evidently very much against selling out the Poles and points out 'What is morally indefensible is always politically inept.'" Colville later wrote that O'Malley was "a not very good Ambassador in Lisbon," but stressed that "on Polish affairs he took a firm and praiseworthy stance." John Colville, *The fringes of power: Downing Street diaries 1939-1955,* London, Phoenix paperback edition, 2005, p. 450-453.

[539] Butler Memorandum, *op. cit.*, p. 16.

[540] O'Malley then served as British ambassador to Portugal from July 1945 until his retirement in May 1947. In the years prior to his death in 1974, O'Malley saw the arguments which he had highlighted in 1943 revived by the journalist Ian Colvin and by Louis FitzGibbon, the Katyn campaigner and author.

[541] Butler Memorandum, *op. cit.*, p. 28, Annex C.

[542] Butler Memorandum, *op. cit.*, p. 29-30.

[543] Butler Memorandum, *op. cit.*, p. 30.

thing stinks. But we can't butt in."[544] Although the British prosecution was under instruction to stay clear of Katyn issues, they observed the Soviet performance and were largely impressed by their evidence and arguments. However, the Nuremberg tribunal refused to hear more on the subject. The final judgment of 1 October 1946 did not ascribe guilt to the Germans, despite the Soviet case.[545]

The US government attributed the Katyn murders to the Soviets following a congressional committee investigation completed in 1952 which unanimously found beyond any reasonable doubt that the NKVD was responsible. The British were more circumspect. Eden, once more foreign secretary, minuted "I dislike this all very much."[546] The congressional committee was not given access to classified British documentation. In other aspects, the FO, later the FCO, has tried to be open and transparent over papers relating to Katyn. The British line to take on Katyn was the subject of decades of debate in the FO. When Butler weighed up the evidence in 1973 he concluded that there was "no advantage in breaking the silence that we have preserved for nearly 30 years on the Katyn massacre."[547]

Matters had become more heated in 1971 following the publication of Louis FitzGibbon's book *Katyn: A crime without parallel*[548] and a BBC television documentary which accused the Soviets of perpetrating the crime. When responsibility for Katyn was raised in the House of Lords, Lord Aberdare on behalf of the government stated: "Her Majesty's Government have absolutely no standing in this matter."[549] The Katyn Memorial Fund Appeal was formed in November 1971. It had prominent cross-party supporters in the

[544] Butler Memorandum, *op. cit.*, p. 30. Hankey had become head of Northern Department on 12 March 1946. From August 1945 he had served in Warsaw, where he had also served from November 1936 to September 1939. Other officers attempted to advance the counter argument. Charles de Wesselow of Northern Department commented that "The fact that the Russians had brought it up at Nuremberg is evidence on the whole in their favour."

[545] Butler Memorandum, *op. cit.*, p. 35. Dr Marko Markov, the Bulgarian representative on the German International Commission, later fell into Soviet clutches and recanted his earlier findings. Giving evidence at a war crimes trial in Sofia (February 1945) and at Nuremberg he claimed that the International Commission was presented with already exhumed bodies and had been forced to sign the German report. See Sanford, *op. cit.*, p. 130-131, 140-141.

[546] Butler Memorandum, *op. cit.*, p. 38. The FO also thought that the committee was using the legal inquiry as a means to make anti-Soviet propaganda. The atmosphere of the time in Washington was fiercely anti-Communist. It was the height of the Korean War and there were fears of the growing Chinese Communist threat.

[547] Butler Memorandum, *op. cit.*, p. 44.

[548] The Katyn campaigner Louis FitzGibbon (1925-2003) was close to the Polish community in Britain and wrote numerous books and pamphlets on the massacre. These included *Katyn: A crime without parallel,* London, Tom Stacey, 1971; *The Katyn cover-up,* London, Tom Stacey, 1972; *Unpitied and unknown,* London, Bachman & Turner, 1975; *The Katyn Memorial,* London, SPK/Gryf, 1977.

[549] Parliamentary Debates, 5th series, House of Lords, volume 320, column 773, 17 June 1971.

houses of Commons and Lords, and called for the erection of a permanent memorial.[550] When the Memorial Fund's vice-chairman, the Conservative MP Airey Neave, suggested to the foreign secretary, Sir Alec Douglas-Home, in February 1972, that the memorial might be sited in a royal park in London he received a disappointing response. Douglas-Home said that he understood the motives behind the Fund but "the erection of a monument to the victims of Katyn in one of the Royal Parks in London would be an act of political significance. I am bound to say that as things stand I should be strongly opposed to it."[551] The campaign's organizers insisted on the memorial having the inscription "1940," which underlined Soviet responsibility. This provoked counter-lobbying efforts by the Soviet and Polish embassies in London, aimed at the FCO and at the interested local authorities in London where the siting of the memorial was proposed.[552]

The Katyn memorial campaign hardly improved Anglo-Soviet relations, already at a low following Operation Foot (the expulsion of 105 Soviet officials from Britain on grounds of their espionage activities) in September 1971.[553] In January 1972, Artur Starewicz, the Polish ambassador told the FCO's deputy under-secretary, Sir Thomas Brimelow, that the Katyn campaign troubled him and his Soviet colleague, M. N. Smirnovsky. Brimelow replied that the Katyn memorial was a private matter and the British government was powerless to intervene.[554] In September 1972, the Soviet deputy foreign minister, S. P. Kozyrev, told the British ambassador in Moscow, Sir John Killick, that "Attempts have again been made recently in Britain, with aims hostile to the Soviet Union, to propagate the slanderous invention of Goebbels propaganda about the so-called Katyn case." According to Killick, Kozyrev added that, "if we were really anxious to improve relations we must be careful not to poison the atmosphere." Douglas-Home told Killick to inform the Soviets that "HMG have certain powers in relation to the erection of

[550] The Katyn Memorial Fund Appeal was first mentioned in the Polish émigré press in London in November 1971. The committee was chaired by Lord Barnby and included Lord St Oswald and Airey Neave MP (vice-chairmen). Louis FitzGibbon was the honorary secretary and Winston Churchill MP, the grandson of the former prime minister, was a notable patron.

[551] Gill Bennett & Keith A. Hamilton (eds), *Documents on British policy overseas, Series III, Volume I, Britain and the Soviet Union, 1968-72,* London, The Stationery Office, 1997, document 89, footnote 13 (ENP 10/1).

[552] The memorial dispute went on for five years and for reasons of brevity had to be much condensed for the 2003 history note. See *Katyn: British reactions to the Katyn Massacre*, *op. cit.*, p. viii-xii.

[553] On Operation Foot see Bennett & Hamilton, *op. cit.*

[554] TNA, FCO 28/1945 (ENP 10/1, Part A), minute by East European and Soviet Department, FCO, 25 January 1972.

monuments in public places, but these do not extend to land owned by private individuals, institutions or local authorities."[555]

Brimelow remarked that the proposed date on the memorial "1940," "incriminates the Russians and would have adverse political consequences." The memorial had become a "major irritant" in Anglo-Polish relations. Warsaw's foreign minister, Stefan Olszowski, raised the matter with Douglas-Home at the United Nations in New York in September 1972.[556] The dispute rumbled on. In March 1973 the Soviet ambassador requested that the "British Government should take all appropriate measures to see that the so-called memorial was not erected." Douglas-Home told the Soviets that these things "could happen in a free democracy."[557] Roy Hattersley, FCO minister of state in the new Labour government, stressed in November 1974 that policy should remain unaltered. Eastern European governments still needed to be told that "HMG is neither responsible for nor prepared to restrict the activity of private organisations."[558]

The FCO insisted that the memorial project was a private initiative when contacted by Soviet and Polish representatives in London.[559] The government was aware of the corrosive effect of the memorial controversy on Anglo-Soviet and Anglo-Polish political relations. When the memorial was finally unveiled in Gunnersbury cemetery in the London borough of Hounslow on 18 September 1976, the government was not officially represented at the ceremony, which received positive media coverage.[560] An FCO press statement acknowledged the British government's gratitude for Polish wartime sacrifices and stressed that "Her Majesty's Government has consistently expressed its deep revulsion

[555] TNA, FCO 28/1946 (ENP 10/1, Part B), Moscow telegrams Nos 1438 and 1439, 13 September 1972; see also Bennett & Hamilton, *op. cit.,* document 106, footnote 5.

[556] TNA, FCO 28/1946 (ENP 10/1, Part B), minute by East European and Soviet Department, FCO, 28 September 1972.

[557] TNA, FCO 28/2308 (ENP 10/2, Part A), record of conversation between the Soviet ambassador and the secretary of state, 7 March 1973.

[558] TNA, FCO 28/2533 (ENP 10/3), minute by Roy Hattersley, 1 November 1974. However, Hattersley had already advised Lord Barnby, the chairman of the Katyn Memorial Fund Committee, on 3 April 1974, that "it would be wrong for me to give you the impression that the present administration would be any readier than their predecessors either to be associated with the plan to erect a memorial or to promote a new enquiry into the circumstances of the massacre." He added that "the only result of a new enquiry would be to reopen old wounds."

[559] In a meeting with Artur Starewicz, the Polish ambassador, on 14 January 1976, Roy Hattersley conceded that it "was squalid to use a war memorial to make a political point in this way. But officially HMG could do nothing in this matter." TNA, FCO 28/2905, East European and Soviet Department, FCO, minute, 27 January 1976.

[560] The absence of British official representation at the unveiling of the memorial was criticized in the press. See *Daily Mail*, 16 and 20 September 1976; *The Times*, 17 and 20 September 1976; *Daily Telegraph*, 20 September 1976; *The Guardian*, 20 September 1976 (TNA, FCO 28/2906).

at the tragic massacre of Katyn."[561] The reaction to the memorial in Moscow and Warsaw was muted. Norman Reddaway, the British ambassador to Poland concluded that although "most Poles could understand the pressures by the Soviets on HMG not to associate themselves with the memorial, they were inevitably saddened that we had not felt able to support a venture which at last, did justice to the dead of Katyn by indicating where the guilt lies."[562]

As a flurry of parliamentary questions followed, the head of the FCO's News Department suggested that it might be time "to get away from the deadpan repetition of the verdict of 'not proven' and indicate that we accept the overwhelming burden of evidence of Soviet guilt."[563] This proposal was countered by the head of East European and Soviet Department. He emphasized that "Governments cannot ascribe responsibility on a basis of probability, but only of an objective assessment of conclusive evidence. It is a simple fact that responsibility for the massacre has never been proved."[564] Ministers and civil servants also tended to view the monument as a political act which was damaging to international relations. In October 1976, the foreign secretary, Anthony Crosland, told MPs that the purpose of the memorial was wider than a monument honouring the dead at Katyn.[565]

The Katyn campaigners received a more sympathetic hearing with the election of Mrs Thatcher's Conservative government in 1979. A government minister[566] and a military band attended the commemoration at the memorial in September 1979. Hostile comment was forthcoming from the Polish and Soviet embassies in London. The latter advised that "this small matter of the Katyn ceremony would not help the climate of Anglo-Soviet relations."[567] In 1980 the government followed similar arrangements.[568] The Warsaw Poles and the Soviets were again unhappy but the emergence of the free trade union Solidarity topped Warsaw and Moscow's list of concerns. The Polish deputy

---

561 Letter from Lord Goronwy-Roberts, minister of state in the FCO, to Lord Bethell, Katyn campaigner, 23 September 1976, quoting the statement given to the press by an FCO spokesman on 17 September 1976 (TNA, FCO 28/2906).

562 Despatch from British ambassador, Warsaw, 28 September 1976 (TNA, FCO 28/2907).

563 Minute by head of News Department, FCO, to head of East European and Soviet Department, FCO, 21 September 1976 (TNA, FCO 28/2907).

564 Submission by head of East European and Soviet Department, FCO, 30 September 1976 (TNA, FCO 28/2906).

565 FCO telegram to Warsaw No. 420, 20 October 1976; Parliamentary Debates, 5th Series, House of Commons, volume 917, columns 37-38 (TNA, FCO 28/2907). The memorial had the inscription "Katyn 1940" and the Polish eagle was encircled by barbed wire to symbolize the continued enslavement of Poland.

566 The minister was Geoffrey Pattie, parliamentary under-secretary of state for defence for the Royal Air Force.

567 FCO telegram to Warsaw No. 709, 6 September 1979; FCO telegram to Moscow No. 539, 14 September 1979 (ENP 054/1).

568 Barney Hayhoe, a junior defence minister, attended the commemoration and music was provided by the band of the Queen's Royal Irish Hussars.

foreign minister, Marian Dobrosielski, complained to the British ambassador in Warsaw that "Poland was being used as an instrument for the creation of tension with the USSR at this very delicate stage of international relations."[569]

The political significance of Katyn for intra-Eastern European relations was soon overshadowed by dynamic developments in the Soviet bloc with Poland at the forefront. In 1978, Karol Wojtyla, cardinal archbishop of Krakow, was elected Pope John Paul II. In the summer of 1980, Solidarity, with 10 million members, was recognized by the Communist authorities as a free independent trade union. Despite the military crackdown and the proclamation of martial law in December 1981, the unofficial and illegal annual celebrations of the April anniversary of the discovery of the Katyn corpses grew larger each year.[570]

However, the impetus for any lasting change in the Polish political situation had to come from the Soviet Union, and so too did any initiative to resolve the Katyn controversy. Mikhail Gorbachev's appointment as general secretary of the Communist Party of the Soviet Union in March 1985 and his initiation of the policy of *Glasnost* (openness) proved pivotal for Poland and for the Katyn issue. Following talks in Moscow in April 1987 with the Polish leader General Wojciech Jaruzelski it was agreed to form a Soviet-Polish Historical Commission to look into "blank spots" in their bilateral relations. Katyn was one of these blank spots.[571]

On a visit to Poland in July 1988 Gorbachev only described Soviet-Polish relations as more "open and filled with commitment."[572] In the UK, much to the frustration of Katyn lobbyists and some academics, the government's line when questioned in Parliament in the summer of 1988 over responsibility for the massacre remained fundamentally unchanged. HMG maintained that "none of the studies to date had produced conclusive evidence of responsibility."[573] Despite reservations about the purely Communist composition of the Soviet-Polish Historical Commission, the government awaited their findings

---

[569] Warsaw telegram No. 312, 18 September 1980 (ENP 054/1).

[570] Letters from British embassy, Warsaw, to East European and Soviet Department, FCO, 11, 18 and 30 April 1980 (ENP 054/1); minute by East European Section, Research Department, FCO, 15 April 1981 (ENP 054/1).

[571] *Keesing's Record of World Events,* Vol. 34, London, Longman, 1988, p. 35655-35656.

[572] *Ibid.*, p. 36065-36066, p. 36301. Gorbachev's visit to Poland in July 1988 was viewed by many in the UK as his opportunity to be more forthcoming about Katyn. But the foreign secretary, Sir Geoffrey Howe, was correctly briefed that it was "premature" to expect an admission of Soviet guilt. In a background brief for the secretary of state it was noted that in a discussion among Soviet historians printed in the Soviet journal *International Affairs* (May 1988), one of the participants, referring to documentary evidence on Katyn, said that the Soviet-Polish Historical Commission had "not yet discovered anything essentially new" (LRR 335/10).

[573] Parliamentary Debates, 5th series, House of Lords, volume 499, column 704, 11 July 1988. Reply by Lord Glenarthur, minister of state in the FCO, to Lord Chelwood.

with interest, hoping that they might "produce a reasonably objective assessment."[574]

Nevertheless, there was renewed debate in the FCO about Britain's position. It was noted that the "the new element – the Gorbachev factor" may produce a shift in Moscow's stance.[575] The foreign secretary, Sir Geoffrey Howe, agreed to a modified position. Howe minuted that "the time has come to point the finger more clearly at the Russians."[576] Mrs Thatcher agreed.[577] Lord Glenarthur, minister of state in the FCO, told the House of Lords on 27 August 1988: "There is indeed substantial circumstantial evidence pointing to Soviet responsibility for the killings. We look to the Soviet/Polish commission on Katyn to settle the question once and for all."[578]

The Polish side was increasingly impatient that their Soviet counterparts were delaying progress on Katyn. The Polish Red Cross report of 1943 was finally published in Poland in February 1989, with a short introduction by the head of the Polish side of the Historical Commission.[579] This pointed to the sensitive date of 1940. Radio Moscow accepted that the evidence in the 1943 report suggested that the massacre could have taken place in early 1940 and if so "there could only be one perpetrator, the NKVD."[580] As Polish pressure on Moscow mounted, the British embassy in Warsaw reported: "The Poles have certainly broken the silence in no mean fashion, and the press is now full of items on Katyn... But the Polish authorities have stopped short of pronouncing on Soviet responsibility. That remains a matter for the Joint Commission."[581] In March 1989, the Polish government went one step further, saying that "everything indicated that the crimes were perpetrated by the NKVD." The Soviet Politburo cautioned that "blank spots should not be used for anti-Soviet aims."[582] In the autumn of 1989, with the formation of the first Solidarity government, there were renewed calls by Polish ministers for the full truth to come out and for the guilty to be punished.[583]

---

[574] Submission from Eastern European Department, FCO, to private secretary to Lord Glenarthur, 1 August 1988 (LRR 335/10).
[575] Minute by assistant under-secretary, FCO, 25 July 1988 (LRR 335/10).
[576] Letter from assistant private secretary to the secretary of state, to Charles Powell, private secretary to the prime minister, 27 July 1988 (LRR 335/10).
[577] Unsigned minute on letter from assistant private secretary to the secretary of state, to Charles Powell, private secretary to the prime minister, 27 July 1988 (LRR 335/10).
[578] Parliamentary Debates, 5th series, House of Lords, volume 500, column 368, 27 July 1988. Reply by Lord Glenarthur to Lord Chelwood.
[579] Warsaw telegram No. 102, 17 February 1989 (LRR 335/10).
[580] Submission by head of Eastern European Department, FCO, 22 February 1989 (ENP 331/1).
[581] British embassy, Warsaw, to Eastern European Department, FCO, 2 March 1989 (ENP 331/1).
[582] *Ibid.*, 10 March 1989 (ENP 331/1).
[583] *Ibid.*, 12 October 1989 (ENP 331/1).

The British government was not prepared to issue a statement in April 1990 to mark the 50th anniversary of the massacre unless conclusive proof was forthcoming.[584] This was soon made available. President Jaruzelski's visit to Moscow between 12 and 16 April 1990 certainly bore fruit. Gorbachev gave him documents on Katyn.[585] The Soviet news agency TASS admitted on 13 April 1990 that around 15,000 Poles held in three different camps had been handed over to the NKVD and after April 1940 were never mentioned in their records again. The statement added: "The Soviet side expresses deep regret over the Katyn tragedy and declares that it is one of the most serious crimes of Stalinism."[586] The British ambassador in Warsaw reported that leading Poles viewed the statement as insufficient and believed that it opened "as many questions as it answers." There was a "positive response" to the confession but this was "muted by a feeling that it was long overdue."[587] The Polish press also turned their attention to Britain. There were claims that the "Foreign Office had long had access to proof of NKVD responsibility but refused to recognise this officially." The British media made similar allegations. William Waldegrave, minister of state in the FCO, wondered if lessons could be learned. On 18 April 1990, he asked the permanent under-secretary "if we think that our rather legalistic and mealy-mouthed approach to this issue over the last forty-five years has actually paid any dividends in terms of relations with the Soviet Union or with the Poles ?"[588]

The FCO's director of research advised that government policy until 1988 had been to suspend judgement owing to the lack of "conclusive evidence." Nevertheless, he conceded that "clearly, political factors also played a part." These included the wartime alliance, the desire to avoid "unproductive anti-Soviet propaganda" and the wish not to upset relations with Moscow during the years of *détente* in the 1970s. Thus the pre-1988 approach to Katyn was "mealy-mouthed" but it was not "much out of step with that of our major allies." While the policy had brought "no particular benefit to British interests," he suggested that real damage might have been done to Anglo-Soviet and Anglo-Polish relations, particularly in the 1970s, if Britain had, in isolation from its major allies, pointed to Soviet guilt before 1988. He added that "our Allies might have felt that we were gratuitously complicating the atmosphere

[584] Letter from William Waldegrave, minister of state in the FCO, to Professor Norman Davies, School of Slavonic and Eastern European Studies, University of London, 10 April 1990 (ENP 331/1).
[585] Moscow telegram No. 703, 17 April 1990 (ENP 331/1).
[586] Moscow telegram No. 705, 18 April 1990 (ENP 331/1).
[587] Warsaw telegram No. 303, 18 April 1990 (ENP 331/1).
[588] William Waldegrave to Sir Patrick Wright, 18 April 1990 (ENP 331/1).

e.g. at the CSCE negotiations."[589] The head of Library and Records Department dismissed the argument that Britain's allies had any real influence on the government's Katyn line and was critical of the director of research's claim that the major lesson learned was that long-standing policies required to be re-assessed regularly. Indeed, he countered, "few policies can have been so regularly dusted off and re-examined as Katyn." He blamed the "drift from 1979 onwards" and the "well-known problem of trying to have it both ways."[590] Ministers were critical of the line adopted by their predecessors. Waldegrave dismissed Lord Aberdare's 1971 House of Lords answer as "the sort of nonsense that politicians should not be allowed to talk: our line was not value-free itself and being tough about precedents is what ministers are employed for."[591] The foreign secretary, Douglas Hurd, agreed: "we have learned that we should be braver about separating our need to deal with tyrannies from our need to avoid offence to them."[592]

Further discoveries of mass graves followed in June 1990.[593] In October 1992, the president of the Russian Federation, Boris Yeltsin, provided the Poles with "proof that Stalin ordered the Katyn massacres" and claimed that his successors, including Gorbachev, had suppressed the truth. According to a 1959 KGB report 21,857 Poles had been murdered by the NKVD after March 1940. The British ambassador in Warsaw noted that Yeltsin's actions were a way of attacking Gorbachev and the Communist Party but were met with a genuine sense of gratitude in Poland.[594]

The year 2000 saw the 60th anniversary of the killings. The foreign secretary, Robin Cook, told Sir Frederic Bennett, the chairman of the Katyn Association, that he had personally never doubted Stalin's responsibility for the massacre and conceded that "previous administrations could have been more candid about Soviet guilt."[595] In the spirit of a commitment to greater open-

---

[589] Submission from director of research, FCO, to permanent under-secretary, 23 May 1990 (ENP 331/1).

[590] Minute by head of Library and Records Department, FCO, 4 June 1990 (ENP 331/1). As we have seen, while there had been official representation at the annual Katyn memorial commemorations from 1979 to 1988, the government's line on the massacre was not to attribute responsibility owing to the lack of conclusive evidence.

[591] Undated minute by William Waldegrave (LRR 334/19).

[592] Minute by assistant private secretary to the secretary of state, 11 June 1990 (LRR 334/19).

[593] Graves were found in June 1990 at Piatikhatki on the outskirts of Kharkov (the 3,920 Poles from Starobelsk camp) and at Mednoye near Kalinin (now Tver). The corpses found at Mednoye were those of the 6,200 Poles held at Ostashkov camp.

[594] Warsaw telegram No. 579, 15 October 1992 (ENP 331/1). Similarly, the British ambassador in Moscow noted the determination of previous general secretaries of the Communist Party of the Soviet Union in preventing the truth from coming out was in marked contrast to Yeltsin's behaviour and "underlines Yeltsin's status as the man who put an end to Soviet Communism's cover-ups," Moscow telegram No. 2286, 19 October 1992 (ENP 331/1).

[595] Secretary of state to Sir Frederic Bennett, 19 June 2000 (RHA 334/030).

ness the foreign secretary asked his historians to lay bare the considerations that governed British policy on Katyn. The history note *Katyn: British reactions to the Katyn Massacre 1943-2003* was the result.

While the British government's official position on Soviet responsibility for Katyn may be viewed as legalistic or excessively equivocal, British ministers and officials remained appalled by the killings committed at Katyn and at other sites. The British government opened to public scrutiny as much of their documentation on Katyn as they could so that the debate could be pursued by others. Ultimately categorical proof of what happened in the forest of Katyn lay in Moscow's archives and not in those of the FCO.[596]

[596] Katyn again emerged as an issue in 2005 as Russia's President Putin celebrated the 60th anniversary of the Soviet victory in the Great Patriotic War. The Russian authorities closed down the long-running investigation in the massacres. The Polish side described Katyn as a war crime and requested that the Russians hand over their historical dossier. The Russians denied the charge, arguing that the Soviet Union was not at war with Poland and refused to pass across classified papers. *The Guardian*, 29 April 2005. The Russians had already refused to prosecute Katyn suspects and would not divulge how many were still alive. *The Independent*, 7 August 2004.

Nier, avouer, se rétracter : Katyn dans le discours politique post-soviétique

par

Irène Herrmann*

Dans son horreur, le meurtre de plusieurs milliers de prisonniers de guerre polonais – exécutés au printemps 1940 dans la région de Katyn, sur ordre du Politburo – se présente comme un crime assez typique de son époque. A cette date, le système stalinien a déjà commencé l'élimination de catégories entières de la population d'URSS et peu après cette date, les Nazis intensifieront une politique d'extermination visant essentiellement des civils. Sans doute est-ce d'ailleurs pour cette raison qu'en 1944 le soviétique Burdenko n'aura aucun mal à attribuer cette tuerie aux Allemands et à faire accréditer cette thèse dans les contrées libérées par l'Armée rouge. Toutefois, le massacre de Katyn se distingue en ce qu'il constitue bien un méfait accompli par les autorités russes et, qui plus est, un crime commis non envers leurs propres ressortissants, mais envers ceux d'un pays tiers, ultérieurement allié au sein du Pacte de Varsovie.

A ce titre, Katyn soulève la question de l'attitude de Moscou dans la reconnaissance des souffrances endurées jadis par les habitants des pays de l'Est à cause du régime communiste[597]. En d'autres termes, le traitement du pro-

---

* Historienne, professeure boursière, Université de Fribourg.

[597] Pour exprimer la question en termes jaspersiens, il s'agit moins de comprendre la gestion de la culpabilité criminelle que d'examiner celle de la culpabilité morale et politique.

blème par les autorités permet de comprendre la manière dont le Kremlin gère les dérapages de ses prédécesseurs, soit comment il assume ou rejette le legs de ceux dont il se considère lui-même comme l'héritier. Pour accéder à cette information, on peut suivre l'exploitation rhétorique de ce thème historique, tel qu'il apparaît dans le discours public, qu'il s'agisse de la façon dont il est instrumentalisé dans les débats parlementaires ou dont il est répercuté par les médias russes.

Jusqu'à présent, les travaux consacrés à la perception politique du passé en Russie se sont surtout concentrés sur l'appréhension d'événements historiques comportant une large part de gloire, tels que la Révolution d'octobre ou, plus souvent encore, la victoire contre le nazisme[598]. Ces études, ainsi que les recherches empiriques effectuées sur les débats de la Douma (la chambre basse du parlement), montrent que les événements d'antan se muent en argumentation politique quand le gouvernement subit des variations rapides de prestige international[599]. Sans surprise, la rhétorique vise alors à souligner la grandeur du pays en « rappelant » le souvenir de faits glorieux qui prouveraient les sacrifices que les Russes ont toujours consentis pour sauver l'humanité.

La conciliation et la confrontation de cette vision des choses avec des réalités moins flatteuses acquièrent une acuité toute particulière au cours de ces deux dernières décennies. D'une part, depuis la fin des années 1980, l'URSS a laissé la place à la Russie, entamant ce que d'aucuns ont considéré comme une transition vers la démocratie. A tout le moins, on assiste alors à un changement de régime qui complexifie les rapports au passé et les transforme en véritables révélateurs des processus de démarcation ou d'identification à l'égard du système gouvernemental antérieur. D'autre part, depuis la fin des années 1980, la construction européenne s'est accélérée, englobant toujours

---

[598] Voir, par exemple, Andreas Langenohl, *Erinnerung und Modernisierung : die öffentliche Rekonstruktion politischer Kollektivität am Beispiel des neuen Russland,* Göttingen, 2000, ainsi que Vjacheslav Nikonov, « Rossijskoe i sovetskoe v massovom soznanii », in V. Nikonov (éd.), *Sovremennaja rossijskaja politika*, Moscou, 2003, p. 189 s. ; Andreas Langenohl, « Die Erinnerungsreflexion des Großen Vaterländischen Krieges in Russland zum fünfzigsten und zum sechzigsten Jahrestag des Sieges (1995 und 2005) », in *Jahrbuch für Historische Kommunismusforschung*, 2005, p. 68-80. Et, plus récemment, les travaux de Carmen Scheide. Pour un aperçu plus général de la perception politique de l'histoire en Russie post-communiste, voir notamment Jutta Scherrer, « 'Sehnsucht nach Geschichte'. Der Umgang mit der Vergangenheit im postsowjetischen Russland », in Chr. Conrad et S. Conrad (éd.), *Die Nation schreiben. Geschichtswissenschaft im internationalen Vergleich*, Göttingen, 2002, p. 165 s. ; I. Herrmann, G. Zvereva et I Chechel' (éd.), *Istoricheskoe znanie v sovremennoj Rossii: diskussii i poiski novykh podkhodov*, Moscou, Izdatel'stvo RGGU, 2005.

[599] Irène Herrmann, « L'histoire entre Eltsine et Poutine. La vision du passé dans le discours politique russe », in *Traverse*, 2004/2, p. 71-88 ; Irène Herrmann, « Un échec sublimé ? La recréation d'une continuité russe après l'effondrement de l'URSS (1993-2003) », in Fabienne Bock, Geneviève Bührer-Thierry, Stéphane Alexandre (éd.), *L'échec en politique : objet d'histoire*, Paris, L'Harmattan, 2008, p. 162-176.

plus d'Etats vivant naguère dans la sphère d'influence soviétique ; or cette édification s'est grandement axée autour de la reconnaissance de la culpabilité et/ou de la responsabilité dans les massacres du vingtième siècle[600].

Dès lors, suivre l'évolution du thème de Katyn durant ces vingt dernières années, le traquer par-delà les vicissitudes de la perestroïka, de la présidence Eltsine, puis celle de Poutine, ne permet pas uniquement d'explorer *comment* les élites politiques contemporaines ont envisagé cette tuerie ni de déterminer *pourquoi*, par quels mécanismes politiques et selon quels schémas mémoriels ils le font. Débusquer la place de ce crime dans le discours public post-soviétique devrait aussi être l'occasion d'évaluer la distance prise par les sphères officielles russes avec l'Union soviétique et leur positionnement face aux valeurs affichées du monde occidental.

Comment ? Le discours politique sur Katyn

Apparemment, et à l'exception du martèlement de la version Burdenko au lendemain de la Seconde Guerre mondiale, Katyn n'est pas une figure de style obligée du discours politique soviétique[601]. Ainsi, lors du quarantième anniversaire de la victoire contre le nazisme, Gorbatchev ne mentionne pas le massacre, même pas au nombre des crimes commis par les Allemands. Dans la presse politique, le thème n'apparaît vraiment qu'en 1988. Il suit alors une courbe ascendante qui culmine en 1992, puis redescend rapidement. L'usage public du thème reprend en 1998, puis atteint deux sommets : l'un en 2000, quand s'ouvre le mémorial Katyn et l'autre en 2005, quand le procureur de la Fédération de Russie divulgue ses conclusions au sujet du massacre. Actuellement, le débat semble rester assez vif, sans que la position officielle ne change fondamentalement[602].

La permanence actuelle du discours des autorités ne reflète en rien la situation durant la vingtaine d'années envisagées où les avis des instances dirigeantes de l'URSS, puis de la Russie, ont considérablement varié. A la base, on peut penser que Gorbatchev n'a laissé qu'involontairement le massacre réapparaître

[600] Thomas Maissen, « Nationalgeschichten als internationales Thema: Die Aktualität von Genozid-Vorwürfen und Entschuldigungen », in *NZZ*, 27 mars 2007.

[601] La *Bolshaya sovetskaya enciklopediya* a, en 1953 (2e éd.), une entrée *katynskii rasstrel* qui parle de 11'000 victimes exécutées à l'automne 1941 par les Allemands qui, à des fins de provocations, firent accuser les Soviétiques, en un argumentaire repris au début des années 1950 par les Américains afin de déclencher la Troisième Guerre mondiale, alors même que Goebbels aurait été jugé responsable du massacre lors du procès de Nuremberg. Dans l'édition suivante (1973), l'entrée n'apparaît plus.

[602] Tableau des occurrences d'articles de presse traitant de Katyn/année (Source : *The Current Digest of the Soviet Press/Post-Soviet Press*, 1985-2005.)

0	0	0	1	1	3	2	5	1	0	0	0	0	1	0	4	0	0	0	0	4
85	86	87	88	89	90	91	92	93	94	95	96	97	98	99	00	01	02	03	04	05

dans le débat public. Engagé *volens nolens* dans sa politique de réformes, le leader soviétique devait d'une part, se rapprocher de ses homologues polonais qui se montraient favorables à son programme et, d'autre part, répondre aux aspirations populaires à la « vérité historique ». C'est dans ce double contexte qu'intervient, le 21 avril 1987, son accord avec le président polonais Jaruzelski, prévoyant la création d'une commission destinée à combler les « blancs » qui entachaient l'histoire des relations entre les deux pays[603].

Dans le cadre de cette collaboration scientifique, la question de Katyn revient sur le devant de la scène médiatique, même en URSS où la *Pravda* prend les accents les plus bolchevistes pour évacuer le problème. Ainsi, au lendemain de la seconde session de travail, en mars 1988, le journal déplore l'attitude des pays occidentaux qui, loin d'attendre le résultat des investigations, accuseraient l'Union soviétique d'avoir perpétré le massacre et de l'avoir camouflé. Le but ultime de cette interprétation négative du drame serait le dénigrement de l'URSS. Une année plus tard, tout en continuant de souligner l'unanimité de la position (hostile) de l'étranger dans cette affaire épineuse, la presse entreprend d'en résumer les deux visions antagoniques et, ce faisant, d'exposer au lectorat soviétique une mise en cause explicite du système stalinien[604].

Après la chute du mur de Berlin, on observe une nette accélération dans le traitement public du thème. Même la très officielle agence Tass admet que près de 15'000 soldats et officiers polonais sont morts dans les environs de Smolensk[605]. La *Pravda* relève qu'il s'agit-là d'une tragédie orchestrée par Staline, qui constituerait un « crime grave du stalinisme »[606]. Mieux encore, Gorbatchev s'exprime personnellement sur le sujet. A l'occasion d'une visite de Jaruzelski à Moscou, il reconnaît l'assassinat de milliers de citoyens polonais sur ordre de Beria. Les tombes de ces officiers, ajoute-t-il, avoisinent celles des Soviétiques, frappés par la même main maléfique. Mais il ne faudrait pas oublier que, finalement, c'est dans les mêmes rangs que Polonais et Soviétiques auraient atteint l'Elbe. La réponse de Jaruzelski accentue les traits du discours du Premier Secrétaire puisqu'il déclare qu'aucun Polonais bienpensant ne songerait à faire porter la responsabilité de Katyn, de la Lubianka et de la Kolyma à ses voisins qui furent les premières victimes des répressions staliniennes[607].

Curieusement, ce n'est pas le père de la Glasnost', mais les menaces pesant sur son œuvre de transparence qui finiront de pousser les Soviétiques à faire toute la lumière sur le massacre. Le putsch raté d'août 1991 avait révélé com-

---

[603] Benjamin B. Fischer, « Stalin's Killing Field. The Katyn Controversy », consultable sur le site https://www.cia.gov/csi/studies/winter99-00/art6.html (accédé le 21 février 2007).
[604] *Pravda*, du 22 mars 1988.
[605] *Izvestija*, du 13 avril 1990 ; voir également : *Moskovskie Novosti*, du 25 mars 1990.
[606] *Pravda*, du 14 avril 1990.
[607] *Izvestija*, du 14 avril 1990.

bien les découvertes historiques sur Katyn étaient fragiles, de sorte qu'elles furent ensuite accélérées[608]. La presse de la fin de l'année 1991 multiplie les révélations sur la responsabilité irrévocable du NKVD et insiste sur l'inhumanité des crimes commis dans la forêt de Smolensk qu'elle attribue à une tare typique : la psychologie du bolchevisme[609]. Mais c'est au successeur de Gorbatchev, Boris Eltsine, que reviendra la tâche de résoudre le problème de manière définitive, du moins à ce qu'on croyait alors. Non sans malice, il donne à Lech Walesa des documents prouvant que Gorbatchev savait pertinemment qui étaient les responsables de la tuerie. Dans la foulée, le nombre de morts passe de 15'000 à 22'000. Lors de la remise de ces papiers, Eltsine demande aux Polonais de ne pas blâmer la population russe pour des atrocités comparables aux crimes commis par Hitler ou Pol Pot[610]. Enfin, dans un geste symbolique fort, Eltsine s'agenouille en 1993 devant un monument dressé à la mémoire des victimes de Katyn, promettant la construction d'un mémorial à l'endroit du massacre. Lech Walesa appréciera et dira du président qu'il est digne de la traditionnelle grandeur russe[611].

Dès lors, la question disparaît du discours politique, ne resurgissant furtivement que cinq années plus tard lorsque Eltsine et son homologue polonais conviennent d'inaugurer ensemble en 2000 le mémorial Katyn... ainsi qu'un cimetière abritant les restes d'officiers soviétiques, eux aussi abattus par le NKVD[612]. Au moment venu, la présidence russe aura changé, tout comme l'atmosphère générale. Désormais à la tête de la Fédération de Russie, Poutine ne désire pas se rendre sur place, obligeant son homologue polonais à y envoyer son premier ministre[613]. Mieux encore, le gouverneur Aman Tulleyev profite de l'inauguration du mémorial pour réclamer le droit d'honorer la mémoire de 16'000 militaires soviétiques morts dans le camp polonais de Tuchola entre 1920 et 1922[614].

Ces réactions contiennent en germe le développement ultérieur du thème qui, schématiquement parlant, s'oriente dans trois directions opposées quoique complémentaires. Le grand public, les associations de défense des droits humains[615] et les historiens semblent poursuivre dans la reconnaissance, quoiqu'en comparant toujours plus nettement le nombre de victimes polonaises à celui des victimes russes. Ils établissent ainsi une comptabilité morale favorable aux

---

608 *Izvestija*, du 26 septembre 1991.
609 *Izvestija*, du 9 novembre 1991.
610 Ces propos furent tenus par l'entremise du secrétaire de presse de Eltsin, V. V. Kostikov ; voir *Izvestija*, du 15 octobre 1992.
611 *Sevodnja,* du 27 août 1993.
612 *Novye izvestija*, du 30 juin 1998 ; *Kommersant*, du 29 juillet 2000.
613 NTV, *Itogi*, 30 juillet 2000, 19h00.
614 *Moskovskie novosti*, n°47, 28 novembre-4 décembre 2000, p. 5.
615 On pense ici à des associations comme Mémorial ou des portails d'information, tels que « Prava cheloveka v Rossii » [Les droits humains en Russie].

Soviétiques et par conséquent susceptible de contrebalancer d'éventuels sentiments de culpabilité face aux assassinés de Katyn.

L'attitude du pouvoir accentue cette tendance en démontrant, bon gré mal gré, une certaine indifférence. Sans doute Poutine déclarera-t-il en 2002 vouloir envisager des compensations pour les Polonais éprouvés par les répressions staliniennes, mais il refusera de s'excuser et, semble-t-il, de s'exécuter[616]. Enfin, en 2004, le procureur militaire Alexandre Savenkov décide de ne pas considérer Katyn comme un génocide ni comme un crime contre l'humanité, ainsi que le demandaient les autorités polonaises[617]. Le parquet militaire reconnaît 1'800 victimes et réduit les coupables au nombre de sept, tous disparus depuis longtemps[618]. En clair, la Russie rejette toute responsabilité dans cette affaire.

Cette position est encore exacerbée par des déclarations fracassantes issues du monde politique. Ainsi, le 27 mai 2005, les députés de la Douma ratifient un texte « contre la falsification de l'histoire ». Ils s'y insurgent contre les écrits étrangers qui, en extirpant quelques faits malheureux de leur contexte temporel, s'ingénieraient à accuser la Russie actuelle de tous les malheurs de la Seconde Guerre mondiale. Il serait temps, à nouveau, d'être fiers de l'Union soviétique ![619] Mieux encore, depuis le début de 2006, plusieurs représentants du gouvernement ont pris la plume ou le micro pour exiger une révision entière de l'affaire Katyn. « Preuves » à l'appui, ils réfutent les conclusions des travaux historiques menés depuis la perestroïka et clament la véracité des découvertes de Burdenko[620]. Sans doute ces gestes politiques émanent-ils de partis minoritaires au parlement, des communistes ou des patriotes populistes de « Rodina ». Il n'en demeure pas moins que certaines de ces œuvres sont hébergées par des sites officiels d'où elles annoncent à la face du monde que Katyn était une opération de propagande anti-russe lancée par Goebbels... et qui aurait réussi soixante-trois ans plus tard[621].

---

[616] http://katyn.ru/index.php ?go=pages&file=view&id=478 (accédé le 25 avril 2007).

[617] Jurij Sergeev, « Vystrely v zatylok », in *Uktrainskaja gazeta*, 11 mai 2006.

[618] *Nezavisimaja gazeta*, du 17 novembre 2005.

[619] Sténogrammes de la douma, session de printemps 2005, séance du 27 mai, interventions de K.I. Kosachëv, V.I. Alksnis, T.V. Pletnëva, I.I. Kondratenko, A.V. Fomenko, N.A. Narochnickaja, consultables sur le site: http://www.akdi.ru/gd/PLEN_Z/2005/05/s27-05_d.htm (accédé le 23 janvier 2007).

[620] Andrej Savel'ev [Député « Rodina » à la douma], *Obraschchenie o Katynskom dele deputat A. Savel'eva k General'nomy prokuroru Ju. Chajke*, consultable sur le site : http://forum.msk.ru (accédé le 19 février 2007).

[621] Viktor Ivanovich Iljukhin [Député commuiste à la douma, membre de plusieurs commissions et vice-président de la commission de sécurité], *Katynskoe delo po Gebbel'su*, consultable sur le site: http://www.duma.gov.ru/search/kmpage/80200016/public/068.html (accédé le 21 janvier 2007) ; voir également: Dmitrij Semenjuk, « Deputaty Gosudarstvennoj Dumy RF prizyvajut k sozdaniju obschchestvennoj kommissii po passledovaniju obstjatelsv gibeli

Dès lors, après une évolution sensible des usages discursifs de Katyn dans les années 1990, on semble revenir aujourd'hui à la perception figée véhiculée par le bolchevisme, en une dynamique circulaire dont le dessin interroge et incite à se poser la question du *pourquoi ?*

Pourquoi ? Les logiques discursives des usages de Katyn

L'étonnant itinéraire décrit par le développement de l'argumentation politique autour du massacre émane sans conteste de l'évolution générale du statut réservé à la Russie dans le monde : de deuxième puissance de la planète, le pays passe sous Eltsine au rang d'Etat faible, jouissant d'une image toujours moins positive, avant de redevenir, sous Poutine et grâce à l'augmentation des prix du pétrole, une force avec laquelle l'ensemble de l'Occident doit compter. Si ce constat permet de comprendre pourquoi le gouvernement russe a pu suivre des courants de pensée considérés jadis comme subversifs, avant de réaffirmer toujours plus clairement des avis originaux, il explique mal la trajectoire de la rhétorique officielle au sujet de Katyn.

De fait, ce circuit spécifique doit se concevoir essentiellement comme le signe et le résultat des perceptions politiques du passé. Tout d'abord, il trahit l'enjeu de l'interprétation des faits historiques dans le positionnement et la concurrence des différents leaders russes depuis Gorbatchev. Ce dernier n'avait-il pas initié la glasnost' dans le but, notamment, de se distancier de ses prédécesseurs ? Et dans le cadre de cette opération de transparence, n'était-il pas inévitable de reconnaître au moins une partie des responsabilités soviétiques dans la tuerie ? Ensuite, Eltsine pouvait-il mieux discréditer son rival qu'en révélant sa duplicité en matière de « vérité historique » ?[622] Enfin, Poutine, en refusant d'inaugurer le mémorial Katyn promis par le président précédent, ne montrait-il pas avec éclat qu'il se sentait assez puissant pour désavouer les causes que ce dernier semblait défendre ? En vertu de cette logique tactique, le discours des autorités sur Katyn aurait adopté une tournure presque circulaire progressant au gré de l'évolution idéologique dialectique des différents maîtres du Kremlin. Ainsi, de contrecoups en réactions, on serait revenu, dans la majorité politique au moins, à une position proche de celle adoptée au départ[623].

Reste que cette analyse tactique éclaire la posture rhétorique des dirigeants sans vraiment rendre compte des changements affectant le contenu même des déclarations sur Katyn. En résumant grossièrement l'ensemble du débat déve-

---

polskikh oficerov v Katyni », émission de radio du 20 janvier 2006, transcrite sur le site: http://narodinfo.ru/article/845 (accédé le 20 janvier 2007).

[622] Du reste, la vigueur de l'attaque se lit dans les tentatives de justification de Gorbatchev ; voir *Nezavisimaja gazeta* du 16 octobre 1992.

[623] Sur ce type de dynamique, voir Kari Palonen, « Political Times and the Rhetoric of Democratisation », in *Ashgate Research Companion: Democratisation in Europe*, à paraître.

loppé durant près de vingt ans, on distingue trois types d'argumentation. La première présente Katyn comme un crime nazi dont les Soviétiques ne sont en rien responsables, en dépit des assertions contraires émanant du camp capitaliste. Cette interprétation fait des Russes les victimes de la médisance et de l'ingratitude occidentales, puisqu'ils se disent injustement qualifiés de bourreaux alors même qu'ils s'étaient sacrifiés pour sauver la Pologne et le reste de l'Europe durant la Seconde Guerre mondiale.

La deuxième version s'élabore par paliers qui conjuguent dans un subtil jeu d'équilibre la désignation des instigateurs du massacre et celle des victimes. Ainsi, les premiers accusés se recrutent dans le cercle le plus étroit et le plus décrié des promoteurs du stalinisme, le *vozhd* en tête. Le constat, qui ira jusqu'à la présentation d'excuses officielles, n'est pas sans contrepoids. Ainsi, le discours juxtapose classiquement les morts de Katyn à ceux des purges ou du Goulag, où un nombre encore bien supérieur de citoyens soviétiques furent exécutés[624]. Bizarrement, cette équation est souvent le fait de dignitaires étrangers qui prétendent ainsi saluer la traditionnelle grandeur russe.

La troisième interprétation tente même d'inverser les termes de la balance en réduisant considérablement les chiffres exacts des victimes polonaises tout en réclamant la reconnaissance des souffrances russes, imputables à la Pologne. Le sentiment de culpabilité soviétique est encore amoindri par le recours à des éléments typiques de l'explication classique, à savoir le rappel des sacrifices consentis par l'URSS dans son combat contre le nazisme et l'outrecuidance des allégations étrangères qui viseraient à rabaisser la puissance russe actuelle. Dès lors, la trajectoire rhétorique semble moins cyclique que spirale.

Cette impression est confortée par la structure des différentes argumentations qui, en dépit de tout, reste comparable d'une catégorie à l'autre. Ainsi, la première rhétorique insiste sur la victimisation morale, les souffrances physiques et les atteintes à la grandeur soviétique subies en raison de l'étranger. La troisième thèse reprend et nuance ce propos en admettant du bout des lèvres le mal fait par l'URSS aux pays de l'Est, tout en soulignant plus nettement les torts causés à l'intérieur de l'Union soviétique par le stalinisme. Face à ces deux versions sensiblement similaires, la deuxième interprétation n'innove pas, mais se pose en inversion de la logique discursive aujourd'hui majoritaire. De fait, elle admet la responsabilité des Russes dans la victimisation de ressortissants étrangers. Et c'est cet accès de franchise, couplé à la reconnaissance du lourd tribut humain payé par les Soviétiques qui inciterait l'étranger à accorder au pays son statut de grande puissance.

Quelle que soit la version adoptée, l'ensemble de ces interprétations tourne autour des trois mêmes éléments. On note ainsi l'importance accordée à

[624] Voir, par exemple, *Rossijskie vesti*, du 29 octobre 1992 ; *Moskovskie novosti*, n° 47, 28 novembre-4 décembre 2000, *op. cit.*, p. 5.

l'étranger[625]. Ce dernier recouvre en principe les pays occidentaux, mais il peut également s'inscrire en opposition aux *Nashi*, à « Nous autres »[626]. Cette relation se conçoit parfois en termes de complémentarité bénéfique ou, au contraire, de concurrence hostile. Dans le premier cas, illustré par le traitement eltsinien de Katyn, le pouvoir russe s'approprie l'appréciation flatteuse de l'étranger et légitime ses actions par le regard extérieur[627]. Dans le second cas, les pays capitalistes sont considérés comme une menace qui justifie l'attitude défiante adoptée par le Kremlin. Au-delà de ces usages, l'Etranger joue donc un double rôle discursif commun. Il permet, d'une part, d'appuyer les prises de décisions officielles quelles qu'elles soient et, d'autre part, plus classiquement, de représenter un reflet voire, *a contrario*, une véritable définition de soi.

L'identité en tant que telle transparaît dans l'exploitation de deux autres thèmes en apparence antithétiques, à savoir *la victimisation* et la grandeur du pays. La souffrance et ceux qu'elle affecte constituent une référence obligée de l'évocation de Katyn. La chose semble tautologique. Néanmoins, on observe que les victimes mentionnées sont moins les militaires polonais que la population russe elle-même. En réalité, les premiers sont essentiellement considérés comme des vaincus auxquels s'appliquerait, toutes proportions gardées, le *vae victis* des Romains. Le statut de victime est surtout reconnu aux Soviétiques et se décline en plusieurs cas. On distingue alors entre les victimes morales, le plus souvent contemporaines, qui ont à subir des humiliations venues de l'extérieur, et les victimes physiques localisées dans le passé. Ces dernières sont parfois appréhendées dans la dimension passive de leur malheur, comme l'indique la comptabilité des citoyens touchés par les répressions staliniennes. Le plus souvent toutefois, la rhétorique politique insiste sur la transitivité de leurs souffrances en soulignant leur aspect sacrificiel[628]. Cette argumentation pose les Russes comme les héritiers de ceux qui ont sauvé la planète du danger communiste et nazi, à leurs propres dépens. Par cette œuvre sotériologique si coûteuse en vies humaines le reste du monde aurait contracté une dette immense qui offre opportunément à la Russie une place fondamentale dans le concert des nations.

C'est dans ce contexte qu'intervient la question de la *grandeur russe*. Là encore, celle-ci peut-être entendue comme une valeur morale. C'est du moins ce que laissent penser les excuses de Eltsine qui, par ce geste de contrition

---

[625] La chose est d'ailleurs relevée par les Russes eux-mêmes, pas forcément avec plaisir. Voir, par exemple, *Pravda,* du 16 octobre 1992.

[626] Sur cette dichotomie, voir par exemple Jan Foitzik, « Selbstbezogene Vergangenheitserbauung : « 'Der Westen und der äußere Ring des Imperiums' in Neueren russischen Geschichtslehrbüchern », in *Jahrbuch für Historische Kommunismusforschun,* 2005, p. 44-67.

[627] Voir, par exemple, *Moskovskie novosti*, n° 15, 18-24 avril 2000, p. 10.

[628] Sur cette « transitivation » du terme de victime, voir Irène Herrmann, « La revanche des victimes ? », in *Revue suisse d'Histoire*, 1/2007, p. 4-11.

publique, veut montrer la capacité de la Russie à accepter des torts historiques. C'est également ce que suggèrent les interventions de Gorbatchev qui visent à positionner la perestroïka comme le moyen terme idéal entre capitalisme et bolchevisme. Enfin, la même prétention se perçoit sous Poutine qui s'affirme comme le seul contrepoids « démocratique » à l'omniprésence des Etats-Unis d'Amérique[629]. Reste que dans ces deux derniers cas, l'affirmation de l'importance du pays comporte également des connotations militaires. Ainsi, bizarrement, l'évocation de Katyn est aussi l'occasion d'exalter la puissance préservée ou retrouvée de l'ancien empire des tsars.

En d'autres termes, sous l'apparente circularité de l'argumentation développée au sujet du massacre se camoufle une évidente linéarité, comme si la spirale rhétorique s'articulait autour d'un axe constant, tendu entre grandeur et victimisation, lui-même orienté en fonction de l'étranger. En fin de compte, le résultat axiologique ne diffère pas fondamentalement de celui qui découle des usages discursifs réservés à des faits autrement plus glorieux, puisqu'à l'instar de la victoire contre le nazisme, le massacre sert à souligner l'importance flatteuse du sacrifice russe... fut-ce au prix d'une distorsion sensible des réalités historiques. La constance qui se dégage ainsi interroge à son tour et pousse à explorer, sous forme d'hypothèses et en guise de conclusion, non plus le *comment* ou le *pourquoi*, mais la signification du discours sur Katyn.

Conclusion

La permanence du message de gloire sacrificielle qui caractérise la référence au passé découle sans doute de causes très diverses. Cette invariance est peut-être due au rôle rhétorique dévolu à la convocation de la destinée nationale. Il est vrai que, dans les débats parlementaires, la mention des temps écoulés ne fait mouche que lorsqu'elle se plaît à évoquer de grandioses victimes dont l'orateur peut se prétendre le représentant[630]. Cet usage et les contraintes qui le sous-tendent laissent présumer l'existence de schémas mémoriels auxquels l'acteur politique est censé se rattacher s'il entend avoir de l'écho parmi ses concitoyens. En l'occurrence, le contenu de ce code serait moins idéologique qu'éthique et concernerait essentiellement la manière dont les Russes estiment jouer et avoir joué un rôle dans le monde.

Tous les procédés semblent bons pour parvenir à ce but-là : qu'il s'agisse de taire les faits contraires au messianisme sacrificiel russe, d'obtenir l'assentiment des ennemis de la veille dans la confirmation de cette prédestination-là, ou encore, quand l'une et l'autre de ces solutions s'avèrent impossibles, de tordre les faits d'antan jusqu'à ce qu'ils correspondent à cette image de marty-

---

[629] Sténogrammes de la douma, session de printemps 2005, séance du 27 mai, *op. cit.*
[630] Herrmann (2004), *op. cit.*

rologue grandiose. Naturellement, on pourrait considérer ce déni, voire ce travestissement conscient des événements, comme un simple retour à d'anciennes pratiques jadis courantes dans la gestion d'un passé somme toute dérangeant.

Reste que la réapparition de tels procédés peut, à son tour, faire légitimement douter du succès de la transition ou, plus exactement, de l'aboutissement démocratique de cette même transition[631]. Mieux encore, elle est l'expression d'un reniement évident de toute forme de responsabilité face aux malheurs causés par le régime communiste en dehors de l'URSS[632]. A la limite, les Russes semblent avoir consenti à endosser une certaine culpabilité, étant bien entendu que les vrais coupables étaient morts depuis longtemps et qu'ils avaient causé à leurs propres ressortissants des torts plus considérables, parés de vertus opportunément expiatoires.

Dans ces conditions, la construction d'un monde globalisé, uni dans la reconnaissance de ses fautes face aux victimes paraît bien éloigné. D'une part, parce que le discours sur Katyn montre que les héritiers de l'Union soviétique ne sont pas prêts à en endosser les dettes. Et d'autre part, parce que ceux qui ont souffert des exactions russes voudront faire admettre leurs souffrances avant de songer à celles qu'ils ont bien pu infliger.

Pour toutes ces raisons, Katyn représente bien plus que l'exécution de milliers de Polonais par le NKVD. Katyn est aussi un enjeu discursif majeur où se reflètent non seulement les dissensions du passé, mais où semblent surtout se profiler celles de demain.

---

[631] Richard Pipes, « Flight From Freedom: What Russians Think and Want », in *Foreign Affairs*, Mai/Juin 2004, consultable sur le site: http://www.foreignaffairs.org/20040501facomment83302-p10/richard-pipes/flight-from-freedom-what-russians-think-and-want.html (accédé le 6 avril 2007).

[632] Voir, par exemple, la réaction de Gleb Pavlovskij, sorte de caution intellectuelle de Poutine, interviewé le 6 octobre 2005 : http://www.inosmi.ru/stories/05/08/08/3450/222817.html (accedé le 19 février 2007).

V

EXPERTISES MÉDICALES ET SCIENTIFIQUES : ÉTUDES DE CAS

EXPERT MEDICAL AND SCIENTIFIC OPINION: CASE STUDIES

L'expertise au service du droit : comment la norme façonne le processus d'enquête dans la mise œuvre des droits de l'homme et du droit des conflits armés

par

Sylvain Vité*

La mise en œuvre du droit international des droits de l'homme et du droit des conflits armés (ou droit international humanitaire) résulte de l'interaction entre une norme et des faits. Si l'enquête, c'est-à-dire l'établissement des faits, est indispensable à l'opérationnalisation de la norme, la norme conditionne en retour le processus d'enquête. Ce processus, et notamment l'expertise qu'il requiert, n'est pas uniforme. Il doit être adapté au système juridique auquel il participe, et ceci dans une double optique. Du point de vue matériel, il doit « coller » parfaitement au contenu de la règle que l'on souhaite appliquer, c'est-à-dire qu'il doit en couvrir chacune des parties constitutives. S'il vient à manquer un élément de preuve à propos de l'une ou l'autre de ces parties, le mécanisme d'application de la règle ne peut pas fonctionner. Du point de vue formel, l'enquête varie en fonction de la procédure dans laquelle elle s'insère. La mise

* Docteur en droit. FNRS et Université de Genève.

en œuvre du droit international des droits de l'homme et du droit des conflits armés passe en effet par une multitude d'organismes internationaux de natures très variées qui peuvent être appelés, en fonction de leurs mandats, à se prononcer tantôt sur la culpabilité d'individus accusés de crimes internationaux (mécanismes pénaux), tantôt sur la responsabilité des Etats pour violation de leurs engagements (mécanismes de droits de l'homme). D'autres encore se préoccupent d'avantage de la prévention des infractions et de la protection des victimes (mécanismes humanitaires). Ces organismes se distinguent aussi en fonction de leurs compétences, selon qu'ils ont le pouvoir d'adopter des décisions juridiquement obligatoires (mécanismes judiciaires) ou de simples recommandations. Enfin, certaines procédures portent sur des cas individuels, alors que d'autres traitent de situations.

Cette contribution a pour objectif d'explorer les divers rapports qui peuvent s'établir entre l'action des organismes évoqués ici et le cadre juridique qui oriente chacune de leurs interventions. Ce cadre sera examiné dans ses composantes à la fois matérielle et formelle. Il s'agira de voir comment le déroulement de l'enquête se trouve prédéterminé tant par le contenu des règles applicables que par les différentes procédures engagées de cas en cas.

La norme au sens matériel : comment le contenu de la règle façonne le processus d'enquête

Deux exemples illustreront le premier point : l'interdiction de la torture et les règles relatives à la conduite des hostilités en temps de conflit armé.

L'interdiction de la torture

La notion de torture n'est pas uniforme en droit international. Elle varie en effet selon le texte conventionnel qui y fait référence. La recherche d'éléments de preuve démontrant qu'il y a eu torture dans un cas donné doit donc s'adapter en fonction du texte que l'on cherche à appliquer[633].

---

[633] Sur le processus d'enquête en matière de torture et sur les rapports entre l'interdiction de la torture et l'expertise médicale, voir *Protocole d'Istanbul, Manuel pour enquêter efficacement sur la torture et autres peines ou traitements cruels, inhumains ou dégradants*, ONU Doc. HR/P/PT/8/Rev.1, 2005. http://www.ohchr.org/french/about/publications/docs/8rev1_fr.pdf. Voir aussi Camille Giffard, *The Torture Reporting Handbook : How to Document and Respond to Allegations of Torture within the International System for the Protection of Human Rights*, Colchester, Human Rights Centre (University of Essex), 2000.

La Convention contre la torture et autres peines ou traitements cruels, inhumains ou dégradants

La définition la plus aboutie, ou la plus exigeante, est celle qui figure à l'article 1er de la Convention contre la torture et autres peines ou traitements cruels, inhumains ou dégradants du 10 décembre 1984 :

« Aux fins de la présente Convention, le terme 'torture' désigne tout acte par lequel une douleur ou des souffrances aiguës, physiques ou mentales, sont intentionnellement infligées à une personne aux fins notamment d'obtenir d'elle ou d'une tierce personne des renseignements ou des aveux, de la punir d'un acte qu'elle ou une tierce personne a commis ou est soupçonnée d'avoir commis, de l'intimider ou de faire pression sur elle ou d'intimider ou de faire pression sur une tierce personne, ou pour tout autre motif fondé sur une forme de discrimination quelle qu'elle soit, lorsqu'une telle douleur ou de telles souffrances sont infligées par un agent de la fonction publique ou toute autre personne agissant à titre officiel ou à son instigation ou avec son consentement exprès ou tacite. Ce terme ne s'étend pas à la douleur ou aux souffrances résultant uniquement de sanctions légitimes, inhérentes à ces sanctions ou occasionnées par elles. »[634]

Cette définition est relativement complexe. Pour qu'il y ait torture au sens de la Convention, trois conditions doivent être remplies :

a) La douleur subie doit atteindre un seuil minimal de gravité. L'acte infligé doit avoir causé « une douleur ou des souffrances *aiguës* », étant entendu que cette douleur ou ces souffrances peuvent être « physiques ou mentales ».

b) L'acte de torture doit avoir été infligé intentionnellement en vue d'atteindre un but déterminé. Il peut s'agir par exemple d'obtenir des informations, de punir ou intimider la victime ou encore de la persécuter pour des raisons discriminatoires. Si cette intention n'est pas démontrée la Convention contre la torture ne peut pas être appliquée.

c) Enfin, cette définition exige qu'il y ait un lien entre l'acte de torture et les autorités de l'Etat. Cet acte doit avoir été commis par un agent de la fonction publique ou toute autre personne agissant à titre officiel. Ce lien est par ailleurs établi si la torture est utilisée à l'instigation de cette personne ou avec son consentement. En revanche, la Convention ne s'applique pas à la violence privée.

Au sens de ce texte, la notion de torture est donc détaillée et, dans une certaine mesure, limitative. Pour que les protections prévues par la Convention puissent être mises en œuvre, il ne suffit pas de démontrer la gravité de l'acte. Les conclusions de l'expertise médicale portant sur les séquelles de la torture ne

---

[634] Convention contre la torture et autres peines ou traitements cruels, inhumains ou dégradants, ONU, New York, 10 décembre 1984 (ONU Doc., A/39/46.), art. 1.

satisfont pas toutes les conditions requises ; l'enquête doit encore porter sur l'identité de l'auteur et sur sa motivation[635].

Cette définition ne constitue cependant pas une référence universelle. Elle a été élaborée pour répondre aux besoins particuliers de la Convention contre la torture. Celle-ci a principalement pour objectif de garantir que tout acte de torture soit considéré comme une infraction au regard du droit pénal des Etats parties[636] et qu'il soit puni en tant que tel[637]. Elle organise ainsi la répression pénale des personnes responsables de torture, en particulier par le biais de la mise en place d'un mécanisme de juridiction universelle. Cette définition ne saurait dès lors valoir de manière générale en dehors de ce cadre normatif spécifique. La Convention contre la torture précise d'ailleurs que ses dispositions sont « sans préjudice de tout instrument international ou de toute loi nationale qui contient ou peut contenir des dispositions de portée plus large »[638]. De fait, d'autres instruments internationaux envisagent la torture dans un sens différent.

La Convention relative aux droits de l'enfant

La Convention relative aux droits de l'enfant[639] prévoit ainsi que ses Etats parties doivent veiller à ce que « nul enfant ne soit soumis à la torture ni à des peines ou traitements cruels, inhumains ou dégradants [...] »[640]. Or, cet instrument se distingue de la Convention contre la torture sur deux points essentiels. D'une part, il n'a pas valeur générale, mais il s'applique à une catégorie déterminée de personnes, à savoir « tout être humain âgé de moins de dix-huit ans, sauf si la majorité est atteinte plus tôt en vertu de la législation qui lui est applicable »[641]. D'autre part, il ne vise pas à organiser la poursuite pénale des individus, mais il se concentre sur l'établissement de règles de substance. Les trois conditions prévues par la Convention contre la torture doivent donc être réévaluées en fonction de ces caractéristiques en vue d'aboutir à une définition qui soit adaptée aux besoins de la Convention relative aux droits de l'enfant[642].

---

[635] Pour en savoir plus sur cette définition, voir Nigel S. Rodley, *The Treatment of Prisoners under International Law*, Oxford, Clarendon, 1999 (2nd ed.), p. 75 ss.
[636] Convention contre la torture, *op. cit.*, art. 4.
[637] *Ibid.*, art. 5 à 8.
[638] Voir notamment *ibid.*, art. 1, par. 2.
[639] Convention relative aux droits de l'enfant, 20 novembre 1989, ONU Doc. A/44/25, consultable en ligne : http://www2.ohchr.org/french/law/crc.htm.
[640] *Ibid.*, art. 37, par. a. Sur cette disposition, voir William A. Schabas, Helmut Sax, *A Commentary on the United Nations Convention on the Rights of the Child: Article 37: Prohibition of Torture, Death Penalty, Life Imprisonment and Deprivation of Liberty*, Leiden/Boston, Nijhoff, 2006.
[641] Convention relative aux droits de l'enfant, *op. cit.*, art. 1.
[642] Voir Organisation mondiale contre la torture (OMCT), *Les enfants, la torture et les autres formes de violence : affronter les faits, construire l'avenir*, Rapport de la Conférence inter-

a) La gravité de l'acte

Il est admis en droit international que l'évaluation de la douleur infligée doit prendre en compte les circonstances personnelles de la victime, notamment son âge et sa maturité[643]. Certains actes ont en effet un impact beaucoup plus grave pour un enfant que pour un adulte. L'angoisse éprouvée peut en effet être renforcée lorsque la victime n'est pas encore capable d'appréhender pleinement les causes des sévices qui lui sont imposés. Par ailleurs, les séquelles psychologiques risquent d'être beaucoup plus graves lorsque la personne concernée se trouve à un stade clef de son développement.

b) Le statut de l'auteur

Étant donné que la violence faite aux enfants a lieu, dans de très nombreux cas, dans un environnement privé, il est difficile de considérer que la responsabilité de l'Etat est engagée uniquement lorsque les actes en question sont commis ou initiés par des personnes agissant « à titre officiel ». Certains organismes internationaux admettent ainsi que les Etats doivent être tenus responsables non seulement lorsque leurs propres organes sont directement impliqués, mais aussi lorsque les mesures nécessaires pour empêcher ou réprimer des actes commis par des personnes privées n'ont pas été adoptées. Tel est par exemple le cas lorsque les auteurs directs sont des instituteurs en milieu scolaire ou des proches dans le cadre de la famille.

Le Comité des droits de l'enfant des Nations Unies s'est ainsi montré « vivement préoccupé par le fait que des enfants sont régulièrement victimes de traitements cruels, inhumains ou dégradants, allant parfois jusqu'à la torture, qui leur sont infligés, entre autres, par [...] les enseignants et au sein de leur famille »[644]. De même, le Comité des droits de l'homme des Nations Unies a estimé que les Etats avaient le devoir de protéger tous les êtres humains contre la torture et les autres formes de mauvais traitements, « que ceux-ci soient le fait de personnes agissant dans le cadre de leurs fonctions officielles, en dehors de celles-ci ou à titre privé ». Il a par ailleurs spécifié que ce devoir couvre notamment « les enfants, les élèves des établissements d'enseignement et les patients des institutions médicales »[645].

---

nationale de Tampere, Finlande, 27 novembre – 2 décembre 2001, p. 39 ss. ; Nathalie Man, *Enfants, torture et pouvoir*, Londres, Save the Children, 2000.

[643] Voir notamment Cour européenne des droits de l'homme, *Aydin c. Turquie* (57/1996/576/866), Arrêt, 25 septembre 1997, par. 84 ; Cour interaméricaine des droits de l'homme, *Villagran Morales et al.*, Judgment, Serie C no 63, November 19, 1999, par. 74.

[644] Comité des droits de l'enfant, *Observations finales, République démocratique du Congo*, ONU Doc. CRC/C/15/Add. 153, 8 juin 2001, par. 32.

[645] Comité des droits de l'homme, *Commentaire général n° 20 sur l'article 7 du Pacte international des droits civils et politiques*, 4 octobre 1992, par. 2 et 5. Dans la jurisprudence de la Cour européenne des droits de l'homme, voir *A. c. Royaume-Uni* (100/1997/884/1096), Arrêt, 23 septembre 1998, par. 22 ; *Z. c. Royaume-Uni*, Arrêt, 10 mai 2001, par. 73.

c) Le but visé

Enfin, il est peu probable que l'intention de l'auteur soit un élément constitutif de la torture dans le cadre de la Convention relative aux droits de l'enfant. En raison de la vulnérabilité particulière des victimes dans ce contexte, certains experts considèrent que cet instrument doit être plus souple sur ce point que la Convention contre la torture[646]. Il faut alors considérer qu'il y a torture même si l'auteur ne visait pas un objectif particulier, par exemple en cas de négligence grave. Tel peut être le cas, par exemple, lorsque des enfants sont enfermés dans des lieux de détention ou des institutions dans des conditions qui mettent gravement en danger leur santé ou leur développement.

Compte tenu de ces différences, le processus d'enquête permettant d'établir de cas en cas si un acte de torture a été commis ne sera donc pas le même selon que l'on applique la Convention relative aux droits de l'enfant ou la Convention contre la torture, même si ces instruments visent, chacun à sa manière, à atteindre un objectif commun, à savoir l'éradication de la torture et de toute autre forme de mauvais traitements. Dans le cadre de la Convention des droits de l'enfant, un expert en psychologie enfantine devrait par exemple participer à l'enquête pour évaluer l'impact du traitement subi. En revanche, il n'est sans doute pas nécessaire dans ce cas de réunir des éléments de preuve en vue de clarifier l'intention de l'auteur des sévices.

L'article 3 commun aux quatre Conventions de Genève de 1949

La notion de torture diffère aussi du sens que lui donne la Convention de 1984 lorsqu'elle figure dans le droit des conflits armés non internationaux. L'article 3 commun aux quatre Conventions de Genève de 1949[647], qui régit spécifiquement ce type de situations, interdit « en tout temps et en tout lieu [...] les mutilations, les traitements cruels, tortures et supplices ». Or, il est évident que cette interdiction ne s'applique pas uniquement aux actes commis par des agents de l'Etat, puisque l'article 3 s'impose à chacune des parties impliquées dans le conflit. Dans le cas envisagé ici, cela signifie que l'une au moins de ces parties est un groupe non gouvernemental[648].

---

[646] OMCT, *op. cit.* ; cf. *supra* note 10, p. 49.

[647] Ces quatre Conventions forment en quelque sorte le cœur du droit international humanitaire. Elles visent à protéger respectivement les blessés et malades des forces armées en campagne (Convention I), les blessés, malades et naufragés des forces armées sur mer (Convention II), les prisonniers de guerre (Convention III) et les personnes civiles (Convention IV). Elles sont complétées par deux Protocoles additionnels qui ont été adoptés le 8 juin 1977 et qui sont consacrés respectivement aux conflits armés internationaux (Protocole I) et aux conflits armés non internationaux (Protocole II).

[648] Pour plus de détails sur cette disposition, voir notamment Lindsay Moir, *The Law of Internal Armed Conflict*, Cambridge, Cambridge University Press, 2002, p. 30 ss.

La conduite des hostilités

Certaines règles de droit international humanitaire sont si complexes dans leurs structures qu'elles posent des exigences en matière d'établissement des faits et d'expertise qu'il est extrêmement difficile de satisfaire en pratique. Tel est le cas par exemple de celles qui ont trait à l'utilisation de la force dans les conflits armés et plus particulièrement à la protection des civils en cas d'attaque. L'un des principes fondamentaux du droit international humanitaire prévoit que les belligérants sont tenus de distinguer, en tout temps, les civils des combattants, afin de protéger les premiers contre les effets des hostilités[649]. Ce principe signifie essentiellement que les civils en tant que tels ne doivent pas faire l'objet d'une attaque[650]. Il implique d'autre part que les belligérants doivent renoncer aux interventions armées « dont on peut attendre qu'elles causent incidemment des pertes en vies humaines dans la population civile, des blessures aux personnes civiles, des dommages aux biens de caractère civil, ou une combinaison de ces pertes et dommages, qui seraient excessifs par rapport à l'avantage militaire concret et direct attendu »[651].

Sous son second aspect, ce principe suppose ainsi que soient évalués les trois éléments suivants : la prévisibilité des pertes incidemment causées ; la nature de l'avantage militaire escompté ; le rapport entre ces données, les pertes ne devant pas être « excessives » par rapport à l'avantage militaire. Les informations réunies dans un cas donné doivent donc couvrir chacun de ces éléments en vue de répondre à l'exigence de proportionnalité que suppose l'application de ce principe. Pour déterminer s'il y a eu infraction ou non, il faut procéder à une mise en balance de la raison militaire (le gain escompté) et de considérations d'ordre humanitaire (la protection des personnes et des biens civils). Cette pesée permet d'identifier le seuil au-delà duquel les pertes dites collatérales ne sont plus admissibles au regard du droit[652]. L'enjeu est de taille, puisque, selon l'apprécia-

---

[649] Ce principe relève du droit international coutumier et, comme tel, doit être respecté par tous les combattants dans tous les types de conflits armés. Voir Jean-Marie Henckaerts, Louise Doswald-Beck, *Droit international humanitaire coutumier*, vol. I, Bruxelles, Bruylant, 2000, règle 1.

[650] *Protocole additionnel aux Conventions de Genève du 12 août 1949 relatif à la protection des victimes des conflits armés internationaux* [désormais *Protocole additionnel I*], 8 juin 1977, art. 51, par. 2. Reproduit dans *Les Protocoles additionnels aux Conventions de Genève du 12 août 1949*, Genève, CICR, 1977, p. 3-8.

[651] *Ibid.*, art. 51, par. 5 b, et 57, par. 2 a ch. iii.

[652] Voir Michael Bothe, Karl J. Partsch, Waldemar A. Solf, *New Rules for Victims of Armed Conflicts,* The Hague/Boston (etc.), Nijhoff, 1982, p. 309 ss ; Yves Sandoz, Christophe Swinarski, Bruno Zimmermann (éd.), *Commentaire des Protocoles additionnels du 8 juin 1977 aux Conventions de Genève du 12 août 1949*, Genève/Dordrecht, CICR/Nijhoff, 1986, p. 638 ss, 701 ss.

tion que l'on s'en fait, une attaque sera considérée soit comme un acte légitime soit comme un crime de guerre[653].

On perçoit ici à la fois l'importance et la difficulté de l'expertise dans l'application du droit des conflits armés. Pour que le test de la proportionnalité puisse fonctionner, il faut que des informations précises et avérées soient réunies par les enquêteurs sur de nombreux aspects d'une même opération. Ces démarches susciteront, selon les cas, différents types d'expertise, puisque certaines normes demandent une évaluation particulièrement complexe. Les besoins en la matière ne relèvent ainsi pas uniquement de la médecine légale, mais touchent aussi à des aspects techniques (armement) ou stratégiques (objectifs militaires, avantages militaires).

Les enquêteurs doivent d'abord déterminer la nature et l'étendue des pertes civiles. Cette nécessité peut constituer en soi un obstacle insurmontable. Il est en effet souvent impossible de se rendre sur le lieu des événements, soit parce que les forces responsables de l'attaque en contrôlent l'accès, soit parce que les hostilités en cours empêchent tout déplacement sur le terrain. Les enquêteurs doivent ensuite s'interroger sur la présence et les caractéristiques d'un éventuel objectif militaire sur le terrain. Le cas échéant, ils doivent déterminer si l'avantage escompté en attaquant cet objectif était concret et direct, au sens de la règle de droit humanitaire. Enfin, il doivent encore reconstituer toutes les circonstances qui permettront de dire si les pertes étaient prévisibles compte tenu de l'information raisonnablement exigible et si toutes les précautions nécessaires ont été adoptées avant de lancer l'attaque. Le recours à des experts est dans ce cas fondamental. Les informations nécessaires à l'application de la règle supposent d'être en mesure d'évaluer la nature des armes employées et les conditions de leur utilisation dans le cas d'espèce. Il s'agit ainsi de connaître le degré de précision de ces armes, d'identifier l'auteur de l'attaque ou encore d'évaluer la visibilité de l'objectif et la durée des événements. Selon les cas, il faut encore savoir si les forces responsables ont procédé à un avertissement préalable avant de lancer leur opération[654]. Ce travail d'investigation est d'autant plus délicat que les informations recherchées peuvent être détenues uniquement par les forces responsables. Or, sans ces données, il est impossible de procéder à l'exercice juridique qui consiste à dire si les pertes furent « excessives » au sens du droit international humanitaire[655].

---

[653] *Protocole additionnel I, op. cit.*, art. 85 par. 3 let. b.

[654] Voir Sandoz et al., *op. cit.*, p. 702 ss.

[655] Cette problématique fut débattue dans le cadre de la campagne de bombardements effectuée par l'OTAN sur la Serbie en 1999. Un comité établi par le Procureur du Tribunal pénal international pour l'ex-Yougoslavie en vue d'examiner certains des cas les plus litigieux conclut à l'impossibilité de se prononcer de manière définitive sur la responsabilité des forces de l'OTAN (voir « Final Report to the Prosecutor by the Committee Established to Review the NATO Bombing Campaign Against the Federal Republic of Yugoslavia », 13 June 2000, in

La norme au sens formel : comment la procédure façonne le processus d'enquête

L'enquête en droit international ne dépend pas uniquement du contenu de la norme applicable à chaque cas d'espèce, mais se trouve aussi influencée par la procédure dans laquelle elle s'insère. Si, dans tous les cas, il s'agit de démontrer la véracité d'un fait, la nature exacte des démarches entreprises peut varier profondément selon le mécanisme saisi. Même si l'on ne tient pas compte des aspects purement organisationnels de la procédure, tels que l'origine et la composition de l'organisme d'enquête, ou encore l'étendue de sa compétence[656], on constate que les variations restent sensibles. La différence la plus significative à cet égard tient sans doute au degré de preuve retenu comme suffisant pour qu'un événement donné soit considéré comme avéré. Selon l'objectif visé, c'est l'essence même de l'établissement des faits, la consistance de la constatation, qui change en fonction des exigences de preuve que chaque organisme doit respecter.

La preuve au-delà de tout doute raisonnable

Le critère le plus exigeant en la matière s'impose dans le cadre des procédures pénales. Les enquêtes conduites par le procureur des Tribunaux pénaux internationaux créés respectivement pour l'ex-Yougoslavie et le Rwanda sont ainsi particulièrement strictes sur ce point. Etant donné que ces enquêtes aboutissent à la mise en accusation d'individus pour violations graves du droit international humanitaire[657], elles doivent donner aux juges tous les éléments nécessaires pour se forger une conviction confinant à la certitude. Un individu ne saurait être privé de liberté si un doute subsiste sur sa culpabilité. Les *Règlements de procédure et de preuve* des deux Tribunaux retiennent ainsi le critère le plus élevé en la matière, en prescrivant que la culpabilité des accusés soit établie « au-delà de tout doute raisonnable »[658]. Selon la jurisprudence internationale, cela signifie que le doute évoqué ne doit pas résulter de considérations

---

International Legal Material, vol. 39, p. 1257ss.). Sur cette campagne, voir aussi Sylvain Vité, « Les procédures d'établissement des faits relatives aux violations du droit international humanitaire dans la guerre en Kosove », in *La crise des Balkans de 1999*, Actes du colloque tenu à l'Université de Genève les 18 et 19 juin 1999, Bruxelles, Bruylant, 2000, p. 193-218.

[656] Sur ces questions, voir Sylvain Vité, *Les procédures internationales d'établissement des faits dans la mise en œuvre du droit international humanitaire*, Bruxelles, Bruylant, 1999.

[657] *Statut du Tribunal pénal international pour l'ex-Yougoslavie*, adopté le 25 mai 1993 (ONU Doc. S/RES/827 (1993)), tel qu'amendé le 28 février 2006 (S/RES/1660 (2006)), art. 1 ; *Statut du Tribunal pénal international pour le Rwanda*, adopté le 8 novembre 1994 (ONU Doc. S/RES/955 (1994)), art. 1.

[658] *Règlement de procédure et de preuve du Tribunal pénal international pour l'ex-yougoslavie*, adopté le 11 février 1994, tel qu'amendé le 9 et 10 juillet 1998, IT/32/REV.13, art. 87 A. En ligne : http://www.un.org/icty/basic/rpe/IT32_rev14con-f.htm

purement hypothétiques, mais doit trouver sa justification dans les informations (ou dans l'absence d'informations) réunies autour du cas à vérifier[659]. L'expertise, notamment celle du médecin légiste, joue donc un rôle fondamental dans ce cadre.

La preuve résultant d'une pesée de probabilités

Lorsque l'enquête ne relève pas d'une procédure pénale, le degré de preuve requis est assoupli. Tel est le cas des procédures qui n'aboutissent pas à des conclusions juridiquement obligatoires. Il peut s'agir par exemple d'alimenter un débat politique au sein d'une instance internationale. De plus, ces procédures visent bien souvent à retracer un type d'exaction généralement pratiquée et à réunir les preuves permettant d'attribuer les infractions constatées à un gouvernement ou à un acteur non étatique, plutôt qu'à démontrer des culpabilités individuelles. L'enjeu n'est donc pas la condamnation d'une personne privée (répression), mais il s'agit plutôt de poser la question de la responsabilité d'une personne morale (prévention des violations). Dans tous ces cas, et ce sont les plus nombreux en pratique, le critère de preuve retenu peut être moins strict que celui qui s'applique aux tribunaux internationaux. Le principe qui doit prévaloir est la « pesée de probabilités ». Le Haut-Commissaire adjoint aux droits de l'homme des Nations Unies constate ainsi que « *as a general rule the standard of proof applied by fact-finding bodies should be a balance of probabilities* »[660]. L'opération consiste à comparer les informations qui confirment la réalité d'une infraction et celles qui laissent conclure le contraire. Si les premières paraissent les plus vraisemblables, l'acte examiné sera considéré comme prouvé[661]. Le doute n'est donc pas absolument exclu avec ce type de raisonnement, mais il est réduit, puisque l'on choisit l'hypothèse la moins incertaine.

Cette ligne de conduite est par exemple celle que suivent les procédures spéciales progressivement mises en place par la Commission des droits de l'homme des Nations Unies, procédures que se réapproprie aujourd'hui le Conseil des droits de l'homme qui remplace désormais la défunte Commission. Ces procédures ont pour but de nourrir les travaux du Conseil en lui soumettant des rap-

[659] Telle est par exemple la signification qu'en donne la Commission européenne des droits de l'homme, lorsqu'elle affirme que le doute, dans ce contexte, n'est pas « *a doubt based on a merely theoretical possibility or raised in order to avoid a disagreeable conclusion, but a doubt for which reasons can be given drawn from the facts presented* » (*Greek Case,* Ann. de la CEDH, vol. 12, 1969, p. 196. Voir aussi *Irish Case,* Ann. de la CEDH, vol. 19, 1976, p. 796.

[660] Bertrand G. Ramcharan, « Evidence », in B. G. Ramcharan (ed.), *International Law and Fact-Finding in the Field of Human Rights,* The Hague/Boston (etc.), Nijhoff, 1982, p. 78.

[661] Cette opération est aussi qualifiée en anglais de « *preponderance of evidence* », ce qui signifie selon M. Kazazi « *evidence higher and greater in weight* ». Mojtaba Kazazi, *Burden of Proof and Related Issues*, The Hague/London (etc.), Kluwer, 1996, p. 344.

ports portant soit sur des thématiques particulières (torture, détention arbitraire, éducation, etc.), soit sur des pays déterminés (Cambodge, Haïti, Somalie, etc.)[662]. Dans la plupart des cas, les moyens à disposition de ces mécanismes ne leur permettent pas de recourir à des techniques d'investigation sophistiquées. Ils ne sont par ailleurs en mesure de se rendre sur le terrain que de manière relativement exceptionnelle. Leurs conclusions sont donc basées essentiellement sur les témoignages qu'ils reçoivent de la part d'intermédiaires de confiance.

La pesée des probabilités se justifie aussi pour les enquêtes dont l'objectif consiste à attirer l'attention de la communauté internationale sur une situation[663]. Il ne s'agit pas dans ce cas de rendre des conclusions définitives, mais de réagir dans l'urgence pour éviter qu'une vague de violence ne se répète ou prenne de l'ampleur. La solidité des preuves est alors mise en balance avec la nécessité d'intervenir en faveur des victimes dans les plus brefs délais. Certains rapports diffusés par les ONG, par exemple, expriment bien souvent une véracité prépondérante, une forte vraisemblance, plutôt que des faits démontrés de manière absolue[664].

Enfin, les recherches et évaluations effectuées par des organisations strictement humanitaires, c'est-à-dire concentrées sur l'assistance et la protection des victimes des conflits armés, correspondent encore à une autre forme d'établissement des faits. Ces organisations ne cherchent pas à évaluer précisément les responsabilités des belligérants, mais se préoccupent davantage de satisfaire les besoins fondamentaux des personnes affectées par les hostilités. Elles renoncent en principe à invoquer une norme précise pour justifier leur action et préfèrent se référer aux « besoins humanitaires » des personnes visées. L'importance de l'expertise est donc relativisée dans cas.

---

[662] Pour une présentation complète de ces procédures, voir en ligne : http://www.ohchr.org/french/bodies/chr/special/index.htm.

[663] Sur cette question, voir Frank Newman, David Weissbrodt, *International Human Rights,* Cincinnati, Anderson, 1990, p. 208. Daniel J. Ravindran, Manuel Guzman, Ignacio Babes (ed.), *Handbook on Fact-Finding and Documentation of Human Rights Violations*, based on a workshop held in Chiangmai, Thailand, and organised by the Asian Forum for Human Rights and Development (Forum-Asia) and Union for Civil Liberties, Thailand, 1-6 October 1993, p. 15.

[664] Voir par exemple Amnesty International, *République fédérative de Yougoslavie, La situation reste tragique,* Août 1998, Index AI : EUR 70/58/98 ; Amnesty International, *Federal Republic of Yugoslavia, Human Rights Violations Against Women in Kosovo Province*, August 1998, Index AI : EUR 70/54/98. Voir aussi Physicians for Human Rights, *Medical Group Documents Systematic and Pervasive Abuses by Serbs Against Albanian Kosovar Health Professionals and Albanian Kosovar Patients*, December 23, 1999, disponible en ligne : http://www.phrusa.org/new/kexec.html.

La preuve convaincante

A mi-chemin entre l'exclusion du doute raisonnable et la pesée de probabilités, certains organismes internationaux proposent encore un troisième critère d'appréciation des preuves. En cas de violations des droits de l'homme d'une certaine gravité, la Cour interaméricaine des droits de l'homme choisit ainsi de ne s'appuyer que sur des preuves « *capable of establishing the truth of the allegations* in a convincing manner »[665]. Même si l'expression, en tant que telle, reste relativement indéterminée, elle manifeste la volonté de restreindre la liberté d'appréciation des juges, sans pour autant leur imposer des exigences identiques à celles qui prévalent dans les procédures pénales. A la lumière de son expérience, l'un de ceux-ci, le juge Buergenthal, interprète les termes « *in a convincing manner* » en les situant entre les deux autres modèles applicables dans les procédures internationales. Le degré de certitude imposé par cette formule est à la fois plus important que celui qui résulte d'une simple « balance de probabilité » et moins élevé que s'il fallait trancher « au-delà de tout doute raisonnable »[666]. Le juge Buergenthal explique ainsi que « *it was not enough that the weight of the evidence favored one side, it had to be 'convincing'. Although stricter than a test that looks for a preponderance of the evidence, the Court's test is weaker than one which requires that evidence establish the facts beyond a reasonable doubt* »[667].

---

[665] *Velasquez Rodriguez case,* Judgment (merits), July 29, 1988, Inter-American Court of Human Rights, Series C, No. 4, 1988, par. 129. Nous soulignons. Voir aussi *Fairen Garbi and Solis Corrales case*, Judgment (merits), March 15, 1989, Inter-American Court of Human Rights, Series C, No. 6, 1990, par. 132. Ce standard est aussi celui que retient la Cour internationale de justice. Dans son arrêt relatif à l'affaire qui a opposé le Nicaragua aux Etats-Unis d'Amérique, la Cour s'est exprimée sur le standard de preuve qui doit la guider. Faisant référence à l'article 53 paragraphe 2 de son Statut qui lui demande de « s'assurer » que les conclusions de la partie requérante sont fondées en fait et en droit avant de trancher en sa faveur, elle a déclaré que « [l']emploi du mot 's'assurer' dans le Statut implique que la Cour doit, tout autant que dans une autre instance, acquérir la conviction que les conclusions de la partie comparante sont fondées en droit et, pour autant que la nature de l'affaire le permette, que les faits sur lesquels ces conclusions reposent sont *étayés par des preuves convaincantes* » (nous soulignons) (*Activités militaires et paramilitaires au Nicaragua et contre celui-ci (fond)* (Nicaragua/Etats-Unis d'Amérique), Arrêt du 27 juin 1986, CIJ, Rec. 1986, par. 29).

[666] Thomas Buergenthal, « Judicial Fact-Finding: Interamerican Human Rights Court », in R. B. Lillich (ed.), *Fact-finding Before International Tribunals*, Eleventh Sokol Colloquium, Ardsley-on-Hudson, Transnational publishers, 1992, p. 271 s. Tout en utilisant une terminologie différente, la Commission sur la vérité au Salvador reprit elle aussi cette approche du standard de la preuve en trois degrés : *Report of the Commission on the Truth for El Salvador: From Madness to Hope,* UN Doc. S/25500, Annexes, 1 April 1993, Chap. II par. C: « *The different degrees of certainty were as follows: 1. Overwhelming evidence-conclusive of highly convincing evidence to support the Commission's finding; 2. Substantial evidence-very solid evidence to support the Commission's finding; 3. Sufficient evidence-more evidence to support the Commission's finding than to contradict it* ».

[667] Buergenthal, *op. cit.*, p. 271 s.

Cette position intermédiaire découle de la nature particulière de la Cour interaméricaine des droits de l'homme. En tant qu'organe judiciaire, celle-ci adopte des « jugements », c'est-à-dire des décisions juridiquement obligatoires pour leurs destinataires, et non pas des « recommandations » ou des « constatations » comme c'est le cas pour la plupart des organismes de mise en œuvre du droit international des droits de l'homme ou du droit international humanitaire. Il est donc souhaitable qu'elle s'en tienne à un degré de preuve plus élevé que celui que suivent ces derniers. La Cour n'est en revanche pas un tribunal pénal, en ce sens qu'elle ne se prononce pas sur la responsabilité d'individus accusés d'avoir commis des crimes contre l'humanité ou des crimes de guerre. Sa compétence se limite aux comportements des Etats parties à la Convention américaine des droits de l'homme[668]. Elle s'autorise ainsi une certaine souplesse dans l'appréciation des preuves, souplesse qui serait exagérée s'il s'agissait d'un tribunal pénal.

En effet, dans certain cas, établir une preuve au-delà de tout doute raisonnable risquerait d'imposer un fardeau excessivement lourd sur les épaules de la partie requérante. Ce peut être le cas, par exemple, lorsque la preuve est extrêmement difficile d'accès, lorsqu'elle se trouve notamment sous le contrôle de l'Etat mis en cause[669] ou lorsque la production des informations nécessaires serait beaucoup trop coûteuse ou longue[670]. Ne pas tenir compte de ces circonstances lors de l'appréciation des faits serait source d'injustice. De toute évidence, ces situations requièrent une certaine flexibilité dans l'appréciation des preuves de manière à compenser un éventuel déséquilibre entre les parties à la procédure, à savoir l'individu et l'Etat. Comme l'a rappelé la Cour interaméricaine des droits de l'homme, « *States do not appear before the Court as defendants in a criminal action. The objective of international human rights law is not to punish those individuals who are guilty of violations, but rather to protect the victims and to provide for the reparation of damages resulting from the acts of the States responsible* »[671]. L'accent est mis dans ce cas sur la victime plutôt que sur l'accusé. La partie plaignante risquerait de ne jamais aboutir à ses fins, s'il fallait obtenir des preuves absolument irréfutables pour lui donner raison[672]. La raison d'être de toute la procédure serait ainsi remise en question. Il est donc justifié, dans ces conditions, que le mode d'évaluation des preuves soit plus

---

[668] *Convention américaine relative aux droits de l'homme*, adoptée le 22 novembre 1969, entrée en vigueur le 18 juillet 1978, OAS Treaty Series n° 36, 1144 UNTS 123, art. 52 ss.

[669] *Affaire du Détroit de Corfou (*fond) (Royaume-Uni/Albanie), CIJ, Arrêt du 9 avril 1949, Rec. 1949, p. 18.

[670] Kazazi, *op. cit.*, p. 347 s.

[671] *Velasquez Rodriguez case, op. cit.*, par. 134.

[672] Dinah L. Shelton, « Judicial Review of State Action by International Courts », in *Fordham Int'l Law Journal*, vol. 12, 1989, p. 387.

souple dans les procédures qui mettent en cause des Etats pour des infractions aux droits de l'homme.

L'interaction des procédures

Le développement de procédures internationales permettant la mise en œuvre des droits de l'homme et du droit humanitaire favorise désormais un certain partage des fruits de l'enquête. Il arrive en effet que l'un des organismes concernés reprenne les constatations de faits adoptées sous une autre procédure en vue de trancher les questions juridiques qui lui sont soumises. Ces interactions ne sont toutefois pas systématiques, puisqu'elles sont prédéterminées par le degré de preuve retenu de cas en cas. Il est ainsi difficile, voire impossible, pour les tribunaux pénaux internationaux d'utiliser des constatations effectuées par d'autres organismes. Le degré de certitude appliqué par ces derniers n'est en effet pas suffisamment strict pour répondre aux exigences de la procédure pénale.

En revanche, les conclusions qui émanent des mécanismes pénaux tendent à acquérir un statut particulier. Elles deviennent en quelque sorte source de vérité pour les autres mécanismes. Dans son récent *Arrêt relatif à l'application de la Convention pour la prévention et la répression du crime de génocide* (2007), la Cour internationale de justice s'est ainsi largement appuyée sur la pratique du Tribunal pénal international pour l'ex-Yougoslavie. Tout en affirmant son autonomie dans l'appréciation des éléments de preuve en sa possession, la Cour a estimé que cette pratique devait avoir un poids particulier. Soulignant les moyens et méthodes d'établissement des faits utilisés par le Tribunal, la Cour a ainsi considéré « qu'elle doit en principe admettre comme *hautement convaincantes* les conclusions de fait pertinentes auxquelles est parvenu le Tribunal en première instance, à moins, évidemment, qu'elles n'aient été infirmées en appel »[673]. L'importance particulière des jugements pénaux n'empêche toutefois pas la Cour de se baser sur d'autres sources d'informations, dans la mesure où certaines conditions de fiabilité sont réunies[674]. Le Rapport du Secrétaire général des Nations Unies intitulé « La chute de Srebrenica »[675] eut notamment une influence prépondérante dans l'établissement des faits liés à cette affaire. La Cour considéra que « [l]e soin avec lequel ce rapport a été établi, la diversité de ses

---

[673] *Affaire relative à l'application de la Convention pour la prévention et la répression du crime de génocide* (Bosnie-Herzégovine c. Serbie-et-Monténégro), Arrêt, 26 février 2007, Rôle général n° 91, par. 223 (nous soulignons).

[674] La Cour a souligné que la valeur de ces documents « dépend, entre autres, 1) de la source de l'élément de preuve (par exemple, la source est-elle partiale ou neutre ?), 2) de la manière dont il a été obtenu (par exemple, est-il tiré d'un rapport de presse anonyme ou résulte-t-il d'une procédure judiciaire ou quasi judiciaire minutieuse ?) et 3) de sa nature ou de son caractère (s'agit-il de déclarations contraires aux intérêts de leurs auteurs, de faits admis ou incontestés ?) » (*ibid.*, par. 227).

[675] ONU doc. A/54/549 (1999).

sources et l'indépendance des personnes chargées de son élaboration lui confèrent une *autorité considérable* »[676].

Conclusion

L'enquête n'est pas un processus uniforme en droit international. Elle est un outil au service de la norme et, comme telle, doit s'adapter à la diversité des schémas normatifs qui caractérise ce régime juridique. Cette diversité tient d'abord à la structure interne des règles applicables. Chacune de celles-ci se compose de différentes conditions d'application qui font appel, selon les cas, à divers types d'expertise. Comme le montre l'exemple de l'interdiction de la torture, il peut arriver que le contenu d'une même disposition varie selon l'instrument dans lequel elle se trouve. La diversité normative du droit international est le reflet par ailleurs de la multiplication des procédures. Selon la nature des organismes concernés, différents instruments d'investigations peuvent ainsi être requis pour établir les faits.

L'expertise scientifique, à cet égard, est indissociable de l'expertise juridique. Le droit, dans ses dimensions matérielles et formelles, doit intervenir comme un cadre de référence incontournable en vue d'orienter le travail des enquêteurs. A défaut, la recherche des preuves risque de ne pas satisfaire toutes les conditions d'application de la norme et c'est l'ensemble du processus de mise en œuvre du droit, et donc la protection même des victimes, qui est voué à l'échec.

[676] *Affaire relative à l'application de la Convention pour la prévention et la répression du crime de génocide* (Bosnie-Herzégovine c. Serbie-et-Monténégro), Arrêt, 26 février 2007, Rôle général n° 91, par. 230 (nous soulignons).

International and German Red Cross famine relief for Russia 1920-1924

by

Wolfgang U. Eckart*

The Russian famine of 1921,677 which began in the early spring of that year and lasted through 1922, was a true famine: hunger so severe that it seemed likely that seed grain would be eaten rather than sown. At one point, relief agencies had to give grain to railroad staff to get their supplies moved. The famine resulted from the combined effects of the disruption of agricultural production

* Director of the Institute of medical History, University of Heidelberg.

[677] Günter Rosenfeld, *Sowjet-Russland und Deutschland 1917-1922*, 2nd ed., Köln, Pahl-Rugenstein, 1984, p. 337-343; Wolfgang Güthoff, *Zur Epidemiologie und Bekämpfung des Seuchengeschehens in Sowjetrußland von 1918 bis 1924 – ein Beitrag zur Geschichte der deutsch-sowjetischen medizinischen Beziehungen*, med. dissertation, Berlin, Humboldt University, 1986; Paul Weindling, "German-Soviet Medical Co-operation and the Institute for Racial Research, 1927-c. 1935", in *German History*, 10(1992), p. 2-9; Wolfgang U. Eckart, "Medizin und auswärtige Kulturpolitik der Republik von Weimar : Deutschland und die Sowjetunion 1920-1932", in *Medizin in Geschichte und Gesellschaft*, 11(1993), p. 105-142, 105-115; Paul Weindling, *Epidemics and Genocide in Eastern Europe, 1890-1945*, Oxford, Oxford University Press, 2000, p. 153-159, 161-179; Wikipedia contributors, "Russian famine of 1921", in *Wikipedia, The Free Encyclopedia*, http://en.wikipedia.org/w/index.php ?title=Russian_famine_of_1921&oldid=162935650.

by World War I, the Russian Revolution of 1917 and the Russian Civil War with its policy of War Communism, and one of Russia's intermittent droughts, which in 1921 aggravated the situation to the point that it became a national disaster. In many cases reckless local administrations recognized the problems far too late, contributing to the tragedy. Russia had suffered six and a half years of war before the famine began. The last years of the First World War in the East were fought inside Imperial Russia. Modern warfare strains any economy, but for much of this period Russia had been cut off, not only from trade with the Central Powers, but, with the closing of the Dardanelles,[678] from the rest of the world. The end of grain export would at least have meant full granaries, were it not for the peculation and corruption of Imperial Russia.

Before the famine, all sides in the Russian Civil Wars of 1918-1920 – the Bolsheviks, the Whites, the Anarchists, the seceding nationalities – had built up their provisions by the ancient method of ' living off the land ': they seized food from those who grew it, gave it to their armies and supporters, and denied it to their enemies. Bolshevik efficiency at this tactic is confirmed by their recently uncovered records and doubtless contributed to their victory. The Bolshevik government requisitioned supplies from the peasantry for little or nothing in exchange, prompting the peasants drastically to reduce their crop production. The famine, the Kronstadt rebellion, large-scale peasant uprisings such as the Tambov rebellion, and the failure of a German general strike convinced Lenin to reverse his policy at home and abroad. In 1920 he ordered that more food be requisitioned from the peasantry, at the same time as the Cheka were filing detailed reports on the widespread famine. The long war and the 1921 drought only made matters worse. The 1920 measure having failed, Lenin decreed the New Economic Policy on 15 March 1921. The famine also helped produce an opening to the West: Lenin changed tack and allowed relief organizations to bring in aid. Fortunately, war relief was no longer required in Western Europe, and the American Relief Administration (ARA) had an organization in Poland, where famine had struck in the winter of 1919-1920.

On 12 July 1921 none other than Maxim Gorky, the famous Russian writer, appealed for international support in the form of food and medicines for his starving compatriots: "To the attention of all honourable people. The vast steppes of eastern Russia have had poor harvests because of an unprecedented drought. The scourge threatens millions of people with starvation. I recall that the Russian people are exhausted by war and revolution, that their physical strength has been weakened. The country of Leon Tolstoy, Dostoyevsky, Mendeleyev, Pavlov, Mussorgsky, Glinka and other famous men faces a long, dark night. I dare to believe that the civilized men of Europe and America will

[678] David Fromkin, *A peace to end all peace: creating the modern Middle East, 1914-1922*, New York, Holt, 1989, p. 360.

Fig. 15. Famine en Russie, 1922. © Photothèque CICR (DR)/s.n.

Fig. 16. Famine en Russie, 1921-1923. Préparation du lait pour les enfants réfugiés.
© Photothèque CICR (DR).

understand the plight of the Russian people and come to their aid without delay with bread and medicines."[679]

Gorky was joined by other important figures in Soviet Russia, including Lenin. Lenin's anti-imperialist appeal for help to the "international proletariat" on 6 August 1921[680] was actually heard and answered above all by "the working population, the industrial workers and small farmers" throughout the world. Indeed, Gorky and Lenin had turned to the international community in desperate need. The widespread crop failure of early summer 1921 struck at a time when plague continued to exacerbate the terrible impact of war and revolution on the Russian people. Since the 1917 revolution there had been epidemics of recurrent fever, malaria, black death and cholera, and the influenza pandemic of the 1918-19 winter had affected hundreds of thousands of people. The great famine only served to worsen the enormous hardship brought about by war, revolution and epidemics. At the same time, the new State, born of violent revolution, began to win international acceptance. The 1921 Russian famine, the result of crop failure aggravated by Communist policies, in fact marked a turning point. Roughly 20 million people were threatened with starvation, prompting a massive international aid effort spearheaded by the United States. In April 1922, Fridtjof Nansen, the Arctic explorer and League of Nations High Commissioner for Refugees, estimated that there were 35 to 40 million starving people in Russia and the Ukraine.[681] As usual, it was the children who suffered the most from the combined threats to national health. Between 1921 and 1922 infant mortality rose to 80 to 100 per cent, compared to a rate of 40 per cent among toddlers.[682] The crisis culminated in 5 million deaths in 1922. For Lenin, the famine was a threat from both the domestic and the foreign policy points of view. On the domestic front the scarcely functioning "socialist economics" proved to be truly disastrous: incompetent organization, merciless looting of the rich Ukrainian stocks of cereal[683] and not least

---

[679] Translated from the French: "A la connaissance de tous les honnêtes gens. Les vastes steppes de la Russie orientale ont fourni de mauvaises récoltes par suite d'une sécheresse sans précédent. Par ce fléau, des millions d'êtres humains sont menacés de mourir de faim. Je rappelle que le peuple russe est épuisé par la guerre et la révolution et que sa force de résistance physique est affaiblie. Le pays de Léon Tolstoï, de Dostoïevsky, de Mendeleïev, de Pavlov, de Moussorghsky, de Glinka et d'autres hommes, chers au monde entier, va au devant de jours sombres. J'ose croire que les hommes civilisés de l'Europe et de l'Amérique, comprenant la situation du peuple russe, viendront sans tarder à son secours avec du pain et des médicaments", Cecile M. Riggenberg, *Die Beziehungen zwischen dem Roten Kreuz und dem Völkerbund*, Bern, H. Lang, 1970, p. 65; Güthoff, *op. cit.*, p. 64.

[680] *Pravda*, 6 August 1921; V. I. Lenin, *Werke*, Vol. 32, Berlin, 1961, p. 526; Güthoff, *op. cit.*, p. 58.

[681] Peter Mühlens, "Die russische Hunger- und Seuchenkatastrophe in den Jahren 1921 – 1922", in *Ztschr. Hyg.*, 99 (1923), p. 1-45, 9; Gütthof, *op. cit.*, p. 57.

[682] *Ibid.*

[683] Ivan Herasymowytsch, *Hunger in der Ukraine*, Berlin, translated from Ukrainian, Berlin, Verlag Ukrainske Slowo, 1923.

corruption had resulted in the situation escalating within the entire European Soviet Union. In addition, the internal state of affairs endangered the foreign political situation of the revolutionary Soviet Republic, with the European countries and the United States hoping for a quick fall of the communist regime.

Nevertheless, Russia's call for help did not go unheeded. A conference organized in Geneva on 15 August by the International Committee of the Red Cross (ICRC) and the League of Red Cross Societies set up the International Committee for Russian Relief (ICRR), with Fridtjof Nansen as its High Commissioner. The main participants were Hoover's ARA and agencies such as the American Friends Service Committee and the International Save the Children Union, whose main contributor was the British Save the Children Fund. Nansen headed to Moscow, where he signed an agreement with Soviet Foreign Minister Georgy Chicherin that left the ICRR in full control of its operations. At the same time, fundraising for the famine relief operation began in earnest in Britain, with all the elements of a modern emergency relief operation – full-page newspaper advertisements, local collections and a fundraising film shot in the famine area. By September, a ship had been despatched from London with 600 tonnes of supplies. The first feeding centre was opened in October in Saratov. The ICRR managed to feed around ten million people; the overwhelming bulk of its supplies came from the ARA, which was funded by the US Congress. The International Save the Children Union, by comparison, managed to feed 375,000 at the height of the operation. The operation was hazardous – several workers died of cholera – and was not without its critics. The *London Daily Express*, for example, first questioned the severity of the famine and then argued that the money would have been better spent on poverty in the United Kingdom.[684]

The International Red Cross was not alone in offering help. Socialist and communist groups throughout Western Europe in particular eagerly responded to Gorky and Lenin's appeals. August also saw the founding of the German committee *Arbeiterhilfe Sowjetrußland* (German aid for Soviet workers) on the initiative of the German communist party. Headed by Clara Zetkin, the committee's members included a number of famous representatives from the worlds of science and culture, among them Albert Einstein and Käthe Kollwitz. It was geared towards collecting donations of money and goods in order to provide food and medicines for the starving Russians.

[684] George Frost Kennan, *Russia and the West under Lenin and Stalin*, Boston, Little Brown, 1961, p. 141-150, 168, 179-185; Fromkin, *op. cit.*, p. 360; François Furet, *The Passing of an Illusion: The Idea of Communism in the Twentieth Century*, Chicago, University of Chicago Press, 1999; Rodney Breen, "Saving Enemy Children: Save the Children's Russian Relief Organisation, 1921-1923", in *Disasters*, 18 (1994), p. 221-237; Wikipedia, "Russian famine of 1921", *op. cit.*

The *Arbeiterhilfe* initiative was soon copied by other countries and organizations. The American *Friends of Soviet Russia* (FSR) was formally established, at a conference held on 9 August 1921, as an offshoot of the Communist Party of America's primary legal arm, the American Labor Alliance for Trade Relations with Soviet Russia (ALA). The conference had been called by a provisional committee comprising the ALA, the Society for Technical Aid for Russia and the Medical Relief Committee for Soviet Russia. Some 150 delegates representing 87 organizations were represented. The credentials of two delegates from an unnamed "counterrevolutionary" publication "which has indulged in rabid and repeated attacks on Soviet Russia" were rejected. The FSR was formed pursuant to a decision by the 3rd World Congress of the Communist International (22 June-12 July 1921), which issued a manifesto calling for the formation by affiliated parties around the world of mass organizations dedicated to raising funds for Soviet famine relief. The FSR raised funds and collected food and clothing to meet immediate needs, and provided farm implements and equipment to rebuild Soviet agriculture. It raised about US$ 250,000 for Russian famine relief in the first two months of its existence, and another US$ 500,000 plus clothing worth US$ 300,000 over the course of the following year. The funds were raised transparently, with the name of each donor and the amount given published in each issue of *Soviet Russia*; detailed lists of expenditure, regularly audited, were also published. In round numbers, about 25 per cent of the group's income went to administration and the costs of fundraising, with the balance going to relief. The FSR was the American division of International Workers Aid, an international organization headed by the German Communist Willy Münzenberg.[685]

At the international level, Nansen was striving to organize a coordinated relief programme. Nansen had gained a reputation throughout the world, and especially in Russia, thanks to his selfless engagement as the League of Nations High Commissioner for Refugees to repatriate Russian prisoners of war. At first he focused on the International Red Cross relief campaign, which was directed at the time by Gustav Ador,[686] a Swiss citizen. Even that campaign, however, was too limited as long as the Western governments were not involved. Nansen therefore tried very hard to convince the League of Nations in Geneva to take further action, to no avail. A global economic crisis was looming, making a coordinated international relief programme impossible. Nansen was embittered. On 7 October 1921, four weeks after the League said no, he declared in an interview: "Argentina burns its surplus of corn, America has its

[685] See "Friends of Soviet Russia (1921-1930) – Organizational History; 1. Founding Conference, New York City, 9 August 1921", at http://www.marxisthistory.org/subject/usa/eam/fsr.html.
[686] Gütthof, *op. cit.*, p. 62.

grain rotting in the granaries, in Canada there are more than two million tons of grain left – and in Russia millions of people are starving."[687]

In the event, international aid slowly got going, even without a decision by the League of Nations, during the following weeks and months. American Mennonites and Quakers and the ARA set up a remarkable relief programme. They organized hot meals for children and sent food and medicines.[688] Admittedly, this aid was not entirely altruistic. Like other organizations, the ARA also pursued other goals, exploring and spying in the Soviet Union, a country for the most part closed to Western eyes.[689]

One of the first Western countries to set up a centralized food and drug relief programme for Russia was the young Weimar Republic. The driving force behind this initiative was Walther Rathenau, later the Republic's foreign minister, who asked his close friend Gerhart Hauptmann to answer Maxim Gorky's appeal. At the time, Hauptmann was regarded as the Republic's cultural figure of integration, as the Germans' *Volkskönig* – as Thomas Mann called him – and for many citizens he incarnated the ideal candidate of the moderate left for the position of president of the *Reichstag*.[690] Hauptmann was not indifferent to Gorky's plea. Published on 25 July 1921 in several well-known daily newspapers,[691] his answer reflects the depth of his emotions. He nevertheless remained noncommittal. The final passage reads:

"The German people, who have themselves endured hardship but are willing to help at any time, are touched and deeply moved by the call from the East, and I can say without hesitation that both the people and the government agree in their devout wish to do all in their power to provide efficacious help."[692]

Due to the fraught state of German internal politics after the Great War, Hauptmann could not promise more. In a discussion he had in mid-July in Agnetendorf with his friend and right-hand man Hans von Hülsen, shortly after he had received Gorky's telegram, Hauptmann listened to von Hülsen's objections that Germany would be unable to "stop the hunger of this huge Russia", given its own economic weakness, that it would at best be able to "diminish its worst consequences a little bit", before expressing his own doubts:

"Yes, you [v. Hülsen] are right ! Diminish its consequences, get it under control. It has to be organized somehow: let doctors be sent to Russia, experienced

[687] Rosenfeld, *op. cit.*, p. 340.
[688] Gütthof, *op. cit.*, p. 63.
[689] *Ibid.*, p. 65; Rosenfeld, *op. cit.*, p. 340.
[690] Wolfgang Leppmann, *Gerhart Hauptmann. Leben, Werk und Zeit*, Frankfurt a. M., Fischer-Taschenbuch-Verl., 1989, p. 312-315.
[691] *Vossische Zeitung*, No. 343, evening edition; *Frankfurter Ztg.*, No. 545; *Deutsche Allgemeine Zeitung*, No 343; *Tägliche Rundschau*, No. 170; *Vorwärts*, Berlin, No. 346.
[692] Gerhard Hauptmann, "Antwort an M. Gorki", in *Vossische Zeitung*, No. 343. See also "Gorki und Hauptmann im Sturm der Zeit", in *Aufbau. Kulturpolitische Monatsschrift*, 3 (1947), p. 318-321 and p. 320.

doctors and medicine above all, in order to extinguish the terrible *Hungertyphus* ! [...] No. I admit. The hunger of this huge Russia cannot be stilled by us poor German devils. That is the task, the holy task, of those who own the world's inexhaustible granaries. Damn it, they would be bad managers if they blocked up the doors of their treasuries when faced with such misery simply because they did not like the face of the Russian political system. Political preferences or aversions have to cease whenever humanity is necessary."[693]

At Rathenau's instigation, the German Red Cross met on 3 August 1921. According to him, the meeting discussed "rapid medical aid and the provision of drugs" for Russia. Prominent members of the scientific, economic and cultural communities were invited: Borsig, Bosch, Duisberg, Hugenberg, Thyssen, Stinnes, Siemens, Einstein, Max Reinhardt and Gerhart Hauptmann. The meeting decided to grant medical aid exclusively,[694] no food. The idea of a food relief programme would have been hard to put across in post-War Germany, for the young republic was itself in great need, the consequence of the reparations and other economic and social repercussions of war. Medical aid, however, seemed to be justified, particularly in order to prevent epidemics in Germany itself, as Foreign Minister Friedrich von Rosen reported to the *Ausschuß des Reichsrates für Auswärtige Angelegenheiten* (Reich's Council Committee for Foreign Affairs) on 15 August 1921. It was von Rosen who had to coordinate the relief programme. He and the German Red Cross[695] both pointed out that the planned relief programme was not at all intended to furnish political "support for the Soviet government". It was a foreign policy[696] initiative exclusively determined by the need to prevent epidemics, and had some charitable aspects. This was a wise move, for the relief programme was to be financed by a national fund to prevent epidemics from the East (*Abwehr der Seuchengefahr aus dem Osten*) that amounted to as much as 10 million *Reichsmark* drawn from the second supplementary budget of the Interior Ministry (at the time, RMDI).[697] Through his *Legationsrat* (counsellor to a legation) Wipert von Blücher, the Foreign Minister explicitly asked the RMDI to keep the fund's purpose secret or to cover it up for domestic and foreign policy reasons. In terms of foreign policy, the process packed quite a punch. The Foreign Ministry's goals were not purely altruistic, nor was the Ministry simply striving to prevent epidemics, even at that early stage. Serious foreign

693 *Ibid.*, p. 320.

694 Gerhard Hauptmann, "Die Freiheit", in *Berliner Zeitung*, No. 360, 4 August 1921.

695 Federal Archives in Berlin [*Bundesarchiv,* thereafter BA], Interior Ministry [*Reichsministerium des Inneren*, thereafter RMDI] No. 14139, German Red Cross to the Chancellor of the Republic, Berlin, 6 October 1921; Rosenfeld, *op. cit.*, p. 343.

696 Saxon Main Archives [*Sächsisches Landeshauptarchiv*] Dresden, Berlin Mission, No. 373; Rosenfeld, *op. cit.*, p. 343.

697 BA, RMDI, No. 9398, File Note, September 1921.

policy matters were at stake. Evidently, helping the Soviet Union was meant to signal the opening of cultural exchanges and trade with the East. The news was therefore not announced to a large audience, as proven by the demarche of the Foreign Minister, through his *Legationsrat* Herbert Hauschild, to the RMDI on 6 December 1921. The occasion was a meeting at the RMDI about the ongoing relief programme. The message showed the Foreign Ministry to have "great interest in continuing the expedition", although "for understandable reasons the political targets had to be screened by medical ones, such as the prevention of epidemics". France "was said to observe the German Red Cross with increasing attention".[698]

It was decided in early September 1921 that the German Red Cross would organize a medical relief expedition for Russia[699] in order to help the Soviet authorities fight epidemics in Petrograd, Minsk and the area inhabited by the Volga Germans.[700] The expedition was headed by Prof. Peter Mühlens,[701] a Hamburg expert on tropical medicine and malaria. The first stop was Petrograd. On 17 September 1921 the German Red Cross hospital ship *Triton* left the port of Stettin, reaching Petrograd 6 days later. German famine relief (*Hungerhilfe*) for Russia – actually merely a medical relief campaign – had started. At Petrograd Alexander hospital, established by the Germans during a previous period, the German Red Cross organized further help. Hospital trains left Petrograd for Moscow, Minsk and Kazan. Headed by the hygienist Heinz Zeiss,[702] who was also taking part in the expedition, a German Red Cross central bacteriological laboratory established in Moscow was cooperating successfully with Russian laboratories on bacteriological research and control in the city. The laboratory analysed samples, compiled statistics, planned expeditions to explore the epidemic situation, produced vaccines and organized vaccination programmes.[703]

The German Red Cross unit in Kazan met with a particularly daunting situation. The capital of the Tatar Republic resembled a scene from a horror film.

---

[698] BA, RMDI, No. 9398, Protocol, 6 December 1921.
[699] Gütthof, *op. cit.*, p. 66-74.
[700] Weindling (1992), *op. cit.*, p. 3, footnote 6.
[701] Gottlieb Olpp, *Hervorragende Tropenärzte in Wort und Bild*, München, Verl. der Ärztlichen Rundschau Gmelin, 1932, p. 285-286.
[702] For Zeiss, see: Wolfgang U. Eckart, "Creating Confidence: Heinz Zeiss as a Traveller in the Soviet Union, 1921-1932", in Susan G. Solomon (ed.), *Doing medicine together: Germany and Russia between the wars*, Toronto, Univ. of Toronto Press, 2006, p. 199-239; Susan G. Solomon, "Infertile Soil: Heinz Zeiss and the Import of Medical Geography to Russia, 1922-1930", in *ibid.*, p. 240-290; Sabine Schleiermacher, "The Scientist as Lobbyist: Heinz Zeiss and Auslandsdeutschtum", in *ibid.*, p. 291-322; Helmut Becker, *Äskulap zwischen Reichsadler und Halbmond. Sanitätswesen und Seuchenbekämpfung im türkischen Reich während des Ersten Weltkriegs*, Herzogenrath, Murken-Altrogge, 1990, p. 130-139; Theo Malade, *Von Amiens bis Aleppo. Ein Beitrag zur Seelenkunde des großen Krieges. Aus dem Tagebuch eines Feldarztes*, München, J. F. Lehmanns Verl., 1930, p. 180-181.
[703] Gütthof, *op. cit.*, p. 83-95; Eckart (2006), *op. cit.*, p. 202.

Epidemics, destitution and hunger had left the population in a state of acute misery. Human corpses were often the only thing to eat. Nearly 3 million Tatars were on the brink of starvation in January 1922. Most of all Kazan needed medical supplies and clean water. German Red Cross efforts to solve the problems were very successful. They were supplemented by food deliveries by Scandinavian relief organizations, and the overall situation did indeed improve in early 1923. Elsewhere, the starving refugees flooding into the Baltic towns of Minsk and Petrograd in vain search of food contributed to the spread of recurrent fever. In Minsk especially, the German Red Cross was partly successful in controlling disease and organizing efficient food aid, although the latter was not one of the expedition's main goals. In addition, it was important to divert the emigrants flooding into Germany to reception camps.[704]

The German Red Cross relief campaign ended in the spring of 1924, the worst consequences of the 1921 famine having been dealt with. Many doctors nevertheless stayed on at various places in the Soviet Union. One of them was the hygienist Heinz Zeiss, who remained in Moscow as a hygienist, a traveller, a helpful visitor and a well-intentioned diplomat looking to establish good and prosperous relations. Zeiss, who is not our topic today, considered himself a prospector in an exotic country with exotic people and exotic politics, as full of optimism as it was rife with danger. For Zeiss, Russia was a country full of hidden treasures and mysteries to discover and unveil. As such, he was always looking for undiscovered terrain to stake claims for German medicine, science, politics, even for Catholicism. His bag of tools included vaccination, medical education, cultural propaganda and socio-political espionage. He and other German doctors were to be found until the late 1920s in Soviet towns such as Petrograd and Minsk, in the German Volga colonies, in Southern Ukraine and in Tiflis in Georgia. Overall, German medical aid for the Soviet Union during the early 1920s can be seen as an important contribution to co-operation between the two countries. For Russia, it was a first international contact that allowed it to shake off its image as a pariah state and start edging back into the international fold. These were the beginnings of foreign trade. In 1922 Germany re-established full diplomatic relations with the Soviet Union, which most other European countries had recognized by the end of 1924. But by that time the Russian leadership already had to cope with a new crisis.

[704] Mühlens, *op. cit.*, p. 14; E. G. Nauck, "Von der Tätigkeit in Kasan", in *Sonderheft der Blätter des DRK*, June 1922, p. 14; Gütthof, *op. cit*, p. 75-78.

Bombing of a Swedish Red Cross field hospital during the Italo-Ethiopian War – facts and interpretation

by

Rainer Baudendistel[*]

Violations of international humanitarian law have occurred since the first Geneva Convention was concluded 140 years ago. They are a sad reality of war with which the International Committee of the Red Cross (ICRC) is confronted in each conflict. Obviously, much of the law's credibility depends on the extent to which it is respected. Throughout its history, the ICRC has devoted constant effort to making the Conventions an effective means of mitigating the horrors of armed conflict. The Italo-Ethiopian War (1935-36) was a key event in this regard.[705]

Fascist Italy's naked aggression against Emperor Haile Selassie's Ethiopia lasted only seven months and ended with a five-year annexation and incorporation of Ethiopia into the "Italian Empire of East Africa". Mussolini's regime waged total war on the African continent: all national resources went into the conquest and the Italian military used all available technological means, in-

* Historian, St. Gallen, Switzerland.

705 The present article is based on: Rainer Baudendistel, *Between bombs and good intentions – the Red Cross and the Italo-Ethiopian War, 1935-1936,* Oxford; New York, Berghahn, 2006. Unless otherwise indicated, the sources for the quotes in this report can be found in Baudendistel's book.

cluding poison gas.[706] The Italians were overwhelmingly superior and the casualty ratio stark, with the Ethiopians losing tens of thousands of people while the Italians counted close to five thousand dead in all, including colonial troops. The disparity between the two belligerents can further be measured by comparing their medical organization: more than half a million Italian soldiers and workers were cared for by almost 2,500 doctors and over 16,000 nurses. The 250,000 to 350,000 Ethiopian troops had only 51 doctors, 123 expatriate assistants and some three hundred Ethiopian helpers. The war was thus a one-sided affair, which took place under the eyes of an impotent international community that had imposed token sanctions on Fascist Italy under the League of Nations.

In stark contrast to the timid international reaction, the Red Cross mounted the first medical relief operation in a conflict since the First World War. This impressive undertaking was exclusively for the benefit of Ethiopia since Italy had refused assistance from the beginning of the war. Seventeen National Red Cross Societies provided cash and medical supplies, while six other Societies aided the Ethiopians with field hospitals. The medical operation in Ethiopia was a remarkable show of solidarity, paid for not (as with later relief operations) from government treasuries but from the pockets of individuals touched by the Ethiopians' desperate struggle.

The ICRC dispatched a delegation to Ethiopia. It was headed by Sidney H. Brown (1898-1970), who had considerable ICRC experience, and Marcel Junod (1904-1961), a young surgeon on his first mission as medical delegate. Their main task was to coordinate the medical relief operation and to help the inexperienced Ethiopian Red Cross, founded just weeks before the war. The two delegates were supposed to bring "impartial assistance" to Ethiopia, according to Max Huber, the ICRC president, who briefed the delegates before their departure.

Given the circumstances in which the war was fought, it comes as no surprise that this challenge for the Red Cross eventually shook the movement to its very foundations. The war had consequences that reached into the Second World War and many years beyond.

The present article focuses on one of the Ethiopian war's major incidents: the bombing of the Swedish Red Cross field hospital at Melka Dida, in southern Ethiopia, in late 1935. It shows, with regard to the subject of this colloquium, that the facts surrounding a violation of international humanitarian law are relatively easy to establish. The hard part is interpreting them. It is not surprising that each party concerned by a violation has a different interpretation. What *is* surprising is the way in which the ICRC's interpretations have

[706] See Giulia Brogini Künzi, *Italien und der Abessinienkrieg 1935/36,* Paderborn, Schöningh, 2006, p. 25-30.

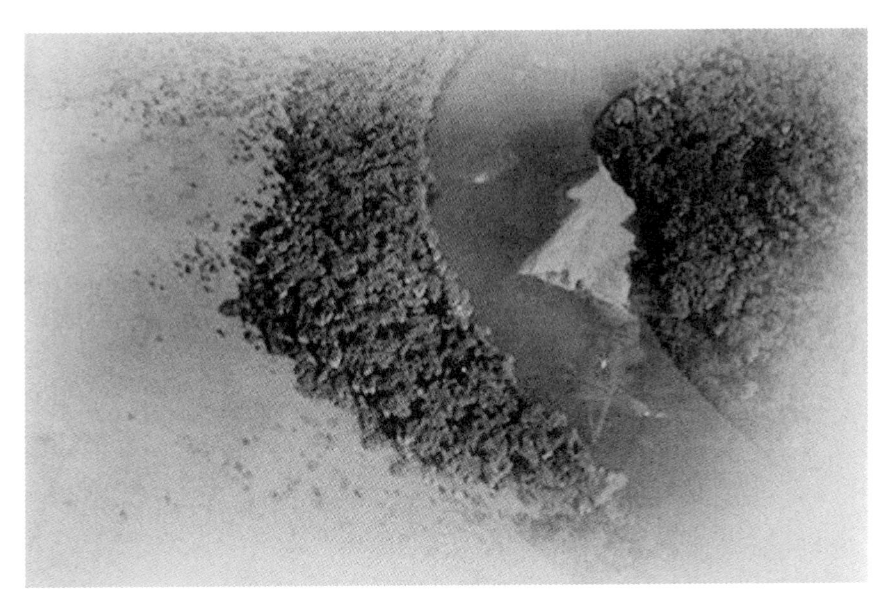

Fig. 17. Melka Dida, 23 Dec. 1935. Three tents of the field hospital can be seen in the open. Two Red Cross flags are spread out on the ground (two white spots on the picture, one on the lower centre, the other to the left of the tents). USSMA, Fondo A.O.I, c. 89, diario storico dicembre 1935, 23 Dec. 1935.

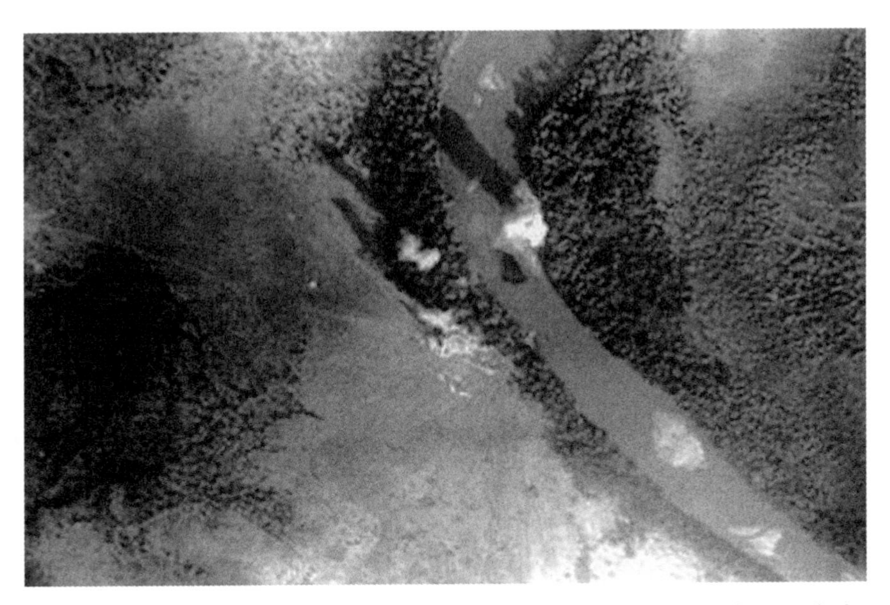

Fig. 18. Bombing of the Swedish Red Cross field hospital, 30 Dec. 1935 as photographed by the Italian Air Force. ACS, Fondo Graziani, c. 1, f. 21/3, 30 Dec. 1935.

varied over time. Obviously, the actions of the organization and its delegates are much more shaped by the politics of the day than is commonly assumed.

Fact: Bombs fall on a Red Cross field hospital

On 30 December 1935, at about 7.30 a.m., the Swedish Red Cross field hospital at Melka Dida [fig. 17], on the border between Ethiopia and Italian Somalia, had just commenced its daily work when 10 Italian warplanes appeared in the blue sky and made several passes over the hospital, dropping their deadly ordnance on the unarmed medical staff and patients.

The hospital lay wrecked, with bomb craters all around, some of them two metres deep. Tents had been torn to shreds. Fires were burning from incendiary bombs. But the material damage was as nothing compared with the effects on the people inside. Fride Hylander, the hospital's director, described the scene: "The sick section offered an appalling sight. A man reduced to strips, another whose flesh had been torn from the hips and the legs. A few were lying half-buried under the debris and earth thrown up by the explosions. Everywhere flesh quivered." Eighteen people were killed instantly. About 50 were wounded, some of them so severely that they died in the hours that followed. The final death toll was 42.

The shocked Swedes organized emergency care for the wounded with the medical supplies that remained. They amputated limbs and sutured and bandaged wounds. The dead were hurriedly buried in bomb craters, the largest of which accommodated six bodies. Most of all the Swedes feared another bombing raid. They decided to retreat to the town of Negele from where they had started just two weeks before. The trucks were loaded in a great hurry. Before embarking on the 300-km return trip the Swedes managed to send an urgent message via the Ethiopian commander's radio telling the Red Cross in Addis Ababa of the disaster and requesting the Red Cross plane to pick up the wounded in Negele. Among the wounded were two Swedes, Fride Hylander himself and Gunnar Lundstroem, a male nurse. Hylander's wounds were not severe, but Lundstroem had been badly hit in the face. He could not be saved and died on a truck hours before the survivors reached the town.

Interpreting the bombing – an accident or deliberate aggression ?

One key to understanding the Italian bombing raid is General Rodolfo Graziani, the commander on the Italians' southern front. By mid-December Graziani was worried because he had no precise information on the whereabouts of the large enemy forces led by Ras Desta Damtew, the son-in-law of Emperor Haile Selassie. He knew they were marching towards his positions but they had largely escaped observation by seeking cover under the riverain forest along the route. Only on 29 December, the day before the bombing of the field hospital, did Graziani get confirmation that Ras Desta had arrived in the area of Melka Dida.

Until then, the daily air-force reconnaissance flights had revealed nothing particular except the Red Cross hospital. It was first noticed at Melka Dida on 22 December, the day after it was set-up. Quickly identified by the pilots, it was kept under close observation in the following days and the people on the ground became accustomed to the frequent flyovers.

On 26 December, an event occurred a few hundred kilometers away that would have dramatic consequences for the field hospital. An Italian reconnaissance plane was forced to make an emergency landing in the Ethiopian Ogaden and Somali tribesmen killed the crew of two. Graziani learned of this incident the same day. He went into a rage and vowed to retaliate, "an eye for an eye" as he wrote on the margin of the telegram informing him of what had occurred. He ordered "exemplary reprisal punishment" against Ethiopian targets for the death of the two airmen.

On 30 December, punitive raids were launched simultaneously on three Ethiopian towns in the Ogaden and the Red Cross hospital in Melka Dida. The planes targeting the hospital were led by Colonel Mario Bernasconi, commander of the air force in Somalia. He personally dropped the largest bomb: 250 kg. In 25 minutes the job was done. The Italian planes hit the hospital with almost 2,000 kg of explosives, including 252 kg of mustard gas. The whole raid was photographed and leaflets signed by Graziani were dropped, saying that the raid had been carried out in reprisal for the deaths of the Italian airmen killed in the Ogaden "in violation of human and international laws" [fig. 18].

Graziani realized that he could not acknowledge, even to his superiors, that he had ordered the bombing of the Red Cross hospital. He claimed instead that his planes had bombed the camp of Ras Desta, the Ethiopian commander, who was sheltering from air raids near the hospital, and in the process some bombs accidentally fell on the facility. In reality, all Red Cross sources confirm that Ras Desta's camp was several kilometres away and that the hospital was the target. If the Ethiopian commander's camp had been the target there would have been no need to drop the above-mentioned leaflets announcing a reprisal raid. Such an attack would have been entirely in accordance with the laws of war. Graziani's initial excuse for the bombing was inconsistent and raised more questions than it answered. A few days later Graziani added another argument which at first sounded more convincing. He claimed that on the day of the bombing dense cloud had impaired the pilots' vision.

As can be expected, the bombing of a field hospital caused a storm of protest all over Europe, particularly in Sweden. Without delay the Swedish authorities launched their own investigation. They were not fooled by Graziani's arguments. Based on interviews with the survivors of the raid, the Swedish government insisted from the beginning that the Italian air force had deliberately bombed the hospital. It requested punishment of those responsible as well as compensation for the loss incurred. The incident became a major bone of contention between the Swedish and the Italian governments. Four months after the war the Italians provided so-called new evidence in support of their version of events. It was based on the old argument that poor weather was to blame. While regretting what had happened, the Italians still claimed that the bombing had been accidental. The Swedish government once again rejected the Italian explanations and maintained that the bombing had been deliberate and that it was a violation of the First Geneva Convention of 1929. The controversy dragged on for a full 16 months until the Swedish government brought it to a conclusion by stating that there were deep differences of views between the two governments.

The Swedish interpretation of events was correct. The bombing of the field hospital was a deliberate act of aggression by Graziani, who not only used manifestly inconsistent arguments but simply told lies. For example, he claimed that there was dense cloud on the day of the bombing. In reality the sky was clear, as shown by the photographs taken by the Italian air force itself. There were no clouds. This is confirmed by a handwritten note on the back of one of the photographs which reads unmistakably: "Good visibility". In addition to the Swedish officials, there was someone else who was not fooled: Mussolini himself. He realized that the hospital had been deliberately bombed. Upon hearing the news of the raid he sent an angry telegram to Marshal Pietro Badoglio, the supreme commander of the war in the Horn of Africa, and instructed him to order that Red Cross installations should be scrupulously respected. It was a perfunctory order, dictated more by political than moral or legal considerations, as the events of the war would confirm.

ICRC reaction during the war: defending the interests of the victims through a strictly legal approach

When Brown and Junod, the two ICRC delegates in Addis Ababa, heard about the incident the day after it occurred, they decided that Junod should join the flight to Negele and gather information first hand. In an adventurous trip – it was the first time that an aircraft had flown over this part of southern Ethiopia – Junod, Gustaf von Rosen, the pilot, and an Ethiopian aide reached Negele on the evening of 4 January 1936. The same night they made contact with the exhausted Swedes who had just buried their colleague. The Red Cross plane returned to Addis Ababa the next day with four wounded, amongst them Fride Hylander. Junod, meanwhile, conducted his first interviews with the eyewitnesses and left for Melka Dida the following night on a Swedish Red Cross truck together with Eric Smith, one of the team's doctors. They arrived there on 7 January. The site of the bombing was easily identifiable because of the debris, the broken palm trees and bomb craters in which the shapes of hurriedly covered bodies could still be seen.

Junod made three observations. First, he reported that no other place had been bombed with the same intensity as the site of the field hospital along the river. Secondly, he noted that the hospital was about 25 km behind the Ethiopian front line and that Ras Desta's headquarters, which he had visited, was 7 km upstream of the facility. Thirdly, Junod confirmed that the hospital had been properly marked, in accordance with the Geneva Conventions. Three large flags – the Swedish, the Red Cross and the Ethiopian flags – had been laid out on the ground. Three more flags were suspended between the palm trees. From Ras Desta's headquarters Junod sent a short telegram to the ICRC in Geneva. He concluded unambiguously: "Swedish ambulance[707] mercilessly bombed despite visible signs and isolated location".[708] Brown, for his part, first feared that the Swedes had blundered because of their sympathy for the Ethiopians, but he quickly came to the conclusion that they had done nothing wrong. He told the ICRC so and called the incident "a horrible massacre". In his speech at the funeral ceremony for Gunnar Lundstroem in Addis Ababa he went so far as to accuse the Italians of having committed a crime – an imprudent slip of the tongue with which Rome promptly took issue.

While the delegates in the field had clear opinions on the bombing, the ICRC, as an organization, found it more difficult to determine its position. In view of the disturbing reports from the field (the bombing at Melka Dida happened just three weeks after the bombing of Dessie, during which the town's hospital was hit) some members wanted to make an official protest to Rome. However, Max Huber, the ICRC president, pointed out that the organization had not established a violation of the Geneva Conventions – it only had strong suspicions. Before making a formal protest, the Italian government had to be ap-

[707] The Red Cross preferred for a long time to use the term "ambulance" to describe a field hospital. The term emphasizes the mobility of the units, which were supposed to follow the shifting war fronts. This report uses the term "field hospital" because "ambulance" is nowadays associated with the vehicle.

[708] It must be added that Junod, in his writings at the time, did not formally state that the Italians had deliberately attacked the field hospital. His report of the bombing (Archives of the International Committee of the Red Cross [thereafter AICRC], Geneva, Switzerland, CR 210, Rapports des délégués, N° 7, Rapport du Dr Marcel Junod…, 13 January 1936) is very objective and strictly limited to what he had heard and seen. However, it can be assumed that he believed the incident to be deliberate given the tone of this telegram and the fact that he had in-depth interviews with the eyewitnesses and the Ethiopian army commander, as well as evidence from the site of the incident.

proached for its side of the story. A carefully drafted letter was addressed to Mussolini. The ICRC was anxious not to be seen to be acting unilaterally but merely on behalf of the National Societies concerned. Mussolini's response of 16 January showed a readiness to cooperate, reflecting the fact that Fascist Italy had been put on the defensive by the bombings of Red Cross installations. Mussolini suggested that the ICRC should undertake an inquiry into the alleged violations of Article 30 of the First Geneva Convention of 1929. This proposal suited the ICRC very well. The organization was put in charge of a legal process allowing it to remain above the fray in somewhat Olympian serenity. It also suited the Italians, who had thus publicly demonstrated their willingness to submit to international humanitarian law. At the same time the move tied the ICRC's hands with regard to revealing what it knew from its delegates in Ethiopia. Consequently, for much of the remainder of the war, the ICRC became a passive onlooker. The organization was forced to remain silent in order not to compromise the chances of success of the planned inquiry, despite increasingly pressing calls for it to speak out.

This strategy was particularly effective from the Italian point of view when the ICRC sent a high-level delegation to Rome at the end of March 1936. Although more bombings of Red Cross hospitals had occurred since January,[709] the position of the ICRC made it impossible to defend the interests of the victims more vigorously. The ICRC had to limit the discussions to the planned inquiry. In the meantime, the Italians had decided that they had no interest in any such inquiry because they were about to win the war. Five weeks after the meetings in Rome, Badoglio's forces marched into Addis Ababa. No inquiry was ever held and the ICRC was unable to uphold international humanitarian law in response to the Italian bombings of Red Cross hospitals. Fascist Italy had prevailed on all fronts.

ICRC reaction after the war: safeguarding the interests of the Red Cross ?

But the last word had not yet been spoken. Already during the war and immediately thereafter, the ICRC was the object of sharp criticism for its passivity from within the Red Cross movement, especially from those National Societies whose field hospitals had suffered so much from Italian bombings. In response, Max Huber proposed publishing a report (*livre blanc*) in which the ICRC intended to say what it knew and what it had done during the war. It was, in fact, an impossible undertaking. The organization should have realized that it could not satisfy both a victorious Italy, which would accept no blame

[709] Fifteen incidents involving bombing of Red Cross installations, mainly field hospitals, were recorded for the period of the war. Seven were aimed directly at the Red Cross. *See* Baudendistel, *op. cit.*, p. 117, 303, 325-28.

for its actions during the war, and the National Societies, which called for justice and were claiming compensation for the damage suffered. This conflict of interests is exemplified in the way the bombing of the Swedish Red Cross was dealt with in the report.

At this point we have to turn our attention back to Junod. Upon his return to Geneva in June 1936, Junod was asked to prepare the draft of the report.[710] During his mission he grew increasingly wary of the Ethiopians, whom he described in his final mission report in quite racist and colonialist terms: "overrated as a nation", "often cruel and barbarous", "ignorant" and "born looters". In Junod's defense it must be said that he had witnessed at very close quarters the crumbling of Haile Selassie's Ethiopia and the breakdown of law and order in Addis Ababa during the final days of the regime. He had also had a lucky escape from robbers at his home. As a result, Junod, like most foreigners in Ethiopia, greeted the Italian entry into the capital in May 1936 with relief. In the weeks after the Italian occupation, he had many occasions to discuss the war with the new rulers and he developed some sympathy for their mission. These views left their marks in his draft of the report.

While Junod allowed in his draft that the Swedes had done nothing wrong to justify the bombing of their field hospital, he refused to believe that the Italians had attacked it deliberately. Instead he accepted the Italian argument – which, as we have seen, was untrue – that the bombing was due to cloudy weather. In this way Junod turned the attack into "a regrettable error".[711]

Junod's pro-Italian explanation suited the ICRC, enabling it to go one step further. The final version of the report – the text had been radically amended by the Italians during a secret mission by an ICRC member to Rome – no longer contained Junod's opinion. The ICRC contented itself with giving a résumé of Junod's on-the-spot investigation after the bombing. This was followed immediately by the familiar Italian argument that the raid had been directed against Ethiopian soldiers encamped near the hospital, not against the hospital itself. The ICRC then pointed out that Junod had not been present during the bombing. As a result, no proper inquiry had been carried out. The ICRC concluded, therefore, that it was not in a position to agree or disagree with either party. Such amendments meant that when published in January 1937 the report was sanitized, non-committal and particularly respectful of Fascist Italy. The Italians were grateful for the accommodating manner of the ICRC and supported the

[710] Sidney Brown was recalled to Geneva in April 1936 and subsequently resigned from the ICRC. The main reason for his recall was that he had shared his field reports, highly critical of Italy, with an anti-fascist friend. The Italians had found it out and promptly informed the ICRC. Brown had committed a severe breach of confidence which made it impossible for him to continue working at the ICRC.

[711] AICRC, CR 210/1424, Rapports du Dr Marcel Junod concernant le LIVRE BLANC sur le conflit italo-éthiopien, 2. Rapport sur les bombardements des unités de Croix-Rouge, p. 2.

organization whenever possible in the years after the Italo-Ethiopian war. The report, however, served anything but the interests of the victims. It did more to cover up Italian violations than to contribute to peace and reconciliation, as Huber had hoped. It was, in fact, the ICRC bowing to the mighty.

After the Second World War: truth wins out

The last twist to this story came after the Second World War. When Junod wrote his memoirs in *Warrior without weapons*, first published in 1947, he returned to his original view of the bombing. In the first chapter of the book Junod described his memorable trip to Melka Dida, his meeting with Ras Desta, the commander of the Ethiopian southern army, and the visit to the place where the Swedish Red Cross had been so mercilessly attacked. This time, he had no hesitation about concluding: "It was obvious that the Swedish ambulance unit – the only source of any assistance for that whole unfortunate southern army – had been deliberately destroyed."[712] Junod had changed his opinion, most probably under the influence of the dramatic events of the Second World War in which Mussolini's Fascist Italy had been buried in ashes and rubble. His conclusion would have been more credible if he had stated it following his mission to Ethiopia, when Mussolini and his regime were at the height of their power.

A similar argument can be made regarding the ICRC itself. It did much to support the publication of Junod's memoirs and none other than Max Huber wrote the preface. No doubt the ICRC wished to show through the words of one of its most experienced delegates that the organization had known more than what it had been able to say during the war. This was done not least to counter some of the criticism which was beginning to be made of it after 1945. Junod's words, therefore, were also the ICRC's, but they flew in the face of what the ICRC had actually said immediately after the Italo-Ethiopian war. It is not the aim here to judge or diminish the immense work which the ICRC accomplished in the years from the Italo-Ethiopian war to the end of the Second World War. However, in the case of the bombings of Red Cross field hospitals in Ethiopia, one would have wished that from the outset the ICRC had found the courage which Max Huber stated in his preface to Junod's memoirs is needed to defend people affected by war.[713]

[712] Marcel Junod, *Warrior without weapons*, London, Cape, 1951, reprinted Geneva, ICRC, 1982, p. 49.
[713] *Ibid.*, p. 11.

Missions médicales suisses dans la Seconde Guerre mondiale

par

Antoine Fleury*

Le sujet proposé suggère que nous traiterons des fameuses missions médicales mises sur pied par la Croix-Rouge suisse, notamment sur le front de l'Est dès 1941, puis sur d'autres champs de guerre. A vrai dire, celles-ci, en particulier les quatre missions organisées sur le front de l'Est entre octobre 1941 et mars 1943, ont déjà fait l'objet de quelques analyses[714] et présentations au public[715]. Leur prestation consistait à fournir un service médical et infirmier d'appoint dans des hôpitaux et dispensaires pour soigner les blessés

---

* Professeur d'histoire contemporaine, Faculté des Lettres de l'Université de Genève.

[714] Edgar Bonjour, *Geschichte der schweizerischen Neutralität : vier Jahrhunderte eidgenössischer Aussenpolitik*, Bd. 4 : « 1939-1945 », Basel, Helbing & Lichtenhahn, 1970, p. 448-460 ; Willi Gautschi, « Die Ostfrontmission Divisionär Bircher », in *Geschichte des Kantons Aargau : 1803-1953*, Bd 3, Baden, Baden Verlag, 1978, p. 445-458 ; Claude Longchamp, *Das Umfeld der Schweizerischen Aerztemission hinter der deutsch-sowjetischen Front 1941-1945*, Berne, 1983 (Mémoire de licence dactylographié, Université de Berne) ; Daniel Bourgeois, « Barbarossa und die Schweiz », in Bernd Wegner (éd.), *Zwei Wege nach Moskau, Vom Hitler-Stalin Pakt zum "Unternehmen Barbarossa"*, München ; Zürich, Piper, 1991, p. 620-639. On peut aussi consulter les nombreux documents publiés dans les *Documents diplomatiques suisses* [désormais *DDS*], notamment les volumes 14 et 15, qui correspondent aux années 1941-1945, accessibles aussi par internet www.dodis.ch.

[715] Voir le film documentaire de Frédéric Gonseth, *Mission en enfer*, Lausanne, 2003.

de la Wehrmacht ; le personnel sanitaire suisse séjourna ainsi dans des hôpitaux situés à Smolensk, Varsovie, Riga et Stalino près de Rostow. En 1942, une mission médicale fut aussi envoyée en Grèce pour y soigner des malades et blessés avant tout grecs[716]. Il y eut aussi l'idée de former des missions médicales du même type sur le front occidental aux côtés des Puissances alliées en 1944, mais elles ne furent pas réalisées.

Ces missions résultaient d'un engagement volontaire de la part de certains milieux suisses qui avaient placé leur engagement sous le patronage de la Croix-Rouge. En sollicitant l'agrément de la Puissance belligérante, il s'agissait de démontrer la disponibilité de la Suisse à accomplir des œuvres humanitaires selon la tradition prêtée à la Croix-Rouge. En outre, les initiateurs, notamment le colonel Bircher, chirurgien connu, instigateur déterminé d'une mission sanitaire suisse sur le front germano-soviétique dès l'été 1941, avançaient un objectif professionnel intéressant et motivant pour les jeunes médecins chirurgiens suisses, celui de pratiquer des opérations sur des grands blessés, des amputations notamment, selon les techniques les plus avancées dont on créditait la médecine allemande.

Parallèlement, en engageant un corps médical et sanitaire sur le front de l'Est, les promoteurs de cette initiative avançaient, soutenus dans cette argumentation par le Ministre plénipotentiaire de Suisse à Berlin, Hans Frölicher, un argument politique de taille, celui de persuader l'Allemagne d'apprécier la politique de neutralité de la Suisse et par conséquent de la respecter ; en d'autres mots, on escomptait ainsi contribuer à préserver la Suisse de toute attaque venue d'un Reich hitlérien qui triomphait dès 1941 sur tout le continent européen.

Si ce chapitre-là est plus ou moins connu, interprété souvent comme un geste de complaisance à l'égard de l'Allemagne, notamment à partir de son engagement contre l'Union soviétique en été 1941, il en est autrement des missions médicales dites mixtes dont nous avons estimé que leur évocation avait toute sa place dans la problématique de l'expertise médicale dans des situations de guerre.

Création et statut des missions médicales mixtes

La mise sur pied des missions médicales mixtes ne résultait pas d'actes volontaires unilatéraux de la Suisse, mais bien d'un mandat qui doit être mis en relation avec la fonction exercée par la Suisse en tant que Puissance protectrice des intérêts d'un certain nombre d'Etats belligérants, soit 43 mandats as-

[716] Voir notre contribution « L'action humanitaire de la Suisse en Grèce pendant la deuxième guerre mondiale », in *Passé Pluriel. En hommage au professeur Roland Ruffieux*, contributions réunies par Bernard Prongué, Joëlle Rieder, Claude Hauser, Francis Python, Fribourg, Editions universitaires, 1991, p. 209-229.

sumés pendant la Deuxième Guerre mondiale[717]. Dans le cadre de ce mandat, en plus de nombreuses activités diplomatiques et consulaires exercées dans les pays en guerre pour le compte du pays ennemi, il y avait les activités découlant de l'application de la Convention de Genève du 27 juillet 1929 relative au traitement des prisonniers de guerre. L'habilitation des Puissances protectrices – en plus du CICR – à veiller à l'application de la Convention du 27 juillet 1929, pour inciter les belligérants à observer les dispositions de la Convention dans leur traitement des prisonniers de guerre, est souvent ignorée. Cela signifie que ni le CICR ni la Suisse n'ont l'exclusivité de ce type de mission, puisque tout Etat sollicité par l'un ou l'autre belligérant à le représenter chez l'ennemi a la charge de veiller au respect de cette convention. D'autres pays neutres (Suède notamment) ou non belligérants ont rempli selon les moments des fonctions de Puissance protectrice. Ainsi, toutes les activités prévues au titre de la Convention – visite de camps, contrôle des conditions de travail des prisonniers, du versement des ressources pécuniaires, du droit à la correspondance avec l'extérieur – pouvaient être effectuées par les services diplomatiques et consulaires de la Puissance protectrice agréée. En revanche, pour l'examen de la santé des prisonniers dont le résultat pouvait décider de leur renvoi dans leur pays, il fallait disposer d'experts dont l'avis devait être respecté par les autorités militaires du pays concerné. C'est ainsi que furent mises sur pied des commissions médicales mixtes auxquelles la Suisse a souvent été sollicitée d'envoyer des médecins.

Ces commissions se composaient au moins de deux membres neutres et d'un médecin ressortissant de l'Etat détenteur[718]. Nommées par les Etats en guerre qui donnaient leur agrément aux propositions faites par les Puissances protectrices ou par le CICR, elles étaient cependant, selon les termes mêmes de la Convention de 1929, complètement autonomes à l'égard de toutes ces parties. A vrai dire, dans la réalité, la grande majorité des médecins désignés était des médecins suisses, dont une partie non négligeable était recrutée, du moins au début du mandat, dans les pays concernés, notamment dans le cas de la Grande-Bretagne, de l'Italie, de l'Egypte ainsi que des Etats-Unis d'Amérique. Les autres médecins étaient recrutés en Suisse et accomplissaient leurs missions en

---

[717] Voir Antonino Janner, *La Puissance protectrice en droit international d'après les expériences faites par la Suisse pendant la seconde guerre mondiale*, Basel, Helbing & Lichtenhahn, 1948, lequel reprend le rapport présenté au Département politique fédéral, daté du 20.11.1945 et intitulé *La Suisse, Puissance protectrice* : Archives fédérales suisses [désormais AF], E 2001 (D)-3/97. Voir aussi *DDS*, vol. 13-16, rubrique « Protection des intérêts étrangers ». Pour une liste des Etats représentés par la Suisse pendant la Deuxième Guerre mondiale, 1939-1945, établie en 1949, voir AF, 22001 (D)-3/97, reproduite in www.dodis.ch, DoDiS-18539.

[718] Nous suivons ici l'exposé établi à l'intention du chef du Département politique fédéral, daté du 1er avril 1943, intitulé « Commissions médicales mixtes », in *DDS*, vol. 14, n° 329, p. 1060-1063.

uniforme de l'armée suisse, la plupart d'entre eux étant rattachés au service sanitaire. Ce fut notamment le cas des délégués envoyés en Allemagne, en Afrique du Nord, aux Etats-Unis d'Amérique et au Canada. Le Département politique fédéral, à travers la Division des Intérêts étrangers, servait d'intermédiaire entre les Commissions médicales mixtes et les Etats dont il représentait les intérêts. A Berne, on était attentif à soutenir les efforts faits en vue d'assurer une interprétation de l'accord-type soumis aux experts qui soit la plus conforme possible aux engagements prévus dans la Convention de 1929. Il convient ici d'indiquer que l'accord-type ne représentait qu'un canevas destiné à faciliter aux belligérants la conclusion d'accords spécifiques portant sur les catégories de blessés et de malades rapatriables ou hospitalisables. C'est d'ailleurs ce que firent les gouvernements allemand et britannique au début de la guerre et qu'ils complétèrent sur proposition britannique acceptée par l'Allemagne en 1942[719].

Toutefois, il est important de souligner que le mandat de la Puissance protectrice et du CICR se bornait à désigner les candidats aux fonctions de membres neutres des Commissions médicales mixtes ; leur nomination résultait d'une décision de l'Etat capteur qui s'assurait, au préalable, de l'agrément de la partie adverse. Le rôle de la Puissance protectrice et du CICR s'arrêtait là en principe. Ce qui veut dire que les deux médecins neutres faisant partie d'une mission mixte « n'[avaient] aucune instruction à recevoir de qui que ce soit concernant l'accomplissement de leur devoir. Ils [n'étaient] guidés que par les normes dont [étaient] convenus les belligérants intéressés, par leurs connaissances médicales et par leur conscience. De même, les médecins [n'avaient] – toujours en droit – de compte à rendre à personne sur leur activité »[720]. Pourtant sur le plan pratique, une certaine dépendance subsistait entre les médecins suisses désignés et nommés et leur appartenance au service sanitaire de l'armée ; en effet, leur engagement requérait à chaque fois un ordre de détachement de la part de l'Etat-major général, autrement dit du Général Guisan, commandant en chef de l'Armée suisse. En outre, certains détails pratiques n'étaient pas réglés par la Convention, notamment en ce qui concerne les indemnités dues aux officiers détachés dont il semble que l'armée suisse s'était chargée de verser la solde due. Cette situation posa quelques problèmes entre le Département politique qui désirait, pour des raisons de politique générale, maintenir les Commissions mixtes en Allemagne tandis que certains médecins officiers estimaient ne plus pouvoir poursuivre leur mission, faute d'efficacité dans le suivi du rapatriement des prisonniers dûment reconnus malades par leur expertise.

---

[719] *Ibid.*, p. 1063.
[720] *Ibid.*, p. 1062.

A vrai dire, les autorités suisses, notamment la Division des intérêts étrangers du Département politique et le Service sanitaire de l'Etat-major général, recevaient des rapports des médecins suisses envoyés dans ces commissions[721]. Ainsi, les rapports du Colonel von Erlach et du Major Stern fournissent des indications détaillées sur les conditions de vie non seulement dans les camps de prisonniers visités, mais aussi dans la société allemande, même s'ils sont conscients qu'ils jouissent de privilèges durant leur séjour. Ainsi, von Erlach décrit avec beaucoup de précision la situation souvent déplorable, que ce soit sur le plan alimentaire ou mental, de certaines catégories de prisonniers, notamment les Russes et les légionnaires espagnols[722].

Déploiement des missions médicales mixtes

Entre 1940 et 1945, selon une note de synthèse du service sanitaire de l'Armée suisse[723] et d'autres rapports complémentaires[724], il y aurait eu une quinzaine de missions dans le cadre des Commissions médicales mixtes auxquelles participèrent deux ou trois médecins officiers suisses. L'écrasante majorité de ces missions eurent lieu en Allemagne, dès l'été 1940, selon le tableau ci-dessous.

(1)	1940	11.6 - 11.9	Allemagne	Colonel von Erlach
				Colonel Brunner
(2)	1941	20.1 - 19.2	Allemagne	Colonel von Erlach
				Colonel Brunner
(3)	1942	14.10- 11.11	Allemagne	Major Stern
				Capitaine Seiler
(4)	1943	28.4 - 27.6	Allemagne	Colonel von Erlach
		28.4 - 27.5	Allemagne	Capit. de Wattenwyl
		18.5 - 18.6	Allemagne	Capitaine Rubli
(5)	1943	6.10 - 6.11	Allemagne	Capitaine Fuchs
				Capitaine Semadeni
(6)	1943	6.10 - 24.10	Allemagne	Major Stern
				Capitaine Semadeni

---

721 Voir à ce propos la note de Edouard de Haller, datée du 04.12.1942 : « Activités des Commissions médicales mixtes et critères appliqués par ces commissions » : AF, E 2001 (D) 3 / 470.

722 *DDS*, vol. 14, n° 151, p. 455-456 : "Auszug aus einem Bericht des Herrn Oberst von Erlach über seine Wahrnehmungen in Deutschland im Dezember 1941".

723 Voir « Zusammenstellung der Auslandmissionen », Bern, den 3. Mai 1945, Abteilung für Sanität des EMD : AF, E 27/ 12713. Nous avons relevé des missions qui ne figurent pas sur ce tableau récapitulatif, notamment la mission du Colonel von Erlach et du Major Stern en novembre 1942.

724 Voir notamment les rapports du major Eduard Stern du 18.11.1942 et du 31.10.1943 : AF, E27/12706.

(7)	1943	6.10 - 6.11	Allemagne	Colonel von Erlach
(8)	1944	13.4 -13.5	Allemagne	Colonel von Erlach Major Walthard
(9)	1944	13.4 - 13.5	Allemagne	Capitaine Rubli Capitaine Semadeni
(10)	1944	13.4 - 3.7	USA – Canada	Lt-Colonel Grüninger
(11)	1944	6.10 - 6.11	Allemagne	Colonel von Erlach Capitaine Amrein
(12)	1944	6.10 - 6.11	Allemagne	Capitaine Fuchs Lt-Colonel Grüninger
(13)	1944	6.12 - 27.12	Afrique du Nord	Colonel von Erlach Capitaine Fuchs
(14)	1944	9.10 - 9.3.1945	USA – Canada	Capitaine Rubli Major Walthard
(15)	1945	4.2 - 4.7	USA – Canada	Capitaine Rutishauser Lt-Colonel Jaeger

En dépit de recherches dans les dossiers pertinents du Département militaire fédéral, il n'est pas possible de confirmer l'exhaustivité de cette liste de missions et ceci d'autant moins que nous ne disposons pas de rapports sur chacune d'elles ; ceci n'est pas surprenant dans la mesure où justement les officiers désignés n'étaient pas tenus de transmettre un rapport à leur autorité de tutelle ; bien au contraire, ils étaient soumis à l'obligation de la plus grande discrétion dans l'accomplissement de leur mission. Par ailleurs, dans le *Rapport du CICR sur son activité durant la Seconde Guerre mondiale*[725], les indications fournies se limitent à un exposé de la procédure des Commissions médicales mixtes ; il est notamment précisé que le CICR « ne put jamais contrôler officiellement que les décisions médicales étaient bien exécutées »[726]. En fait, l'envoi de commissions médicales mixtes confiées à des médecins suisses dépendait de la Puissance protectrice sollicitée et en l'occurrence de Berne.

Selon toute vraisemblance et selon les données recueillies, la majorité de ces missions effectuées dans le cadre des commissions médicales mixtes prévues par la Convention de Genève de 1929 furent bien confiées à des Suisses et furent effectuées pour la plupart d'entre elles en territoire allemand et ceci dès l'été 1940. Nous pouvons aussi relever qu'il s'agissait d'un nombre limité

---

[725] Voir *Rapport du Comité international de la Croix-Rouge sur son activité pendant la Seconde Guerre* mondiale *(1er septembre 1939-30 juin 1947)*, vol. 1 : « Activités de caractère général », Genève, 1948, p. 317-320.

[726] *Ibid.*, p. 319. Pour un commentaire sur la pratique des commissions médicales mixtes et de son évolution en regard des Conventions de Genève, voir François Bugnion, *Le Comité international de la Croix-Rouge et la protection des victimes de la guerre*, Genève, Comité international de la Croix-Rouge, 2000, index analytique, p. 1386.

de médecins, officiers sanitaires de l'armée, allant du grade de colonel, à celui de major et de capitaine, en tout treize officiers. La durée de leurs séjours en Allemagne, en Amérique du Nord et en Afrique du Nord s'étendait de cinq mois au maximum à trois semaines au minimum. Il arrivait en outre que dans la même commission siègent deux colonels suisses, mais en général les experts étaient de grades différents comme cela ressort du tableau ci-dessus. En principe, un des experts neutres présidait la commission.

A défaut d'un rapport d'ensemble et de rapports détaillés sur ces missions d'officiers suisses, mandatés pour faire partie des commissions médicales suisses, nous disposons de deux rapports substantiels d'environ 25 pages chacun, complétés d'annexes statistiques, établis par le major Eduard Stern sur des missions qu'il a effectuées en Allemagne en octobre et novembre 1942 et en octobre 1943[727]. Leur lecture fournit des informations précises sur le fonctionnement de ces commissions mixtes et sur les conditions dans lesquelles se déroulaient leurs activités.

En général, la délégation suisse comportait deux membres ; en ce qui concerne les missions effectuées en Allemagne, elle était accueillie à la frontière par des officiers supérieurs du Service sanitaire de la Wehrmacht. Les officiers suisses étaient en uniforme. Selon les indications fournies dans les rapports consultés, les visites dans les camps étaient très bien organisées. Parvenus au camp de prisonniers prévu, la délégation commençait son travail, en commun avec le chef du Service sanitaire du camp en question, responsable de la santé de tous les prisonniers. Cet officier était parfois un médecin très réputé, directeur de clinique connu, peut-on lire dans les rapports consultés ; il avait l'obligation de communiquer la liste de tous les prisonniers de guerre et des internés qui relevaient, selon le diagnostic médical que son service avait établi, des catégories de malades ou blessés qui avaient le droit, sur la base des clauses de la Convention de Genève de 1929, d'être rapatriés ou transportés pour hospitalisation dans un pays neutre.

Dans la plupart des camps – cela paraît être surtout bien établi dans les camps de prisonniers de guerre britanniques – dont on estime le nombre à 80'000 en octobre 1943, les médecins militaires prisonniers étaient associés à l'examen des malades et à l'établissement de la liste des catégories de malades et blessés dont l'état pouvait justifier leur rapatriement ou leur transfert en Suisse. Le travail des experts suisses consistait ensuite, toujours en collaboration avec les médecins allemands et britanniques, à examiner les cas, à confirmer ou à modifier le diagnostic des médecins allemands, puis à rectifier en conséquence la liste proposée.

[727] Pour les deux rapports du major E. Stern, voir AF, E 27/12705 et 12706.

Il y allait donc de la compétence du médecin-expert neutre de contester ou de confirmer un diagnostic formulé par des collègues de la profession, qui pour des raisons politiques ou propres à la puissance détentrice de prisonniers de guerre, ne correspondrait pas à l'état réel du malade. Il s'agissait aussi de se prononcer sur l'urgence d'une hospitalisation ou sur l'obligation de rendre le malade à sa famille du fait de ses blessures de guerre, notamment à la suite d'une amputation, d'une perte de la vue, etc. C'est dire l'exigence non seulement de compétence, mais aussi de rectitude scientifique, qui était attendue des médecins suisses !

Selon les rapports à disposition, des milliers de prisonniers attendaient avec impatience de figurer sur la liste des « auscultables ». En même temps, les officiers neutres n'étaient pas autorisés, sous peine de vider la Convention de son objectif, à se laisser aller à déclarer à la légère des cas de « maladie grave » qui justifieraient le rapatriement, à accepter toute demande de prisonniers de guerre qui simulaient d'épouvantables « maux de ventre » ou de tête pour pouvoir au moins être diagnostiqués.

Les rapports des experts suisses montrent bien ce déchirement auquel ils étaient parfois exposés devant des regards et des messages insistants de prisonniers de guerre, mais leur crédibilité d'expert aurait été immédiatement récusée s'ils avaient cédé à un quelconque geste d'exception ou de faveur à ce genre de sollicitations. Par ailleurs, du fait de la qualité et du sérieux professionnel, relevés dans les rapports, de la plupart des collègues médecins allemands qui travaillent en collaboration avec les médecins britanniques du camp, dans le cas particulier des prisonniers britanniques, les médecins suisses se faisaient fort de faire respecter fidèlement l'accord-type de la Convention de 1929. Il va sans dire que sans ce critère d'expertise sérieuse et répondant aux seules exigences médicales, il aurait été impossible de maintenir un climat de solidarité entre les prisonniers de guerre ; les grands blessés et les vrais malades devaient avoir la priorité et être les seuls à bénéficier des conditions de rapatriement prévues dans la Convention.

Les rapatriements de prisonniers de guerre

En ce qui concerne les échanges réalisés pendant la guerre au profit des malades et grands blessés, sur la base de la Convention de 1929, il est toujours difficile d'avoir un tableau d'ensemble, d'autant plus que ce ne sont pas nécessairement des officiers suisses qui ont été mandatés pour effectuer le rapatriement[728]. Ainsi, pour le rapatriement des prisonniers de guerre français, des

[728] Sur les principes du rapatriement selon l'article 68 de la convention de Genève de 1929 et sur le rôle du CICR dans des activités de rapatriements, soit huit opérations effectuées à Smyrne, Lisbonne, Barcelone et Göteborg et deux autres opérations à travers la Suisse, voir

données sont disponibles du fait de la traversée de la Suisse par des trains SNCF ou CFF affrétés entre novembre 1940 et mars 1941 : 13'360 blessés légers, 1'855 blessés graves et 8'839 prisonniers faisant partie du personnel sanitaire de l'armée française faisaient partie des convois. Relevons que les listes de ces prisonniers rapatriables ont été établies directement entre services sanitaires français et allemand sur la base de l'armistice de juin 1940, plus précisément de l'accord franco-allemand du 16 novembre 1940[729].

En revanche, la négociation en vue de l'échange de prisonniers de guerre entre l'Allemagne et la Grande-Bretagne fut laborieuse, du moins jusqu'à la fin de 1942, du fait notamment que la réciprocité était difficile à obtenir à cause de la faible proportion de prisonniers allemands en mains britanniques. L'Allemagne tenta même d'exploiter cette disproportion numérique pour lier le rapatriement des invalides à d'autres mesures, telles que le rapatriement de civils allemands, ou pour imposer le principe d'un échange « tête contre tête », principe que le gouvernement britannique rejeta de manière catégorique[730]. Les revers successifs de l'armée allemande, à partir du printemps 1943, amenèrent finalement les autorités du Reich à accepter un certain nombre de rapatriements : ainsi 10'976 grands blessés furent rapatriés et échangés à Göteborg et à Oran. Smyrne servit aussi de lieu d'échanges entre l'Italie et la Grande-Bretagne, en 1942 et en 1943, pour 8'586 prisonniers de guerre blessés ou gravement malades ainsi que Barcelone et Lisbonne en septembre 1944 et en janvier 1945[731]. Cependant, en septembre 1943, après la sortie de la guerre de l'Italie et l'occupation d'une partie de la péninsule par l'Allemagne hitlérienne, des milliers de prisonniers de guerre britanniques internés en Italie furent transférés en Allemagne tandis que d'autres réussirent à se réfugier en Suisse. Pour compliquer la situation de cette catégorie de prisonniers de guerre britanniques tombés en mains allemandes, les autorités du Reich ne reconnurent pas les listes des malades établies par des commissions mixtes italo-britanniques.

A vrai dire, il ne relevait pas de la compétence des commissions mixtes de veiller à l'exécution du rapatriement selon les listes de prisonniers de guerre fixées par leur inspection et reconnues par les autorités compétentes qu'il s'agisse des services sanitaires de la Wehrmacht pour les prisonniers alliés en Allemagne ou des services sanitaires de l'armée britannique pour les prisonniers allemands en Angleterre.

Bugnion, *op. cit.*, p. 208-210. Bugnion ne mentionne pas le cas du rapatriement de prisonniers français en 1940.

[729] *DDS*, vol. 14, n° 153, p. 164.

[730] Bugnion, *op. cit.*, p. 208 et *Rapport du CICR...*, *op. cit.*, p. 386-388.

[731] *DDS*, vol. 16, n° 56 ou www.dodis.ch, DoDiS-196 : rapport sur les activités de la Division des intérêts étrangers du Département politique fédéral, notamment sur les actions en faveur des prisonniers de guerre et sur les rapatriements organisés par la Division.

La crise des experts suisses

C'est à la suite de la constatation que firent les experts suisses, notamment le colonel von Erlach et le major Stern, au cours de visites successives dans les camps allemands entre 1941 et 1942, que les rapatriements des cas dûment justifiés n'étaient pas effectués, qu'on assista à une « crise de désistement » de la part des délégués suisses. En effet, mécontents de constater que leurs expertises ne conduisaient pas à la mise en œuvre de la Convention de 1929 en faveur des prisonniers mis au bénéfice du droit au rapatriement, les deux officiers suisses avaient manifesté leur mécontentement, début novembre 1942, à Berlin même, devant les plus hautes instances sanitaires de la Wehrmacht, déclarant qu'ils n'étaient plus disposés à poursuivre leur participation aux commissions mixtes.

Au cours de visites dans les camps de prisonniers, il était de plus en plus fréquent que les prisonniers britanniques laissent entendre aux médecins suisses qu'ils ne croyaient plus à leur rapatriement. Un médecin britannique se hasarda même à déclarer à ses confrères suisses : « Les commissions mixtes ne sont rien d'autres qu'une comédie »[732]. Si les listes établies selon les normes et entérinées par les autorités détentrices des prisonniers n'étaient pas suivies d'effets, à quoi bon poursuivre cette mission, estimèrent les officiers suisses concernés.

A Berne, le Conseil fédéral s'alarma de cette situation susceptible de conduire à discréditer sa politique de bons offices. Il redoutait en particulier que le désistement des deux médecins suisses, qui pourrait être suivi par celui d'autres experts au sein des commissions médicales mixtes agissant en Allemagne pour le compte des prisonniers de guerre alliés, puisse entraîner l'effondrement des commissions mixtes en activité au Canada, aux Etats-Unis, en Grande-Bretagne, en Egypte, en Afrique du Nord, en Afrique orientale, aux Indes et en Australie en faveur de prisonniers de l'Axe. Le Département politique fit donc tout son possible pour convaincre les officiers concernés et l'Etat-major général de poursuivre leur mandat ; le Général Guisan en personne s'était laissé convaincre de mettre un terme à ces missions à l'étranger ; il fallait cesser d'exposer inutilement ses officiers à l'étranger, faisait-il remarquer[733]. Parallèlement, le Département politique estima devoir intervenir discrètement auprès des autorités du IIIe Reich et de la Grande-Bretagne, leur

---

[732] *Bericht über die Tätigkeit der gemischten Aerztekommission B in Deutschland vom 14. Oktober bis 11. November 1942*, signé par le major Eduard Stern, p. 9 : AF, E 27 / 12705.

[733] Dans une lettre du Général Guisan au chef du Département militaire fédéral, Karl Kobelt, du 1er juin 1943 : AF, E 2001 (D)-3/470. Pour un exposé des problèmes liés à l'envoi des officiers suisses, voir la lettre adressée par Marcel-Pilet-Golaz, chef du Département politique fédéral, au chef du Département militaire fédéral, Karl Kobelt, le 25 juin 1943 : *DDS*, vol. 14, n° 381, p. 1212-1216.

rappelant la nécessité de respecter la Convention de Genève, fondée sur la réciprocité. Finalement, la situation fut débloquée et les missions d'évaluation dans les camps s'accélérèrent en Allemagne en 1943, puis en 1944-1945 aux USA et au Canada ainsi qu'en Afrique du Nord[734]. Le nombre croissant de prisonniers de guerre allemands, comptant aussi de plus en plus de grands blessés et de handicapés de tous ordres, contribua à accélérer les accords d'échange de prisonniers.

L'extension de la mission des experts suisses

Vers la fin des hostilités, étant donné la concentration des prisonniers sur le sol allemand, la Suisse fut très sollicitée pour assurer les transports de grands blessés militaires, mais aussi des civils américains et allemands[735]. En mars 1945, les Alliés, surtout les Américains, sollicitèrent la Suisse pour qu'elle veille à la sécurité des camps de prisonniers de guerre américains en Allemagne[736] ; le gouvernement suisse fut invité à envoyer un agent suisse dans chaque camp pour soutenir le moral des prisonniers. Berne se voyait ainsi devant l'urgence de trouver non pas cette fois des médecins qualifiés nécessairement, mais des personnes expérimentées pouvant exercer un rôle d'inspecteurs afin de veiller au respect des conventions internationales sur le traitement dû aux prisonniers de guerre[737]. Du coup, les missions médicales mixtes s'intensifièrent. En février 1945, 497 grands blessés et malades américains étaient déjà rapatriés. La Suisse proposa même qu'un accord soit passé entre Allemands et Américains pour convenir du rapatriement en blocs de certaines catégories de malades, notamment les tuberculeux, les amputés et les aveugles. Une telle solution simplifierait considérablement la tâche des commissions médicales mixtes. On assiste effectivement à des transferts accélérés, même si les chiffres sont toujours modestes par rapport à la masse des prisonniers. Ainsi, en janvier 1945, on compte 2'478 grands blessés alliés échangés contre 4'727 Allemands, tandis qu'en février, on relève une liste de 497 grands blessés et malades américains qui sont rapatriés. A un rythme soutenu

---

[734] Pour l'envoi d'officiers sanitaires suisses au Canada et aux Etats-Unis, voir la correspondance entre le Général Guisan, le Département militaire fédéral et le Département politique fédéral : AF, E 27/12708.

[735] Voir la décision du Conseil fédéral du 9 janvier 1945, de mettre des trains à disposition pour le transport de grands blessés alliés et allemands : *DDS*, vol. 15, n° 333, p. 818-819.

[736] D'ailleurs, dans une lettre adressée, le 19 janvier 1945, au Président de la Confédération, Eduard von Steiger, le Président des Etats-Unis, Franklin Roosevelt, exprima sa reconnaissance à la Suisse, qui représenta les intérêts américains en Allemagne du 12 décembre 1941 au 2 novembre 1945 ainsi que dans d'autres pays de l'Axe dont le Japon et l'Italie, pour son aide en faveur des prisonniers américains : *DDS*, vol. 15, n° 342, p. 844-845.

[737] *DDS*, vol. 15, n° 395, p. 997 ; voir aussi n° 396 : Aide-mémoire du DPF sur la situation des prisonniers de guerre détenus en Allemagne du 16 mars 1945, p. 1000-1004.

s'effectuent aussi des échanges à travers la Suisse de grands blessés allemands d'Italie vers l'Allemagne[738].

En mai 1945, la fin des hostilités en Europe met un terme aux commissions médicales mixtes. Les puissances alliées occidentales victorieuses demandent désormais à la Suisse et au CICR un autre service, soit de contribuer au ravitaillement alimentaire et médical des camps de prisonniers alliés en Allemagne, puis au rapatriement des flux de prisonniers et internés libérés. Mais ceci est un autre chapitre qui implique un nouveau type de défi que la Suisse doit relever si elle veut conforter sa réputation de puissance humanitaire[739].

Observation finale

Les experts qui acceptèrent le mandat d'effectuer des missions d'expertises médicales au cœur même des puissances en conflit ont accompli un travail précis et qui respecte un protocole répondant à des normes contenues dans une convention internationale. Leur expertise devait aboutir à des conclusions pratiques, très importantes sur le plan humanitaire et du respect du droit, puisqu'elles permettraient à des prisonniers diagnostiqués comme grands blessés ou grands malades d'être rapatriés dans leur famille ou soignés dans un pays neutre. En outre, les médecins qui acceptèrent ce genre de mandat ont pu ramener en plus de la pratique de diagnostic sur des cas très variés de maladies et de blessures, des expériences non professionnelles non seulement sur les conditions de vie dans les camps visités, mais aussi sur l'organisation, l'atmosphère, l'alimentation, les comportements dans les pays en guerre. En tout cas, dans les quelques rapports fournis par les experts suisses se trouvent souvent des informations très originales qui furent exploitées par les services de l'Etat-major ; mais ces informations d'ordre divers peuvent aussi être utiles à l'historien pour saisir certains aspects des sociétés en guerre, car ces quelques officiers sanitaires eurent de toute évidence droit à des expériences singulières et privilégiées. En effet, au vu des tensions éclatées en 1942, ces médecins sanitaires étaient bien conscients de leur liberté d'action, reconnue en droit, et

[738] Pour des listes de ces transports de grands blessés à travers la Suisse, sur les lignes ferroviaires Nord-Sud et Est-Ouest, voir AF, E 27 / 12713.

[739] En plus des nombreuses indications dans les volumes 14, 15, 16 et suivants des *DDS* et dans www.dodis.ch, voir nos contributions : « La Suisse et la préparation à l'après-guerre », in Michel Dumoulin (éd.), *Plans des temps de guerre pour l'Europe d'après-guerre, 1940-1947*, Bruxelles, Bruylant, 1995, p. 175-195 ; « A propos de l'engagement humanitaire de la Suisse : de l'action unilatérale à la politique multilatérale », in Michel Porret, Jean-François Fayet et Carine Fluckiger (éd.), *Guerre et Paix : mélanges offerts à Jean-Claude Favez*, Genève, Georg, 2000, p. 561-575. Pour une synthèse des activités spécifiques du CICR, voir Catherine Rey-Schyrr, *De Yalta à Dien Bien Phu : histoire du Comité international de la Croix-Rouge, 1945-1955*, Genève, Georg, 2007, Partie II : Les activités du CICR en faveur des victimes de la seconde Guerre mondiale et de ses séquelles, p. 135 s., surtout chapitre 3, p. 141-174, qui traite uniquement des rapatriements effectués dès la fin des hostilités.

n'avaient pas à se préoccuper de complaire aux autorités des camps de prisonniers. En outre, le respect mutuel entre des personnes de nationalité différente qui partagent la même profession et, en principe, l'éthique qui lui est rattachée, renforçait aussi la conviction d'effectuer un travail sérieux et véridique pour l'établissement de listes de prisonniers pour lesquels l'expertise médicale seule pouvait offrir le droit à la libération. Il s'agit donc bien là d'un enjeu moral auquel les experts suisses mandatés semblent avoir répondu avec rectitude.

Témoin de l'indicible
Le Dr Marcel Junod à Hiroshima

par

François Bugnion*

Si jamais un médecin a été confronté – seul – à une catastrophe sans précédent dans l'histoire humaine, à la fois en raison de ses dimensions apocalyptiques, de sa soudaineté et de la nature des souffrances qu'elle a engendrées, c'est bien le Dr Marcel Junod à Hiroshima.

Quand bien même cette mission nous entraîne très loin de Katyn et de la Suisse, elle a bien sa place dans un recueil d'études qui a l'ambition d'aller au-delà de l'évocation du massacre de Katyn afin de s'interroger sur le rôle du médecin et de l'expertise médicale dans les crises humanitaires.

La présence du Dr Junod à Hiroshima

Ayant eu le privilège de me rendre à Hiroshima en août 1999, à l'occasion du 50e anniversaire des Conventions de Genève, j'ai été frappé par la présence du Dr Junod. Un monument, modeste sans doute, mais bien visible, a été érigé à sa mémoire dans le Parc de la Paix, à quelques pas de l'entrée du Mémorial d'Hiroshima. L'une des vitrines du Mémorial rappelle son action en faveur des victimes de la bombe atomique : on y voit des spécimens des médica-

---

* Conseiller diplomatique, CICR, Genève.

ments qu'il a distribués, ses écrits, quelques photos. Lors de mon passage, une exposition lui était aussi consacrée dans les locaux de l'Association des Médecins d'Hiroshima. Les membres de la section d'Hiroshima de la Croix-Rouge japonaise, comme les représentants de l'Association des Médecins que j'ai rencontrés, m'ont frappé par la connaissance qu'ils avaient gardée de sa mission et par la déférence avec laquelle ils évoquaient son nom, son action et sa mémoire.

Sur l'île de Myajima, où le Dr Junod a passé la nuit lors de sa mission à Hiroshima, on a même tenu à me montrer la chambre où il logeait.

Cela dit, que savons-nous de la mission du Dr Junod à Hiroshima ? A vrai dire, peu de choses, et nous sommes très largement tributaires du témoignage du Dr Junod lui-même. En effet, les sources sont très fragmentaires. Il s'agit pour l'essentiel :

- d'un minuscule agenda de poche, dans lequel le Dr Junod consignait en quelques mots les activités de la journée : une ou deux lignes par jour, vraisemblablement écrites au jour le jour[740] ;
- des rapport et documents afférents à sa mission (télégrammes, lettres et rapports) ; toutefois, comme les communications entre la délégation de Tokyo et Genève étaient lentes et incertaines, ces documents sont peu nombreux et certains envois ne sont pas arrivés[741] ;
- du témoignage du Dr Junod dans son ouvrage *Le Troisième Combattant* publié en 1947, récit émouvant de ses années de missions au service du CICR[742] ;
- d'un projet d'article intitulé *Le désastre d'Hiroshima*, qui sera publié par le CICR en 1982, soit vingt ans après le décès du Dr Junod[743] ;
- du témoignage du Dr Masaru Matsunaga (médecin anglophone qui accompagna le Dr Junod tout au long de sa mission à Hiroshima)[744].

---

[740] Le fils du Dr Marcel Junod, Benoît Junod, a publié, dans un article-témoignage consacré à son père, les annotations du Dr Junod du mardi 4 au samedi 15 septembre 1945 : Benoît Junod, « Marcel Junod : un troisième combattant », in *Témoin d'Hiroshima, L'odyssée d'un délégué du CICR, Dr Marcel Junod, 1904-1961*, Commune de Jussy, Genève, 2004, p. 13-34, 22-23.

[741] Archives du CICR [désormais ACICR], B G 3 / 51, 219 [1] et 219 [2] : « Ainsi, le premier pli envoyé à Genève après le surrender vous est parvenu environ trois mois après » relève le Dr Junod dans son rapport n° 8 du 7 janvier 1946, p. 1 ; ACICR, G 8 / 76. ACICR, dossier B G 3 / 51.

[742] Marcel Junod, *Le Troisième Combattant. De l'ypérite en Abyssinie à la bombe atomique d'Hiroshima,* Paris, Payot, 1963.

[743] Marcel Junod, « Le désastre d'Hiroshima », in *Revue internationale de la Croix-Rouge* [désormais *RICR*], n° 737, septembre-octobre 1982, p. 273-289 ; n° 738, novembre-décembre 1982, p. 340-358.

[744] « Personnellement, parmi les Japonais que ce médecin [le Dr Junod] a rencontrés à Hiroshima, j'ai été le seul à avoir la très grande chance de l'accompagner et de travailler avec lui tout au long de son séjour » écrit le Dr Matsunaga. Masaru Matsunga, « Le Dr Marcel Junod – bienfaiteur d'Hiroshima – un épisode oublié », in *Témoin d'Hiroshima, L'odyssée d'un*

Avant d'évoquer la mission du Dr Junod à Hiroshima, il convient cependant de rappeler le cadre de la mission du CICR au Japon.

Le cadre de la mission du CICR au Japon

Les offensives foudroyantes qui suivirent l'attaque de Pearl Harbour du 7 décembre 1941 permirent à l'armée japonaise de conquérir la moitié de l'Asie et de capturer des dizaines de milliers de prisonniers de guerre. Le 15 février 1942, le général Percival capitule à Singapour avec 80'000 soldats de l'Empire britannique. Le 8 mars 1942, les Japonais annoncent qu'ils ont conquis les Indes néerlandaises. Le 6 mai 1942, enfin, après cinq mois d'une défense héroïque, le général Wainwright capitule à Corregidor (Philippines) avec 72'000 soldats américains ou philippins[745]. Moins d'un mois plus tard, le 4 juin 1942, la bataille de Midway impose un coup d'arrêt à l'expansion japonaise. Du jour au lendemain, le Japon est acculé à la défensive.

En Extrême-Orient comme en Europe, le principal souci du CICR est de veiller au respect des Conventions de Genève. A l'époque de la Seconde Guerre mondiale, les deux Conventions du 27 juillet 1929 sont en vigueur, soit :

- la Convention de Genève pour l'amélioration du sort des blessés et des malades dans les armées en campagne et
- la Convention de Genève relative au traitement des prisonniers de guerre[746].

Or, si la participation du Japon à l'élaboration du droit humanitaire avait entretenu l'illusion que ce pays était acquis aux conceptions dans lesquelles ce droit plonge ses racines, on s'aperçut bientôt qu'il en allait tout autrement.

En effet, le statut de prisonnier de guerre s'appuie implicitement sur l'idée que la captivité est une conséquence de la mauvaise fortune plutôt que la rançon de la lâcheté. Cette conception, qui ne s'est pas imposée sans peine en

---

délégué du CICR, Dr Marcel Junod, 1904-1961, Commune de Jussy, Genève, mai 2004, p. 35-52, 36.

[745] Henri Michel, *La Seconde Guerre mondiale*, vol. I : « Les succès de l'Axe (1939-1943) », Paris, Presses universitaires de France, 1977, p. 371-388.

[746] *Actes de la Conférence diplomatique convoquée par le Conseil fédéral suisse pour la révision de la Convention du 6 juillet 1906 pour l'amélioration du sort des blessés et malades dans les armées en campagne et pour l'élaboration d'une convention relative au traitement des prisonniers de guerre, réunie à Genève du 1er au 27 juillet 1929,* Genève, Imprimerie du Journal de Genève, 1930, p. 655-724 ; George Friedrich von Martens, *Nouveau Recueil général de traités et actes relatifs aux rapports de droit international*, troisième série, tome XXX, Leipzig, H. Buske, 1935, p. 827-881 ; *Recueil des traités et engagements enregistrés par le secrétariat de la Société des Nations,* vol. 118, p. 303-411 ; *Droit des conflits armés, Recueil des conventions, résolutions et autres documents,* documents recueillis et annotés par Dietrich Schindler et Jirí Toman, Genève, CICR et Institut Henry-Dunant, 1996, p. 397-447.

Occident[747], n'a jamais eu prise au Japon, quand bien même ce pays s'est largement ouvert aux techniques et aux idées occidentales dans d'autres domaines. Pour le soldat japonais, la défaite est un déshonneur insoutenable et la captivité une infamie qui rejaillit sur tous les siens ; parti au combat, il n'en peut revenir vivant que vainqueur ; pour le vaincu, mieux vaut la mort qu'une souillure que rien ne peut laver[748].

Dans ces conditions, le mépris pour celui qui s'était rendu à discrétion, s'ajoutant aux antagonismes découlant du choc des cultures et du fanatisme national, l'emportait sur le respect envers l'ennemi vaincu.

En outre, si le Japon avait pris part à la Conférence diplomatique de 1929 et s'il avait ratifié la Convention de Genève pour l'amélioration du sort des blessés et des malades dans les armées en campagne, il n'était pas partie à la Convention relative au traitement des prisonniers de guerre[749]. Or seule cette convention reconnaissait le rôle du Comité international de la Croix-Rouge[750].

Enfin, le nombre des prisonniers de guerre japonais en mains alliées était resté très bas, même longtemps après que le Japon eut perdu l'initiative des opérations militaires, de sorte que l'argument tiré de la réciprocité restait sans effet sur les autorités de Tokyo[751].

Quelles furent, dans ces conditions, les possibilités d'action du Comité international ?

Au lendemain de l'attaque de Pearl Harbour, le CICR offrit ses services aux Etats impliqués dans la guerre du Pacifique. En demandant aux gouvernements intéressés de transmettre à l'Agence centrale des prisonniers de guerre les renseignements relatifs aux captifs, le CICR soulignait que le fait que le Japon n'était pas partie à la Convention relative au traitement des prisonniers de guerre ne devait pas empêcher l'application *de facto* des disposi-

---

[747] *Huitième Conférence internationale de la Croix-Rouge tenue à Londres du 10 au 15 juin 1907. Compte-rendu*, Londres, The British Red Cross Society, 1907, p. 74.

[748] *Rapport du Comité international de la Croix-Rouge sur son activité pendant la Seconde Guerre mondiale (1er septembre 1939-30 juin 1947)*, vol. 1 : « Activités de caractère général », Genève, CICR, mai 1948 [désormais *Rapport du CICR*], p. 454-459 ; Michel, vol. I, *op. cit.*, p. 381.

[749] *Droit des conflits armés*, *op. cit.*, p. 446. Le 6 août 1940, le CICR s'était adressé au gouvernement japonais pour l'inviter à ratifier le Code des prisonniers de guerre : ACICR, G 85, Gouvernement japonais, note du président du CICR au ministre des Affaires étrangères, 06.08.1940.

[750] En particulier par le biais des articles 79 et 88.

[751] En octobre 1944, le nombre des prisonniers de guerre japonais en mains alliées s'élevait à 6400, alors que celui des prisonniers alliés en mains japonaises était alors infiniment supérieur ; il est évalué à 103'000 dans le rapport du CICR sur ses activités durant la Seconde Guerre mondiale (*Rapport du CICR*, *op. cit.*, p. 456) ; le Dr Junod cite des chiffres nettement plus élevés : « Sur les 300'000 prisonniers tombés aux mains des Japonais dans les premiers mois de la guerre, 100'000 seront morts à la libération. Les 200'000 survivants surgiront exténués de villages et de camps ignorés, disséminés sur des îles ou à l'intérieur du continent asiatique… » (M. Junod (1963), *op. cit.*, p. 192).

tions de cette Convention sous réserve de réciprocité ; le Comité international proposait également que son correspondant à Tokyo, le Dr Paravicini, fût agréé en qualité de délégué du CICR au Japon[752]. Médecin suisse résidant au Japon, le Dr Paravicini avait déjà représenté le CICR auprès du gouvernement japonais lors de la Première Guerre mondiale.

Ces propositions furent acceptées par les gouvernements concernés ; le gouvernement nippon annonça l'ouverture d'un bureau de renseignements sur les prisonniers de guerre et donna son agrément à la désignation du Dr Paravicini[753].

Il n'en restait pas moins nécessaire de connaître la position des autorités japonaises en regard de l'application du Code des prisonniers de guerre[754]. En réponse à de nouvelles démarches du CICR, la légation du Japon à Berne définit dans les termes suivants la position de son gouvernement :

« Le Gouvernement japonais n'ayant pas ratifié la Convention relative au traitement des prisonniers de guerre signée à Genève le 27 juillet 1929, ne se trouve, de ce fait, pas engagé par la dite Convention. Toutefois, dans la mesure du possible, il a l'intention d'appliquer cette Convention, *mutatis mutandis*, à tous les prisonniers qui tomberaient sous son pouvoir, en prenant, en même temps, en considération les coutumes de chaque nation et de chaque peuple quant à la nourriture et aux vêtements des prisonniers. »[755]

Cette déclaration d'intention – qu'on ne saurait confondre avec une adhésion à la Convention – comportait de très sérieuses réserves. En effet, en affirmant vouloir appliquer la Convention « *mutatis mutandis* » et en se réservant la possibilité de tenir compte des coutumes nationales, le gouvernement japonais se réservait le choix des dispositions qu'il entendait observer et de celles qu'il choisissait d'écarter selon les circonstances et selon sa seule appréciation. Il manquait donc au consentement japonais un élément essentiel : la volonté de s'obliger.

De fait, les fonctionnaires japonais ne se sont pas privés de rappeler que leur pays n'était pas lié par la Convention de Genève chaque fois qu'ils étaient mis en demeure d'en respecter les dispositions[756].

Dès lors, il n'est pas surprenant que l'action du Comité international se soit heurtée à toutes sortes d'obstacles et de difficultés résultant aussi bien de

---

[752] ACICR, G 85, Gouvernement japonais, Télégrammes des 9 et 24 décembre 1941 ; *Rapport du CICR, op. cit.*, p. 459.
[753] ACICR, G 85, Gouvernement japonais, Notes de la Légation du Japon à Berne au CICR, 8 et 22 janvier 1942 ; *Rapport du CICR, op. cit.*, p. 459.
[754] Durant la Seconde Guerre mondiale, on utilisait couramment l'expression de Code des prisonniers de guerre pour désigner la Convention de Genève relative au traitement des prisonniers de guerre du 27 juillet 1929.
[755] ACICR, G 85, Gouvernement japonais, Note de la Légation du Japon à Berne au CICR, 5 février 1942 ; *Rapport du CICR, op. cit.*, p. 460.
[756] M. Junod (1963), *op. cit.*, p. 197 ss.

l'absence d'une base juridique sur laquelle appuyer ses activités que de la méfiance du parti militaire au pouvoir à Tokyo vis-à-vis de toute institution étrangère.

Ces difficultés ont porté en premier lieu sur l'accréditation des délégués du Comité international. En effet, si les autorités japonaises acceptèrent la désignation de délégués à Tokyo, Shanghaï et Hong-Kong, elles refusèrent leur agrément aux délégués nommés avant l'occupation japonaise à Singapour, Java, Sumatra et Bornéo, ainsi qu'aux délégués nommés par le CICR à Manille et à Bangkok[757]. Dépourvus de statut officiel, ces délégués ne purent exercer qu'une action très limitée, en leur nom personnel et au prix de mille difficultés et de risques dont l'exécution du Dr Matthaeus Vischer et de son épouse a donné la mesure[758].

Enfin, les démarches répétées du Comité international en vue d'envoyer au Japon une mission temporaire se sont heurtées à des réponses dilatoires, de sorte que le CICR n'a jamais pu, avant la fin des hostilités, établir un contact personnel avec ses délégués en Extrême-Orient[759].

Par ailleurs, les listes de prisonniers de guerre que transmettait le Bureau de renseignements de Tokyo n'ont jamais été complètes et ne parvenaient à l'Agence centrale qu'avec des retards de plusieurs mois. Ces délais, s'ajoutant aux difficultés qu'entraînait la transcription en japonais des noms anglo-saxons, rendaient l'identification des captifs aussi incertaine que problématique. De leur côté, les prisonniers japonais s'opposaient le plus souvent à la transmission de leur nom ou donnaient de fausses identités[760].

La correspondance des prisonniers de guerre accusait des lacunes et des retards importants ; beaucoup de prisonniers n'ont jamais été autorisés à donner de leurs nouvelles ; d'autres ont pu écrire, mais leurs lettres n'étaient transmises qu'après des attentes de plusieurs mois[761].

C'est sans doute dans le domaine des visites de camps d'internement que les délégués ont rencontré le plus d'entraves. D'immenses territoires ont été qualifiés de zones d'opérations militaires et l'accès en était interdit aux délégués qui ne pouvaient rencontrer les prisonniers qui s'y trouvaient[762]. Au Ja-

---

[757] *Rapport du CICR*, *op. cit.*, p. 464-468.

[758] *Ibid.*, p. 461-462. Accusés d'espionnage en raison de l'intérêt qu'ils portaient aux prisonniers de guerre en mains japonaises, le Dr Vischer, délégué à Bandjermasin (Bornéo), et son épouse furent arrêtés, condamnés à mort par un tribunal de la marine japonaise et exécutés (*Rapport du CICR*, *op. cit.*, p. 65 ; Ernst Braches, *Bandjermasin Case: The Swiss Authorities and the Execution of Dr. C. M. Vischer and B. Vischer-Mylius in Borneo, 20 December 1943*, 14 December 2000, non publié).

[759] *Ibid.*, p. 466-467.

[760] *RICR*, n° 301, janvier 1944, p. 56-57 ; *Rapport du CICR*, *op. cit.*, p. 456.

[761] *Rapport du CICR*, *op. cit.*, p. 470-472.

[762] André Durand, *Histoire du Comité international de la Croix-Rouge. De Sarajevo à Hiroshima*, Genève, Institut Henry-Dunant, 1978, p. 458-460.

pon même, l'existence de certains camps de prisonniers n'a été révélée qu'au lendemain de la capitulation. En outre, chaque visite devait faire l'objet d'une autorisation qui n'était octroyée qu'après une longue attente, ce qui restreignait leur périodicité. La durée des visites était généralement limitée à deux heures, dont une heure d'entretien avec le commandant du camp, trente minutes consacrées à la visite des installations et trente minutes d'entretiens, en présence des officiers japonais, avec des prisonniers désignés par ces derniers. Malgré des démarches répétées, les délégués n'ont jamais été autorisés à s'entretenir sans témoin avec les hommes de confiance des prisonniers, ce qui réduisait sensiblement la portée de ces visites, aussi bien pour le CICR que pour les captifs[763].

L'acheminement des secours destinés aux prisonniers de guerre en mains japonaises s'est également heurté à de sérieuses difficultés qui ne découlaient pas uniquement de l'immensité du théâtre d'opérations. Des quantités limitées de vivres et d'autres secours ont pu être transportées sur les bateaux affrétés pour le rapatriement du personnel diplomatique ; en revanche, les négociations en vue d'établir une liaison maritime régulière qui aurait permis de ravitailler les principales concentrations de prisonniers n'ont pas abouti[764]. Dans ces conditions, les délégués ont eu recours à des achats sur place dans la mesure des disponibilités des marchés ; néanmoins, les taux de change imposés par les autorités nippones réduisaient sensiblement le pouvoir d'achat des fonds mis à la disposition des délégués[765].

Dans le conflit d'Extrême-Orient, le Comité international n'a donc pu atteindre que des résultats fragmentaires, sans rapport avec ses démarches ni avec les efforts déployés par ses délégués.

Pour ajouter à ces difficultés, le Dr Paravicini décède en janvier 1944. Dès lors, le CICR n'est plus représenté au Japon que par trois délégués – Fritz W. Bilfinger, Harry Angst et Max Pestalozzi – dont aucun n'a eu un contact direct avec l'institution. Il s'agit en vérité d'hommes d'affaires ou de commerçants suisses domiciliés au Japon et recrutés sur place par le Dr Paravicini. Afin de reprendre la responsabilité de la délégation de Tokyo, le CICR fait appel au Dr Marcel Junod.

La mission du Dr Junod à Hiroshima

Après huit années de voyages et de missions quasiment ininterrompues, le Dr Junod a quitté le CICR en 1943 et a trouvé un emploi comme médecin-expert de la Société nationale suisse d'assurance contre les accidents et mala-

[763] *Rapport du CICR*, *op. cit.*, p. 468-469 ; M. Junod (1963), *op. cit.*, p. 197-206.

[764] *Rapport du CICR*, *op. cit.*, p. 473-479. A la même époque, le CICR disposait d'une flotte de onze navires de haute mer pour l'acheminement des secours à travers l'Atlantique.

[765] *Ibid.*, p. 479-481.

dies professionnels[766]. De toute évidence, pour ce chirurgien qui vient de vivre des aventures exceptionnelles, ce ne peut être qu'un gagne-pain temporaire. C'est donc à un homme « en disponibilité » que le CICR fait appel pour remplacer le Dr Paravicini.

Par ses initiatives en Éthiopie, par sa mobilité et par sa volonté d'aller à la rencontre des victimes où qu'elles se trouvent, le Dr Junod a créé un nouvel archétype de délégué du CICR qui servira de modèle à tous les délégués de sa génération et à beaucoup de ceux qui suivront[767]. A peine rentré d'Éthiopie, c'est lui que le CICR envoie à Barcelone et à Madrid, puis à Burgos et à Salamanque, pour poser les bases de son action en Espagne[768]. C'est lui encore que le CICR envoie à Berlin en septembre 1939 pour ouvrir la délégation dans la capitale allemande qui sera, tout au long de la guerre, la délégation la plus importante et la plus nombreuse ; c'est lui à nouveau que le CICR envoie à Ankara en été 1941, afin de renouer le dialogue avec l'Alliance des Sociétés de la Croix-Rouge et du Croissant-Rouge de l'URSS et de mettre sur pied dans la capitale turque un service d'échange de messages et de renseignements sur les prisonniers allemands et soviétiques capturés sur le front de l'Est, première étape, espère le CICR, avant l'ouverture d'une délégation à Moscou[769].

C'est dire si, en faisant appel au Dr Junod, le CICR a le sentiment de jouer sa carte maîtresse. Mais encore faut-il obtenir l'agrément du gouvernement japonais et trouver une voie d'accès.

Il faudra près d'une année pour que Tokyo donne son agrément à la désignation du Dr Junod[770]. Mais c'est alors la question d'une voie d'accès qui se trouvera posée. Le CICR envisage de passer par les Etats-Unis, mais le Japon estime que le transit par le territoire d'un de ses ennemis serait contraire à la dignité nationale[771]. Dans ces conditions, la seule voie d'accès passe par l'Union soviétique. Mais précisément, depuis 1939, toutes les démarches du

---

[766] B. Junod, *op. cit.*, p. 19.

[767] Sur l'action du CICR lors du conflit italo-éthiopien, voir M. Junod (1963), *op. cit.*, p. 11-62 ; Durand, *op. cit.*, p. 243-263 ; Rainer Baudendistel, *Between bombs and good intentions: The Red Cross and the Italo-Ethiopian War, 1935-1936*, New York ; Oxford, Berghahn Books, 2006.

[768] *RICR*, n° 213, septembre 1936, p. 749-760 ; M. Junod (1963), *op. cit.*, p. 63-100 ; Durand, *op. cit.*, p. 264-309 ; Pierre Marques, *La Croix-Rouge pendant la Guerre d'Espagne (1936-1939). Les Missionnaires de l'humanitaire*, Paris ; Montréal, L'Harmattan, 2000.

[769] *Rapport du CICR*, *op. cit.*, p. 65, 67, 424-433 ; M. Junod (1963), *op. cit.*, p. 101-177 ; Durand, *op. cit.*, p. 340-341, 434-439.

[770] *Rapport du CICR*, *op. cit.*, p. 467-468.

[771] M. Junod (1963), *op. cit.*, p. 179. Après d'interminables tractations, il avait été convenu que le gouvernement américain pourrait envoyer des secours à Vladivostok à bord d'un bateau soviétique et que le navire japonais *Hakusan Maru* en prendrait livraison au port voisin de Nakhodka (*Rapport du CICR*, *op. cit.*, p. 476-477). C'est vraisemblablement la route par laquelle le Dr Junod a, dans un premier temps, envisagé de gagner le Japon.

CICR en vue d'accréditer un délégué en URSS sont restées sans résultat et, pour la plupart, sans réponse[772]. En définitive, ce n'est que le 28 mai 1945, soit trois semaines après la capitulation du Reich et la fin de la guerre en Europe, que le gouvernement soviétique annonce qu'il est prêt à octroyer des visas de transit à Marcel Junod et à Margarita Straehler que le CICR a désignée pour l'accompagner. Les visas doivent être retirés auprès du consulat de l'URSS à Téhéran[773].

Suissesse née à Yokohama, parlant couramment le japonais et responsable du fichier américain de l'Agence centrale des prisonniers de guerre, Margarita Straehler connaît mieux que personne le dossier des prisonniers alliés en mains japonaises[774].

Le 11 juin 1945, Marcel Junod et Margarita Straehler partent pour Paris, d'où ils continuent par avion via Naples, Athènes, Le Caire puis Téhéran. Après deux semaines d'attente dans la capitale iranienne, ils s'envolent pour Moscou, d'où ils poursuivent leur voyage à très petite vitesse par le Transsibérien. Dans les gares principales, le Transsibérien est immobilisé durant de longues heures pour laisser passer des convois chargés de troupes et de matériel militaire, qui attestent que l'URSS s'apprête à retourner ses forces contre le Japon[775].

Finalement, le 27 juillet, ils franchissent le pont qui relie la Sibérie à l'Etat-fantoche du « Mandchoukuo »[776]. Au lieu de poursuivre immédiatement leur route en direction du Japon, les délégués insistent pour visiter les camps de prisonniers de guerre alliés en Mandchourie. Ils en visiteront deux : l'un, près de Moukden, qui confirmera les inquiétudes que l'on était en droit d'avoir sur le sort des prisonniers alliés en mains japonaises ; l'autre, le camp de Seihan, où sont enfermés quinze prisonniers de marque, dont les généraux Percival, Wainwright et Starkenborgh[777], ainsi que dix-neuf ordonnances.

---

[772] *Rapport du CICR*, *op. cit.*, p. 419-453.

[773] M. Junod (1963), *op. cit.*, p. 179.

[774] *Ibid.*

[775] ACICR, B G 3/51, 219 [1], « Compte rendu de l'exposé de M. M. Junod sur sa mission au Japon (21 mai 1946) », document ronéographié M 1770 ; M. Junod (1963), *op. cit.*, p. 178-190.

[776] La guerre sino-japonaise de 1931 à 1933 permit au Japon d'occuper la Mandchourie et le Jehol. Le Japon réunit ces deux provinces dans un prétendu Etat du Mandchoukuo à la tête duquel il plaça le dernier empereur de Chine, Pou-Yi, qui avait été renversé par la révolution de 1912. En vérité, il s'agissait d'un Etat-fantoche dont les Japonais tiraient toutes les ficelles et que la communauté internationale refusa de reconnaître.

[777] Soit l'ancien commandant de la garnison britannique de Singapour, le héros de Corregidor et l'ancien gouverneur des Indes néerlandaises. ACICR, B G 3/51, 219[1], Télégramme 539 de la délégation de Tokyo au CICR, 20 août 1945, répétant un télégramme envoyé le 8 août 1945 de Hsinking (Mandchourie) et qui n'avait pas été reçu à Genève; lettre du Département politique fédéral au CICR, relayant un message de la Légation de Suisse à Tokyo, 21 août 1945 ; M. Junod (1963), *op. cit.*, p. 191-206.

Cette visite a lieu le 6 août, le jour même où la première bombe atomique explose dans le ciel d'Hiroshima, à deux mille kilomètres de là [fig. 19]. L'humanité venait d'entrer dans une ère nouvelle, mais, ni le Dr Junod et Mme Straeheler, ni les prisonniers qu'ils visitaient, ni même leurs gardiens n'en avaient conscience.

C'est finalement au soir du 9 août 1945 que le Dr Junod et Mme Straehler parviennent au Japon[778]. Le matin, une seconde bombe atomique avait explosé dans le ciel de Nagasaki.

En vérité, ils débarquent dans un pays totalement dévasté. Les grandes villes, Tokyo, Nagoya, Kobe, Osaka, etc., sont à peine moins détruites qu'Hiroshima et Nagasaki. L'économie est en ruine, les usines détruites et les transports paralysés[779].

Ils arrivent aussi dans un pays en total désarroi : le 15 août, s'adressant pour la première fois à son peuple au moyen de la radio, l'empereur Hiro-Hito annonce que le Japon accepte l'ultimatum des Alliés[780] ; le 2 septembre, M. Mamaru Shigemitsu, ministre des Affaires étrangères, et le général Yoshijiro Umetsu, chef de l'Etat-major général, signent l'acte de capitulation, sur le pont du cuirassé *Missouri* ancré dans la baie de Tokyo[781]. La Seconde Guerre mondiale a pris fin, mais les blessures sont béantes dans ce pays qui n'a jamais connu la défaite sur son sol ni l'occupation.

A partir de la capitulation, une administration alliée – en vérité américaine – va progressivement se mettre en place et se superposer à l'administration japonaise, mais celle-ci continue à fonctionner sous l'égide de l'occupant. On est donc en pleine phase de transition.

Pour le CICR, l'absolue priorité est le sauvetage et l'évacuation des prisonniers de guerre alliés, non seulement au Japon, mais dans toute l'Asie encore contrôlée par les Japonais[782].

---

[778] ACICR, B G 3/51, 219 [1], « Compte-rendu de l'exposé de M. M. Junod sur sa mission au Japon (21 mai 1946) », document ronéographié M 1770, p. 2.

[779] Henri Michel, *La Seconde Guerre mondiale*, vol. II : « La victoire des Alliés (1943-1945) », Paris, Presses universitaires de France, 1980, p. 410-412 ; M. Junod (1982), *op. cit.*, p. 274-275.

[780] La Conférence de Potsdam réunit, du 17 juillet au 2 août 1945, Churchill, qui sera remplacé par Clement Attlee après les élections générales, Harry Truman, qui a succédé à Roosevelt décédé le 12 avril 1945, et Staline. Elle adressa au Japon un ultimatum le sommant de capituler sans condition, faute de quoi « il s'exposerait à une destruction complète et absolue » (*Keesing's Contemporary Archives*, August 4-11, 1945, p. 7361-7362, 7371-7373). Le 16 juillet, les Etats-Unis avaient fait exploser la première bombe atomique à Alamogordo, dans le désert du Nouveau-Mexique, mais cela, bien entendu, le gouvernement japonais l'ignorait.

[781] *Keesing's Contemporary Archives*, September 1-8, 1945, p. 7403.

[782] ACICR, B G 3/51, 219 [1], Télégrammes 523, 524 et 525 de la délégation de Tokyo au CICR, 20 et 21 août 1945 ; *ibid.*, Rapport n° 5 du Dr Junod au CICR, 9 novembre 1945, p. 7 ; M. Junod (1963), *op. cit.*, p. 211-217; M. Junod (1982), *op. cit.*, p. 278.

Fig. 19. Vue d'Hiroshima après l'explosion de la bombe atomique, août 1945.
© Photothèque CICR (DR) / KWAHARA, Yotsugi.

Fig. 20. Visite du Dr Junod au bureau des prisonniers de guerre du Japon à Tokyo, août 1945. © Photothèque CICR (DR).

Pour le nouveau chef de la délégation du CICR, il s'agit en premier lieu d'établir un plan de ravitaillement et d'évacuation des camps de prisonniers, et d'obtenir l'agrément du Haut Commandement américain dont les premiers éléments parviennent dans l'archipel [fig. 20]. Le Dr Junod recrute en outre trois nouveaux délégués parmi les ressortissants suisses résidant au Japon. Enfin, le 24 août 1945, ayant obtenu l'accord des Américains à son plan d'évacuation, il envoie ses délégués dans les provinces où se trouvent les principaux camps de prisonniers de guerre alliés[783].

Le même jour, le délégué Fritz Bilfinger part pour la province d'Hiroshima. Outre le rapatriement des prisonniers de guerre, le Dr Junod l'a chargé « d'étudier sur place les conditions résultant de ce bombardement et les effets sur les êtres humains »[784].

Fritz Bilfinger visite Hiroshima les 29 et 30 août. Le 30, il télégraphie au Dr Junod :

« Suzuki pour Junod stop visité Hiroshima le trente, conditions épouvantables stop ville rasée 80%, tous hôpitaux détruits ou sérieusement endommagés, inspecté deux hôpitaux provisoires, conditions indescriptibles fullstop

» effets de bombe mystérieusement graves stop beaucoup de victimes paraissant se remettre ont soudainement rechute fatale due à décomposition globules blancs et autres blessures internes et meurent actuellement en grand nombre stop

» plus de cent mille blessés environ, encore dans hôpitaux provisoires situés alentours, manquent absolument matériel, pansements, médicaments stop

» veuillez faire sérieux appel haut commandement allié, priant faire parachuter immédiatement secours centre ville stop besoin urgent grosses quantités pansements, ouate, pommade pour brûlures, sulfamides, en outre plasma sanguin et appareillage pour transfusions stop

» action immédiate extrêmement désirable envoyer également commission enquête médicale stop rapport suit, confirmez réception. »[785]

---

[783] ACICR, A CL 016.006, Rapport n° 5 du Dr Junod au CICR, 9 novembre 1945, p. 7 ; M. Junod (1963), *op. cit.*, p. 211-212 ; *Keesing's Contemporary Archives*, August 18-25, 1945, p. 7389-7390.

[784] ACICR, B G 3/51, 219 [1], Rapport n° 5 du Dr Junod au CICR, 9 novembre 1945, p. 4. Dans son rapport sur sa mission à Hiroshima, Fritz Bilfinger indique qu'il aurait lui-même proposé de se rendre à Hiroshima et demandé à être désigné comme le délégué responsable de superviser les évacuations de prisonniers de guerre dans ce secteur. ACICR, B G 3/51, 219 [1], Report on the effects of the atomic bomb at Hiroshima, by Fritz Bilfinger, 24 October 1945, p. 1.

[785] ACICR, G 8/76, Télégramme de Fritz Bilfinger au Dr Junod, 30 août 1945, copie, original anglais : « SUZUKI FOR JUNOD STOP VISITED HIROSHIMA THIRTIETH CONDITIONS APPALLING STOP CITY WIPED OUT EIGHTY PERCENT ALL HOSPITALS DESTROYED OR SERIOUSLY DAMAGED INSPECTED TWO EMERGENCY HOSPITALS CONDITIONS BEYOND DESCRIPTION FULLSTOP EFFECT OF BOMB MYSTERIOUSLY SERIOUS STOP MANY VICTIMS APPARENTLY RECOVERING SUDDENLY SUFFER FATAL RELAPSE DUE TO DECOMPOSITION OF WHITE BLOODCELLS AND OTHER INTERNAL INJURIES NOW DYING IN GREAT NUMBERS

Le Dr Junod reçoit ce télégramme le 2 septembre[786]. La veille, il avait retrouvé en hommes libres, au *New Grand Hôtel* de Yokohama, les généraux Wainwright et Percival qui venaient d'arriver de Mandchourie[787]. A-t-il profité de cette occasion pour évoquer la situation d'Hiroshima avec ses interlocuteurs américains qui entouraient les généraux libérés ? Nous ne le savons pas. Dans tous les cas, le fait qu'il ait été invité à retrouver les généraux Wainwright et Percival dès leur arrivée au Japon témoigne de l'importance que ses interlocuteurs attachaient à la visite du camp de Seihan. Cette visite avait brisé l'isolement total dans lequel ces captifs étaient plongés depuis bien plus d'une année. Nul doute que ce crédit lui servira pour la suite de sa mission.

Le jour même où le Dr Junod reçoit le télégramme de Fritz Bilfinger, le Ministère des Affaires étrangères japonais lui remet une série de photographies d'Hiroshima et de Nagasaki « qui ne laissent aucun doute sur l'étendue de la catastrophe »[788].

Le 4 septembre, le Dr Junod a un entretien avec le général Fitch, chef des renseignements, puis avec le colonel B. P. Webster, médecin chef, et le colonel Sams, responsable de la santé publique et des affaires sociales au Quartier général des forces américaines. Il demande que les forces d'occupation envisagent aussitôt que possible une action de secours pour les victimes de la bombe atomique. Le colonel Sams l'assure qu'il va transmettre cette requête au commandant en chef des forces d'occupation, le général Mac Arthur[789].

STOP ESTIMATED STILL OVER ONEHUNDREDTHOUSAND WOUNDED IN EMERGENCY HOSPITALS LOCATED SURROUNDINGS SADLY LACKING BANDAGING MATERIALS MEDICINES STOP PLEASE SOLEMNLY APPEAL TO ALLIED HIGH COMMAND CONSIDER IMMEDIATE AIRDROP RELIEFACTION OVER CENTER CITY STOP REQUIRED SUBSTANTIAL QUANTITIES BANDAGES SURGICAL PADS OINTMENTS FOR BURNS SULFAMIDES ALSO BLOODPLASMA AND TRANSFUSION EQUIPMENT STOP IMMEDIATE ACTION HIGLY DESIRABLE ALSO DISPATCH MEDICAL INVESTIGATING COMMISSION STOP REPORT FOLLOWS CONFIRM RECEIPT BILFINGER. »
Les délégués n'étaient pas autorisés à envoyer des télégrammes directement à la délégation. Ils devaient les adresser au Ministère des Affaires étrangères qui se chargeait de les transmettre – quand il le voulait bien. Le Ministre Suzuki était, au Ministère des Affaires étrangères, le principal interlocuteur de la Délégation pour toutes les questions relatives aux prisonniers de guerre.

[786] Comme indiqué ci-dessus (*supra* note 783), tous les télégrammes des délégués devaient passer par le Ministère des Affaires étrangères qui se chargeait de les transmettre.

[787] M. Junod (1963), *op. cit.*, p. 206.

[788] ACICR, B G 3/51, 219 [1], Rapport n° 4 du Dr Junod au CICR, 5 novembre 1945, p. 4. Le Dr Junod était pleinement conscient de la valeur exceptionnelle de ces photographies. En effet, il profite du retour en Suisse du Ministre de Suisse à Tokyo pour les lui confier afin qu'il les fasse parvenir au CICR, et précise à l'intention de celui-ci : « Je vous remets déjà ci-joint les photographies que j'ai pu obtenir en partie par le Gaimucho [Ministère des affaires étrangères], en partie par les autorités civiles et militaires d'Hiroshima lors de mon passage dans cette ville. Ces documents sont de valeur et je vous prie de bien vouloir les faire mettre par M. Pictet dans le safe jusqu'à mon retour » ; ACICR, B G 3/51, 219 [1], Rapport n° 5 du Dr Junod au CICR, 9 novembre 1945, p. 5.

[789] ACICR, B G 3/51, 219 [1], Rapport n° 5 du Dr Junod au CICR, 9 novembre 1945, p. 5 ; M. Junod (1963), *op. cit.*, p. 221.

Trois jours plus tard, le Dr Junod est informé que le Quartier général confie au CICR quinze tonnes de médicaments et de matériel sanitaire pour qu'il en assure la distribution et le contrôle à Hiroshima ; on lui propose de faire le voyage en avion avec la Commission américaine qui se rend sur place le lendemain afin de constater et d'étudier les effets de la nouvelle arme[790].

Le lendemain – samedi 8 septembre – le Dr Junod se rend avec les membres de la Commission américaine et deux médecins japonais, dont un éminent radiologue, le professeur Tsuzuki, à l'aéroport d'Atzugi, situé à une heure et demie de Tokyo, où les attendent six avions chargés de secours[791].

Ils atterrissent dans l'après-midi à l'aérodrome d'Iwakuni, ancienne base navale japonaise, située à vingt-cinq kilomètres d'Hiroshima, non sans avoir survolé la cité dévastée :

« Une heure après le départ, nous longions le côté est du Fujiyama non loin de son imposant cratère et survolions ensuite les plus grandes villes du Japon, Nagoya, Osaka, Kobe qui m'apparaissaient comme d'immenses taches de rouille avec par-ci par-là de rares quartiers intacts ayant échappé à l'incendie habituel. Mais ce spectacle, quoiqu'impressionnant, n'est pas à comparer avec la vision fantastique du désert d'Hiroshima. Du haut du ciel, cette cité de 400'000 âmes, la ville aux sept rivières, bâtie sur le delta de l'Otakawa, apparaît comme balayée par une force surnaturelle. Le centre n'est plus qu'une vaste tache blanche entourée d'une ceinture brune, trace de l'incendie qui a suivi l'atomisation. Au lointain, près du port, quelques rares édifices apparaissent intacts, abrités qu'ils étaient par une petite colline. »[792]

Le 9 septembre, le Dr Junod accompagne la Commission d'enquête américaine et les deux médecins japonais qui effectuent une visite de la cité dévastée. Il reste encore quatre jours à Hiroshima pour visiter les hôpitaux et assurer la distribution des secours, tandis que la Commission d'enquête américaine poursuit son chemin vers Nagasaki[793]. Au total, le Dr Junod n'a donc passé que cinq jours à Hiroshima.

Que savons-nous de ses activités ? En vérité, peu de choses, tant les sources sont fragmentaires. Grâce au témoignage du Dr Matsunaga et, subsidiairement, grâce à celui du Dr Junod lui-même, on peut tout de même relever trois traits particuliers.

---

[790] ACICR, B G 3/51, 219 [1], Rapport n° 5 du Dr Junod au CICR, 9 novembre 1945, p. 5 ; M. Junod (1963), *op. cit.*, p. 221-222. Les sources citent tantôt le chiffre de douze tonnes, tantôt celui de quinze tonnes. C'est ce dernier chiffre qui est mentionné le plus souvent.

[791] ACICR, B G 3/51, 219 [1], Rapport n° 5 du Dr Junod au CICR, 9 novembre 1945, p. 5.

[792] *Ibid.*.

[793] *Ibid.* C'est du moins ce qu'on peut déduire de ce rapport : « Le dimanche 9 septembre, nous visitons la cité dévastée et entendons le récit de divers témoins. Personnellement, je resterai encore quatre jours… » ; M. Junod (1963), *op. cit.*, p. 229. Le Dr Matsunaga situe sa première rencontre avec le Dr Junod le 10 septembre et ne signale à aucun moment que ce dernier aurait accompagné la Commission américaine (Matsunaga, *op. cit.*, p. 36).

Tout d'abord, il avait une activité incessante : il ne prenait jamais une heure de repos écrit le Dr Matsunaga[794]. Sa première activité fut de visiter plusieurs des hôpitaux de la ville – hôpitaux improvisés pour la plupart, dans des écoles ou d'autres bâtiments à moitié détruits – s'entretenant avec le personnel soignant, auscultant personnellement nombre de patients[795]. Lorsqu'on essaye seulement d'imaginer le spectacle d'horreur et de désolation que devait offrir chacun de ces hôpitaux, l'amoncellement des blessés et des morts, les hurlements des grands brûlés, l'odeur des chairs en décomposition, les nuages de mouches et surtout l'image permanente d'une souffrance nouvelle face à laquelle les médecins se sentaient démunis et désemparés, on peut se représenter l'effort nerveux qu'il fallut déployer pour aller, trois jours durant, à la rencontre de la même tragédie, des mêmes souffrances et du drame absolu[796].

« Il nous reste à visiter une dizaines d'hôpitaux comme celui-là. Dans le bâtiment ultra-moderne de la Croix-Rouge japonaise, il n'y a plus de fenêtres, tous les appareils de laboratoire ont été mis hors d'usage. Six cents blessés sur mille sont morts dans les premiers jours et sont enterrés n'importe où aux abords de l'hôpital. On ne peut pas indéfiniment raconter l'horreur. On ne peut pas décrire l'un après l'autre ces milliers de corps étendus, ces milliers de visages boursouflés, de dos ulcérés, de mains suppurantes dressées vers le ciel pour leur éviter le contact du linge. Et pourtant chacun de ces êtres représente une somme infinie de souffrance. Ces masques déformés conservent à jamais la terreur de ce qu'ils ont vu » écrira le Dr Junod[797].

Non content de visiter les hôpitaux, le Dr Junod se préoccupe également des autres conséquences de la bombe atomique ; il visite la cité en ruine[798] ;

---

[794] Matsunaga, *op. cit.*, p. 44.
[795] *Ibid.*, p. 45-47.
[796] Il existe d'importantes divergences quant au nombre des victimes du désastre. Dans son télégramme du 22 septembre 1945 au CICR, le Dr Junod fait état de 32'959 morts civils, de 23'963 blessés gravement atteints et de 43'517 blessés légèrement atteints et indique que l'effectif des pertes parmi les militaires est au moins aussi élevé (ACICR, B G 3/51, 219 [1]). Le rapport de la Commission américaine d'évaluation des effets des bombardements stratégiques donne les chiffres de 80'000 morts et autant de blessés (*The United States Strategic Bombing Survey: The Effects of Atomic Bombs on Hiroshima and Nagasaki*, Chairman's Office, 30 June 1946, Washington, United States Government Printing Office, 1946, p. 3). Un relevé effectué par la Municipalité d'Hiroshima et arrêté à la date du 10 août 1946 conclut, pour une population civile de 320'081 habitants le jour de l'explosion, aux chiffres suivants : 118'661 morts, 30'524 blessés gravement atteints, 48'606 blessés légers et 3'677 disparus (*Hiroshima and Nagasaki: The Physical, Medical and Social Effects of the Atomic Bombings*, The Committee for the Compilation of Material Damage caused by the Atomic Bombs in Hiroshima and Nagasaki, New York, Basic Books Publishers, 1981, p. 113). Voir aussi : Kenjiro Yokoro and Nanao Kamada, « The public health effects of the use of nuclear weapons », in Barry S. Levy and Victor W. Sidel (ed.), *War and Public Health*, Oxford, Oxford University Press, 1997, p. 65-83.
[797] M. Junod (1963), *op. cit.*, p. 228.
[798] M. Junod (1982), *op. cit.*, p. 285-287; Matsunaga, *op. cit.*, p. 42-43.

procédant à des relevés au centre de la cité, « où tout n'était que silence et désolation »[799], puis à des distances croissantes de l'épicentre de l'explosion[800] ; il rencontre le gouverneur adjoint de la Préfecture d'Hiroshima[801] et consacre également une journée à superviser la libération des prisonniers de guerre alliés[802].

Ensuite, il n'arrivait pas les mains vides. Grâce au télégramme de Fritz Bilfinger et à l'appui du Haut Commandement américain, le Dr Junod apportait quinze tonnes de secours dans une cité où tout faisait défaut : du matériel de pansements, des gazes, de la pommade contre les brûlures, mais aussi des médicaments et des thérapies encore inconnues au Japon, comme du plasma sanguin et surtout de la pénicilline qualifiée de « médicament miraculeux »[803]. En accord avec les autorités sanitaires de la ville, le Dr Junod organisa l'acheminement et la distribution de ces secours et, selon son propre témoignage, il fut en mesure de remettre au Quartier général américain un tableau rendant compte de la distribution de ces remèdes dans les quarante-deux hôpitaux d'Hiroshima[804].

Si l'on se souvient encore à Hiroshima du nom du Dr Junod, c'est sans doute en raison du fait qu'il fut le premier étranger à apporter des secours – fût-ce en quantité très limitée au regard des besoins – aux rescapés du cataclysme[805].

Enfin, il y eut son attitude, une attention constante pour chacun des blessés qu'il rencontrait, qu'il auscultait, mais aussi une très grande curiosité pour le cataclysme dont il mesura immédiatement la portée pour l'avenir de l'humanité. Il posait énormément de questions, prenait énormément de notes, relève le Dr Matsunaga[806].

Mais surtout, il a dû trouver les mots qui touchent, exprimer sa sympathie pour les victimes et pour les membres du personnel soignant, partager leur souffrance. « Le Dr Junod examinait les blessés attentivement et soigneusement.

[799] M. Junod (1982), *op. cit.*, p. 286.
[800] Matsunaga, *op. cit.*, p. 43.
[801] M. Junod (1982), *op. cit.*, p. 340.
[802] B. Junod, *op. cit.*, p. 23.
[803] Matsunaga, *op. cit.*, p. 47-49.
[804] ACICR, B G 3/51, 219 [1], Rapport n° 5 du Dr Junod au CICR, 9 novembre 1945, p. 6.
[805] Dès le lendemain de la bombe atomique, plusieurs équipes médicales de la Croix-Rouge japonaise parvinrent à Hiroshima en provenance des villes voisines. Deux d'entre elles prêtèrent main-forte au personnel de l'hôpital de la Croix-Rouge japonaise qui avait été miraculeusement préservé, bien que les portes, les fenêtres et une partie de la toiture eussent été soufflées par l'explosion ; d'autres équipes servirent dans des dispensaires improvisés, établis sous des tentes en différents points de la ville dévastée. Au total, 792 collaborateurs ou volontaires de la Croix-Rouge japonaise prodiguèrent des soins à quelque 31'000 patients au cours des trois semaines qui suivirent la catastrophe (d'après les renseignements que la Croix-Rouge japonaise a bien voulu communiquer à l'auteur du présent article le 5 juin 1995).
[806] Matsunaga, *op. cit.*, p. 41-42. Malheureusement, ces notes n'ont pas été retrouvées (B. Junod, *op. cit.*, p. 23).

Tous les patients étaient réconfortés par son sourire sympathique » relève encore le Dr Matsunaga[807]. Au milieu d'un océan de souffrances, il a su apporter un peu d'espoir et d'humanité à une population qui se sentait abandonnée des hommes et des dieux dans une situation d'apocalypse.

De ses paroles, nous ne connaissons que les quelques bribes rapportées par le Dr Matsunaga. L'élément dominant est certainement la reconnaissance de la gravité de la tragédie et des souffrances qu'elle a entraînées. « Depuis les guerres d'Éthiopie et d'Espagne, j'ai traversé de nombreux champs de bataille au cours de la Deuxième Guerre mondiale. Avant de venir au Japon, je pensais que le port allemand d'Hambourg et la ville russe de Stalingrad étaient les plus dévastés de la guerre. Maintenant, je suis convaincu que le bombardement atomique de la ville d'Hiroshima est la plus grande catastrophe de la Deuxième Guerre mondiale » rapporte le Dr Matsunaga[808].

Le Dr Junod quitte Hiroshima le vendredi 14 septembre, par le train. « Sur ce qui reste du fronton de la gare, les aiguilles ont été arrêtées par la déflagration. 8 h. 15. Dans l'histoire de l'humanité, c'est la première fois que le début d'un nouvel âge s'inscrit au cadran d'une horloge » écrira le Dr Junod dans *Le Troisième Combattant*[809]. Il s'arrête à Osaka, et, le samedi 15 septembre à 18 h 30, il est de retour à Tokyo[810].

Il y retrouve les préoccupations dominantes qui sont celles de la Délégation : le sauvetage et l'évacuation des prisonniers de guerre alliés, la recherche des disparus, l'organisation d'actions de secours en faveur des milliers d'étrangers totalement démunis, la protection enfin des quelque trois millions et demi de militaires japonais que la capitulation de leur pays fait tomber en captivité, sans oublier les neuf millions de colons japonais que leur gouvernement avait poussé à s'établir à Formose, en Corée, dans ce qui fut pendant quelques années le « Mandchoukuo » et qui refluent en masse dans un pays dévasté.

En avril 1946, il quitte le Japon[811], sans repasser par Hiroshima. En mai, il est de retour à Genève où il retrouve son épouse et voit pour la première fois son fils, né alors qu'il était au Japon.

Pourquoi le Dr Junod n'est-il jamais retourné à Hiroshima ? Pourquoi, au retour de cette ville, ne s'est-il pas précipité à Nagasaki où il devait bien deviner que la bombe du 9 août avait entraîné la même dévastation et engendré les

[807] Matsunaga, *op. cit.*, p. 45.
[808] *Ibid.*, p. 39.
[809] M. Junod (1963), *op. cit.*, p. 229. Le Dr Junod écrit qu'il partit le matin alors que le Dr Matsunaga situe ce départ en fin de journée (Matsunaga, *op. cit.*, p. 51). Cette divergence illustre bien la précarité des sources.
[810] B. Junod, *op. cit.*, p. 24.
[811] *Ibid.*

mêmes deuils et les mêmes souffrances que celle qui avait frappé Hiroshima trois jours auparavant ?

Ces questions s'imposent d'autant plus vivement qu'à deux reprises le Dr Junod fait part de son intention de retourner à Hiroshima. Il en parle dans son télégramme du 22 septembre 1945, par lequel il rapporte sur sa visite dans la cité dévastée ; il en fait part à nouveau dans son rapport du 7 janvier 1946[812]. Pourquoi, dès lors ne s'y est-il pas rendu ? Les documents disponibles – ceux du moins dont nous avons connaissance – ne répondent pas à cette question ; nous en sommes dès lors réduit à des conjectures.

Il n'est pas impossible qu'il ait été découragé par ses interlocuteurs américains. En effet, dans son rapport du 5 novembre 1945, il relate qu'il a discuté avec le colonel Sams du désir des autorités d'Hiroshima de recevoir des baraques et des vitres ; toutefois, celui-ci lui avait enjoint de n'en point faire état, du fait que les membres du Comité de liaison japonais avaient fait savoir que le gouvernement impérial pouvait suffire aux besoins. Le Dr Junod ajoute cependant que « la Croix-Rouge japonaise et le Gaimusho se sont tous deux étonnés de cette réponse du Comité de liaison japonais car le besoin de secours étrangers se fait durement sentir au Japon ». Il conclut qu'il n'a pas insisté en vertu du principe de politique générale « qu'il vaut mieux ne pas entreprendre une action quelconque dans un pays occupé, surtout par les américains (sic), sans le complet assentiment des autorités d'occupation »[813]. Lorsqu'on sait la chape de plomb qui s'est refermée, dès les premiers jours de l'occupation américaine, sur Hiroshima et Nagasaki, comment ne pas lire entre ces lignes ce que le Dr Junod semble hésiter à écrire ?

Mais d'autres facteurs peuvent également avoir joué un rôle. Nous l'avons dit, les priorités du CICR étaient ailleurs. Au Japon, comme en Europe, il estime qu'il est avant tout au service des prisonniers de guerre[814], et c'est éga-

[812] « Returning Hiroshima shortly in view continued control distribution » écrit le Dr Junod dans son télégramme n° 16 au CICR du 22 septembre 1945 (ACICR, B G 3/51, 219 [1]). De même, dans son rapport n° 8 au CICR, daté du 7 janvier 1946, il écrit : « Je pars pour Kobe à la fin de la semaine afin de m'entretenir directement avec ces Messieurs concernant leur éventuelle collaboration et pour revoir une dernière fois Hiroshima » (ACICR, B G 3/51, 219 [1]). Le Dr Junod avait envoyé M. Tomino, interprète de la Délégation, à Hiroshima pour continuer à superviser les distributions de médicaments, mais celui-ci trouva la mort lorsqu'un terrible typhon s'abattit sur la région d'Hiroshima le 17 septembre 1945 (ACICR, B G 3/51, 219 [1], Rapport n° 5 du Dr Junod au CICR, 9 novembre 1945, p. 6).

[813] ACICR, B G 3/51, 219 [1], Rapport n° 4 du Dr Junod au CICR, 5 novembre 1945, p. 4.

[814] Ainsi, dans le télégramme n° 26538, reçu à Genève le 26 octobre 1945, dans lequel le Dr Junod traite des activités futures de la délégation, il ne fait aucune mention de l'aide aux victimes des bombes atomiques d'Hiroshima et de Nagasaki. De même, le Compte rendu de l'exposé de M. Junod sur sa mission au Japon (21 mai 1946), document ronéographié M 1770, consacre plus de trois pages (sur quatre) à la protection des prisonniers de guerre et cinq lignes à sa visite à Hiroshima (ACICR, B G 3/51, 219 [1]).

lement ainsi que les gouvernements concernés comprennent son rôle[815]. En outre, le Dr Junod ne peut ignorer que les quelques initiatives que le CICR a prises au sujet des bombardements aériens n'ont pas empêché le développement des bombardements contre les populations civiles et n'ont pas toujours été bien accueillies[816].

Après son retour à Genève

Si l'action du Dr Junod en faveur des victimes de la tragédie d'Hiroshima avait pris fin le vendredi 14 septembre 1945, lorsqu'il monta dans le train qui devait le ramener à Tokyo, ou même quelques mois plus tard lorsqu'il quitta le Japon, son nom serait probablement tombé dans l'oubli. Mais ce ne fut pas le cas. En été 1946, le Dr Junod quitte à nouveau le CICR[817]. De septembre 1946 à juillet 1947, pour parfaire sa formation, il fait un stage à l'Hôpital Laënnec à Paris.

Durant ce séjour parisien, il consigne son témoignage sur ses dix années de missions au service du CICR, de l'Abyssinie à Hiroshima[818]. *Le Troisième Combattant* est publié en 1947 en français et en allemand avec une préface du président du CICR Max Huber, puis suit une édition en suédois, des éditions anglaise et américaine (1951), et enfin des éditions en japonais, en hollandais, en espagnol et en serbo-croate[819]. Les dernières pages du livre sont le témoignage du Dr Junod sur Hiroshima[820].

Celui-ci a-t-il eu une influence sur les prises de position du CICR au sujet des armes nucléaires ? On peut en douter. En effet, le 5 septembre déjà, soit moins d'un mois après l'explosion de la première bombe atomique dans le ciel d'Hiroshima, le CICR soulève la question de la légalité des armes nucléaires et en appelle aux Etats pour qu'ils s'entendent sur l'interdiction de ces armes ; il le fait par le biais d'une circulaire intitulée « La fin des hostilités et les tâ-

---

[815] Ainsi, le procès-verbal de la séance du 19 septembre 1945 du Bureau du CICR relate la visite que M. Kase, Ministre du Japon à Berne, a rendue le 13 septembre à M. Jacques Chenevière, membre du CICR. Si l'on en croit le procès-verbal, l'entretien a porté sur la situation des militaires et civils japonais se trouvant en Mandchourie, en Corée septentrionale et dans les zones occupées par l'armée soviétique. Il n'est fait aucune mention des tragédies d'Hiroshima et de Nagasaki (ACICR, Procès-verbaux du Bureau [le Bureau était, durant la Seconde Guerre mondiale, l'organe exécutif du CICR], séance du 19 septembre 1945, p. 3-4.

[816] Au cours de la Seconde Guerre mondiale, le CICR a lancé plusieurs appels contre les bombardements aériens, notamment les 12 mars et 13 mai 1940 et le 24 juillet 1943. Si ces initiatives ont été dans l'ensemble bien accueillies, elles n'ont pas empêché le développement de la guerre aérienne et ont aussi suscité des critiques.

[817] Au lendemain de la Seconde Guerre mondiale, le CICR licencie la plupart de ses délégués et de ses collaboratrices et collaborateurs au siège car l'institution traverse une grave crise financière qui la conduit à deux doigts de la faillite.

[818] M. Junod (1963), *op. cit.*

[819] B. Junod, *op. cit.*, p. 25.

[820] M. Junod (1963), *op. cit.*, p. 218-229.

ches futures de la Croix-Rouge », adressée à toutes les Sociétés nationales de la Croix-Rouge et du Croissant-Rouge et à laquelle il assure une large diffusion[821]. A cette date, le CICR n'a encore reçu, à notre connaissance, aucun rapport ni aucun télégramme de ses délégués.

Le CICR reviendra sur cette question dans un appel du 5 avril 1950 intitulé « Armes atomiques et armes aveugles »[822]. Or, durant les années 1948 à 1951, le Dr Junod se trouve en Chine où il représente l'UNICEF, puis à Paris et à Londres[823]. On peut dès lors douter qu'il ait influencé la démarche du CICR.

En définitive, si le nom du Dr Junod est entré dans l'histoire de la tragédie d'Hiroshima, c'est par la force de son témoignage. Ne l'oublions pas, dès les premiers jours de l'occupation américaine, une censure rigoureuse frappe toute information relative à Hiroshima et Nagasaki[824]. Elle ne sera levée qu'après la fin de l'occupation, en 1952, et, durant plusieurs années encore, les autorités japonaises elles-mêmes ne laisseront filtrer les informations qu'à doses homéopathiques. Au regard de ce silence, de ce black-out, de ce non-dit, le témoignage du Dr Junod prend tout son relief, d'autant plus qu'il n'est pas arrivé à Hiroshima les mains vides. Sa parole se fonde sur son action.

Enfin, si le Dr Junod s'est soigneusement gardé de se prononcer sur la légalité ou sur l'illégalité des bombes atomiques qui ont détruit Hiroshima ou Nagasaki, il en a en revanche appelé sans ambiguïté aux Etats afin qu'ils interdisent pour l'avenir toute utilisation des armes nucléaires :

« [...] pour celui qui a été témoin, même un mois après, de l'effet dramatique de cette arme nouvelle, il ne fait aucun doute que le monde est placé aujourd'hui devant le problème de son existence ou de son anéantissement. [...].

» Les forces mystiques et matérielles du monde sont en marche pour le meilleur ou pour le pire. Nul ne peut en prévoir la fin. Derrière ces forces sont les hommes qui les animent. C'est à eux que nous avons le devoir de crier notre angoisse, à eux que nous jetons ce cri d'alarme : faites pour l'énergie atomique ce que vous avez fait pour les gaz toxiques, proscrivez-en l'usage comme arme de guerre si, par malheur, la guerre elle-même ne pouvait être évitée. »[825]

Dans la balance de l'histoire, les cinq journées passées à Hiroshima et les quelques pages qu'il y consacre dans *Le Troisième Combattant* pèsent en

---

[821] « La fin des hostilités et les tâches futures de la Croix-Rouge », 370e Circulaire aux Comités centraux, 5 septembre 1945, in *RICR*, n° 321, septembre 1945, p. 657-662, en particulier p. 659-660. D'après les procès-verbaux du Comité, il semble que ce soit le président Max Huber qui ait pris l'initiative de cette circulaire et qui en ait rédigé le projet.

[822] « Armes atomiques et armes aveugles », in *RICR*, n° 376, avril 1950, p. 251-255.

[823] B. Junod, *op. cit.*, p. 25-28.

[824] *Keesing's Contemporary Archives*, September 8-15, 1945, p. 7421 ; October 13-20, 1945, p. 7490 ; *Hiroshima and Nagasaki: The Physical...*, *op. cit.*, p. 616; M. Junod (1963), *op. cit.*, p. 219-220.

[825] M. Junod (1982), *op. cit.*, p. 357-358.

définitive plus lourd que les dix années de missions qui ont précédé en Abyssinie, en Espagne, en Allemagne et dans l'Europe occupée.

Sur les traces d'Henry Dunant

Lorsqu'on évoque la mission du Dr Junod à Hiroshima, on ne peut manquer de voir surgir en filigrane une autre figure et une autre rencontre providentielle d'un homme avec son destin, celle d'Henry Dunant à Solférino.

Bien entendu, il n'y a pas de commune mesure entre le désastre de Solférino et celui d'Hiroshima, comme il n'y a pas de commune mesure entre l'impact du témoignage d'Henry Dunant et celui du Dr Junod. Il n'empêche que certains parallélismes sont frappants. Le Dr Junod ne reste que cinq jours à Hiroshima ; Dunant ne reste pas plus longtemps à Solférino. Dans le cas de Dunant comme dans celui du Dr Junod, c'est avant tout à travers leur propre témoignage que nous connaissons leur action[826]. Dans les deux cas, cependant, ce témoignage est corroboré par un témoin extérieur : le Dr Matsunaga, dans le cas de Junod ; le soldat Margot-Dornier, horloger à l'armée, dans celui de Dunant[827]. Enfin, dans le cas de Dunant comme dans celui du Dr Junod, c'est le témoignage que l'histoire a retenu, témoignage qui s'appuyait sur leur action, même si celle-ci restait inévitablement hors de toute proportion avec la souffrance à laquelle ils étaient confrontés[828].

C'est donc à bon droit que, lors des obsèques du Dr Junod, foudroyé par une crise cardiaque le 16 juin 1961, le président du CICR, Léopold Boissier, a tenu à « rendre un dernier hommage à celui qui a été le plus accompli des délégués du Comité international de la Croix-Rouge. Je dis bien le plus accompli, car dans la nombreuse phalange de ceux qui se sont dépensés et se dépensent encore pour secourir les victimes des guerres et des troubles intérieurs, aucun n'a vécu une expérience aussi multiple, aucun n'a eu autant d'occasions de manifester ses dons d'abnégation, de courage et d'humanité »[829].

---

[826] J. Henry Dunant, *Un Souvenir de Solférino*, Genève, Imprimerie Jules-Guillaume Fick, 1862 ; M. Junod (1963), *op. cit.*

[827] Matsunaga, *op. cit.*, p. 35-52. Les archives du CICR possèdent quatre lettres adressées par Eugène Margot-Dornier, horloger à l'armée, à Henry Dunant, dans lesquelles il relate le rôle de Dunant auprès des blessés de Solférino. Des extraits et des fac-simile de ces lettres ont été publiés dans : Micheline Tripet, « La présence de Dunant dans les archives de la Croix-Rouge » in *De l'utopie à la réalité, Actes du Colloque Henry Dunant tenu à Genève au palais de l'Athénée et à la chapelle de l'Oratoire les 3, 4 et 5 mai 1985*, Roger Durand et Jean-Daniel Candaux (éd.), Genève, Société Henry Dunant, 1988, p. 42-47.

[828] L'image de Dunant, héros de Solférino, partant relever les blessés à la tête d'une cohorte de brancardiers volontaires, est une fabrication d'hagiographes ignorants et mal inspirés, qui ne se fonde sur aucun document et qui est réduite à néant par le témoignage du principal intéressé : « Le sentiment qu'on éprouve de sa grande insuffisance, dans des circonstances si extraordinaires et si solennelles, est une indicible souffrance » écrit Dunant (Dunant, *op. cit.*, p. 60).

[829] *RICR*, n° 511, juillet 1961, p. 336-339, *ad* p. 338.

Le président Boissier relève avec raison la carrière exceptionnelle du Dr Junod, la diversité des situations auxquelles il a été confronté, son courage et son abnégation ; toutefois, tout autant que l'action du Dr Junod qui a ouvert des voies nouvelles au CICR, l'histoire a retenu son témoignage, le reflet de cette action dans *Le Troisième Combattant.* Sans doute le Dr Junod a-t-il porté à un très haut niveau l'idéal de vie que Malraux résume en une formule lapidaire : « Transformer en conscience une expérience aussi large que possible »[830].

[830] André Malraux, « L'espoir », in *Œuvres complètes,* Paris, Gallimard (Bibliothèque de la Pléiade), vol. II, 1996, p. 337.

Indications bibliographiques

Sur la mission du Dr Marcel Junod

Rapport du Comité international de la Croix-Rouge sur son activité pendant la seconde guerre mondiale (1er septembre 1939 - 30 juin 1947), 4 volumes, Genève, CICR, mai 1948, vol. I, *Activités de caractère général*, p. 454-488.

Marcel Junod, *Le Troisième Combattant. De l'ypérite en Abyssinie à la bombe atomique d'Hiroshima*, Paris, Éditions Payot, 1963, p. 207-235 (1ère édition en 1947).

Y. Ohsako, *Valiant without arms: The life and personality of Dr Marcel Junod*, Tokyo, 1973 (en japonais).

André Durand, *Histoire du Comité international de la Croix-Rouge, De Sarajevo à Hiroshima*, Genève, Institut Henry-Dunant, 1978, p. 451-466 et 548-554.

Marcel Junod, « Le désastre d'Hiroshima », *Revue internationale de la Croix-Rouge*, n° 737, septembre-octobre 1982, pp. 273-289; n° 738, novembre-décembre 1982, pp. 340-358; tiré-à-part : *Le désastre d'Hiroshima*, Genève, CICR, 1982.

François Bugnion, « Il y a cinquante ans, Hiroshima... », in *Revue internationale de la Croix-Rouge*, n° 813, mai-juin 1995, p. 337-343.

Témoin d'Hiroshima : L'odyssée d'un délégué du CICR, Dr Marcel Junod, 1904-1961, édité par Benoît Junod, Genève, Commune de Jussy, 2004.

François Bugnion, « The International Committee of the Red Cross and nuclear weapons : From Hiroshima to the dawn of the 21st century », in *International Review of the Red Cross*, No. 859, September 2005, p. 511-524.

Soixante ans après : Le Désastre de Hiroshima de Marcel Junod, édité par Erica Deuber Ziegler, Genève, Labor et Fides, 2005.

Sur les effets de la bombe atomique

The United States Strategic Bombing Survey: The Effects of Atomic Bombs on Hiroshima and Nagasaki, Chairman's Office, 30 June 1946, United States Government Printing Office, Washington, 1946.

Hiroshima and Nagasaki: The Physical, Medical and Social Effects of the Atomic Bombings, The Committee for the Compilation of Material Damage caused by the Atomic Bombs in Hiroshima and Nagasaki, Translated by Eisei Ishikawa and David L. Swain, Basic Books Publishers, New York, 1981.

Yokoro, Kenjiro, and Kamada, Nanao, « The public health effects of the use of nuclear weapons », in *War and Public Health*, edited by Barry S. Levy and Victor W. Sidel, Oxford University Press, Oxford, 1997, p. 65-83.

Sur la position du CICR

« La fin des hostilités et les tâches futures de la Croix-Rouge », 370e Circulaire aux Comités centraux, 5 septembre 1945, in *Revue internationale de la Croix-Rouge*, n° 321, septembre 1945, p. 657-662, *ad* p. 659-660.

« Armes atomiques et armes aveugles », in *Revue internationale de la Croix-Rouge*, n° 376, avril 1950, p. 251-255.

International health and welfare organizations in Israel: The early years

by

Shifra Shvarts[*]

The end of the Second World War in 1945 set off a huge migration from East to West: millions of people left Europe for other countries, particularly the United States, Australia and countries in South America. Prominent among them were half a million Jews: Holocaust survivors whose health, physical and mental, had been seriously undermined and who were seeking to leave the European continent for refuge elsewhere. Approximately 300,000 of them decided to try to emigrate to Eretz Israel, then under British Mandatory

[*] Historian, Moshe Prywes Center for Medical Education, Faculty of Health Sciences, Ben Gurion University, Israel. Co-authors : Drori Valeria, Sachlav Stoler-Liss. In the course of my research and during the writing of this paper, I was assisted by a number of persons whom I would like to thank for their contributions, for the helpful insights and the rare unpublished documents that they provided. In particular, I would like to thank the following: Prof. M. Shani of the Gertner Institute-Sheba Medical Center; Mrs Upasana Young of the UNICEF archives in New York City; Marie Villemin, Barbara Aronson and Yvonne Marie Grandbois of the WHO library and archives in Geneva; Prof. Marta Balinska, Dr Rajchman's great grand-daughter, for her special help; Prof. S. Kunitz, Prof. T. Brown and Prof. H. Temkin-Greener of the Department of Community and Preventive Medicine, and Prof. A. Seidmann of the Simon School of Business Administration, all at The University of Rochester.

rule. Strictly maintained British quotas on Jewish immigration forced most of them to wait until 1948, when Israel became an independent country.[831]

During this period, while they waited to realize their aspirations to rebuild their lives in Israel, they were housed in camps for displaced persons in Europe, which were under American administration; Jewish and international welfare organizations provided aid to them.

Following the United Nations' decision in November 1947 to establish the State of Israel and the declaration of independence in May 1948, a huge wave of Holocaust survivors – about 300,000 people – began to arrive in Israel at the rate of 10,000 people a month. The war of independence, which was then in progress, and the arrival of such an immense number of immigrants, severely strained the resources – military and economic – of the newly-established Jewish state.

The establishment of the State of Israel in 1948 created a new political reality and a new destination for emigrant Jews. Besides the 300,000 Holocaust survivors who poured into Israel, an additional 400,000 emigrants from Jewish communities in Asia and North Africa sought to come to Israel. They had been forced to abandon their homes owing to the persecution of their governments and the hostility engendered by the establishment of the State of Israel and the war of independence. Among their numbers were Jews from Iraq, Yemen and Iran. The only destination of choice for these Jews – and, in fact, the only country willing to take them in *en masse* – was the State of Israel. Among North African Jewry, which also found itself under political pressure, a percentage held French citizenship – particularly the Jews of Algiers. These emigrants wavered between Israel and France (or other French-speaking areas such as the province of Quebec in Canada). But the pressure of time was such, and the assistance and encouragement of Jewish welfare organizations so persuasive, that the majority of these Jews chose to go to Israel despite the war and the difficult economic conditions.

Decision-makers in Israel were faced with a difficult choice: whether to adopt a policy of unrestricted immigration, to let in every Jew who wished to come, or to institute a system of selective immigration, which would admit only healthy young immigrants and those who could integrate economically and contribute to the new State. Although there were those who wanted a temporary policy of selective immigration, the government, led by the prime minister, David Ben-Gurion, opted for immediate unrestricted immigration. As a result, over a period of four years, 700,000 persons entered a country

---

[831] Moshe Sikron, "ha-Aliyah ha-Hamonit – Memadeiha, Meafyaneiha ve-Hashpaata" [Mass Immigration: Scope, Character and Impact], in Mordechi Naor (ed.), *Olim oo-Maabarot 1948-1952* [Immigrants and Transit Camps 1948-1952], Jerusalem, Yad Ben-Zvi, 1987, p. 32-35.

whose population then was 600,000, many of whom were relatively recent arrivals themselves.[832]

This unrestricted immigration, by indigent persons from totally disparate cultural backgrounds, amidst wartime conditions of hardship and shortages, caused an economic and public health crisis that jeopardized the very existence of the State of Israel. The health and welfare apparatus of the Israeli State was forced to deal simultaneously with thousands of war casualties, thousands of families who had lost loved ones, and thousands of new immigrants who had arrived at a time when no infrastructure existed that could absorb them.

The American Jewish Joint Distribution Committee, known sometimes as "the Joint," was a Jewish welfare organization that had helped to bring the immigrants to Israel. It estimated that some 10 percent of the immigrants would have to be hospitalized upon arrival, some for extended periods owing to serious chronic illnesses. This called for 70,000 hospital beds, at a time when there were only 2,000 hospital beds in all.[833]

The main concerns were endemics of tuberculosis, typhus, syphilis, and of contagious diseases, particularly among children, such as trachoma and ringworm. Other issues had to be dealt with as well: malnutrition and high birth rates among the new arrivals from North Africa.

It was clear to the provisional Israeli government that it could not cope by itself with the enormous threat to public health created by mass immigration. External assistance was required, especially when all national efforts were focused on the war in progress, which drew off most of the medical personnel and services in the country.

The main issue was emergency assistance for dealing with the public health crisis in the short term. At the same time, a public health policy had to be developed, one that could deal with public health issues among the immigrants under the prevailing conditions, and prevent not only the outbreak of epidemics among the newcomers, but also their spread to settled populations, particularly when their own local health staff had no experience or training in dealing with public health crises. It is important to note that until the establishment of the State of Israel, public health issues – inoculations, eradication

---

[832] Shifra Shvarts *et al.*, "Medical Selection and the Debate over Mass Immigration in the New State of Israel 1948-1954", in *Canadian Bulletin of the History of Medicine*, 1 (22), 2005, p. 5-34.

[833] Lavon Institute, Labor Archives, Kupat Holim [the General Health Fund], Files IV-1-04-38, Decisions of the Meetings of the Immigration Committee, 10 February 1946, Summary of Suggestions for Medical Assistance in Immigrant Homes and Transit Camps, 17 November 1946.

of diseases such as malaria, medical check-ups for immigrants, and so on – were dealt with by the Mandatory government.[834]

The departure of the British Mandatory authorities left a vacuum in the public health sector, which the newly established State of Israel was without the means to fill. Personnel with the necessary qualifications and experience were simply not available. The solution was to turn to international health and welfare organizations.

The objective of the research at hand is to present the role of international organizations in the State of Israel's success in dealing with the crisis in public health created by mass immigration. The research hypothesis was that these international agencies were instrumental in Israel's success in dealing with urgent public health issues and in developing an effective public health policy: they played a very significant role.

Despite the scale of their operations in the early years of Israeli statehood – this is borne out by documents in the archives – the contributions of these organizations during the crisis of mass immigration has been almost completely ignored in all the Israeli research into the history of mass immigration.

This may be attributed to two reasons. First, there is a lack of broad scholarly interest in the history of health and medicine within the Israeli academic community. The second reason has to do with Israeli policy in the early years of statehood: there was a conscious attempt to foster the view, among the Israeli public, that the independent Jewish State had been able to deal unaided with the challenges it faced; therefore, the Israeli government tended to underplay the role of international organizations and give itself full credit for its successes in dealing with mass immigration. This is the way reality is presented in official state documents, as well as in various textbooks. This idea – 'we succeeded single-handed in dealing with the mass immigration health crisis' – has become entrenched among historians in Israel Studies, and has never been challenged.

The research at hand is the first to deal with the issue and the first one to present the role played by international health organizations in the early years of the State of Israel, and the scale of the contribution made by them to the State's handling of the public health crisis brought about by mass immigration.

The study is based on documents in the archives of the World Health Organization and UNICEF, in the general archives of the United Nations and in Israel's State Archives; it also draws on records of Israeli cabinet meetings and of meetings within the Israeli Ministry of Health during the period under examination, and on reportage from the daily press.

---

[834] Shifra Shvarts, *The Workers' Health Funds in Eretz Israel: Kupat Holim, 1911-1937*, Rochester N.Y., The University of Rochester Press, 2002.

In addition, for the purposes of the study, 200 interviews – with new immigrants and health officials who dealt with new immigrants in the 1950s – were conducted. Special emphasis was placed on comparing the data on assistance and agreements described in archival documents with the testimony of people in the field – both health personnel and immigrants – who conformed the scale of the assistance that had been given.[835]

Even when they did not know its source, many of the interviewees said that they remembered the fact of international assistance. Combining archival research with oral testimony was essential in order to ascertain whether the assistance programmes, as reported by the organizations themselves and by the Israeli government, had indeed reached the field. This made possible the prevention of a common error: over-estimating the value of programmes that either existed only on paper or whose assistance ended up in hands other than those for whom they were intended.[836]

International heath and welfare organizations were operating in Europe before the end of the Second World War. Their main objective, during the war, was to assist the millions of displaced persons and their families. A large number of organizations were in existence even earlier; during the period between the two World Wars, they operated under the umbrella of the League of Nations. They were subsequently re-organized and incorporated into the framework of the United Nations, which replaced the League of Nations in 1945.

Most of the individuals who had led the older organizations played a part in the establishment of the new organizations that came afterwards.

The most prominent among the new organizations were the United Nations Relief and Rehabilitation Administration (UNRRA) and the United Nations International Children's Emergency Fund (UNICEF). UNRRA was established in 1943 to provide relief, at the end of World War II, to areas liberated from the Axis powers. The first "United Nations" organization, the UNRRA provided billions of US dollars of rehabilitation aid, and helped about 8 million refugees. It discontinued its operations in Europe in 1947, and in Asia (including Israel, the Gaza strip, and the Arab countries) in 1949, upon which it ceased to exist. Its functions were distributed among several UN agencies, including the International Refugee Organization.

---

[835] S. Stoler-Liss, S. Shvarts, " 'Die medizinischen Grunde sind wie alle wissen, hochst subjective' Schwangerschaftsabbruch, Arzte und der Prozess des Nation-Building in Israel", in *Fremdkorper*, 16 (3), 2005, p. 53-68; "Fighting Ignorance and Backward Habits: Doctors' and Nurses' Attitudes towards New Immigrants during the Mass Immigration Period 1950s", in *Israel, Studies in Zionism and the State of Israel, History, Society, Culture*, 1 (6), 2004, p. 31-62.

[836] S. Stoler-Liss, S. Shvarts, "We Were Young and Healthy: Medical Absorption of New Immigrants in the 1950s as They Perceived it", summary of research conducted in the framework of the "1950s Research" carried out with funding from the Israel National Science Foundation ISF, 1217/04.

UNICEF was founded in 1946 to aid children in distress and their mothers; its main concerns were proper nutrition and the eradication of diseases, such as trachoma, ringworm, syphilis, malaria and others, that affected mainly children and their mothers.

In 1953, its name was shortened to the United Nations Children's Fund; but it is still known by the popular acronym based on the old name. UNICEF and the State of Israel signed an agreement in 1948.

The focus of UNICEF's attention was children in Europe who had become casualties of the war. It was only after the situation in Europe had stabilized that the organization, whose original purpose had been the provision of aid during emergencies and times of distress, shed its provisional status. It became an established UN agency whose permanent mission was to assist children in need around the world.[837]

The World Health Organization (WHO) was established in 1946 and formally recognized in 1947 as an organization operating under the auspices of the United Nations. It soon became the Israeli government's primary source of advice, aid, technical assistance and professional training. The Israeli government was particularly aided by the WHO in formulating policies to deal with its public health crisis.

The first instalment of international aid – from UNICEF – arrived in Israel in October 1948, during the war of independence. It was intended for Jewish and Arab refugees who had been seriously injured in the war. Most of the aid was in the form of food (especially milk powder), clothing, shoes and medicine. It is important to note that the UNICEF aid was the result of a formal request made by the Israeli government headed by David Ben-Gurion, after the government had discovered that it could not adequately meet children's needs by itself.[838]

Shortly afterwards, the WHO received a request for monetary or material assistance from those active in Israel's campaign to eradicate malaria (this mainly consisted of spraying residential areas with DDT). In September 1950, when the post-war surge in the scale of immigration had become evident, Dr Haim Sheba was appointed director-general of the Israeli Ministry of Health. The Ministry reached the decision – due mainly to the leadership of Dr Sheba

[837] Marta A. Balinska, *Une vie pour l'humanitaire – Ludwik Rajchman (1881-1965)*, coll. L'espace de l'histoire, Paris, La Découverte, 1995; Marta A. Balinska, "Ludwik Rajchman, international health leader", in *World Health Forum*, vol. 12, 1991, p. 456-465; UNICEF archives, CF/HST/MON/1986-003. UNICEF History Series, Monograph III, Burhan B. Ilerchil, UNICEF Programm Assistance to European Countries.

[838] UNICEF archives, CF/HST/MON/1989-001, History Series Monograph VII, *UNICEF in the Middle East and North Africa: A Historical Perspective*; E/ICEF/80/22 October 1948, Restricted report; E/ICEF/1959/R.0675, Recommendation of the executive director for an allocation, Israel: Child Nutrition; UNICEF History Project, HIST/66/Riv.1 July 1989, *UNICEF and Israel: A Brief Chronicle of Cooperation 1948-1985.*

– that Israel did not possess the professional expertise to develop effective public health policies vis-à-vis immigration and should request the WHO's assistance. Israel had joined the WHO in 1949 and was aware of what was to be gained from its assistance.

It should be kept in mind that shortly after its establishment, the WHO had formulated guidelines for aiding countries in need and developed detailed programmes for fighting the major infectious diseases of the time – malaria, TB, syphilis, trachoma and ringworm – and for tackling malnutrition. This meta-program was the focus of the WHO's endeavours during its first decade of operation. Its War on Infectious Diseases programmes were distributed widely. At the same time, the WHO announced that it was prepared to assist any country – provided that it agreed to adopt and implement the WHO's programme "as is," without any modifications.[839]

The Israeli Ministry of Health adopted the WHO's recommendations as stipulated, and Israel's public health policy was based on the WHO's founding principle. Simultaneously, ties were established with the International Organization for Migration (IOM) and the International Labour Organization (ILO): these organizations helped in an advisory capacity with medical check-ups for new immigrants – for those who were screened prior to their arrival and those who were processed in transit camps after their arrival in Israel.

At the beginning of the 1950s, the WHO and UNICEF launched a programme for joint action; for instance, in collaboration with the Scandinavian Red Cross, they developed a campaign to eradicate tuberculosis. The two organizations began intensive operations in Israel at this time; this would last an entire decade, until the end of the 1950s.[840]

Soon afterwards, the guidelines established by the WHO and UNICEF, for providing assistance and for patterns of operation in those areas in which they were involved, became the foundations of public health policy in the State of Israel at the time. That remains the case to this day.

The aid programme addressed a number of issues in a number of areas:

1. Assistance in organizational counselling, establishing what the medical needs of the country were and developing a working programme in accordance with the WHO's operational guidelines.
2. Signing of an agreement between the WHO and the State of Israel, which stipulated that the WHO was solely an advisory and assistive agency, and that responsibility for the provision of the activities and im-

---

[839] WHO Archives, Official Records of the World Health Organization, No. 37, International Sanitary Regulations, Proceedings of the Special Committee and the Fourth World Health Assembly on WHO Regulations No. 2; Agreement on technical assistance between the World Health Organization and the Government of Israel, article 1, 1951.

[840] UNICEF Archives, Joint committee on health policy, UNICEF-WHO, Third Session, Geneva, 12 April 1949.

plementation of the measures rested with the State of Israel itself, which would train suitable personnel.

3. Aid in the form of food, medicine, and medical equipment for a set period of time until the public health crisis was over.
4. Training of local medical personnel, and conduct of in-service training abroad for Israeli health professionals, to provide professional cadres for the health-care system. Training also took the form of professional seminars in Israel itself, and visits from specialists to Israel, in consonance with the specific health-care needs of the country.
5. Ongoing visits by WHO and UNICEF advisers and professional experts who oversaw the provision of material and financial assistance to Israel, and its effect on the state of medical services. For instance, there was continuous supervision of mother & child welfare clinics throughout the country; various operations were monitored; even minute details, such as the amount of streptomycin and the number of bandages used in each clinic, were noted. These clinics were required to submit detailed monthly reports that were sent to Geneva, along with explanations for any deviation from what was expected.
6. Special follow-up programmes for the eradication of syphilis among pregnant mothers and of tuberculosis, and regular visits to transit camps such as Shaar Aliyah, south of Haifa and the primary processing camp for new immigrants. The international monitors oversaw inoculations and medical check-ups for newly-arrived immigrants. The success of the fight against TB is epitomized by the fact that the Meir Hospital near Tel Aviv, which was originally planned as a TB sanatorium, became a general hospital upon its completion; as the result of a vigorous campaign to eradicate the disease, there were far fewer patients who needed hospitalization.
7. When the polio epidemic broke out in the period from 1950-1951, both the WHO and UNICEF provided iron lungs and other medical equipment, gave financial assistance to establish a rehabilitation centre for polio victims, and provided training for physiotherapists and other health-care personnel. The school of physiotherapy established during this period, with such international aid, serves as a polio research and teaching centre to this day.
8. International cooperation in the war against malaria. Malaria was one of the core public health issues during the period of the British Mandate. From 1946, when mass production of DDT began, Mandatory health authorities began spraying DDT in populated areas in the vicinity of the Jordan River. In the wake of the 1948 war of independence, there was some concern that the absence of cooperation with Jordan, owing to the

Arabs' refusal to recognize Israel's existence at any level – or to cooperate with Israel in matters of mutual concern – would lead to a recrudescence of malaria. The WHO and UNICEF took it upon themselves to coordinate the spraying of DDT on both sides of the Israeli-Jordanian border in mosquito-infested areas. The recrudescence of malaria would have been a privation for people who were living precariously in the aftermath of the war.

The joint assistance provided by the WHO and UNICEF was not entirely conflict-free. This was particularly the case with regard to the overuse or misuse of medicines. The two organizations had occasion, more than once, to reprimand Israeli service-providers for wasteful or improper use of equipment, medicines or inoculations. Israeli authorities were also reprimanded for failing to properly maintain the ambulances and other vehicles sent to Israel. In addition, the WHO's Middle East Office rejected, as unnecessary, Israeli requests for more medicine and monetary assistance.

The close relationship that developed between international health organizations and the Israeli health-care system is also evidenced by the readiness of the WHO and UNICEF to assist Israel in establishing a manufacturing base for the local production of medicines, food and so forth. Laboratory personnel were sent to supervise the training of new staff and the building of laboratories for the production of medicine. This resulted in streptomycin and DDT being produced locally, in the construction of the first centre outside the United States to produce Salk polio vaccine for local use, and in the establishment of Israel's milk supply – milk products and powdered milk. Both organizations assisted in underwriting the shipment of dairy breeding stock from Holland to Israel – to lay the foundations for a local daily industry – and in providing expert advice and supervision in the establishment of the countrywide, farmers-owned co-op, Tnuva's, central dairy.

For its part, Israel, led by Dr Sheba, was convinced that the WHO's recommendations and public health policy guidelines were the most reliable guides to the future; and Israeli officials, accepting the recommendations without reservations, adopted the WHO's policies and working procedures.

It is important to keep in mind that, in following guidelines set forth by the WHO and UNICEF, the State of Israel was not alone. Many countries that sought and received international assistance did the same. The programme for eradicating contagious diseases that was carried out in Israel was *identical* to that implemented in European countries and in the rest of the Middle East. Standardization held certain advantages for the organizations providing the aid, but it had its drawbacks as well: 'One size fits all' programmes do not always suit every country.

In 1951, the first wave of mass Jewish immigration to Israel after independence ended. Not one epidemic had broken out, underscoring the success of international assistance and the effectiveness of the public health policy that had been implemented. Every immigrant who arrived in the State of Israel was inoculated in accordance with international guidelines. The incidence of syphilis and TB, as well as the rates of infant mortality and of death during childbirth, continued to drop. Both the WHO and UNICEF were able to curtail their assistance accordingly.

In the late 1950s, the collaboration between WHO and UNICEF was terminated for political reasons, and the two organizations have operated separately ever since.

The guidelines for public health policy, supervision and monitoring of immigration and contagious diseases, and the operation of Israel's mother & child welfare centres continue to develop in accordance with principles established during the early years of Israeli statehood by the WHO and UNICEF. To summarize, the WHO and UNICEF had a very strong impact on the shaping of Israeli public health policy and on the ways in which it is implemented. They provided both the ways and the means, for a country with straitened resources that was facing a serious public health crisis, for preventing a disaster and significantly alleviated the burden placed on the State of Israel.

Missing Persons: Scientific Methods for Investigating the Truth

by

Sabina Zanetta*

Introduction

The investigation of the Katyn massacre during the Second World War has been discussed at length. Though its conclusions were initially ignored or disputed for political reasons, they have now become essential to shedding light on past events. Indeed, the Soviet Union ultimately admitted responsibility for the killings in 1989.[841] The investigation that took place in Katyn has therefore assumed historical importance and was one of the first times that an international forensic team was brought together to conduct exhumations and autopsies in a case of major human rights violation.

Many such investigations have followed since. In the 1980s, investigations into the fate of thousands of missing persons were initiated in several Latin

---

* Associate investigator at the International Crimal Court in The Hague, Netherlands.

[841] Kaziemirz Karbowski, "Professor François Naville (1883-1968), His role in the inquiry on the massacre in Katyn", in *Bulletin de la Société des sciences médicales du Grand-Duché de Luxembourg*, 1, 2004, p. 41-61.

American countries and later in other parts of the world.[842] More recently, the expertise of forensic scientists has been called upon by international tribunals (such as the International Criminal Tribunal for the former Yugoslavia) and other tribunals (such as the Iraqi High Tribunal) requiring meticulous exhumation and autopsies of victims of mass killings in order to find evidence to be presented at trial.

This article presents a review of the scientific methods now available for investigating similar cases of murder and forced disappearance. In this context, the term missing persons refers to cases of involuntary disappearance, particularly those resulting from conflict, internal violence or the practices of an authoritarian regime.

Investigating the truth

Criminal investigators, human rights activists and researchers seek to establish an accurate account of the events that have led to disappearances. This process is conducted by gathering and analysing all manner of information, by formulating hypotheses regarding the sequence of events and by finding evidence corroborating or refuting those hypotheses. In the case of a legal investigation, the primary objective is identification of suspects and their subsequent trial.

Numerous elements are researched and analysed in order to understand what happened: accounts of survivors and of persons who participated in the crimes, documents, intelligence reports, audio, video and photographic and other material observed and recovered at the crime scene. In general, material evidence is analysed by forensic scientists who provide detailed reports on their findings. For example, matching a bullet fragment with the weapon that most likely shot that projectile or recovering and matching fingerprints on a document might lead to the identification of a suspect. The contribution of forensic experts can be the key to formulating hypotheses and understanding what occurred, particularly when the findings are contextualized with witness accounts.

In the case of enforced disappearance, investigations are fairly complex, and forensic experts are normally directly involved in the recovery and identification of the human remains. Their expertise, which draws on several fields of science, allows them to play a crucial role in collecting robust evidence for legal or historical investigations.

[842] Stephen Cordner and Helen Mckelvie, "Developing standards in international forensic work to identify missing persons", in *International Review of the Red Cross*, 84 (848), 2002, p. 867-884, p. 868.

The scientific process that leads to the identification of human remains usually involves multidisciplinary teams using complementary methods.[843] The teams can be composed of forensic archaeologists, physical anthropologists, pathologists, odontologists, X-ray technicians, geneticists, photographers and scene-of-crime officers, amongst others. Depending on the context, the resources available and the scope of the investigations, the team's composition and the techniques used may vary. Nevertheless, investigations aimed at tracing missing persons normally consist of the following: gathering information related to the disappearances; locating possible burial sites; exhuming human remains and recovering artefacts from the crime scene; examining the remains to determine the cause and manner of death; and, finally, establishing the victims' identity.

Information gathering

First, information must be collected about the events that led to the disappearances and about the victims themselves. Locating possible burial sites and later identifying the victims are essentially an investigative process.[844] During this first step, forensic scientists might not be directly involved. However, they could give guidance on the information that needs to be gathered to identify the victims. Such information, also called ante-mortem data, is comprised of elements such as sex, age and stature of the victim, clothing and medical records. Previous X-rays and dental records of the victims are also collected, together with samples for DNA analysis of close relatives or of the victims themselves.

Site location and preparation

Once enough information has been gathered about a location where the bodies of the missing have allegedly been disposed of, an assessment visit is made. The purpose of this site reconnaissance is to verify the information gathered and identify a more accurate location for the site before moving to the excavation stage. A forensic archaeologist might already participate at this stage as he/she is able to tell, for instance, if the soil is disturbed or not, which would indicate the presence of a burial site. As in other forensic disciplines, first non-destructive examinations are made, using for example cadaver dogs, sub-surface remote sensing (by means of geophysics methods) or aerial im-

---

[843] J. Raino, K. Lalu *et al.*, "Radiology in forensic expert team operations", in *Legal Medicine,* 3, 2001, p. 34-43, p. 34.

[844] See the Argentine Forensic Anthropology Team (Equipo Argentino de Antropologia Forense – EAAF) website http://www.eaaf.org/ under "Investigative Program" (accessed 6 January 2008).

agery.[845] The forensic archaeologist or investigator may also use probes or dig trenches to verify his assumptions.

At this point, directions are given for preparation of the site for exhumation. Trees and bushes might need to be cut, access to the site improved for heavy machinery that will be needed (e.g. a digging machine and refrigerating truck for the storage of the remains). If there is any suspicion that there might be landmines or unexploded ordnance, the site is cleared before any approach. Similarly, health and safety factors are considered for sites presenting a particular danger (e.g. a cave).[846]

Exhumation

In the context of missing persons and human rights abuses, archaeology and crime-scene analysis techniques are applied to exhumations, the purpose being the careful recovery of evidence such as human remains, clothing, personal belongings, bullets, etc.

Depending on the specifics of the case and availability of human and financial resources, an exhumation team could consist of a forensic archaeologist, a pathologist and an anthropologist, diggers helping in the excavations, a scene-of-crime officer, a photographer responsible for the visual recording of evidence found and collected, and an investigating officer overseeing the operations. However, this is not always the case and often all these roles are played by one person.

The role of the forensic archaeologist is especially important during the excavation of mass graves[847] of a certain size and complexity. He is responsible for recovering human remains and the general documentation of the findings. Forensic archaeology involves using archaeological techniques and principles modified to suit the processing of crime scenes, including the location, recovery, documentation and interpretation of evidence of past events. The forensic archaeologist has an important role in mass grave exhumations, since he has experience with field logistics, survey, mapping, and excavation. His primary aim is the complete recovery of the remains for subsequent physical examination and analysis for identification.

The forensic archaeologist has two additional roles. The first is directly linked to the primary intent of archaeology: investigation of the past. It is

---

[845] M. Skinner, D. Alempijevic *et al.*, "Guidelines for International Forensic Bio-archaeology Monitors of Mass Grave Exhumations", in *Forensic Science International*, 134, 2003, p. 81-92, p. 88.

[846] *Ibid.*, p. 88.

[847] "There is no single or satisfactory definition of a mass grave. […] Mass graves contain many bodies, that are often jumbled and incomplete from individuals who were murdered and secretly hidden by agents of the state or civilians during times of war or civil conflict." (Skinner *et al.*, *op. cit.*, p. 82).

necessary to reveal site-formation processes by exposing "temporal and spatial relationships that help explain how the bodies came to be in the observed state."[848] For example, through very careful excavation the archaeologist may find the impressions left by heavy machinery used to dig the grave. Like footprints in burglary investigations, these marks can be compared among sites and provide evidence that the same type of machine was used to dig different sites. All these findings will assist in the historical reconstruction of the events.

The second additional role of the forensic archaeologist is to find evidence of injuries and other facts that will help the forensic pathologist to determine the cause of death. For example, the finding of dislocated neck bones during the excavation must be documented, since their abnormal juxtaposition might not be preserved during the transport of the remains and until the autopsy. Moreover, the spatial relationship between items, which is preserved through careful excavation and recorded through precise mapping techniques, can be of value in reconstructing events surrounding a death, for example ligatures and blindfolds associated with the victim.[849]

Human remains recovered from a mass grave may be (semi-)skeletonized. Therefore, a forensic anthropologist normally assists the archaeologist and pathologist in collecting those remains. His help is particularly essential at complex mass grave sites, such as secondary graves, where bodies are generally found dismembered and commingled. Secondary mass graves result from a deliberate effort to hide evidence: perpetrators remove the remains from one location (called the primary grave) and re-bury them in another one (called the secondary grave), sometimes mixing the remains coming from more than one site. This was unfortunately a common occurrence in the former Yugoslavia.[850]

In such cases, other forensic disciplines play a key role in linking different grave sites. The procedure consists in trying to find common features belonging to two or more graves that are assumed to be linked. Soil and pollen experts might be called in, following the observation of "foreign" soil mixed with the bodies that is different in colour and/or composition than the soil surrounding the grave. By comparing the soil with other areas surrounding other sites, the expert might be able to link a primary to a secondary site. Similarly, investigators from the International Criminal Tribunal for the former Yugoslavia (ICTY) called on ballistic, glass and fibre experts to compare fired cartridges, broken bottles and pieces of material found in various mass graves or at execution sites.[851] Subsequent DNA analysis of dismembered

---

[848] Skinner *et al.*, *op. cit.*, p. 84.
[849] *Ibid.*, p. 83-84.
[850] *Ibid.*, p. 83.
[851] International Tribunal for the former Yugoslavia, "Prosecutor v. Vidoje Blagojevi and Dragan Joki, Case No. IT-02-60-T, Judgement", 17 January 2005, p. 151, footnote 1398.

human remains can also serve the same purpose, together with the one of re-associating different body parts belonging to the same individual.

The photographer provides help in the visual recording of all the evidence found and collected. He plays a key role in protecting the site's integrity by taking pictures and/or filming it every day before excavation resumes in the morning and when it ends in the evening.[852] The photographer also protects the integrity in terms of evidence for court purposes of bodies and artefacts by photographing them *in situ*.

Finally, the scene-of-crime officer is responsible for cataloguing in a rational, consistent and simple manner all evidence found either at exhumation or later during autopsy, and matching it with the photographic record. Keeping track of evidence is essential in case of a criminal investigation, but also because of the quantity of items encountered that need to be recorded. The role of the scene-of-crime officer is very important in promoting communication and a unified process of recording and collecting evidence both in the field and during autopsy.[853]

Human remains and artefacts collected during the exhumation are then stored in their appropriate packaging until further examination and analysis. For the most part, this is done in accordance with standard practice following a prescribed method of collection, labelling and storage.

Examination

Examining human remains serves the following main goals: to determine the cause and manner of death, collect post-mortem data for identification, and eventually re-association and/or disassociation of bones.

Normally, several experts are involved in examining the remains. The forensic pathologist usually operates as the case coordinator for the medical and forensic assessment of a given death and makes sure that the appropriate procedures and evidence collection techniques are applied to the body.[854] He performs autopsies and his primary role is to determine the cause and manner of death and to identify the remains. The statement of cause of death results from a medical determination of the disease or injury responsible for a lethal sequence of the events, whereas the manner of death explains how the cause of death arose. The latter has legal implications. Normally, there are six cate-

---

Also available at http://www.un.org/icty/blagojevic/trialc/judgement/index.htm (accessed 30 October 2008).

[852] The excavation of a mass grave site can take days, weeks or even months, depending on its size and complexity.

[853] Skinner *et al.*, *op. cit.*, p. 86-87.

[854] See the National Association of Medical Examiners website http://www.thename.org/ under "FAQs" (accessed 6 January 2008).

gories for manner of death: natural, accidental, suicidal, homicidal, legal execution and undetermined.[855] For example, if the pathologist establishes that a fatal gunshot injury at the back of the head is the cause of death, he will then need to establish the manner of death. Clearly, it is a violent death; but is it a suicide, homicide or an accident ? The additional information that the victim had his hands tied behind his back and ligatures around the ankles will tend to exclude the hypothesis of a suicide, whereas the finding that most bodies recovered from the same mass grave have the same gunshot injury on the back of the head will drastically reduce the possibility of an accident. At the same time, the hypothesis of homicide together with a pattern of the killings will be strengthened.[856]

As mentioned earlier, often the remains collected are (semi)-skeletonized. The forensic pathologist generally focuses on soft tissue (including organs and body-fluid analysis). Therefore, a forensic anthropologist, whose general focus is on bones, may also be required for the examination. His expertise in osteology and skeletal biology will assist the forensic pathologist in analysing trauma and disease and collecting data for the identification of the remains.

Forensic anthropology is a sub-discipline within the field of physical anthropology.[857] Over the past century, physical anthropologists have developed methods of assessing age, sex, stature and ancestry, and of analysing trauma and disease from bones to understand different populations living all over the world at different times throughout history. Forensic anthropology involves application of the same methods to modern cases to establish a biological profile of the unidentified remains. The role of the forensic anthropologist also includes, when needed, the re-association and/or disassociation of disarticulated bones and body parts. When remains were not buried in single graves, the commingling of bones may be such, that during the exhumation it is not possible to associate the remains belonging to a single body. This situation is even more complicated when dealing with secondary mass graves, where the process of decay of the bodies and the mechanical action of the machines used for removal and transport further aggravates the disarticulating, crushing and commingling of the remains.[858]

---

[855] Generally, a first distinction is made between a natural and non-natural (or violent) death. If the fatality is classified as non-natural, a subsequent distinction is made between accident, homicide, suicide, legal execution or undetermined.

[856] This example also illustrates how elements recovered during the exhumation can be crucial for the subsequent examination of the remains.

[857] Anthropology alone is the study of man; it is often divided into the following three branches: social anthropology, archaeology and physical anthropology (focusing on human remains).

[858] See also the University of Tennessee website http://web.utk.edu/~anthrop/index.htm (accessed 6 January 2008).

In such cases, by means of careful examination of the bones, the anthropologist tries to assemble a complete skeleton representing an individual, by re-associating different body parts that have been collected separately and/or by removing a body part that was erroneously allocated to another body. In this effort, the anthropologist may be assisted by DNA analysis, as DNA profiles generated from bone samples are also used for the express purpose of re-associating body parts, whenever possible. For this reason, some experts recommend sampling all major body parts and comparing their DNA profiles within, and later between, sites.[859]

The forensic pathologist is also assisted by other experts in examining human remains. These can include odontologists, who examine and classify teeth according to their characteristics (intact, carious without treatment, restored, extracted, etc.) for identification purposes.[860] By scanning the remains with X-rays, radiologists are able to detect individual anatomic features (typically X-rays of the thorax or nasal accessory) and pathological changes to bones, old traumas, prostheses or other orthopaedic operations that can be useful in identifying the victim. They also provide information on peri-mortem traumas[861] that can be useful in determining the cause and manner or death and allow detection and documentation of foreign material, which is otherwise difficult to find (e.g. bullets or pieces of shrapnel in soft tissues).[862] A photographer is also often present to visually record the findings, particularly those, such as gunshot injuries, that could be later used in the courtroom.

The post-mortem data, collected by the forensic pathologist with the help of other experts, is used to identify the unknown remains. It includes but is not limited to: sex, age and stature at death, hair colour, scars, tattoos, injuries and diseases, as well as other special characteristics (e.g. amputation). For the same purpose, the experts also collect samples for DNA analysis. In the case of skeletonized remains, samples taken are normally teeth and sections of long bones, as they are recognized for giving the best results when DNA is extracted. Geneticists then extract and analyse the DNA.[863]

In addition, during the examination, clothing and personal objects found on the victim are cleaned, photographed and carefully described. Sometimes families are called to examine and recognize anything that is familiar to them amongst all the clothing and personal effects that have been collected. This

---

[859] Skinner *et al.*, *op. cit.*, p. 86.

[860] S. Sakoda, B.-L. Zhu *et al.*, "Dental identification in routine forensic casework: clinical and postmortem investigations", in *Legal Medicine*, 2, 2000, p. 7-14, p. 8.

[861] "Peri-mortem" means around the time of death.

[862] Rainio *et al.*, *op. cit.*, p. 34.

[863] A. Alonso, S. Andelinovic *et al.*, "DNA Typing from Skeletal Remains: Evaluation of Multiplex and Megaplex STR Systems on DNA Isolated from Bone and Teeth Samples", in *Croatian Medical Journal*, 42(3), 2001, p. 260-266, p. 265.

procedure leads to presumptive identifications. These are later prioritized in the final phase: formal identification.

Identification

The identification of a corpse or skeleton relies on the same methods and principles used in most forensic disciplines: a process of comparison between two sets of data, in this case ante-mortem and post-mortem data. These two sets of data, together with contextual information and the accounts of witnesses, are evaluated both under the hypothesis of identification (the victim is this or that individual) and the hypothesis of exclusion (the victim is not this or that individual, but rather someone else). The identification is established when enough matching criteria are satisfied and in the absence of discrepancies that cannot be explained.

Normally, the forensic pathologist compares the findings of the examination with detailed ante-mortem data[864] that were previously collected from the families of the victim [fig. 22 et 23]. When possible, these data are entered in a database so as to facilitate the search for specific features and comparison. Visual identification of the victims is often not possible owing to decomposition of the remains, and therefore cannot be used to support the experts' conclusions.

Traditionally, one of the most significant clues to identity is dental information: teeth (in their unique shape and location), external morphological features, histological components, and restorations are extremely important.[865] A trained forensic odontologist may be indispensable in comparing the victim's teeth with the ante-mortem dental records.

There are numerous examples of mass disasters in which identification was achieved with the help of examining teeth.[866] In Croatia, examination of human remains from mass graves related to the 1991-1995 war resulted in the positive identification of over 800 victims [fig. 24]. Dental identification was crucial in 25% of those cases and in a further 64% dental findings served as supportive evidence for identification based on other evidence.[867] However, there are important factors to be taken into account for a successful dental identification: the availability and reliability of ante-mortem dental records; the possibility that these records are not complete as the victim may have received treatment after the last recorded clinical examination; the desirability

[864] The database includes all available information on the disappeared, such as sex, age, stature, built, fractures, previous surgical operations, tattoos, scars, clothing, jewellery, etc.

[865] J. Dumancic, Z. Kaic *et al.*, "Dental identification after two mass disasters in Croatia", in *Croatian Medical Journal*, 42(6), 2001, p. 657-662, p. 657.

[866] *Ibid.*, p. 659-660.

[867] H. Brkic, D. Strinovic *et al.*, "Odontological identification of human remains from mass graves in Croatia", in *International Journal of Legal Medicine*, 114(1-2), 2000, p. 19-22, p. 19.

of dental records presenting some alterations or characteristics of the dental status of the victim useful for identification; and the extent of post-mortem damage (due, for example, to deterioration, fire or post-mortem loss of teeth).[868]

Unfortunately, ante-mortem information is most often missing – either families cannot provide complete and reliable data, owing to the lack of dental care or to non-accurate filling of the record by the dentist,[869] or such data may be withheld from investigators or even destroyed when incidents involving political or ethnic hostilities are investigated.[870] It is also possible that these data have been lost during the events that resulted in the disappearances. However, in case of severely burned victims, teeth represent a main asset since they are the hardest and most durable part of the human body and might be the only clue to the victim's identity. Moreover, teeth give good results when attempting to extract DNA.[871]

There are other areas of expertise which forensic pathologists might call upon. Cranio-facial superimposition of images,[872] for instance, was used by the Argentine forensic anthropology team, together with other methods, to identify the remains of Che Guevara, found in 1997 in a mass grave with six other guerrillas in Vallegrande, Bolivia.[873] The superimposition method is the comparison between video and photographic images of the skull with ones of the living victim. The outline, facial tissue thickness, anthropometrical points of the skull and their relative positions are taken into consideration to establish identity. The advantage of this technique lies in the fact that facial photographs (preferably both frontal and lateral) are often easily obtained from the victim's family. Its limitation appears when the skull is damaged or has a missing mandible. This method helped identification in a few cases from the war in Croatia.[874]

Depending on the circumstances and the degree of preservation of the remains, as well as on the availability of ante-mortem data, identification through fingerprints may also be attempted. In this case, a dactyloscopist will

---

[868] Sakoda *et al.*, *op. cit.*, p. 7.

[869] Dumancic *et al.*, *op. cit.*, p. 660.

[870] Rainio *et al.*, *op. cit.*, p. 41.

[871] Dumancic *et al.*, *op. cit.*, p. 660.

[872] The superimposition method is explained in: M. Yoshino, K. Imaizumia *et al.*, "Evaluation of anatomical consistency in cranio-facial superimposition images", in *Forensic Science International*, 74, 1995, p. 125-134.

[873] Che Guevara and his group were ambushed in Bolivia in October 1967. "El Che" was executed a day later by the Bolivian army and his body buried in an unknown location. Argentine Forensic Anthropology Team, "Bolivia: The Search For and Discovery of the Remains of Ernesto 'Che' Guevara and Other Guerrillas in Vallegrande, Bolivia, 1995-1997", in *Bi-Annual Report: 1996-97*, 1997, p. 1-41, p. 37.

[874] D. Primorac, S. Andelinovic *et al.*, "Identification of war victims from mass graves in Croatia, Bosnia and Herzegovina by the use of standard forensic methods and DNA typing", in *Journal of Forensic Science*, 41(5), 1996, p. 891-894, p. 892.

compare the fingerprints of the victim with the ones already recorded in a database or found on a support belonging to the victim (e.g. his personal diary). Unfortunately, such ante-mortem data is rarely available.

Radiographic examination of the bones can also be used to confirm an identification by X-ray comparison of bone shape, size or indications of old fractures.[875] This technique also depends on the accessibility of reliable and complete ante-mortem data. X-rays of previous fractures and prosthetic devices are what is most frequently found.

In addition to the forensic experts' conclusions, supportive evidence such as clothing, personal identification cards, jewellery and other personal objects found on the victim, as well as circumstantial evidence (place of burial, witness accounts, type and location of wound) is always verified and often aids in achieving positive identification.[876]

However, often the evidence gathered is not enough to achieve a high degree of confidence in the identification. The use of DNA typing offers the possibility of obtaining information from human skeletal remains as additional evidence in support of identification. The DNA can be used for sex determination and, most importantly, to establish full identity when it is possible to compare the DNA profile of the victim with the DNA of relatives or a DNA sample of the victim retrieved from an ante-mortem sample (e.g. a sample collected from the victim's toothbrush).[877]

Our cells contain two types of DNA, nuclear and mitochondrial. Nuclear DNA is unique to each individual, except for identical twins. Each cell of the human body contains just one copy of the individual's nuclear DNA. After a person dies, this DNA begins to break down, and in some cases it may deteriorate below the testing threshold within a few years. In contrast, mitochondrial DNA (mtDNA) is only passed down through the mother's line, and thousands of copies may be contained in each human cell. This means that the mtDNA profile of a person is not unique to that individual, but rather points to his maternal lineage. One benefit of mtDNA testing is that its presence in high numbers within each cell means that it should exist long after the nuclear DNA has degraded below the point of detection.[878]

---

[875] *Ibid.*, p. 892.
[876] Brkic *et al.*, *op. cit.*, p. 19.
[877] Dumancic *et al.*, *op. cit.*, p. 660.
[878] A. Marusic, "DNA lab helps identify missing persons in Croatia and Bosnia and Herzegovina", in *The Lancet*, 358, 13 October 2001, p. 1244. See also the International Commission on Missing Persons website http://www.ic-mp.org/ (accessed 6 January 2008).

Since the mid 1980s, DNA technology has made huge steps forward and has been used in many criminal investigations.[879] Though for a long time DNA was used as a technology of last resort to save cases that had very little evidence to prove the identity of a person, now it is widely used and accepted.

As pointed out earlier, forensic experts dealing with the identification of missing persons often face several constraints. A high level of decomposition and of commingling of the remains, combined with the lack of detailed medical and dental information, considerably reduces the effectiveness of traditional forensic methods of identification, such as anthropology, odontology and radiology.

In such circumstances, the use of DNA technology has brought enormous changes not only to forensics and criminology, but also to efforts to identify missing persons. In Bosnia-Herzegovina in particular, the International Commission on Missing Persons is undertaking a mass identification effort using DNA-led technologies [fig. 25 et 26]. This has been the key aspect of the Commission's endeavour to speed up and increase the accuracy of the identification process. The cost of the analysis and the processing time has been reduced by combining recent advances in DNA technology and automation and by building a regional scientific capacity.[880] Thanks to very sensitive systems, DNA can be amplified and subsequently typed even from old teeth and bone samples that contain minimal amounts of human DNA, or even with no detectable human DNA at all.[881] The analysis of the mitochondrial DNA sequence provides an additional basis for successful identification.

Once the identification is officially concluded (in many countries this is the responsibility of the forensic pathologist), the remains are handed over to the families, together with personal effects, for reburial. The evidence collected is presented to pertinent entities and may be used in court.

Development of forensic sciences

At the time of Katyn, scientific techniques and expertise were already present and the investigative process was similar to the steps described above. Since then, forensic sciences have benefited from the development of new

---

[879] In 1985, Alec Jeffreys used DNA to solve a sexual-assault murder of two women. It is interesting to note that the first time a DNA profile was used in criminology, it was to exonerate the primary suspect of a case (M. Schanfield, "Forensic Science: Taking Giant Steps Forward", in *Croatian Medical Journal*, 42 (3), 2001, p. 219-220 at page 219).

[880] R. Huffine, J. Crews *et al.*, "Mass identification of persons missing from the break-up of the former Yugoslavia: structure, function, and role of the International Commission on Missing Persons", in *Croatian Medical Journal*, 42 (3), 2001, p. 271-275. See also the International Commission on Missing Persons website http://www.ic-mp.org/ (accessed 6 January 2008).

[881] Alonso *et al.*, *op. cit.*

techniques, which have allowed scientists to obtain more accurate results and to automate portions of the work.

For instance, already during the Second World War, aerial images were used to collect information on activities occurring on enemy territory. The German air force took photographs of the area around Katyn before, during and after its occupation. A series of these images, taken in 1944 when the Soviet Union was again the occupying force in the region, show bulldozers excavating the ground near to Katyn. The subsequent analysis of these photographs revealed that the Soviets were trying to cover up the crime by removing bodies from a mass grave with a bulldozer.[882] At present, the resolution of aerial and satellite imagery has significantly increased and it is still analysed to identify locations of possible mass graves by comparing images of the site before and after the soil was disturbed. The ICTY has also used such images to identify mass graves related to the killings during the war in the former Yugoslavia.

In order to verify the presence of mass graves and possibly determine their size, new techniques developed in the disciplines of geology and geophysics are now used, such as ground-penetrating radar and electrical resistivity studies of the soil.[883] Archaeological methods applied during exhumations have also benefited from the development of new techniques. For example, archaeologists can now create three-dimensional maps of a mass grave and the surrounding area, indicating the size and shape of the grave and the placement of bodies and all other objects found at the site.

Yet, what appears to be the most remarkable innovation since the exhumations conducted in Katyn in 1943 is the development of DNA-analysis methods. In fact, DNA analysis provides such a high degree of confidence that it could, alone, be the only forensic evidence needed to establish the identity of an individual. In cases of missing persons, thanks to new developments in analysis, DNA can be extracted from bones or teeth with a relatively high success rate and compared with the DNA of family members.[884] However, DNA-identification techniques are not always successful – depending on the deterioration of the bone, in some instances DNA cannot be extracted and analysed.

Although DNA analysis is a powerful tool, there are a number of issues regarding its use that need to be considered. First, the work and conclusions of

---

[882] B. B. Fischer, "Intelligence in Recent Public Literature", in *Studies in Intelligence*, Central Intelligence Agency, 4 (3), 2007. In this article, the author reviews the book: Frank Fox, *God's Eye: Aerial Photography and the Katyn Forest Massacre*, West Chester, PA, West Chester University Press, 1999.

[883] A. Ruffel and J. Mckinley, "Forensic geoscience: applications of geology, geomorphology and geophysics to criminal investigations", in *Earth-Science Reviews*, 2004, p. 1-13, p. 5-6.

[884] Alonso *et al.*, *op. cit.*, p. 260-261 and 266. See also Marusic, *op. cit.*

geneticists must always be verified. If two or more childless brothers are missing, DNA cannot distinguish between them. Anthropological indicators such as sex, age and stature should always be confirmed to ensure that the remains really belong to the supposed victim. Concerns about data protection and privacy are raised, since genetic material could contain sensitive information. For example, situations may arise in which DNA tests could reveal that the father of a child may be another man.[885] In addition, DNA analysis is still quite expensive, which is an obstacle in poor countries, where the judiciary and surviving family members cannot afford the services of laboratories processing DNA samples.[886] For identification purposes, genetic material must also be collected from the relatives of the victims, which is not always possible, for instance in cases where an entire family has been exterminated or where the relatives cannot be found (moved to another country, etc.).

More generally, the evolution of scientific techniques has also benefited from new developments in the field of computer technology. For instance, databases for the management and analysis of information greatly facilitate the comparison between ante- and post-mortem data. Technological advances have also altered logistical aspects of investigations: refrigerated trucks are now brought to exhumation sites and used to preserve human remains before autopsy, equipment for the examination of the remains – such as X-ray machines – now exist in portable form, etc.

Obstacles to the investigation

Though scientific methods continue to develop and diversify, there will always be obstacles, which may obstruct their application.

Such obstacles can take the form of unwillingness on the part of a State to undertake an investigation into the fate of missing persons or to allow a third party (e.g. an international tribunal) to do so. In addition, concerns for the safety of the investigation team may affect the progress of investigations – if a country is still at war and the security situation is unstable, it will be extremely difficult to conduct a crime-scene investigation and to exhume remains. Third, remains might have been buried in a remote location, often with the aim of concealing the crime, and it is therefore difficult to access the mass grave site. Finally, both the financial and human resources needed for this kind of work are considerable. Some countries may lack the resources required to conduct such a meticulous investigation.

---

[885] Cordner and McKelvie, *op. cit.*, p. 881.

[886] A. K. Olumbe and A. K. Yakub, "Management, exhumation and identification of human remains: A viewpoint of the developing world", in *International Review of the Red Cross*, 84(848), 2002, p. 893-902 (p. 894).

Aim of the investigation

The general goal of an investigation into the fate of missing persons is to search for the truth. However, the specific objectives of an investigation determine the way in which all the aforementioned scientific techniques are applied. In a criminal investigation, the aim is to gather evidence that will prove the commission of a crime and will serve to indict the perpetrator(s). For this purpose, issues such as the chain of custody and preservation of the evidence, as well as application of the highest scientific standards, have utmost importance during the entire proceedings, starting with the investigation and exhumation of the remains.

Regarding the Katyn massacre, the crime-scene investigation conducted in 1943 was not specifically designed to support subsequent criminal proceedings. When the sentences were passed at the Nuremberg trial, Katyn remained a controversial subject and was not taken into account. When the German authorities started the investigations, their aim was to produce propaganda rather than to uncover the truth. However the Katyn investigation later assumed a historic role, in shedding light on certain events.

Investigations into the fate of missing persons are also undertaken with a humanitarian aim, which is to identify the remains and return them to the families. Surviving relatives suffer from the uncertainty of not knowing whether their loved ones are alive or dead. Without proof of death, the surviving relatives cannot give their loved ones a dignified burial and are unable to complete the mourning process and move forward. Discovering the truth about the violent events generally brings an end to the circle of uncertainty and can help the families end the mourning process and resume normal life. In these cases, the purpose of the investigation will be to identify all the victims, whereas other forensic evidence such as cartridge cases may be put aside. This contrasts with criminal investigations, where it may be sufficient to identify with certainty only a single body from a mass grave.[887]

Conclusions

Whether the investigation's purpose is judicial, historical or humanitarian, the ultimate goal is to discover the truth and formulate a hypothesis on the sequence of events that led to the disappearances which is as close as possible to what really happened. Scientific methods can certainly help unveil details that will refute or confirm hypothetical reconstructions of past events, if they are meticulously applied and if objectiveness is maintained when drawing conclusions.

---

[887] Skinner *et al.*, *op. cit.*, p. 88.

The example of the Katyn investigation underscores the political sensitivity of the work of forensic scientists in mass grave exhumations and suggests that their findings can be exploited for political or propaganda purposes. In order to safeguard the objectiveness of the investigation, it is advisable to involve a neutral forensic team. In controversial situations especially, similar caution should be exercised when the number of victims reported differs from the number of victims found, when there are allegations of massacres, or when competing narratives of events are given from the various sides of the conflict. Mistrust on the part of the victims' families towards the authorities could be additional grounds for the presence of a neutral forensic expert.[888]

In Katyn in 1943, the political neutrality of the forensic team was provided by Swiss Professor François Naville since, unlike the other experts, he came from a neutral country.[889] His emblematic role has certainly helped lend legitimacy to the findings of the Katyn investigation.

---

[888] J. Rainio, K. Karkola *et al.*, "Forensic investigations in Kosovo: experiences of the European Union Forensic Expert Team", in *Journal of Clinical Forensic Medicine*, 8, 2001, p. 218-221, p. 220.

[889] Karbowski, *op. cit.*, p. 41.

ICRC recommendations for missing-person investigations in conflict-related contexts

by

Ute Hofmeister*

Forensic investigations in conflict-related contexts can be a very delicate matter. Some of the challenges involved have changed since the time of the Katyn investigation, while others are still the same. Although unsatisfactory investigations can never be avoided altogether, it is important that forensic experts be aware of the pitfalls and that every possible precaution be taken to head off potential problems. This can be accomplished by following a number of internationally recognized recommendations, including those of the ICRC.[890]

The ICRC initiative on missing persons and their families

The striking thing about the Katyn investigations is that, although they were conducted to high professional standards, they did not involve the identi-

* Anthropologist, forensic scientific, ICRC, Geneva.

[890] Other recommendations can be found in the "United Nations manual on the effective prevention and investigation of extra-legal, arbitrary and summary executions," UN Doc. E/ST/CSDHA/.12 (1991) and the Interpol "Disaster victim identification guide" (http://www.interpol.int/Public/DisasterVictim/Guide/Default.asp).

fication of individuals by scientific means. Presumptive identifications were achieved using documents and personal effects, but the scientific methods available at the time, such as dental identification and comparison of ante- and post-mortem data, were apparently not employed.

Half a century later, a similar approach was taken in the Balkans. The forensic investigations carried out by the International Criminal Tribunal for the former Yugoslavia (ICTY) in Bosnia and Kosovo focused, even more than the Katyn investigations, on establishing the identity of perpetrators, the cause and manner of deaths, and on group identification.

While investigations of this kind are justifiably and necessarily the focus of a criminal tribunal, the need of the families of those gone missing to know what happened to their loved ones, and to have the remains of the missing identified, must also be met.

One of the ICRC's main activities is to trace missing persons. On the basis of the organization's role as guardian of international humanitarian law, which enshrines "the right of families to know the fate of their relatives,"[891] the ICRC launched an initiative called "The Missing," calling for action to deal with the problem of missing persons.

Studies and workshops were held on topics such as prevention, legal provisions, different mechanisms for clarifying the fate of missing persons, mechanisms for reparation, management of human remains, management of information, protection of personal data, and support for families.[892]

These activities culminated in an international conference held in 2003, which resulted in a series of recommendations and a concrete plan of action.[893] The aim was to raise awareness about the tragedy of people unaccounted for as a result of armed conflict or internal violence and about the anguish of their families. Tools were developed to ensure accountability on the part of the authorities responsible for solving missing-person cases, to better assist the families and to prevent further disappearances. Besides offering support and making recommendations for the development of legal measures, implementing preventive measures, and otherwise protecting and assisting the families of missing persons, the plan of action promoted best practice in investigating cases of missing persons and managing the dead.

As a purely humanitarian, neutral, impartial and independent organization, which has the right to decline to testify before criminal tribunals, the ICRC

---

[891] Protocol I additional to the Geneva Conventions, Art. 32.

[892] Documents relating to these workshops are accessible at http://www.icrc.org/Web/Eng/siteeng0.nsf/htmlall/section_missing_persons_events?OpenDocument

[893] Conference documents and reports are accessible at http://www.icrc.org/Web/Eng/siteeng0.nsf/htmlall/section_missing_persons_experts?OpenDocument

does not become directly involved in forensic investigations, where declarations and testimony in the framework of criminal proceedings are to be expected. Nonetheless, since the conference on missing persons held in 2003, the ICRC has had forensic experts among its staff responsible for providing advice on the handling of mortal remains and on forensic science in general, building local forensic capacity, helping to collect and manage information needed for human identification by providing tools such as standardized data-collection forms and electronic data-management systems, promoting and supporting implementation of ICRC recommendations for missing-person investigations (e.g. by setting out minimal standards and best practice guidelines), and strengthening forensic networks. The ICRC would become directly involved, for example collecting and documenting remains or performing forensic examinations, only in very exceptional cases.

Challenges faced by forensic investigations in conflict-related contexts

The ICRC recommendations focus on forensic investigations into the fate of missing persons in situations of armed conflict or of internal violence, i.e. in especially challenging environments, where standard procedures cannot necessarily be followed. The example of the Katyn investigations clearly demonstrates that technical expertise does not suffice by itself in conflict-related contexts.

A forensic investigation is influenced not only by the level of expertise of the forensic professionals and by their adherence to existing standards of good practice, but also by a number of constraints on professional practice. Such constraints might be of a practical nature, such as a rapidly changing administrative and legal framework, limited resources and logistics, security issues, lack of trained personnel and lack of standards and best-practice guidelines appropriate to the context. But there are also more abstract issues. All investigations take place in a broader context where concrete social, political and cultural interests and agendas come into play. The pressure felt during investigations and the interpretation given of the results in this broader context have a direct influence on the success of any forensic investigation in a situation of international conflict. These are the factors that are the most difficult to deal with.

In order to achieve the humanitarian and human rights objectives of a forensic investigation, a number of preconditions have to be fulfilled. The ICRC recommendations were developed in consultation with academic institutions and with experts and representatives of governmental, intergovernmental and non-governmental organizations from all over the world.[894]

[894] A number of publications with these guidelines and recommendations can be found on the ICRC website (www.icrc.org).

A framework for forensic investigations into the fate of missing persons

A number of basic factors need to be considered before starting a forensic investigation. Only when questions of legitimacy, legality, security, resources, coordination among those involved and data management have been resolved should a forensic operation actually proceed. An investigation that is not properly prepared risks failure. In certain circumstances it may be better to delay an investigation until proper standards can be applied.

The ICRC recommendations urge that a framework be agreed from the outset under which making positive identifications and providing information for families are recognized as just as important as gathering evidence for criminal investigations.

The ICTY forensic mission in the Balkans was mentioned above as an example of an investigation where identification was not a primary objective. This resulted in major problems and was a cause of anguish for the families. Another, more recent example of exhumations performed in the framework of criminal investigations without a strategy for identifying individuals is provided by the probes undertaken in connection with the Iraqi special war-crimes tribunal.[895]

But even an identification process with purely humanitarian aims, involving no collection of criminal evidence, may pose a problem. For example, in Guatemala, where around 40,000 people went missing in the early 1980s, exhumations have been performed since 1992 by teams with varying levels of experience. In view of the almost total impunity conferred on the perpetrators in Guatemala, many exhumations have been regarded as a mainly humanitarian effort [fig. 27]. This has been changing, however, and now there are cases in court – few in number, but very high-level – where forensic evidence may play an important role. Fortunately, the major forensic teams realized long ago the importance of working to standard in a clear legal framework and agreed on procedures that should ensure that the cases involving their work will stand up in court (the cases of some less well qualified teams may not prove to be of sufficient quality).

Evidence from substandard forensic investigations carries the risk of being dismissed in court. Thus the International Criminal Tribunal for Rwanda dismissed evidence from exhumations after cross-examination by a forensic an-

[895] See e.g. http://news.riverfronttimes.com/2006-12-06/news/csi-iraq-goes-to-court/2: "[A witness at the trial] wants to know if his sister was in the grave we excavated. It's possible to find that out, and we're gonna look into it. She was about eight or nine. I'm gonna run the numbers tomorrow to see how many six- to nine-year-olds we have. We've taken DNA samples; we just haven't run them. That would be a very nice thing if we could do that." This statement by the head of the Iraq Mass Graves Investigation Team makes it clear that identifying individuals was not a standard part of the team's work.

thropologist called by the defence as an expert witness demonstrated that the method used by the prosecution was unreliable.[896]

A framework for forensic investigations should include specified protocols involving a clear chain of custody for the recovery of remains and evidence, ante-mortem data collection, autopsies and identification. Clear duties and responsibilities should be set out in standard operating procedures and, if necessary, memoranda of understanding.

The approach adopted for identifying human remains must be suited to each context. Large international multidisciplinary teams, such as were used in the Balkans, will most likely not be appropriate in contexts such as Iraq, for example.

The methods and technologies employed in a given context must be based on scientific principles and sound practical considerations. Even if the methods need to be adapted to the means available, they must still meet basic standards such as those set out in the ICRC recommendations. The methods and technologies should be reliable, scientifically valid and fully approved.

The investigations must take place within a framework providing for the involvement of communities and families in exhumation, examination and identification procedures. In addition, procedures must be in place for handing over remains to the families, and a strategy must be ready for communicating with families, communities and the public in general [fig. 28].

The role of families

The concerns of families should be at the centre of any missing-person investigation. Families should be consulted and provided with information at every stage.

The importance of communicating with family members is illustrated by a case from Argentina. In the 1980s a forensic expert was invited by the authorities to examine and identify human skeletal remains. The families refused to accept his findings, however, because the investigation had not been conducted in a way that was transparent to them. In most contexts there is a relatively high level of trust in forensic investigations and those conducting them, but in Argentina, where some forensic professionals had actually been accomplices in concealing evidence of human rights violations, the trust of the public in general and bereaved families in particular was shattered and had to be slowly rebuilt.

One reason for taking the concerns of families into account is to show consideration for their psychological and social needs. Although forensic exhu-

[896] *The Prosecutor v. Georges Anderson Nderubumwe Rutaganda*, Case No. ICTR-96-3-T, Judgement and Sentence, 6 December 1999 (Trial Chamber), paras 257-259 (www.ictr.org).

mations and the identification of missing persons can contribute to the healing process, they can also aggravate the families' suffering if not handled properly.[897] The staff involved in forensic investigations, especially those in direct contact with the families, also need to be given consideration and may well need to receive special training.[898]

Managing expectations and planning for the long term

Since most missing-person investigations take place over a period of many years, planning needs to be based on a long-term perspective. Quick results are rare, and expectations should be managed accordingly.

In the Balkans, for example, the ICRC, ICTY and UN have been strongly committed to solving the roughly 23,000 missing-person cases[899] in Bosnia. Since the signing of the 1995 Dayton Peace Accords the international community has invested heavily in exhumations in Bosnia – more so than anywhere else. A number of international forensic teams, including those of the ICTY, Physicians for Human Rights and the International Commission on Missing Persons, have been active in the region. By the end of 2006 the mortal remains of about 8,000 individuals[900] had been recovered and identified, including many from the Srebrenica mass graves. This left a considerable number still to be exhumed, even if one assumes that about a third of the bodies will never be found. Now that the international community has shifted its interest and resources to other crisis situations, it will become increasingly difficult to deal with the remaining cases.

Clearly then, to help countries to cope with the problem of missing persons once international support is no longer available, it is important to develop long-term strategies from the outset involving local bodies and the development of local capacity.

Coordination, record keeping and data management

The ICRC is developing standard data-collection forms and information-technology tools. In some areas it is also chairing, coordinating or otherwise sponsoring working groups aiming to make it easier to exchange information among those concerned.

Kosovo has suffered from a lack of such coordination. Forensic investigations started in Kosovo immediately after NATO arrived, with strong in-

---

[897] See e.g. Franz Kernjak, *Tote suchen – Leben finden,* Innsbruck, Studienverlag, 2006.
[898] See e.g. G. S. Everly Jr, J.T. Mitchell, *Critical incident stress management (CISM): A new era and standard of care in crisis intervention*, Ellicott City MD, Chevron, 1997.
[899] Number based on internal ICRC figures and data published by the International Commission on Missing Persons (http://www.ic-mp.org/downloads/press/EN_TChart.pdf).
[900] *Ibid.*

volvement from the international forensic community. One of the main problems proved to be the lack of common operating procedures and coordination among those involved – especially in 1999 – and improperly managed data. Information on a number of bodies that had been autopsied and later reburied – including their location – is nowhere to be found. To promote better communication among those involved, the ICRC is now chairing a working group on missing persons and a sub-working group that coordinates and manages forensic information used in identifications.

Balanced approach

In conflict situations where there are missing persons on all sides, it is important to adopt a balanced approach in investigations to avoid being perceived as partial by a particular community and thereby increasing tension.

The Committee on Missing Persons in Cyprus was formed by a UN resolution and urged to seek advice from the ICRC on missing-person investigations. The ICRC recommended setting up a forensic team including members of both Cypriot communities and using local capacity as much as possible. Communication between the two sides is difficult, despite strong international pressure, and the issue of missing persons is very sensitive. Nevertheless, investigations by the forensic team representing both communities have now been going on for a year and the first restitutions of identified remains to their families are expected shortly. The work of the forensic team is so far the only cooperative effort involving both communities on the whole island.

The ICRC recommendations aim to raise awareness among forensic experts of the humanitarian and human rights implications of investigations in conflict-related contexts, and to promote best practice. Lessons learnt from the Katyn investigations and from contexts where the ICRC has been involved confirm the usefulness of the recommendations.

Fig. 21. Localité de Lloccllapampa, district d'Accomarca, Ayacucho (Pérou). Experts médico-légaux au travail, mai 2007. © CICR/HEGER, Boris.

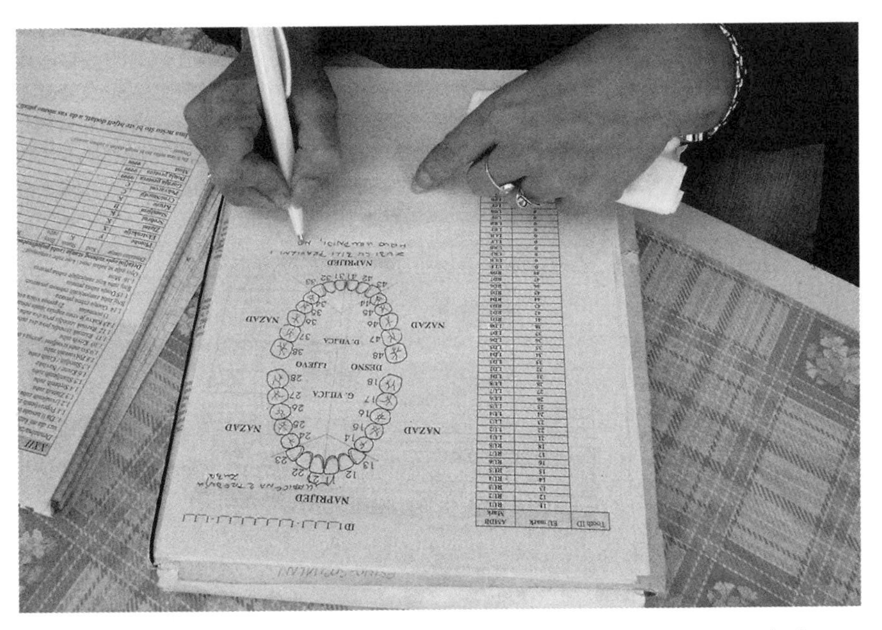

Fig. 22. Mostar (Bosnie-Herzégovine), collecte de données *ante mortem* par une équipe CICR auprès d'une famille dont le fils est porté disparu, octobre 2004. © CICR.

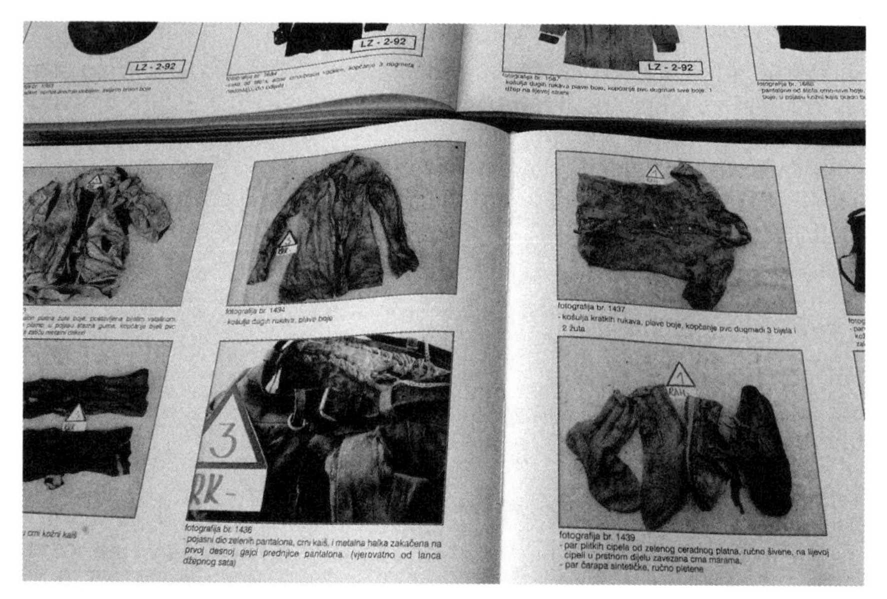

Fig. 23. Bosnie-Herzégovine. *Book of belongings* répertoriant les vêtements et objets retrouvés auprès des corps. 14 500 personnes ont été annoncées comme disparues au CICR dont 5500 pour la ville de Srebrenica. Juin 2005.
© CICR / SCHAEFFER, Benoît.

Fig. 24. Vukovar (Croatie), travail d'enquête dans une fosse commune, 12 juin 1998.
© CICR / SHIRLEY, Clive.

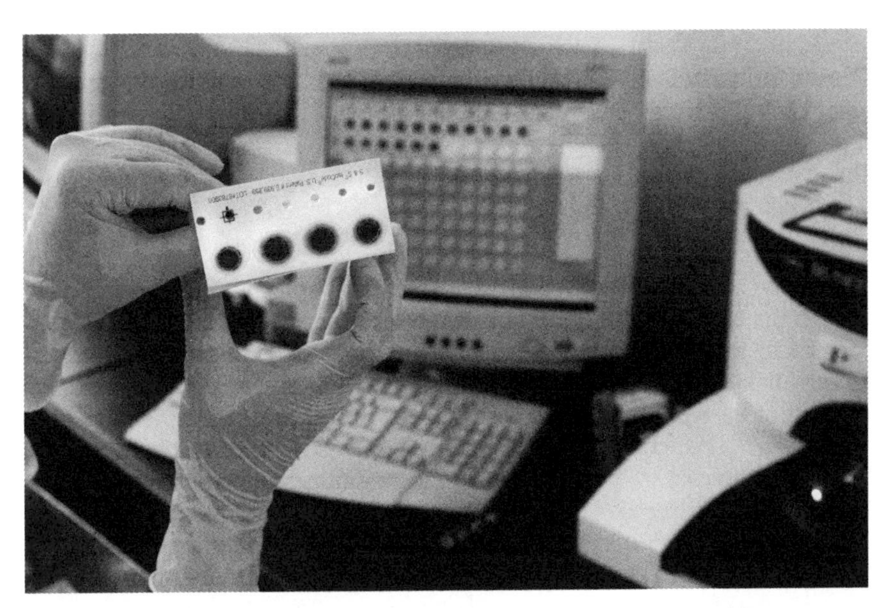

Fig. 25. Tuzla (Bosnie-Herzégovine), centre d'information de l'*International Commission on Missing Persons* (ICMP). Un des échantillons sanguins des familles des disparus dont l'extrait ADN sera comparé à ceux des ossements retrouvés, pour tenter d'identifier les restes humains, juin 2005. © CICR/SCHAEFFER, Benoît.

Fig. 26. Tuzla (Bosnie-Herzégovine). Fichiers de l'*International Commission on Missing Persons* (ICMP) contenant des informations sur l'ADN de personnes disparues qui pourront être comparées à l'ADN de parents vivants ayant donné un échantillon de sang. Février 2008. © NB picture for ICRC/DANZIGER, Nick.

Fig. 27. Tbilissi (Géorgie). Cimetière et mémorial aux personnes disparues. Femmes venant déposer des fleurs en hommage à leurs fils et frères disparus. Juin 2004. © CICR/BJÖRGVINSSON, Jon.

Fig. 28. Département de Quiche (Guatemala). Les corps de personnes portées disparues ont pu être identifiés. Les familles concernées sont sur le point de les enterrer à nouveau, dans la dignité et selon leurs coutumes. 2007. © CICR/MOLINA, Carla.

Visites du Comité européen de prévention de la torture politiquement difficiles

par

Jean-Pierre Restellini*

La prévention, une priorité

L'article 3 de la Convention européenne des Droits de l'Homme dispose que « nul ne peut être soumis à la torture ni à des peines ou traitements inhumains ou dégradants ».

Cet article a inspiré la rédaction en 1987 de la Convention européenne pour la prévention de la torture et des peines ou traitements inhumains ou dégradants[901].

La Convention prévoit un mécanisme non judiciaire, à caractère préventif, pour protéger les détenus. Ce mécanisme repose sur un système de visites

* Médecin légiste et membre suisse du Comité européen pour la prévention de la torture et des peines ou traitements inhumains ou dégradants (CPT)

[901] L'idée de cette convention a originellement germé dans l'esprit d'un Genevois, Jean-Jacques Gautier. Ce banquier éclairé développe en janvier 1977 l'idée d'une commission, composée de délégués internationaux qui pourrait visiter toute personne privée de liberté. Voir à ce sujet : Nathalie Mischler (éd.), *Jean-Jacques Gautier et la prévention de la torture. De l'idée à l'action. Recueil de textes*, Genève, APT – Institut européen, 2003.

effectuées par le Comité européen pour la prévention de la torture et des peines ou traitements inhumains ou dégradants (CPT).

Experts indépendants

Les membres du CPT sont des experts indépendants et impartiaux, venant d'horizons différents. Ce sont, par exemple, des juristes, des médecins, des spécialistes des questions pénitentiaires ou de la police. Ils sont élus pour quatre ans par le Comité des Ministres, organe de décision du Conseil de l'Europe, et peuvent être réélus deux fois. Un membre est élu au titre de chaque Etat contractant.

Un système de visites

Le CPT visite des lieux de détention (par exemple prisons et centres de détention pour mineurs, postes de police, centres de rétention pour étrangers, hôpitaux psychiatriques) afin d'évaluer la manière dont les personnes privées de liberté sont traitées et, le cas échéant, de recommander aux Etats des améliorations.

Le CPT effectue des visites périodiques dans les Etats contractants ainsi que des visites ad hoc en cas de nécessité. Il est tenu de notifier à l'Etat concerné son intention d'effectuer une visite, mais non de préciser dans quel délai s'effectuera cette visite qui, dans des cas exceptionnels, pourra avoir lieu juste après la notification.

Les objections d'un gouvernement au sujet du moment ou du lieu d'une visite ne peuvent être faites que pour des motifs de défense nationale, de sûreté publique ou en raison de troubles graves ; de l'état de santé d'une personne ou d'un interrogatoire urgent dans une enquête en cours en relation à une infraction pénale grave. Dans ces cas-là, l'Etat doit immédiatement prendre des dispositions pour permettre au Comité d'effectuer la visite le plus rapidement possible.

Accès illimité

La Convention prévoit que les délégations peuvent se rendre à leur gré dans tous lieux de détention et ont le droit de se déplacer sans entrave à l'intérieur de ceux-ci [fig. 29]. En particulier, les membres d'une délégation s'entretiennent sans témoin avec les personnes privées de liberté. De plus, ils entrent librement en contact avec toutes les personnes susceptibles de leur fournir des informations.

Les recommandations que le CPT peut formuler, sur la base de constatations faites au cours de la visite, figurent dans un rapport adressé à l'Etat concerné. Ce rapport constitue le point de départ d'un dialogue permanent avec l'Etat.

Coopération et confidentialité

Le CPT s'inspire de deux grands principes : la coopération et la confidentialité. La coopération avec les autorités nationales est au cœur de la Convention, puisque son but est de protéger les personnes privées de liberté plutôt que de condamner les Etats pour des abus. Le Comité se réunit donc à huis clos et ses rapports sont strictement confidentiels. Néanmoins, si un pays ne coopère pas ou refuse d'améliorer la situation à la lumière des recommandations du Comité, celui-ci peut décider de faire une déclaration publique.

Bien entendu, l'Etat peut lui-même demander la publication du rapport du Comité, ainsi que ses commentaires. Chaque année, le Comité élabore un rapport général d'activités qui est rendu public.

Ratification

A l'heure actuelle, la Convention a été ratifiée par les 46 Etats membres du Conseil de l'Europe.

Missions du CPT politiquement difficiles ?

Elles le sont toutes, quasiment par définition !

Les délégations du CPT ont pratiquement pour tâche de rechercher sur le terrain les éventuels mauvais traitements infligés par des agents publics aux personnes privées de liberté.

Dans de tels cas, la responsabilité de l'Etat est engagée. Ce dernier, même s'il se prête dans la majorité des cas de bonne grâce au jeu de la critique, est néanmoins placé sur le banc des accusés. Dès lors, les observations du CPT sont toujours sensibles et doivent être formulées avec beaucoup de rigueur et d'objectivité.

Quelles sont les principales difficultés rencontrées sur le terrain ?

Localisation des lieux de détention

Selon l'article 2 b de la Convention, l'Etat Partie doit fournir au Comité tous les renseignements sur les lieux où se trouvent des personnes privées de liberté.

Il arrive parfois que l'Etat concerné ne mentionne pas à la délégation visiteuse certains lieux de détention. Comme on peut se l'imaginer, cet « oubli fâcheux » concerne souvent des établissements dans lesquels des mauvais traitements sont infligés aux détenus.

A travers les entretiens que les délégations ont avec d'autres détenus, il est très souvent possible, grâce au recoupement de ces différents témoignages recueillis confidentiellement, de localiser finalement les établissements qui n'ont pas été mentionnés, puis de s'y rendre afin de les inspecter.

Accès aux lieux de détention

Jusqu'à ce jour, et contrairement à ce que beaucoup craignaient au début de l'existence du CPT, une fois que la délégation est sur place, elle peut remplir son mandat de visite, y compris dans des établissement de sécurité maximale.

Il faut toutefois reconnaître que dans certains cas, il lui faut patienter avant de pouvoir réellement pénétrer dans les lieux.

Entretien sans témoin (EST)

L' « EST » constitue le pilier central de la collecte d'informations. Parfois il arrive que les autorités s'y opposent, arguant, avec plus ou moins de bonne foi, des problèmes de sécurité. Dans d'autres cas, les locaux utilisés pour interviewer les détenus sont, à l'insu ou pas de la délégation, équipés de micros ou de caméras.

La préservation de la stricte confidentialité de ces entretiens oblige les délégations dans ces deux cas à faire preuve de la plus grande rigueur en refusant tout compromis sur ce principe.

Rapports du CPT politiquement incorrects ?

En 1789, dans le Paris révolutionnaire, tout le monde est persuadé que la Bastille est un haut lieu de la torture. Ce n'est que plusieurs années après la démolition du bâtiment qu'il faudra se rendre à l'évidence : il n'y a pas de reste de corps de torturés dans les sous-sols et les détenus y étaient plutôt bien traités !

Katyn nous renvoie un peu au même phénomène. A l'époque de la découverte du charnier, aux yeux de l'opinion internationale, seuls les nazis pouvaient être à l'origine d'une telle monstruosité.

Selon Nietzsche, entre la réalité et l'apparence, il n'y aurait finalement qu'une question de préjugés. L'image que se fait une collectivité d'un événement ou d'une situation particulière est souvent tellement ancrée dans les esprits que, lorsqu'un rapport d'experts décrit une réalité différente, ce dernier, dérangeant les préjugés, est mal accueilli.

L'expression « politiquement correct » définit l'ensemble des façons de penser et d'agir qui respectent les préjugés de groupes de pression majoritaires au sein de la collectivité.

Il peut arriver que la situation concernant les conditions de traitement des personnes privées de liberté s'améliorent sensiblement dans tel ou tel Etat, ou encore dans telle ou telle région d'un Etat. Toutefois, l'opinion publique nationale, plus souvent internationale, continue parfois majoritairement à être, par exemple, persuadée que la torture y est toujours routinière. Le rapport d'expertise peut alors devenir « politiquement incorrect » parce qu'il ne conforte pas l'idée majoritaire au moment X, dans une collectivité Z. Il en va parfois ainsi pour les rapports « positifs » du CPT…

Expertises humanitaires et objectivité

Une expertise, médicale ou non, dans une crise humanitaire peut-elle être objective ? En toute franchise, on serait tenté de répondre plutôt par la négative. Et ceci pour de nombreuses raisons.

Les experts doivent en permanence faire face à leurs propres préjugés, à leurs convictions personnelles, ainsi, du reste, qu'à leurs émotions.

Plus grave, il peut arriver que l'expert, souvent inconsciemment, se sente obligé de faire apparaître dans son rapport « quelque chose de fort », faute de quoi il pourrait avoir l'impression que son travail a été inutile. Ce réflexe professionnel pervers n'est finalement pas si rare.

Par ailleurs, le profil personnel de l'expert va aussi jouer un rôle essentiel. Ainsi, par exemple, les sensibilités des juristes ne sont pas nécessairement les mêmes que celles des médecins. Au sein de cette seconde corporation, il est tout aussi évident qu'une situation identique ne provoquera pas forcément les mêmes réactions émotionnelles chez un anatomo-pathologiste que chez un psychiatre.

Il est dès lors essentiel de garder à l'esprit que ce travail d' « expertise humanitaire » doit être confié à un groupe d'experts, de préférence d'horizons professionnels et nationaux différents.

Fig. 29. Arrivée en hélicoptère militaire de délégués du Comité européen de prévention de la torture pour effectuer une visite.
Photographie mise à disposition par Jean-Pierre Restellini.

Le Rwanda dans sa singularité : l'impasse de l'expert

par

Naason Munyandamutsa*

Je voudrais aborder mon propos, d'une part, à travers une entrée historique, inscrite dans le contexte de ce petit pays de l'Afrique centrale qu'est le Rwanda, par « le syndrome d'exclusion » dont l'obscure réalité met en scène un enjeu majeur de notre société, à savoir souffrir sans disparaître en tant que sujet et tenter de prendre place sur la scène privée comme sur différentes scènes publiques ; d'autre part, à travers une entrée proactive vers un panorama d'harmonie sociale possible où l'action politique, la vision économique et la construction de l'espace social tissent une toile complexe pour évoluer d'une situation psychosociale absolument chaotique vers une harmonie sociale où la coexistence pacifique est possible. Il n'est pas facile d'éviter de tomber dans les pièges d'une vision utopiste ou du poids de la sidération et du pessimisme.

Durant cent jours, d'avril à juin 1994, le Rwanda, ce petit pays de 26'338 km^2, est littéralement devenu cette forêt de Katyn, ce lieu de carnage des officiers et des intellectuels polonais. Dans ce type de situation se dresse chaque fois la dialectique de l'obscurité et de la lumière. En tant que cliniciens, nous nous trouvons face au poids de la souffrance induite par l'homme, portée par ceux qui ont survécu à cette barbarie humaine. Les symptômes, souvent complexes, auxquels nous nous confrontons témoignent de l'incapacité du survi-

---

* Psychiatre, psychothérapeute, enseignant à l'Université nationale du Rwanda, Hôpital de Ndera, Kigali.

vant de mettre du sens sur ce qui n'en a plus. Il faut noter ici que le projet de génocide met en scène le déni de l'autre et par là, l'égarement du sens même de la vie : la relation à l'autre. Il serait dès lors dangereux de tenter d'expliquer un tel projet d'extermination. C'est ce genre de sens qu'il est sensé de refuser : « Le non sens de la souffrance est la malédiction qui a pesé sur l'humanité. »[902]

La souffrance fait partie du processus de la vie. On parvient à vivre parce qu'on a appris à construire des réponses à la hauteur de la souffrance survenue. Cependant, si la souffrance est décrétée par un humain à travers un projet d'extermination, la mise en sens devient absurde. « Le refus du sens est plein de sens, quand il est question de la souffrance. »[903] C'est dans ce contexte que la lumière et l'obscurité dénoncent la disparition de l'équilibre de la dialectique de la vie et de la mort.

Cette dialectique est au centre de la rencontre avec une jeune patiente, mi-avril 2004, vers la tombée du jour avec, à travers la fenêtre de mon petit bureau, la perspective d'un soleil qui s'éclipse et qui porte d'ailleurs un nom dans la richesse de notre langue, « Kibelinka », le temps du soleil couchant favorable aux vaches.

Je ne suis pas sûr que le temps de cette rencontre avec cette jeune fille de seize ans, Chantal, soit favorable. Nous nous retrouvons dans un cercle à quatre : Chantal, un oncle lointain devenu proche par la force des choses, une jeune collègue infirmière – co-thérapeute – et moi-même. Nous sommes assis dans un petit bureau qui peine à contenir la peur panique qui est venue violer la tentative de remise en route de la vie de cette enfant. Elle est confrontée à la question du « comment », métaphore de l'interrogation collective au sein de notre société post-génocide ; comment partir du chaos, du temps zéro, vers une vision d'une identité nationale possible ?

Le génocide, comme dirait Pierre Fédida, est « un meurtre absolu qui rend possible l'inimaginable déshumain »[904]. En 1994, au Rwanda, ce crime absolu a créé, devant l'indifférence du monde, une dynamique d'extermination de l'autre – « cet autre, à la fois différent et semblable »[905] – créant ainsi un temps zéro.

La question que la jeune Chantal me pose d'entrée, interrogation naïve d'enfant, mais en même temps question venant de loin, est : « Avez-vous une lanterne ? J'en ai marre de cette obscurité ». Dans notre langue, la lanterne se dit « Urumuri » qui ne signifie pas seulement lanterne, mais véhicule en

---

[902] Friedrich Nietzsche, *La Généalogie de la morale*, Paris, Gallimard, 2001, p. 74, cité dans : Bertrand Vergely, *Le silence de Dieu*, Paris, Presse de la Renaissance, 2006, p. 133.

[903] Vergely, *op. cit.*, p. 132.

[904] Pierre Fédida dans la préface du livre de Janine Altounian, *La survivance : traduire le trauma collectif*, Paris, Dunod, 2000.

[905] Francis Maqueda, *Carnets d'un psy dans l'humanitaire : paysage de l'autre*, Ramonville Saint-Agne, Erès, 1998, p. 20.

même temps la signification de flambeau, de lumière. Cette question, elle me la pose au moment où je me perds dans un trouble provoqué par la survenue brutale de la cécité chez la jeune fille. En effet, elle a perdu la vue une semaine auparavant et, après des consultations infructueuses chez les ophtalmologues de la ville, est venue me voir. Lors de notre rencontre, je vais découvrir que cette cécité est apparue brutalement à la vue des cercueils ne contenant pas de cadavres, mais des ossements sensés appartenir à des victimes des massacres de 1994. La foule d'éprouvés qui les accompagnent n'est pas sûre que ces ossements, mis enfin dans un contenant embelli, appartiennent vraiment à telle ou telle autre personne disparue sous la violence du projet d'extermination. Heureusement, cette cécité ne va durer que deux semaines, une courte période, mais autant dire une éternité pour elle. En plus, Chantal a des réactions de sursaut au moindre bruit : un téléphone qui sonne, une chaise qui grince, un stylo qui tombe ou une voiture qui passe ! Elle souffre littéralement d'une peur panique.

Un double symptôme donc, marqué par la perte de la vue, en l'absence d'un « point de vue », mais aussi la peur envahissante qui nous contamine en l'absence d'un espace social contenant, incapable de porter les questions individuelles et singulières au sein des besoins collectifs d'un univers chaotique marqué par la violence. Un double symptôme qui correspond mal aux critères diagnostiques des manuels internationaux !

L'expert confronté à ce langage de la douleur peine à trouver des repères professionnels. « Lorsqu'un chaos traumatique anéantit le souvenir pour le remplacer par un simple retour de sensations déjà vues, déjà entendues, en bref déjà senties, la narration en tant que telle cesse… L'identité narrative se rompt, se fragmente, perd même le fil de sa mémoire. Le trauma a creusé un cratère dans l'histoire de vie, désormais infranchissable par la pensée. » [906]

Que nous dit-elle cette enfant et quel langage emprunte-t-elle au sein de cette « dense forêt de Katyn » qu'est devenu le Rwanda, marqué par une situation psychosociale chaotique contenant un certain nombre de parasites, ou de symptômes pour demeurer dans la métaphore médicale :

1. *La désespérance*, portée par bon nombre de nos concitoyens au sein de cette société. Les survivants, d'abord, pour qui survivre exige un certain nombre de prémices, à savoir surtout l'existence d'un groupe d'appartenance, mais aussi la possibilité de compter sur le destinataire du récit, si on arrive à le structurer, des questions complexes comme celle que Chantal me pose : « Avez-vous une lanterne ? ». Marcelo Vinar propose ceci : « Un groupe provient d'un nœud, désignant un espace intérieur discernable d'un extérieur : « l'entre-nous » qui définit une identité par-

[906] Jean Claude Métraux, *Deuils collectifs et création sociale*, Paris, Ed. La dispute, 2004, p. 47.

tagée. »[907] C'est 'entre-nous' qui a été attaqué et détruit au Rwanda ! Et c'est peut-être ceci qui constitue la source de désespérance. Le rôle de l'expert dans notre contexte consiste à créer les conditions pour l'émergence de cet « entre-nous ». Il s'agit aussi de soigner cet espace sans lequel vivre pose problème.

2. *La méfiance.* Habituellement, tout groupe humain vit et se nourrit des relations issues de liens interpersonnels. Chez nous, l'homme politique a réussi à entraîner tout un groupe ethnique à s'engager dans un projet d'extermination d'un autre groupe. Les bourreaux, les rescapés, les personnes entre deux, n'ont de choix aujourd'hui que de vivre sur les mêmes collines, dans les mêmes agglomérations, priant ensemble dans les mêmes églises, bref tous sont amenés à une certaine coexistence, mais à quel prix ! Certains n'arrivent pas à tenir le coup. Le poids de la méfiance est tel qu'on essaie parfois de se construire un univers où on est seul au milieu du monde.
3. *La sidération.* Celle-là que Chantal pointait du doigt à travers son expression symptomatique quand elle me racontait son chemin de croix depuis le sud du Rwanda jusqu'au Burundi alors qu'elle n'avait que six ans. Lorsque son père succombe aux coups de machettes devant elle, ses yeux sont invités à regarder ce qu'aucun enfant du monde n'est destiné à regarder. Elle me dira par la suite : « Ma mère me tenait par une main, l'autre tenait la main de ma sœur jumelle et le petit, qu'on a tué sans y arriver, était dans le dos de Maman. Nous avons traversé des chemins en enjambant des cadavres et je m'étonne aujourd'hui que je n'avais nullement peur. »
4. *La peur.* Chantal la met en scène, plusieurs années plus tard, de façon spectaculaire et troublante. Elle sursaute au moindre bruit, elle a mal aux côtes et dans la poitrine ; un état radicalement différent de son ressenti durant sa marche vers le Burundi où elle a survécu avec sa mère, sa sœur jumelle et son petit frère.

« La survivance est précisément une présence d'absence, qui soustrait à la mémoire le souvenir des absents continuant à agir dans le présent d'une douleur sans souvenir. »[908]

Quand la paix est revenue, Chantal s'est engagée dans la formation scolaire avec la détermination de celui qui assiste à la « renaissance » de la lumière. Elle est en effet brillante tant que la lanterne est encore disponible évidemment.

[907] Marcelo Vinar, « Notes pour penser la haine de l'étranger », in Jean Furtos et Christian Laval (dir.), *La santé mentale en actes : de la clinique au politique,* Ramonville Saint-Agne, Erès, 2005, p. 316.

[908] Altounian, *op. cit.*, p. 8.

Comment donc les leaders de notre société ont tenté de l'organiser pour essayer de vaincre ces symptômes ?

Il s'agisssait d'abord de structurer une action politique qui se voulait être une alternative à la politique instillant une idéologie génocidaire. La Constitution votée au référendum de 2003 consacre le principe du partage du pouvoir et la politique de sécurité nationale. Le besoin impérieux d'éradiquer les conflits dans un contexte post-génocide pose un problème d'émergence de pensées alternatives. Ainsi, le principe du partage du pouvoir, piégé par la recherche du consensus à tout prix, éloigne un débat contradictoire et hypothèque donc un réel dialogue politique. « Il n'est pas bon de croire en tout. Ce n'est pas croire, mais démissionner. »[909]

Ensuite, il a fallu organiser les rescapés au sein des associations de survie pour mettre en échec le phénomène de solitude.

Dans ce travail, les leaders de notre société rwandaise ont dû prendre en compte plusieurs difficultés. Tout d'abord, les mécanismes de résolution de conflits sont coincés entre le besoin impérieux d'un pouvoir fort et organisateur et l'impératif du besoin de diversité d'opinions qui peine à se structurer. Ensuite, l'exercice de mémoire est un processus complexe qui est un instrument de lutte contre le négationnisme, mais qui se heurte à l'impératif de réconciliation qu'on veut imposer à tout prix au mépris de la nécessité du temps dans un tel processus. Enfin, l'impératif de la justice pour lutter contre l'impunité s'est heurté à l'impossibilité de la réalisation d'un tel principe face au crime de masse déjà prédis par les planificateurs de ce crime des crimes. L'expert est également invité à jeter un regard critique sur cet espace politico-social et à tenter d'acquérir une certaine crédibilité pour être à même de proposer une opinion pouvant véhiculer un sens. Le Rwanda est allé puiser dans les sources de sa tradition et il a proposé à la société une forme de justice qui rend méfiants les hommes du droit : « les tribunaux Gacaca » qui ont l'ambition en même temps de rendre justice au sein de la communauté et de permettre un dialogue social de proximité.

Tout ceci malgré tout réveille d'autres symptômes, à savoir la suspicion et la haine sur un terrain miné par une précarité économique pesante. De nouveau, le même questionnement du « comment » surgit.

Quand Chantal vient nous voir, sa réaction face aux images d'inhumanité, à la vue des restes issus des charniers, la boute dans son passé récent et lointain lorsque ses yeux ont vu l'acharnement de la mise à mort de son père. Elle devient brutalement aveugle – heureusement momentanément – pour poser la question essentielle aux adultes : « Qui suis-je et qui sommes-nous ? »[910]. Ce questionnement est au cœur de l'espace social dans l'univers intersubjectif. Et

---

[909] Vergely, *op. cit.*, p. 114.
[910] Vinar, *op. cit.*, p. 313.

peut-être le rôle de l'expert est-il de le dégager du chaos psychosocial, de structurer ce questionnement permanent et de le rendre accessible à chaque sujet en quête de sa place dans l'espace social. On évitera ainsi l'effondrement pour revenir, comme au point de départ, au questionnement permanent dans une dynamique de créativité, parce que, comme dirait Miguel Benasayag, « il n'y a pas des DSM X pour nous pousser à passer d'une clinique du diagnostic à une clinique du processus. »[911]

Bibliographie

Bruno Bettelheim, *Survivre*, Paris, Robert Laffont, 1979.

Paul-Claude Racamier, *Le génie des origines : psychanalyse et psychose*, Paris, Payot, 1992.

Judith Lewis Herman, *Trauma and Recovery: The Aftermath of Violence--from Domestic Abuse to Political Terror*, New York, Basic Books, 1997.

Francis Maqueda, *Carnets d'un psy dans l'humanitaire : paysages de l'autre*, Ramonville Saint-Agne, Erès, 1998.

Janine Puget et al., *Violence d'Etat et psychanalyse*, Paris, Dunod, 1999.

Marcel Sassolas, *Le groupe soignant : des liens et des repères*, Ramonville Saint-Agne, Erès, 1999.

Janine Altounian, *La survivance : Traduire le trauma collectif*, Paris, Dunod, 2000.

Bernard Chouvier, René Rousillon et al., *La réalité psychique : Psychanalyse, réel et trauma*, Paris, Dunod, 2004.

Jean-Glaude Métraux, *Deuils collectifs et création sociale*, Paris, La Dispute/Snédit, 2004.

Jean Furtos et Christian Laval, *La santé mentale en actes : de la clinique à la politique*, Ramonville Saint-Agne, Erès, 2005.

René Roussillon, *Paradoxes et situations limites de la Psychanalyse*, Paris, puf, 2005.

Bertrand Vergely, *Le silence de Dieu face aux malheurs du monde*, Paris, Presses de la Renaissance, 2006.

Bessel A. van der Kolk et al. (ed.), *Traumatic Stress: the effects of overwhelming experience on Mind, Body and Society*, New York, The Guilford Press, 2007.

[911] Miguel Benasayag, « Résister, c'est créer », in Furtos et Laval (dir.), *op. cit.*, p. 352.

Depleted uranium ammunition: an invisible threat to civilians ?

by

Emmanuel Egger *

Introduction

Depleted uranium (DU) ammunition is a recent development in military weaponry. Because of its effectiveness against armour, DU ammunition is now used on the battlefield as an offensive weapon by United States, United Kingdom, NATO and other armed forces. The 1991 Gulf War was the first time that the United States armed forces deployed DU weaponry on a large scale. Large amounts of DU ammunition were also used in the war in the Balkans. The amounts of DU ammunition used in Afghanistan and in the 2003 Iraq war are unknown, but the fact of their use has been confirmed. Despite claims to the contrary, no DU ammunition was used by the Israeli Defence Forces (IDF) against Hezbollah in the summer 2006 war.

Many soldiers are rumoured to have been affected by depleted uranium. Gulf War syndrome and later Balkan war syndrome were initially said to have

* Senior Physicist in charge of Nuclear Issues, Spiez Laboratory, Federal Office for Civil Protection, Switzerland. Emmanuel Egger is the corresponding author. Co-auhtors : Mario Burger, Ernst Schmid, Stefan Röllin, Christoph Wirz, Markus Astner, Ruth Holzer, Hans Sahli, Alfred Jakob.

been caused by DU contamination. Other factors such as vaccines and air pollution from burning oil were later identified as the probable cause of Gulf War syndrome. In regions in which depleted uranium was used, some studies have argued that numerous civilians have had extensive problems with their immune systems, suffered high rates of heart disease and malignant cancers such as leukemia, and witnessed bizarre malformations among the newborn.

After the war in the Balkans, headlines like "The Balkans – a radiating hell" or "The life base of the Balkan population destroyed for generations" disconcerted the population living in or near areas where DU ammunition had been used. Spiez Laboratory was one of the institutions charged by the United Nations Environment Programme (UNEP) to analyse the situation in those areas and to propose measures to protect the inhabitants that were in accordance with international radiation protection guidelines. The results of Spiez Laboratory's work are presented in this article from the point of view of the mission to Bosnia and Herzegovina.

What is depleted uranium ?

Uranium is one of the heaviest naturally occurring elements. It is naturally present in soil at an average rate worldwide of 3 mg/kg, with values ranging from 0.01 to 75 mg/kg of soil. Natural uranium is composed of three radioactive isotopes: uranium-238 (99.283%), uranium-235 (0.711%) and uranium-234 (0.0054%). It and its decay products emit alpha, beta and gamma radiation. It is 1.7 times denser than lead. The half-life of uranium-238 is 4.5 billion years. Uranium is a toxic heavy metal. Ingestion of depleted uranium may damage the kidneys.

The specific activity of natural uranium isotopes is low (25000 Bq/g), and that of depleted uranium isotopes even lower (15000 Bq/g); it can nevertheless be reasonably supposed that uranium poses a radiological hazard to humans exposed to it. However, existing studies do not show evidence that uranium isotopes have a radiotoxic potential in humans.[912] The potential for teratogenicity and general developmental toxicity of uranium was demonstrated by studies in which mice were given uranium orally, with the following results: increased foetal mortality, reduced survivability, reduced growth, reduced foetal body weight and length, increased incidence of stunted foetuses, increased external and skeletal malformations and developmental variations, increased incidence of cleft palate, underdeveloped renal papillae, bipartite sternebrae, reduced or delayed ossification of the hind limb, fore limb, skull and tail, an increase in the relative brain weight of offspring, a

[912] Toxicological Profile for Uranium, U.S. Department of Health and Human Services, Public Health Service, Agency for Toxic Substances and Disease Registry, 1999.

reduced viability and lactation index, and embryo toxicity. Uranium mine workers exposed to radioactive dust have been studied to investigate the effects on humans. The effects observed in mice have not been observed or documented in any study of humans.

What is depleted uranium compared to natural uranium ? Of the three natural uranium radioisotopes, only uranium-235 is fissile and can be used in nuclear power plants as fuel or in nuclear weapons. For use as fuel, natural uranium is enriched until it contains 3 to 5 per cent uranium-235; for nuclear-weapon use it is enriched until it contains 90 per cent uranium-235. This process involves separating uranium-235 from the natural uranium; enriched uranium containing more uranium-235 than natural uranium is one product, and depleted uranium, which typically contains 0.2 per cent uranium-235, another.

Depleted uranium is a low-cost, readily available product that has many applications. It is used as a counterweight in commercial aircraft. It can be used in tank armour. Most tanks contain two thick shields of conventional steel armour with a fairly wide gap between them. The depleted uranium is inserted into the armour plates and the two shields then welded together to make one tough, three-layer armour plate.

Last but not least, depleted uranium is now extensively used in military ammunition. Armour-piercing rounds (usually of higher calibre) are traditionally made out of steel, but research was started in the 1970s on the use of depleted uranium and tungsten. Tungsten is expensive, however, has a higher melting point and does not cut armour as well as depleted uranium. Depleted uranium is cheap and abundant. It is usually fired from heavy machine guns and Gatling guns such as those mounted on US Apache helicopters and A-10 Warthogs. The DU round containing the DU penetrator is a high kinetic energy projectile that can pierce all forms of heavy armour. Contact temperature between the projectile and the armour is more than 1000°C. Depleted uranium also burns easily on penetration, like magnesium, enhancing the effectiveness of the ammunition as an armour-piercing device. Unlike tungsten projectiles, DU rounds do not mushroom on penetration; they sharpen. When the projectile cuts through the armour, the DU penetrator and the impact zone/hole get so hot that the metal literally vaporizes. One part of the DU penetrator builds a DU dust cloud of oxidized depleted uranium. Uranium oxide aerosol particles measure less than 10 microns and are easily inhaled.

The quantities of DU ammunition used in several wars since 1990 are listed in Table 1. The quantities indicated for the 2003 war in Iraq are speculative values compiled from a variety of sources.

Table 1: List of countries and quantities of depleted uranium engaged

Country	Quantities (metric tonnes)	
	ground-ground	air-ground
Iraq (1991)	50	250
Bosnia	-	3.3
Kosovo	-	10
Afghanistan (19xx/2001)	-	use confirmed
Iraq (2003)	total: 170 – 1,700	

Spiez Laboratory activities in connection with depleted uranium

Spiez Laboratory first became active in connection with depleted uranium when it published an information sheet on the Gulf war syndrome in 1996.[913] In 2000 it published a paper, *Depleted Uranium*,[914] in which it described depleted uranium and its known properties, how it is obtained and used, and its known and suspected effects on humans. The paper also discussed the possible consequences for civilians in a war zone where DU ammunition is used. These papers can be downloaded from the Spiez Laboratory website (www.labor-spiez.ch).

In the summer of 2000, a Spiez Laboratory team was sent to Kosovo by the Swiss Federal Department of Defence to assess the risk posed by NATO's use of DU ammunition to Swiss soldiers participating in the Swisscoy mission.[915]

In the autumn of the same year, Spiez Laboratory and UNEP started to work together closely. Table 2 contains a complete list of UNEP DU-related missions conducted with Spiez Laboratory participation. With the exception of Iraq, where the security situation did not allow UNEP and its international experts to take samples, experts from Spiez Laboratory took samples on site and brought them back to Switzerland for thorough analysis in the company's laboratories. In the case of Iraq, a number of capacity-building workshops were organized by UNEP outside the country, in Jordan and Switzerland, to teach Iraqi specialists from the Ministries of the Environment and of Health how to take samples in accordance with international standards, the aim being to make a preliminary determination of DU contamination levels in the coun-

[913] *Das Golfkrieg-Syndrom – Was steckt dahinter ?*, Background information, Spiez Laboratory, 1996.

[914] *Depleted Uranium*, Background information, Spiez Laboratory, 2000.

[915] B. Anet, M. Burger, M. Keller, E. Schmid, A. Wicki, Ch. Wirz, *Depleted uranium: Environmental and health effects in the Gulf War, Bosnia and Kosovo*, Office for Official Publications of the European Communities, STOA 100, 2001.

try. Experts from Spiez Laboratory were actively involved in the capacity-building process. The samples taken by the trained local experts were analysed in Spiez.[916]

Table 2: UNEP DU-related missions in which Spiez Laboratory experts participated

Year	Country
2000	Kosovo (assessment)
2001	Serbia and Montenegro (assessment)
2002	Kuwait (Joint IAEA/UNEP assessment)
2002	Bosnia and Herzegovina (assessment)
2003	Bosnia and Herzegovina (seminar and workshop)
2003	Preparation of Iraq mission
since 2004	Iraq (capacity-building workshops)
2006	Lebanon

Summary of the mission to Bosnia and Herzegovina

All DU assessments undertaken by UNEP, starting with Kosovo in 2000 and ending with Bosnia-Herzegovina in 2003, had the same goal. The first aim was to identify places contaminated by depleted uranium. When available, NATO provided the exact coordinates of the places where DU ammunition had been used. Some of these locations were mined, however, and were therefore not investigated. In some cases, the description of the contaminated site was not accurate enough, and no contaminated area could be found. At sites where DU contamination was detected, the contamination was analytically recorded: DU penetrators were localized in the field and DU-contaminated aerosols detected in the upper layers of soil. How depleted uranium behaved in the soil was also studied in depth; it was found to corrode rapidly. Drinking water was analysed for DU contamination. The ambient air in contaminated areas was analysed in order to ascertain whether DU aerosols were resuspended and if so, how far they were transported. The methods are described in detail in the UNEP reports and can be downloaded from the UNEP website.[917] The risk for the local civilian population was assessed. Finally, recommendations were drawn up for the population on the basis of internationally accepted radiation protection guidelines.

---

[916] The detailed results of most of these missions have been published by UNEP or are under preparation and can be downloaded from the UNEP website at http://postconflict.unep.ch/publications.php ?prog=du.

[917] *Depleted Uranium in Bosnia and Herzegovina*, Post-Conflict Environmental Assessment, UNEP, 2003.

Findings

Since uranium occurs naturally in the soil, it is essential to differentiate between natural and depleted uranium. This is done by measuring the proportion of uranium-235/uranium-238 isotopes: 0.0072 in natural uranium and around 0.002 in depleted uranium. Spiez Laboratory methods detected 0.05 mg of depleted uranium in one kilogram of soil at the time; the figure has since dropped.

DU penetrators were found in many locations. Samples taken on site indicated that within 10 cm of the point of impact each kg of soil contained a few grams of depleted uranium. At a distance of 1 to 2 m from the point of impact, up to 10 times the natural uranium level of depleted uranium was found, i.e. ~ 30 mg DU/kg soil. Within 10 to 20 m of the impact point, a maximum concentration of 3 mg DU/kg soil was found. At distances of over 150 m from the point of impact, the level of depleted uranium in soil was undetectable using our methods.

DU penetrators were found to have corroded rapidly in the top layers of soil. Penetrators that had lain in the ground for seven years had lost approximately 25 per cent of their original weight to corrosion. The corroded by-products were much more mobile than the original penetrators, and their behaviour in the soil was therefore carefully investigated. Soil profiles were taken under the penetrator in order to determine the amount of depleted uranium at various depths around and below the penetrator. This analysis demonstrated that the concentration of depleted uranium diminishes by a factor of 10 for every 10 cm of depth. Depleted uranium was detectable in the soil down to a depth of 40 cm.

Air samples were taken to detect resuspended DU aerosols in ambient air, using a method able to detect down to 0.01 ng DU/m^3 air. Measurements performed outdoors in contaminated areas revealed a maximum air contamination of 1 ng DU/m^3 air. Measurements performed inside buildings in or close to contaminated areas revealed maximum air contamination of 4 ng DU/m^3 air.

Drinking water was also analysed. The World Health Organization (WHO) recommends that drinking water should contain less than 15 micrograms of uranium/litre water. The highest level measured in the areas investigated was 0.4 micrograms/litre.

The findings of the Bosnia-Herzegovina mission can be summarized as follows:

- even seven years after the war, many DU penetrators were still to be found on or close to the surface of the soil;
- significant contamination, however, occurred only within one to two meters from the point of impact;

– environmental contamination by DU dust was very local;
– contamination was below detectable levels at a distance of 150 m.

Penetrators corroded rapidly in soil. The corrosion products appeared to be relatively immobile in the soils investigated, at least much less mobile than feared. Groundwater did not, therefore, appear to be in danger of contamination. Resuspension of DU dust led to little, highly localized contamination of the ambient air.

Conservative estimates suggested that the irradiation doses received might be above internationally recommended limits in the case of civilians who collected penetrators and took them home. In the rare case where a young man had taken penetrators to make a necklace, the dose to the skin had the potential to cause skin cancer in the long term.

Dose estimates for other types of exposure, such as external irradiation from soil contamination or internal irradiation from breathing contaminated air, drinking contaminated water or eating contaminated food, were below the recommended limits even by conservative estimates.

Constraints

The only reliable and scientifically correct way to assess the radiation dose resulting from food intake would have been to collect and measure representative food baskets. The sites investigated during the Spiez Laboratory missions were either restricted military sites or pasture land not used to grow crops. Other assessments have concluded that it is very unlikely that contamination of food is a matter for concern. It would be easy, however, to take measurements to confirm this conclusion.

No people were measured and no health examinations were performed. There was no proper cancer registry, and claims of an increase in cancer rates as a result of exposure to DU contamination could therefore not be substantiated.

In the seven years between the war in the Balkans and the UNEP mission, the conditions for finding depleted uranium had changed significantly. Penetrators and DU fragments on the ground may have been covered by soil or other matter, thus making them much more difficult or even impossible to detect. They may have been taken away by local people and would consequently not be found. DU dust originally dispersed over a specific area may have been moved by wind and rain. Wind can disperse contamination over large areas and thereby dilute it to the point where it is undetectable. Rain can wash depleted uranium into the ground, although in that case levels of contamination could be determined by taking soil samples and analysing drinking water. Contaminated vehicles may have been removed to unknown locations.

Risk assessment

Overall, the amount of contamination on the surface and upper soil layers was very low. The corresponding radiological and chemical risks are therefore insignificant.

At the points of contamination, or "hot spots", contaminated soil may have become airborne through wind action or movement by people or animals, and then been inhaled. Another possibility is that depleted uranium may have leeched into the groundwater. In both cases, however, the amount of depleted uranium at the points of contamination was too low to cause any radiological or chemical problems, either then or in the future. The corresponding risks are insignificant.

The only significant risk is that somebody came into direct physical contact with depleted uranium at the point of contamination, thereby contaminating their hands or directly ingesting contaminated soil. The resulting radiation exposure is insignificant, but there may be a significant risk from the standpoint of heavy metal toxicity.

People may have picked up penetrators lying on the ground. Several grams of corroded uranium could easily be removed from the penetrators through mechanical contact. This would constitute a potential risk of internal contamination through ingestion. Even if only a small portion of the depleted uranium available were to pass into the body, the resulting dose of radiation would still be less than the legal limit. The possible intake might be above annual tolerable intakes as determined by health standards relating to chemical toxicity. Another risk of exposure from heavily corroded penetrators is by inhalation. Care has to be taken when handling penetrators not to allow corroded depleted uranium to become airborne. Using conservative estimates, inhalation might lead to significant doses. A third risk of exposure is by external beta radiation to the skin if a penetrator is placed close to the body, for instance in a pocket. Continuous exposure of the skin for several weeks can lead to local radiation doses in excess of radiation safety limits, even though skin burns from radiation may not occur.

Penetrators on the surface and more particularly those in the ground may eventually dissolve and slowly contaminate groundwater and drinking water. Drinking water contains naturally occurring uranium. Normal natural uranium concentration and annual intake by water in the areas visited was low, resulting in radiation doses of less than 1 microSv/year. The increase in the amount of uranium from hidden penetrators at the sites could – very locally – be 10-100 times the natural uranium content in the first metre below the surface. If the result was a corresponding increase of uranium in water, the uranium concentration could exceed WHO health standards for drinking water. There is no telling whether this is indeed the case, however, until the amount of uranium in drinking water near the affected sites is analysed.

Penetrators currently hidden in the ground may be dug up during construction work. Should this occur, there would be a corresponding risk of external exposure from beta radiation and of internal exposure by contamination of hands and by inhalation, as described above.

The risk that a vehicle hit by depleted uranium is contaminated may be small, but some precautions should be taken before entering the vehicle to avoid any unnecessary risk. The interior of the vehicle may have to be decontaminated before it can be considered safe. The decontamination should be performed by a qualified expert, with due regard for safety regulations.

On the basis of our findings, there are at present no significant risks from depleted uranium in water.

The natural concentration of uranium in the air normally causes very low doses from the uranium isotopes alone. This was also the case at all the sites measured, including the sites with measurable concentrations of depleted uranium in the air.

Recommendations

In order to reduce the potential effects of DU ammunition on human health and the environment, UNEP made the following recommendations.

1. Measure contamination and detect possible depleted uranium
At all sites where depleted uranium was used, the appropriate authorities should undertake investigations using field measurement equipment suitable for (i) making complementary searches for possible local ground contamination of significance, and (ii) detecting the presence of penetrators, jackets/casings and contamination points on the ground surface. At the same time, the feasibility of any necessary clean-up and decontamination measures should be assessed.

2. Decontaminate contamination points
All known contamination points and those which may be found in the future, both indoors and outdoors, should be cleansed of loose depleted uranium and covered with asphalt, concrete or clean soil depending on the ground surface. The sites should be properly documented for possible future activities.

3. Handle and dispose of DU material properly
If any penetrators, fragments or jackets are found in the future, the following steps should be taken:
– the location of all penetrators found should be properly documented;

- any such material should be collected by authorized personnel;
- once collected, it should be safely stored as decided by the authorities in charge;
- proper disposal methods should be developed.

4. Keep records on DU sites
There is reason to believe that many penetrators remain buried deep in the ground at DU-affected sites. It is recommended that the authorities keep adequate documentation at each site to inform the local population of the presence of depleted uranium, thereby minimizing future risks, for example from reconstruction activities. This documentation should include site-specific information on depleted uranium.

5. Plan before disturbing the soil in any way
Planning for any future soil disturbance or removal of vegetation should consider the risk of DU dispersion in the air and inhalation of DU dust. In addition, the potential for subsequent contamination of land from corroded penetrators should be taken into account. Buried penetrators brought to the surface and any newly discovered contamination points should be cleaned and/or removed and disposed of safely, as determined by the relevant competent authorities. As a result, appropriate contingency plans should be developed before the ground is broken at sites where DU weapons have been used.

6. *Clean contaminated buildings*
In order to reduce the risk of resuspension of DU dust, the interior of contaminated buildings should be cleaned using either vacuum-cleaning techniques with high-quality filters that help contain any DU particles collected, or wet cleaning methods.

7. Test the drinking water yearly
If the presence of depleted uranium is confirmed by penetrators or by soil or water contamination, water at or from the site should be sampled and measured annually if it is to be used as drinking water. The same applies to any areas which may source their water or are located in the direction of groundwater flow from a contaminated area.

8. Avoid contaminated water
If tests show that there is DU contamination in the water, other sources should be used for drinking water.

9. Do not transport depleted uranium to ammunition destruction sites
No DU ammunition or DU-contaminated material should be destroyed by explosives, otherwise secondary contamination may occur in the form of DU fragments or dust.

10. Implement site-specific recommendations
The site-specific recommendations should be implemented without delay at the discretion of the relevant and competent authorities.

11. Release coordinates of DU attacks
DU decontamination and protection measures can only be taken when the precise coordinates of a DU attack are known. The longer it has been since the attack, the more difficult it is to implement countermeasures, including decontamination.

12. Conduct more research
Further research is needed to clear up the scientific uncertainties related to assessment of the environmental impact of depleted uranium. This particularly concerns corrosion of depleted uranium, dispersion in the ground, uptake by groundwater or drinking water, resuspension and dispersion in the air, and possible sources of depleted uranium in vegetation.

13. Inform the civilian population and military and mine-clearing personnel
The authorities should consider conducting awareness-raising activities for the local population in general and military and mine clearance personnel in particular. A flyer or leaflet like that on mine safety could be produced and distributed. It should include information on depleted uranium in general, the associated risks, handling and storage, and contact information for the relevant authorities.

14. Train experts in DU decontamination
The authorities should develop a training course for designated personnel to act as authorized persons in the field of DU mitigation. Such a course would ideally include clean-up measures.

15. Investigate all health claims
The relevant health authorities should continue to develop a cancer reporting system and registry and to investigate claims of health effects from exposure to depleted uranium in order to determine whether there has been an increase in the incidence of any health conditions.

16. Develop descriptive and analytical epidemiological studies
All claims regarding health deterioration allegedly caused by exposure to depleted uranium should be addressed by the relevant health authorities. This can be facilitated by:

- developing descriptive epidemiological studies to respond to questions of changes in the frequency and distribution of cancers in the population;

- developing analytical epidemiological studies to investigate the potential contribution of risk factors, including environmental risks, DU exposure and other risk factors, to specific types of cancer.

17. Strengthen the radiation safety infrastructure
The radiation safety infrastructure needs to be strengthened. The support provided by the Technical Cooperation Department of the International Atomic Energy Agency (IAEA) should help to ensure that this is done.

18. Build facilities for radioactive waste treatment and storage
The authorities' efforts to build new or complete ongoing radioactive waste treatment and storage facilities should be encouraged. Support for these activities could be provided by the IAEA Technical Cooperation Department.

19. Mitigation of all radioactive waste
Storage of DU residues should be handled within the wider context of the safe disposal of radioactive waste in the country. The authorities should also record, safely store and eventually dispose of the large number of obsolete radioactive sources, such as industrial sources, lightning rods and smoke detectors present on the territory, in particular those damaged during the war. The risks from potential exposure to these sources are significantly higher than those from exposure to DU residues.

20. Monitor sites for radioactivity
The authorities should monitor radiation and radioactive contamination in areas affected by the war, with particular attention, in view of the risk of potential exposure, to the various sources of radiation mentioned above, including depleted uranium.

21. Adopt proper measures to avoid heavy metal contamination
At sites where the soil has been contaminated by heavy metals, the following recommendations could apply:
- further chemical analyses should be made, including of soil, rainwater runoff and groundwater, in order to gain a more complete picture of heavy metal contamination;
- the sites should be properly documented;
- safety measures should be taken, such as fencing off ammunition destruction sites to prevent civilian access;
- farm animals should not be allowed to graze on these sites.

22. Investigate other regions where depleted uranium has been used
Scientific analyses should also be conducted in other post-conflict areas where depleted uranium has been used. To fully understand how depleted uranium behaves in the natural environment, areas with climatic conditions

and soil composition other than those which occur in the Balkans should also be investigated. UNEP, the IAEA and WHO should continue to address this issue jointly.

Not all of these recommendations have been implemented as advised by UNEP, WHO and the IAEA. As long as the countermeasures have not been undertaken, the risk of exposure to depleted uranium remains.

Conclusion

Various activist groups, especially in the United States, the United Kingdom and the Netherlands, but also in Germany, other European Union States and Switzerland, are trying to involve international organizations in banning DU ammunition. They are organizing information campaigns and symposiums promoting their viewpoint that these weapons are "inhuman" and on a par with biological and chemical weapons. Their few objective justifications for such a ban are derived from the fact that the resident population has to continue to live on what was once a battlefield and is presently contaminated, according to valid international radiation protection norms, with low-level radioactivity, at least locally, and from the fact that it is not yet clear what effects depleted uranium will have on man and the environment in the long term.

Health effects depend on the manner and magnitude of exposure (ingestion, inhalation, external skin contamination or incorporation through wounds) and the characteristics of the depleted uranium (such as particle size and solubility). Depleted uranium could have both chemical and radiological effects on human health because of the chemical form in which it enters the body.

The chemical toxicity of uranium and depleted uranium – they can damage the kidneys – is a much more pressing issue than that of their radiotoxicity. Studies on animals and humans (uranium mine workers) also suggest that long-term exposure may result in pathological damage to the kidneys. The types of damage that have been observed are nodular changes to the surface of the kidney, lesions to the tubular epithelium and increased levels of glucose and protein in the urine.

Radiological toxicity comes from DU decay, mainly via the emission of alpha particles. These particles do not have the ability to penetrate the skin. However, if ingested or inhaled, they may have an effect on the lung or gut epithelium. Exposure to alpha and beta radiation from inhaled insoluble DU particles may, in principle, lead to lung tissue damage and increase the probability of lung cancer. Similarly, absorption into the blood and retention in other organs, in particular the skeleton, is presumed to carry an additional risk of cancer in these organs. In all such cases any additional risk of cancer will depend on the degree of exposure. At low levels of exposure to radiation, the additional risk of cancer is thought to be very low.

The limited epidemiological studies undertaken to date have established no adverse health effects of depleted uranium. Depleted uranium may, in principle, have both nephrotoxic effects and cause internal exposure to radiation (through inhalation, or wounds contaminated with DU). However, these have yet to be confirmed.

Uranium has not been reported to have any consistent or confirmed adverse chemical effects on the skeleton or liver. No reproductive or developmental effects have been confirmed in humans.

As the current debate on the possible adverse effects of potential DU contamination has focused on cases of leukemia in the military, it is important to assess the known facts regarding leukemia and DU. While ionizing radiation is known to cause leukemia, the risk is proportional to the level of radiation exposure. With depleted uranium the level is low. Even in war zones under extreme conditions and shortly after the impact of penetrators, the inhalation and ingestion of DU-contaminated dust, as determined by the amount of dust that can be inhaled, has been calculated to result in radiation exposure of less than 10 millisieverts, which represents around half the annual maximum dose for radiation workers. Such exposure is thought to result in only a small proportional increase in the risk of leukemia, to the order of 2 per cent over the natural incidence of the disease. This increase in the incidence rate is so low that it is fully covered by the annual fluctuation in the background (natural) occurrence of the disease. Finally, a minimum of ten years usually has to elapse between exposure to ionizing radiation and clinical manifestations of cancer.

From the existing knowledge of depleted uranium and its impact on health, it appears unlikely that any significant increase in the number of cases of cancer and leukemia will be observed in the period since the armed conflict.

Nevertheless, this kind of ammunition results in long-lasting local contamination, which – at and near the impact point – is above civil radiation protection limit values. This argument stands on its own, whether or not – objectively – there is a danger to man and the environment. However, the contamination itself can be eliminated and its further spread prevented by simply removing the DU penetrators and fragments, as recommended earlier.

VI

TABLE RONDE

ROUND TABLE

Signification de l'expertise médicale et scientifique

Expert opinion and its role in the quest for truth

Sous la présidence de – *Chaired by*
Patrice Mangin[*]

Avec la participation de – *With the participation of*
Annette Wieviorka[**]
Anne-Marie La Rosa[***]
Derek Pounder[****]
Mô Bleeker[*****]

---

[*] Directeur de l'Institut universitaire de médecine légale, Lausanne.
[**] Historienne, directrice de recherche au Centre de recherches politiques de la Sorbonne (CNRS).
[***] Avocate et docteur en droit, CICR et Centre universitaire de droit international humanitaire (CUDIH).
[****] Department of Forensic Medicine, University of Dundee et fondateur de Physicians for Human Rights.
[*****] Anthropologue, Département fédéral des affaires étrangères, Suisse.

Annette Wieviorka

Ce qui a été particulièrement intéressant dans ce colloque est le mélange de personnes de disciplines différentes qui, selon moi, représentent globalement trois strates.

La première strate est celle des acteurs, soit de ceux qui s'occupent de la protection et du sauvetage des victimes, qui pratiquent l'action humanitaire – qui la pratiquent bien souvent dans l'urgence et en prenant des risques personnels.

La deuxième strate relève de l'application de la punition, du jugement. Les personnes qui y participent s'occupent de l'élaboration du droit et travaillent comme experts – ou non – dans les divers tribunaux qui ont à juger des crimes de génocide ou des crimes humanitaires.

Enfin, après, bien après, viennent les historiens. Il est permis de se demander à quoi nous servons, sinon à exercer le métier pour lequel nous avons été formés. Nous pouvons également endosser le rôle d'historien-expert, apparu avec le procès de Nuremberg. Par exemple, Edmond Vermeil, un éminent germaniste tombé dans l'oubli aujourd'hui, et Pierre Renouvin travaillaient pour la délégation française à Nuremberg.

Dans le temps de parole qui m'est offert, je profiterais pour réfléchir, d'abord, à la question suivante : « qu'est-ce qu'une expertise historique ? ». Ensuite, aux problèmes que pose pour les historiens la dilatation du droit des tribunaux internationaux.

Ce qui caractérise notre travail est l'établissement des faits en prenant toujours en compte la question de la chronologie et, plus exactement, la question des contextes.

Nous en avons eu un petit exemple dans l'exposé fait par notre collègue de Bersheva, Shifra Shvarts, de ce qu'étaient les expertises médicales à l'arrivée en Palestine et en Israël des migrants, survivants du génocide, qui avaient vu, pour reprendre l'expression du Dr Nasson Munyandamutsa, ce qu'aucun regard d'enfant ne devrait jamais voir. Elle nous a énuméré l'ensemble des maladies qui étaient à l'époque détectées : maladies vénériennes, tuberculose, malaria, etc. Mais dans ces maladies, les désordres mentaux n'existaient pas, n'étaient pas prise en considération ; ils ne faisaient pas partie des maladies qui étaient reconnues, à l'époque, comme telles, alors que l'exposé du Dr Munyadamutsa mettait en lumière ce qu'est l'importance du traumatisme subi. Il existe donc dans l'histoire des maladies une évolution, puisque aujourd'hui les désordres mentaux et les traumatismes dont les victimes du génocide sont porteuses sont pris en considération, alors que ce n'était pas le cas dans les années qui ont suivi la Seconde Guerre mondiale. Ainsi, par l'exemple des maladies, apparaît le problème de l'historisation.

Un deuxième problème que je voudrais soulever est celui de la qualification des crimes : génocide et crimes contre l'humanité. Ces qualifications posent des problèmes aux historiens parce qu'elles écrasent et empêchent l'étude des particularités. Tout tribunal produit un récit qui est orienté par la qualification juridique : il puise dans les éléments qu'il a à sa disposition ceux qui sont au service de l'accusation ou de la défense, imposant ainsi un récit orienté et cherchant à qualifier. Qu'y a-t-il de commun, par exemple, entre les événements de 1994 au Rwanda et les événements de Srebrenica qui sont tous deux qualifiés de génocides ? Nous ne sommes pas gênés, la question a été posée ; les tribunaux doivent faire leur travail ; la justice internationale doit passer. Mais les historiens ne doivent pas être ligotés par le travail qui est celui des tribunaux et ils doivent avoir la liberté de poser les questions qui sont celles de l'histoire.

Les qualifications juridiques peuvent être des langues de bois juridiques. Dans l'exposé du Dr Munyadamutsa, j'ai été très sensible à la langue utilisée. L'enfant demande s'il y a une lanterne ; elle ne demande pas si elle a été victime d'un génocide. La crainte est que ce vocabulaire juridique fasse écran à l'histoire humaine ou à l'humanité des victimes. Cette crainte chez nous, en France, est redoublée par l'immixtion de la justice dans le récit historique par l'intermédiaire de ce que l'on a qualifié de lois mémorielles, et qui, pour partie, vont entrer dans le droit, en tout cas dans le droit européen. Ces lois permettront de criminaliser la négation du crime de génocide comme du crime contre l'humanité. Cette inscription de la négation dans le droit est apparue avec « les négationnistes », nom donné aux personnes ayant nié le génocide des juifs. Mais désormais, dans le droit français, le génocide des Arméniens et la traite esclavagère sont également définis comme crimes contre l'humanité. Des demandes sont faites pour que ceux qui nient ces crimes soient aussi passibles de la loi. On pourrait être d'accord avec cela, mais l'effet pervers est qu'il y a atteinte à d'autres droits fondamentaux, ceux de la liberté de la recherche et de la liberté d'expression comme on l'a vu avec la condamnation de l'historien américain Lewis pour avoir mis en débat l'intention dans les massacres et génocide des Arméniens ou dans le cas d'un historien français, Olivier Petré-Grenouilleau, qui a été l'objet de poursuites judiciaires suite à la publiation d'un ouvrage très important sur les traites négrières. Voilà donc les quelques remarques et quelques questions que je voulais mettre en évidence.

Anne-Marie La Rosa

J'aborderai ici la question de l'expertise médicale dans le contexte des juridictions pénales internationales. Je me situe donc dans la deuxième strate mentionnée par ma prédécesseure, et pire encore, je m'intéresse à la vérité du prétoire, qui n'est pas nécessairement la vérité historique.

Quelques remarques liminaires. Le droit international pénal, pour être effectivement appliqué, nous oblige à palper l'approche pluridisciplinaire. Le droit n'est suffisant ni pour identifier la règle, ni pour préciser ses contours ; il est donc nécessaire d'avoir recours à d'autres sciences. Pensez au rôle important des anthropologues, des historiens, des sociologues dans la précision du contexte dans lequel un crime international est commis. Pensez également à l'évaluation de l'impact de la propagande nationaliste sur l'identification des groupes ciblés dans certains de ces crimes. Pensez encore aux experts en balistique qui sont aussi très importants lorsque les règles du droit humanitaire de distinction et de proportionnalité doivent être mises en œuvre. En fait, en observant la pratique des tribunaux, on remarque que des dizaines d'experts peuvent être invités à comparaître, aussi bien pour la défense ou pour l'accusation, que pour les tribunaux ou les juges eux-mêmes. A cet égard, la procédure retenue devant les tribunaux pénaux internationaux s'apparentent tant à la pratique des traditions en matière pénale qu'à celle de traditions plus civilistes.

Je souhaite me concentrer principalement sur l'expertise médicale et ses points de contact avec la procédure pénale internationale. Je ne traiterai pas la question fondamentale du rôle de l'expertise médicale dans la protection du témoin ou des victimes amenés à comparaître devant ces tribunaux, ni du rôle de l'expertise médicale dans le contrôle des conditions de détention des personnes qui sont accusées ou qui sont condamnées, bien que cette expertise médicale soit nécessaire pour la revendication effective de certains droits.

Tout d'abord, un point de contact entre l'expertise médicale et le procès pénal international apparaît lors de la vérification des facultés mentales de l'accusé et donc de son aptitude à être jugé. Cette vérification est fondamentale, puisqu'elle met en question la mise en œuvre de la responsabilité pénale individuelle reconnue par le droit. L'accusé doit reconnaître l'ampleur des charges qui sont retenues contre lui et comprendre les conséquences d'une reconnaissance ou d'une non-reconnaissance de cette culpabilité. A cet égard, les juges ont plein pouvoir et peuvent demander des expertises médicales. Depuis toujours, dans la pratique pénale internationale, ils y ont eu recours. Cela a été le cas à Nuremberg pour les accusés Streicher et Hess comme devant les tribunaux de La Haye pour l'ex-Yougoslavie ou encore devant le tribunal d'Arusha pour le Rwanda.

Permettez-moi de donner un exemple plus précis, celui d'Erbemovitch, un jeune subalterne au moment des faits, accusé d'avoir participé à une tuerie dans le contexte de Srebrenica et qui plaidait la contrainte. Transféré au tribunal en 1996, il a fait l'objet d'une expertise médicale et, dans un premier temps, a été reconnu inapte à subir son procès. Une seconde expertise médicale, toujours ordonnée par la chambre saisie, a contredit la première et a jugé Erbemovitch apte à subir son procès. Cette affaire met en évidence le fait qu'il n'y a pas, dans les procédures de ces tribunaux internationaux, un mécanisme de suivi ou de monitoring des personnes qui sont déclarées inaptes. Une vérification périodique serait pourtant utile.

Dans un autre cas, une personne accusée dans le cadre des bombardements de Dubrovnik a été jugée inapte. Elle a fait l'objet d'une libération conditionnelle et, encore plus intéressant dans le contexte de la finalisation des travaux du tribunal de La Haye – le *phasing out* – elle a été transférée vers les juridictions serbes. Dans ce cas-ci, le tribunal s'est manifestement libéré de son obligation de suivi. Dans le jugement de transfert, se trouvent tout de même certaines indications relatives aux mesures de monitoring et de suivis médicaux devant être assurés dans le contexte de la loi serbe applicable.

Ensuite, l'expertise médicale est également très importante dans le contexte de la vérification de l'état physique de l'accusé. Dans l'affaire Milosevic par exemple, les conclusions de l'expertise médicale étaient intimement liées à la détermination du tribunal de savoir si l'accusé était apte à se défendre lui-même. Un lien direct entre preuves médicales et droit apparaît ici. Pour l'accusation, Milosevic utilisait son état de santé, tel que constaté dans les expertises, pour faire obstruction à la justice. Il aurait joué sur ses problèmes de santé en ne respectant pas la posologie prescrite pour les médicaments qu'il devait prendre afin de manipuler la procédure jusqu'à un point de non retour.

Enfin, les experts médicaux jouent un rôle dans la détermination et dans l'étendue de toutes les défenses associées à l'état mental de l'accusé. Il ne s'agit plus de savoir si l'accusé est apte à être jugé, mais quel était son état mental au moment des faits. L'expertise médicale va aider la cour en introduisant les classifications cliniques qui pourraient répondre aux critères juridiques visant à déterminer l'état mental des personnes. Dans la pratique jurisprudentielle, les accusés plaident rarement des défenses qui sont liées à l'état mental réduit ou absent au moment des faits. Quelques exemples apparaissent pourtant dans la littérature juridique, notamment celui d'un accusé dont les crimes étaient particulièrement cruels et sadiques dans le contexte de l'ensemble de détention de Srebrenica et qui a plaidé l'altération de faculté mentale. Après la présentation de plusieurs expertises médicales, cette défense n'a cependant pas été retenue par le tribunal. L'intérêt de ce cas réside dans la lutte entre les cinq experts : les quatre experts de la défense concluent au défaut de facultés mentales alors que celui de l'accusation estime le contraire. C'est ce dernier avis que la chambre a finalement retenu.

Parfois, l'expertise médicale est utilisée pour attaquer la crédibilité de témoins importants pour l'accusation. Dans un cas intéressant, la défense a prétexté un choc traumatique qui aurait entamé sa crédibilité. Un débat d'expertises – deux experts de la défense, deux experts de l'accusation – a évidemment abouti à des conclusions divergentes. Cette fois, la chambre a mis de côté les conclusions des experts et estimé que l'appréciation de la crédibilité ne relevait pas de l'expertise médicale, mais de son propre champ d'expertise.

Notons que l'expertise médicale revêt également une importance au niveau de la démonstration d'éléments matériels. Il faut savoir qu'aucune preuve médico-légale n'est exigée. Dans les cas de massacres, par exemple, les restes humains ne sont pas essentiels si des témoins de première main, en mesure de rapporter les faits, existent. Ce point est particulièrement important dans le cas de conflits armés dans lesquels les preuves – les restes humains – sont particulièrement susceptibles de destruction, de manipulation, voire de disparition. D'ailleurs, cette preuve médico-légale doit servir principalement à déterminer le *pattern* des infractions plus que l'infraction elle-même.

La preuve médicale est également utilisée pour démontrer l'intention. Devant le tribunal d'Arusha, un médecin est venu témoigner de la nature récurrente des blessures, notamment au talon d'Achille. Cette preuve a servi dans la démonstration de l'intention d'empêcher les victimes de s'enfuir. Dans ce cas, la preuve médicale est attachée à l'intention proprement dite de l'accusé.

A titre de conclusion, je souhaiterais soulever la question très préoccupante du rôle des organisations humanitaires dans les preuves qu'elles pourraient fournir. La difficulté réside dans le fait que le personnel humanitaire est très souvent directement témoin de violations du droit international humanitaire, violations qui sont susceptibles de faire l'objet de poursuites devant les juridictions pénales internationales. L'organisation humanitaire peut alors se trouver face à un dilemme : faut-il participer à cette procédure pénale, et ainsi buter contre l'impunité au risque de ne plus être en mesure de créer le lien de contact avec ces interlocuteurs qui sont souvent ceux susceptibles d'être jugés par les tribunaux internationaux ? En 2005, le CICR a jugé opportun de rappeler sa ligne de conduite et sa politique en la matière. Dans le cas de procédures internationales pénales, il ne collaborera pas, ne sera pas témoin, ne fournira aucun document interne ou confidentiel. Par contre, il fournira toute information déjà rendue publique. Il n'hésitera pas à le faire et il le fait. Le CICR le fait régulièrement dans le contexte du Rwanda ou de la Bosnie ; il le fait aussi dans le cas de toutes ces juridictions nationales qui ont décidé d'exercer leurs compétences universelles pour réprimer des crimes internationaux. Le CICR agit pour concilier ses impératifs opérationnels avec son mandat dans la promotion du droit international humanitaire et, dans ce contexte, la lutte contre l'impunité. Après une vérification rapide, il semble que le CICR soit une des seules organisations humanitaires ayant rendu publique sa politique par rapport aux juridictions pénales internationales.

D'autres organisations ont poussé la limite de leur collaboration avec les juridictions pénales internationales plus loin. Elles fournissent notamment des rapports qui, même s'il n'y a pas de témoins pour expliquer le contenu, vont souvent servir à présenter le contexte de perpétration de crimes. Parfois même, des représentants de ces organisations humanitaires témoignent.

Je pense qu'il est tout à fait justifié aujourd'hui de se demander, face à la complexification de l'environnement humanitaire, s'il est possible et réalisable aujourd'hui de poursuivre les objectifs, d'une part, de soigner et, d'autre part, de dénoncer, surtout lorsque cette dénonciation implique une collaboration avec une juridiction pénale internationale présente sur le même théâtre d'opérations. En effet, le rapprochement avec cette juridiction pénale internationale pourrait convaincre les individus susceptibles de faire l'objet de poursuites qu'il existe un risque judiciaire réel et les pousser à neutraliser les organisations humanitaires. Le problème ne s'arrête pas là, puisque, dans leur rôle d'assistance, les organisations humanitaires sont susceptibles de constater des blessures et des dommages mentaux et physiques résultant de violations qui peuvent faire l'objet de poursuites devant les tribunaux. Leur travail intéresse alors une juridiction pénale internationale, mais aussi les victimes. Prenons le cas des certificats médicaux que les organisations humanitaires peuvent émettre. Ces documents sont souvent fondamentaux pour que les victimes puissent déposer des réclamations, soit au niveau civil, soit au niveau pénal. L'organisation humanitaire devrait-elle permettre dans le cadre de procédures judiciaires l'utilisation de tels certificats médicaux ? Je n'ai pas de réponse toute faite à proposer, si ce n'est que la réponse se trouve probablement moins dans le droit que dans une approche très pragmatique cherchant à concilier le mieux possible les besoins des victimes, notamment des victimes d'actes sexuels ou des victimes de torture, avec les impératifs opérationnels de l'organisation concernée.

Derek Pounder

I'm a practicing forensic pathologist so I'd like to comment from the point of view of the forensic practitioner and talk about the individuals concerned. I'll be looking at the perception of those individuals – the forensic practitioners in Katyn – the science, the principles of the science, something about the politics and how the politics affects our work, and finally, the emotions of the forensic practitioner and their experiences.

Let me begin with an anecdote. More than twenty years ago I was at a presentation by Clyde Snow, an American forensic anthropologist who did a great deal of work in South America, with exhumations of the missing dead there. Sitting next to me was the State Forensic Pathologist for Zambia. At the end of the presentation he said to me "It's all very well for you people in the western world to speak about human rights in this way. But where I am I write in my reports what the police tell me to write because if I didn't, when I went home my house would be ransacked, and my wife would be raped".

We cannot demand heroism of forensic experts. When we look at and critique the actions of the forensic experts who were at Katyn we must place their actions within the social context. Amnesty International has characterized certain doctors as doctors at risk. And forensic experts fall into that category, as do doctors working for the military and prison doctors. The risk arises because of a dual obligation: an obligation to medical ethics on the one hand, and an obligation to the State, and the State apparatus, on the other hand. When there is a conflict, a problem exists for the doctor as a practitioner. The State apparatus may be actually coercive towards the doctor, but it can also work in a much more subtle way, because if a doctor is constantly working with police and prosecutors, it is very easy to absorb the culture of the police and the prosecutors to the detriment of the culture and ethics of the medical profession. So it's interesting to note that when these experts went to Katyn, and afterwards, they were very much protected by being university employees. The universities as a social system gave them a certain degree of protection from the State. Universities are places where debate is encouraged, where challenging and accepting ideas is part and parcel of the environment, and where there are professional colleagues who give support. And I would suggest to you that it is a social obligation of the universities to support institutes of forensic medicine, because without that support these institutes would be too closely aligned with the police and the prosecution services in any country.

When we look at the problem that the experts faced in Katyn from an ethical point of view, there was a real dilemma. This was a time of life and death struggle in Europe against fascism, and they had before them evidence that was fairly compelling. That one of the allies in the war against fascism had committed a most terrible crime. That was the truth, and disclosure of the truth, and their support of that disclosure, would give a propaganda victory to the Nazis. That must have been a most terrible dilemma for all of them.

Perhaps the dilemma was not so great for Palmieri and Naville – Palmieri came from Italy, Naville from neutral Switzerland. But think of the Czech expert, think of the Danish expert, whose countries had been overrun by the Nazis and now faced that dilemma. Is it surprising then that they modified things slightly, played down or altered their opinions according to those circumstances ? I would be reluctant to judge them. Didn't the British government do exactly the same ? Didn't we hear that that's the dilemma the British government faced ? And that this was the reason why they didn't disclose the information, take a stand on it ? And was it any different in principle from the position that the ICRC took on the bombing of the Swedish Red Cross hospital in Ethiopia ? The same kind of moral dilemma. So sometimes political expediency suppresses the scientific truth even when we know it.

We had some very good presentations on the science. It's changed over the years, and we have many more tools available to us today than our predecessors did back then.

We don't just have aerial photography, we have satellite photography. In Srebrenica they knew of the massacres from satellite photography taken when they were being perpetrated. And they were able to go back to those photographs.

At Katyn, the trees and the age of the trees constituted important evidence, as they showed when the burials had taken place. Today, we can use pollen, and we would be able to say from the pollen found on clothing in the graves that the bodies had been buried at a certain time of year. In addition, if the victims had previously been held at another location for a long time, they might bring pollen from that area with them.

We have ground-penetrating radar to find graves. We have DNA to make identifications, and we have highly sophisticated computer programs allowing us to match the DNA of relatives to the DNA of victims, even if those relatives are few and distant, rather than children, for instance. These techniques have been used in Bosnia.

But these are scientific tools, they're not scientific principles. A forensic report should state the facts, the science that is applied to the facts, the conclusion that results from applying the science to the facts, and the probability that the conclusion is correct.

That is what the ideal forensic report looks like. But we were told that in these reports, the experts simply stated the facts. Why ? To avoid giving the opinion that the scientific principles would suggest because the opinion was awkward, because of the moral dilemma.

Forensic experts sometimes act in this fashion because they're intimidated by their environment. I was involved in a case in which someone was arrested, tortured and killed in Tunisia. The police dumped the body by the roadside and another group of police picked it up and took it to the mortuary as the victim of a road traffic accident. The man's injuries were swelling of the feet and perforation of the rectum. People involved in a road traffic accident don't get hit on the feet, nor do they perforate the rectum without massive injuries to the pelvis. It was clear that he'd been beaten on the feet, that something had been inserted in the anus, and that he died from the torture. The Tunisian pathologist had documented the facts very accurately and gave no opinion. Why ? He was in a difficult situation. He was working with the police and if he declared his opinion then he too could become a victim. But by documenting the facts accurately he allowed others to give an opinion. That case has been through the UN process and Tunisia has been forced to respond to it.

You don't have to be living in a country that is not a democracy to have those kinds of problem. Less than twenty years ago, I had a problem. I would like to say that I was living in a democracy, but Margaret Thatcher was Prime Minister at the time. I went as an expert to Gibraltar, to give evidence in the inquest on three IRA members who had been killed by our special forces. The science of it doesn't matter, but what happened afterwards does. On the train home I was abused by a fellow Scot for what I had said. The local chief of police said that I was unfit to direct a forensic laboratory, I lost part of my forensic laboratory, and I'm pretty sure that if I hadn't have been working at a university I would have lost my job. This was a war against terrorists and Margaret Thatcher had made it very clear what she was going to do to terrorists: she was going to kill them. That happens in a democracy. I can only imagine what was going through the minds of the forensic experts who went to Katyn, the Danish expert who went from Denmark to the Eastern Front. So I'm not surprised they only reported the facts.

The basic science in death investigations has parallels in clinical medicine. In clinical medicine we take the past history of the patient, we take the history of their presenting complaint, their current illness, and we examine them. Then we integrate all three sets of information to give the diagnosis. In death investigation we take the background circumstances. We can't ask a dead person what's the problem, so we look at the scene of death. We examine the grave and the place of death, and then we examine the body and integrate all the information. And that gives you a scientifically valid result. Good prosecutors put all that information together and then present it to the courts. Good defence advocates do the opposite. They separate the information so it's not integrated, making it more difficult to prove the case.

Where there's a death in custody, the police, who are experts in investigating, can approach the problem of obscurity in a variety of ways. One way is not to investigate one of the three aspects appropriately, but a better way from their point of view is to keep the information apart so that it's never integrated. Then everyone can say "I did my duty," but the truth never comes out.

Sometimes linking two pieces of information can become powerful. I was very recently in Jordan with the UN special rapporteur on torture. The Criminal Investigation Department (CID) told us that they didn't torture anybody. We went down to the cells and we found two people with physical evidence. One case, quite remarkable, was a young man who said that for three days he had been subjected to positional abuse, forced to stand. Of course that gives very little in the way of physical evidence. And the hand-cuff marks are meaningless, as they can arise from situations other than abuse. But his feet were swollen, and more than that he had some unusual findings on his shins. In the middle of each shin was a small bald patch and fine abrasions with scabs on them. I asked him: "How were they produced ?" He said: "I'd been standing for so long that my feet were itching, so I scratched my heels on my shins". Trivial evidence but absolutely compelling when combined with the allegations. Bringing the information together in that way is the strength of the forensic investigation. A weak investigation fails to bring it together. So there is some irony in the fact that the Nazis, whose philosophical basis was to select facts to prove their preconceived notions – the antithesis of science – should want to apply science so carefully at Katyn and bring together all the information about the historical circumstances, the massacre and the examination, in a very scientific fashion.

Forensic medicine can never be divorced from politics. In the hierarchy of society the social and political structure stands first, below that the legal structure, and below that forensic medicine. Forensic medicine serves the legal structure and the legal structure serves society. At the time of Katyn, what was the social and political structure ? It was fascism, and the forensic medical experts were working in that environment. They were faced with three questions: "Who is in the massacre ?" That was easy to answer. They wore uniforms and had identification documents on them, it wasn't a problem. "How were they killed ?" Simple and straightforward, they were shot and they died. But the third question was the critical one: "When did they die ?" On that rested the issue of culpability. And where was the most powerful evidence of that ? In the documents and the trees. Not in the bodies, not in the pathology. Some of the pathologists said that the changes in the bodies indicated that the deaths were three years old, but one can never be so precise as to early in the year or late in the year. So the pathology didn't give the answer.

Faced with the moral dilemma of not wanting to support the Nazi propaganda effort, some of the pathologists set aside the other evidence, just spoke about the bodies, and could conveniently say "Yes, they were Polish officers. Yes, they were executed, but we don't know when". That was true only because of the approach they took. The forensic experts were only there for two days. That's not enough to make full examinations. If you read the UN protocol of extrajudicial killings, although it's ideal, it would take an enormous amount of time to complete one examination. They only examined nine bodies. They were clearly there not to conduct an investigation but to validate the investigation that was already ongoing. That was the purpose, and to validate it for international credibility. There's nothing unusual about that. Human rights organizations do it all the time. It's the normal process. That's why they were there and the forensic experts knew it.

What about the emotions of the people ? Someone who spoke about Naville commented that one of his statements was about the smell. There is something about the smell of a mass grave, and it's horrible. Absolutely horrible. But the sight with the smell is an experience that no one will ever forget. When the colleague was speaking about Rwanda, I was reminded that I went there and saw the bodies exhumed from a mass grave. They had been put in the buildings of a school. There were about six or eight blocks of buildings, each two stories high, each floor had rooms, each room approximately thirty bodies. And we went from building to building, room to room, and you saw those bodies and you smelled them, and then you came to the room with the children. It doesn't matter what your expertise is. It doesn't matter what you're used to dealing with. The experts who were at Katyn could never have forgotten what they saw. But they were there two days. And they weren't Polish. Think of the Polish Red Cross workers who were there for a month, how they must have felt.

In the Balkans, where there are no identification documents, no dental records, we had problems making identifications. One of the things that we did was what we called clothing shows. Sounds very benign, but what happened was that the clothing was taken off the dead bodies, it was washed, and then the clothing of hundreds of dead people was laid out. And people from the neighbourhood were invited to come in and look at the clothing and see if they could identify the clothing of their loved ones. Now even though these clothes had been washed, the smell was appalling. Members of the community came in to make these identifications. We had to talk to them, to the survivors. I'm reminded that we heard the son of a victim. We saw in the work of the ICRC the efforts to find the missing and to give expression to the right of the survivors and the families to know.

I was at the international meeting where the right to know was proposed as a right that should be adopted by the countries of the world, and I'm ashamed to say that the two countries that opposed this were the United States and the United Kingdom. A very sad day for the United Kingdom I thought.

So when we look at Katyn we can say "Yes there's an historical reason to find the truth. There's a justice reason, the possibility of using our past for bringing people to justice in the present." But there is another reason: to help the relatives. I think that this is what's at stake for forensic experts. After the war, when so many of them were attacked, what would sustain them ? The idea that they had examined the dead to help the living and that they had permitted the dead to speak.

Mô Bleeker

J'interviens à la fin de ce colloque important sur Katyn à partir d'autres prémisses et j'espère que cette réflexion ne sera pas perçue comme un « corps étranger », mais comme un encouragement à la poursuivre dans le contexte actuel. Je partagerai quelques réflexions sur l'état actuel des travaux dans le domaine de la lutte contre l'impunité, tel que ce thème est abordé par la communauté internationale[918]. Je terminerai avec quelques réflexions à partir de notre engagement quotidien, aux côtés de sociétés qui sortent à peine d'un conflit interne, d'un génocide ou ont subi de graves crimes contre l'humanité.

De la nature des conflits et des sorties de conflit

Entre 1990 et 2000, on estimait que seuls 2 des 33 conflits qui avaient lieu impliquaient des pays voisins. 90 % des victimes de conflits actuels sont des civils, le nombre de personnes déplacées à l'intérieur même de leur territoire s'accroît drastiquement. Seuls 40 % des accords de paix conclus entre 1989 et 2000 ont débouché sur une paix durable. Dans nombre de situations, on se trouve dans une « transition ni guerre ni paix », avec son lot de violations des droits humains, d'exclusion structurelle et de violence larvée ou explicite, qui semble s'installer de manière permanente. J'en déduis un élément utile pour notre propos, à savoir que la nature des conflits s'étant modifiée dans les dernières décennies, ceci a une influence énorme sur la manière dont on peut y mettre fin. Je ne parle pas ici seulement d'une « fin militaire » ou d'un cessez-le-feu, je me réfère à l'ensemble du processus qui mène à une paix durable.

Les processus actuels de transition de conflit à paix ont souvent lieu après des conflits prolongés, dans des sociétés dont le PIB est bas, l'Etat est faible voire absent, les institutions déficientes. Des structures parallèles (bien souvent d'anciens agents de la répression nouvellement associés au crime organisé), ont généralement profité de ces zones grises et exercent un pouvoir, un contrôle parallèle à l'Etat, basé sur la violence, la corruption et le crime. Lors de transitions de dictatures ou de régimes totalitaires vers des régimes démocratiques, les problèmes sont différents, mais la question de l'Etat de droit, de la démocratisation des institutions, de la corruption et des structures parallèles de pouvoir se pose également, ainsi que celle des droits humains et des droits des minorités. Ces processus sont donc d'une énorme complexité et nous sommes bien loin d'avoir balisé les processus de transition de repères suffisants.

---

[918] Lorsque je parle de « communauté internationale » (CI), je me réfère aux Nations Unies et aux grandes instances internationales. J'utilise ce raccourci, tout en étant consciente que cette « CI, chose » est divisée et qu'elle n'est pas véritablement une « communauté » ni d'objectifs ni d'intérêts.

La lutte contre l'impunité et l'émergence de la victime comme sujet de droit

Pendant les dernières décennies, on a assisté à un développement important de normes et standards internationaux, notamment en ce qui concerne les droits de l'homme, la lutte contre l'impunité et la reconnaissance des droits des victimes. L'émergence de la victime comme sujet de droits, de l'Etat comme sujet de devoirs, et les efforts réalisés pour tenter d'instaurer des garanties de non-répétition, ainsi que la notion de responsabilité de protéger, sont des grands acquis de ces dernières décennies, sur lesquels reposent les principes de la justice internationale. Ajoutons la création de la Cour Pénale Internationale. Mais si ces développements sont positifs, malheureusement cela ne signifie pas pour autant que ces normes et standards soient généralement appliqués.

De fait, même si ces standards se sont considérablement développés, la lutte contre l'impunité et pour l'instauration de l'Etat de droit pose encore de véritables défis à tous les acteurs, notamment dans la mise en pratique :

- Comment restaurer l'Etat de droit, réhabiliter les victimes, sanctionner puis réintégrer les responsables (mineurs) de crimes, par exemple, dans des sociétés qui ont vécu un génocide, des massacres ou des crimes contre l'humanité ?
- Comment intégrer ces normes et standards dans ce qu'on pourrait appeler aujourd'hui les « procédures usuelles de transition » ou dans des accords de paix ?
- Comment s'assurer que l'agenda de la justice et de la lutte contre l'impunité se conjugue opportunément avec les autres agendas de la sortie de conflit ; la démobilisation des groupes armés, le développement, la gouvernance, le partage du pouvoir, des ressources, les nécessités de développement. Bref, comment faire pour que l'agenda de la lutte contre l'impunité, des droits de l'homme et de l'état de droit s'imbrique de manière plus étroite dans l'agenda de la promotion de la paix en général ? Et finalement, comment faire face à la (fréquente) absence de volonté politique sur le plan international et national ?

La justice en période de transition : justice de vainqueurs ou justice pour la paix ?

Depuis 1945, on assiste à un foisonnement d'initiatives liées au traitement du passé ; initiatives de recherche de vérité ou établissement des faits, poursuites pénales des responsables de violations massives des droits humains : le processus de dénazification qui débuta en 1945, le tribunal de Nuremberg en 1946, le jugement, en 1975, des membres de la junte militaire en Grèce, la commission nationale d'enquête sur les disparitions en Argentine en 1983, la

Commission vérité et réconciliation d'Afrique du Sud en 1995, pour ne citer que les exemples les plus connus.

Aujourd'hui, de telles initiatives de traitement du passé sont en cours dans plus d'une vingtaine de pays sur tous les continents. La « justice transitionnelle » est donc une discipline en pleine expansion. Mais il faut toutefois l'aborder de manière critique ; est-ce un outil qui sert la cause des droits humains avant tout ? La promotion de la paix ? Ou les deux ? Certaines voix critiques dénoncent une nouvelle croisade occidentale qui tendrait à imposer un ordre nouveau par l'imposition de la justice des vainqueurs ; d'autres soulignent que la justice internationale rendrait plus difficiles les sorties de conflit. Qu'en est-il exactement ?

Les avancées dans la protection des droits humains

Le développement récent de ce qu'on appelle la justice transitionnelle s'illustre à la fois par le renforcement des standards et normes en matière de droit humanitaire international et des droits humains pendant ces vingt dernières années, mais aussi par la réalisation de nombreuses initiatives dans ce domaine ou de ce qu'on pourrait appeler des « percées pragmatiques ». On y ajoutera les nouvelles avancées dans le domaine de la promotion de la paix. Un des documents majeurs, en ce qui concerne les droits humains, est celui connu sous le nom de « principes Joinet », qui marque un point culminant après plus de quinze ans de travail. En effet, le premier document présenté à la Commission des droits de l'homme par Louis Joinet[919], alors rapporteur spécial sur les questions d'amnistie, s'intitulait « Etude sur les lois d'amnistie et leur rôle dans la protection et promotion des droits de l'homme ». On sortait alors des années 1970, décennie de la lutte pour l'amnistie des prisonniers politiques dans les régimes dictatoriaux des Tropiques et de l'Est. Dans la décennie suivante, les régimes militaires et dictatoriaux, notamment en Amérique latine, s'empressèrent à leur tour de décréter des amnisties pour les crimes qu'ils avaient eux-mêmes commis ! La fin de la guerre froide avec la chute du mur de Berlin allait déboucher sur de multiples processus de transition politique, notamment dans les pays de l'est de l'Europe et en Amérique centrale. Des accords de paix étaient signés après de longues années de guerre civile ou un génocide reconnu (pour être nié ensuite) comme au Guatemala. Les questions liées à l'impunité, à la protection des droits humains se voyaient dès lors aussi étroitement associées aux problèmes politiques posés par la sortie de conflits civils, de dictatures ou par les transitions politiques.

L'expression « justice transitionnelle » elle-même a été créée dans les années 1990 pour évoquer les mesures et instruments juridiques nécessaires pour

[919] Louis Joinet, magistrat, expert indépendant auprès du Conseil des droits de l'homme de l'ONU.

garantir la transition politique de formes autocratiques de gouvernement à des formes plus démocratiques[920]. La justice transitionnelle met un accent particulier sur les réponses juridiques à apporter aux violations des droits de l'homme commises par les régimes répressifs antérieurs et ce, dans un contexte de transition qui devrait conduire à un véritable Etat de droit. De même, l'expression « traitement du passé » a évolué durant la même période pour décrire un large éventail d'activités entreprises en vue de s'attaquer à l'héritage des violations passées dans les sociétés sortant d'un conflit. Sur le plan des principes, le traitement du passé permet de faire le lien entre les droits de l'homme et la promotion de la paix, mais sa portée n'est pas limitée aux mesures juridiques durant une période de transition. Bien au contraire, le traitement du passé est désormais associé aux processus sociaux et politiques plus larges et à plus long terme auxquels participent divers acteurs de différents secteurs à différents niveaux et étapes et qui servent à promouvoir l'Etat de droit et à rétablir la confiance dans les institutions publiques.

Normes internationales

Bien qu'il n'existe aucun modèle normatif définitif de traitement du passé et de justice transitionnelle, un certain nombre de précédents ont été établis ces dernières années, par le biais de l'action des rapporteurs spéciaux et des experts des Nations Unies, dans les domaines des réparations, de l'impunité et des meilleures pratiques en matière de justice transitionnelle[921].

Le rapport du Secrétaire général des Nations Unies sur l'Etat de droit et la justice transitionnelle, publié le 3 août 2004[922], a constitué une étape importante vers l'intégration de l'expérience en la matière, dans le cadre théorique fourni par les normes internationales[923]. Dans ce document, le Secrétaire général des Nations Unies fait valoir que des stratégies efficaces de justice transitionnelle doivent être à la fois de portée générale et de caractère non sélectif et associer tant les institutions publiques que les organisations non gouvernementales à l'élaboration « d'un plan stratégique unique conçu et exécuté à l'initiative des autorités nationales ». Le rapport souligne en outre que la définition opéra-

[920] La publication fondatrice dans ce domaine est Neil J. Kritz, *Transitional Justice: how emerging democraties reckon with former regimes*, 3 vol., Washington DC, U.S. Institute of Peace Press, 1995. Kritz attribue la paternité de l'expression « justice transitionnelle » à Ruti Teitel, professeur de droit d'origine argentine. Voir aussi Ruti G. Teitel, *Transitional Justice*, Oxford, Oxford University Press, 2000.

[921] http://www.ohchr.org/french/about/publications/papers.htm.

[922] S/2004/616, Report of the Secretary-General on the rule of law and transitional justice in conflict and post-conflict societies, 3 August 2004.

[923] Voir les rapports soumis par Theo Van Boven (E/CN.4/Sub.2/1993/8), Louis Joinet (E7CN.4/Sub.2/1997/20/Rev.1), Diane Orentlicher (E/CN.4/2005/102/Add.1), et Cherif Bassiouni (E/CN.4/2000/62).

tionnelle de la justice transitionnelle elle-même doit être élargie de façon à inclure « des mécanismes tant judiciaires que non judiciaires, avec (le cas échéant) une intervention plus ou moins importante de la communauté internationale, et des poursuites engagées contre des individus, des indemnisations, des enquêtes visant à établir la vérité, une réforme des institutions, des contrôles et des révocations, ou une combinaison de ces mesures ». D'autres questions y sont brièvement examinées, dont la nécessité de coordonner les efforts au sein du système des Nations Unies et de la communauté internationale, et celle de renforcer les capacités et les compétences spécialisées.

Un cadre conceptuel

Les « Principes Joinet », élaborés pour proposer des solutions à la question de l'impunité, offrent un cadre de référence utile pour conceptualiser quatre domaines d'activité essentiels du traitement du passé et de la justice transitionnelle.

Le droit de savoir

Le droit de savoir englobe tant le droit individuel qu'ont les victimes de connaître la vérité sur le sort d'êtres chers que le devoir collectif de la société de tirer les leçons du passé pour prévenir la récurrence des violations des droits de l'homme à l'avenir.

Pour garantir ce droit, les « Principes Joinet » proposent d'établir des commissions extrajudiciaires d'enquête (dans la pratique, souvent appelées commissions « de vérité » ou « de vérité et réconciliation »). Les commissions elles-mêmes servent un double objectif : démanteler la machinerie administrative qui a conduit à l'exécution massive de violations pour faire en sorte que ceci ne se reproduise plus et préserver les preuves pour des démarches judiciaires. La seconde mesure englobe souvent la préservation des archives relatives aux violations des droits de l'homme.

Pas moins de trente commissions de vérité ont procédé à la reconstitution des faits avec plus ou moins de succès et d'impact dans des lieux aussi différents que l'Argentine, le Tchad, l'Allemagne[924], l'Afrique du Sud, le Timor oriental, les Etats-Unis[925] et la Corée du Sud, pour ne citer qu'eux. Aujourd'hui, le bilan nous démontre que ces commissions doivent être composées de personnalités jouissant d'une crédibilité à toute épreuve, acceptées largement par la population, notamment par les organisations de la société civile représentant les victimes. Leur indépendance doit être garantie ; leur

[924] Enquete-Kommission "Aufarbeitung von Geschichte und Folgen der SED-Diktatur in Deutschland".

[925] La « Greensboro truth and reconciliation commission » a délivré son rapport en juin 2004.

mandat clairement défini ; la période d'analyse concernée et leurs recommandations contraignantes pour le gouvernement. Si ces conditions ne sont pas réunies, ces commissions n'ont pas de sens.

Le droit à la justice

Le droit à la justice implique que toute victime puisse affirmer ses droits et obtenir que sa cause soit entendue équitablement et efficacement. La victime doit pouvoir s'attendre à ce que le responsable ou les responsables rendent compte de leurs actes au plan judiciaire et à ce que des réparations soient assurées. Le droit à la justice comprend aussi l'obligation, pour l'Etat, d'enquêter sur les violations, de poursuivre les auteurs des violations et, si leur culpabilité est établie, d'appliquer des sanctions. Des cours et des tribunaux nationaux, internationaux et « hybrides » ont été établis pour réaliser ce droit.

Les tribunaux internationaux créés sur mandat des Nations Unies sont ceux qui auront retenu le plus d'attention : le tribunal pénal international pour l'ex-Yougoslavie créé en 1993 et le Tribunal pénal international pour le Rwanda créé en 1994. En 2002, face au nombre important (plus de 100'000) d'auteurs de crime de génocide, le gouvernement rwandais décide de créer des juridictions *gacaca* ; des « juges » non professionnels, les *inyangamugayo*, élus parmi les hommes intègres de la communauté, seront chargés de prononcer les peines à l'encontre des coupables. Mais on s'apercevra bien vite que la législation qui a établi les juridictions *gacaca* ne garantit pas les normes minima pour des procès équitables, ce qui pose en retour d'autres problèmes. Les tribunaux internationaux de leur côté ont des coûts exorbitants et ne peuvent juger que quelques responsables de crimes majeurs. Mais surtout on se rend compte qu'ils ne contribuent pas suffisamment à renforcer les structures judiciaires locales, ni l'Etat de droit en général. Autre problème, les procès à l'étranger ont peu d'impact dans les pays concernés et ne génèrent pas de dynamique sociale et politique locale contre l'impunité. On pense pouvoir y remédier en créant un tribunal « hybride », comportant à la fois du personnel national et international. Le Tribunal spécial de Sierra Leone sera créé en 2002 dans cette optique et, en 2005, il fut décidé de mettre en place des « chambres extraordinaires » au Cambodge pour juger les dirigeants Khmers rouges. La même année, les premiers tribunaux locaux en Bosnie et Serbie Monténégro ont commencé leurs activités pour juger des cas que le Tribunal pénal international pour l'ex-Yougoslavie leur transmet.

En 1998, le Statut de Rome de la Cour pénale internationale est adopté, il entrera en vigueur le 1er juillet 2002. A la différence des tribunaux internationaux, la Cour pénale internationale a un rôle de « complémentarité » ; elle n'intervient que si les tribunaux nationaux ne peuvent ou ne veulent pas mener des enquêtes ou des procès véritables eux-mêmes. La responsabilité de la lutte contre l'impunité repose donc essentiellement sur les épaules des Etats concernés. Fin 2005, cent Etats avaient ratifié le Statut de Rome et, dès 2004, des Etats présentaient des cas à la Cour pénale internationale : l'Ouganda et la République Démocratique du Congo d'abord, puis la République centrafricaine en 2005. Le 31 mars 2005, le Conseil de sécurité déférait à la Cour pénale internationale la situation du Darfour.

On peut d'ores et déjà tirer des leçons dans le domaine des poursuites pénales. Si on veut réfuter les critiques qui dénoncent une « justice des vainqueurs » unilatérale, il importe que les tribunaux soient le plus près possible des victimes, que leur personnel soit national, autant que faire se peut. C'est bien l' Etat de droit et la bonne gouvernance sur le plan local, que l'on souhaite renforcer ; la justice locale, les mécanismes locaux de respect des droits humains et de l'Etat de droit sont primordiaux. Ils constituent le terrain même sur lequel une paix durable pourra émerger, basée sur la justice et l'Etat de droit. Le message doit être clair : *chez vous* l'Etat de droit règne ; vous êtes tous égaux devant la loi et l'impunité fait partie du passé. Si ce n'est pas possible, la Cour pénale internationale pourra jouer un rôle complémentaire.

Le droit à réparation

Le droit à réparation comprend les mesures individuelles qui sont prises en faveur des victimes, y compris les membres de leur famille ou leurs personnes à charge, dans les domaines suivants :

- la restitution, c'est-à-dire le rétablissement de la victime dans la situation qui était la sienne auparavant ;
- le dédommagement, pour les blessures physiques ou mentales, y compris les possibilités manquées, les dommages physiques, la diffamation et les coûts de l'aide juridique ;
- la réhabilitation, c'est-à-dire les prestations en soins médicaux, notamment les traitements psychologiques et psychiatriques.

Outre les mesures individuelles, des formes collectives de réparation sont également prévues. Elles comprennent des actes de réparation matérielle collective qui doivent clairement émarger des politiques de développement ou de gestion publique habituelles[926]. Elles comprennent aussi des actes symboliques tels que les hommages rendus chaque année aux victimes, la reconnaissance publique par l'Etat de sa responsabilité. Il s'agit ainsi d'honorer le devoir de mémoire et de rétablir la dignité des victimes.

---

[926] Ces mesures peuvent être complémentaires à ces mesures de développement, mais l'important c'est qu'elles soient perçues et gérées de telle manière qu'elles apparaissent comme de véritables mesures de réparation aux yeux des victimes. L'enjeu de la combinaison de traitement du passé et du développement prend ici un contour tout à fait particulier.

La garantie de non-répétition

La garantie de non-récurrence est centrée sur la nécessité de dissoudre les groupes paramilitaires ou de rebelles armés, d'abroger les législations d'exception et de révoquer les agents de l'Etat qui sont impliqués dans des violations graves des droits de l'homme. Les mesures à cet égard englobent aussi le désarmement, la démobilisation et la réintégration des groupes armés ainsi que le filtrage et autres procédures administratives en vue de la réforme des institutions de l'Etat (*vetting*).

Ces éléments forment aujourd'hui un corpus reconnu par la communauté internationale. Cela dit, cela ne signifie pas pour autant que ces principes soient systématiquement appliqués, néanmoins ils existent autant pour les victimes en tant que droits que comme devoirs pour les Etats.

Dans le cadre de nos stratégies, la garantie de non-répétition est au cœur de nos mesures et je dirai presque de notre philosophie.

J'ajouterai encore pour notre propos une autre notion avec laquelle nous travaillons, il s'agit du terme de « réconciliation » pour lequel je vous propose la définition provisoire suivante : la réconciliation sociétale[927] est, dans une société qui souhaite tourner une page sur son passé de conflit violent, un processus de recherche de consensus dans la définition d'un nouveau bien commun, soutenu par la réalisation de mesures visant à renforcer le tissu social et la confiance citoyenne. L'ensemble de ce processus vise à déboucher sur un nouveau contrat sociétal, qui réglerait les causes qui furent à l'origine du conflit et créerait des conditions d'une paix durable et des garanties de non-répétition.

Le tableau en annexe [fig. 30] illustre comment le Département des affaires étrangères a par exemple intégré ces éléments dans sa politique de promotion de la paix, des droits de l'homme et de la sécurité humaine. Il donne une idée concrète des différents éléments que nous intégrons dans la préparation d'une stratégie de transition en tenant compte des normes et standards contre l'impunité.

Cela dit, j'aimerais toutefois partager avec vous quelques questions non résolues liées à la mise en place de ces mesures qui, rappelons-le, ne sont pas toutes des mesures à caractère légal. Ceci suppose donc une attention accrue aux processus sociaux et politiques existant :

- *L'absence de volonté politique* constitue l'obstacle majeur et premier, que ce soit sur le plan national (dans la société concernée) ou sur le plan international.

[927] Mô Bleeker and Jonathan Sisson (ed.), *Dealing with the past, critical issues, lessons learned and challenges for future Swiss policy*, Berne, KOFF/Swisspeace, KOFF series. Définition issue du processus de consultation lié à la réalisation de ce rapport.

réconciliation
non impunité
droit à la vérité
• commission d'enquête
• commissions de vérité
• documentation
• archives
• livres d'histoires
• exhumations
droit à la justice
• procédures pénales individuelles
• tribunaux internationaux hybrides, spéciaux, locaux
• protection des victimes
• observation des procès
transformation des conflits
transformation des conflits
citoyen
victimes
auteurs de crimes
citoyen
Garanties de non répétition
Réformes institutionnelles
• désarmement, démobilisation
• réintégration
• réformes institutionnelles
• contrôle démocratique des institutions de sécurité
• vérification et filtrage institutionnel (vetting)
droit à la réparation
• compensation, réhabilitation
• restitution
• mémorial, excuses publiques
• commémoration
• matériel éducatif
état de droit
garantie de non répétition
DFAE 2006, inspiré des principes Joinet

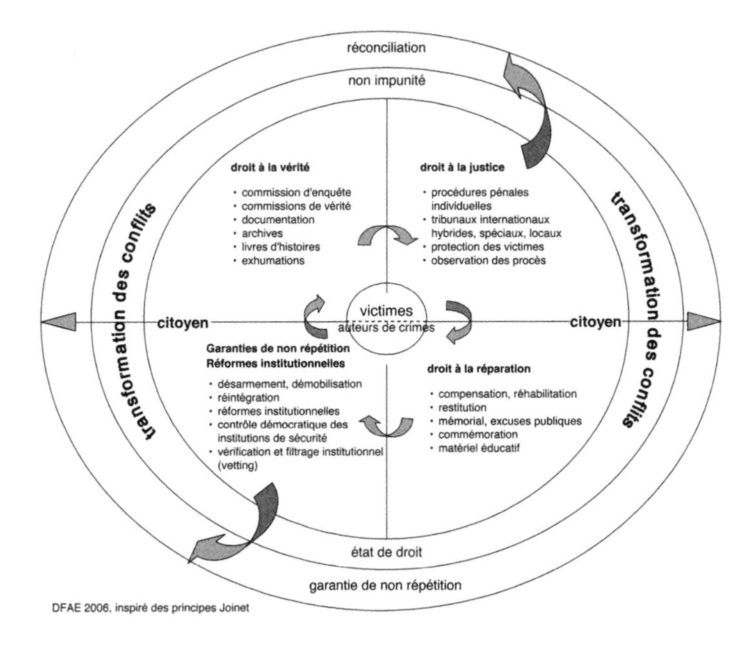

Fig. 30. Traitement du passé et transformation des conflits.
Dealing with the past and conflict transformation.
© Département fédéral des affaires étrangères, Confédération suisse.

Reconciliation
Rule of Law
Right to Know
• Truth Commissions
• Commissions of Inquiry
• Documentation
• Archives
• Exhumations
Right to Justice
• Individual penal prosecution
• International Tribunals
• Domestic and "hybrid" Courts
• Witness Protection
• Trial Monitoring
conflict transformation
conflict transformation
Citizen
Victims
Perpetrators
Citizen
Guarantee of Non-Recurrence
• Disarmament, Demobilization, Reintegration
• Institutional Reform
• Democratical control of security institutions
• Lustration/Vetting
Right to Reparation
• Rehabilitation, Compensation, Restitution
• Memorials, Commemorations, Public apologies
• Educational Materials
No Impunity
Guarantee of no repetition
DFAE 2006, inspiré des principes Joinet

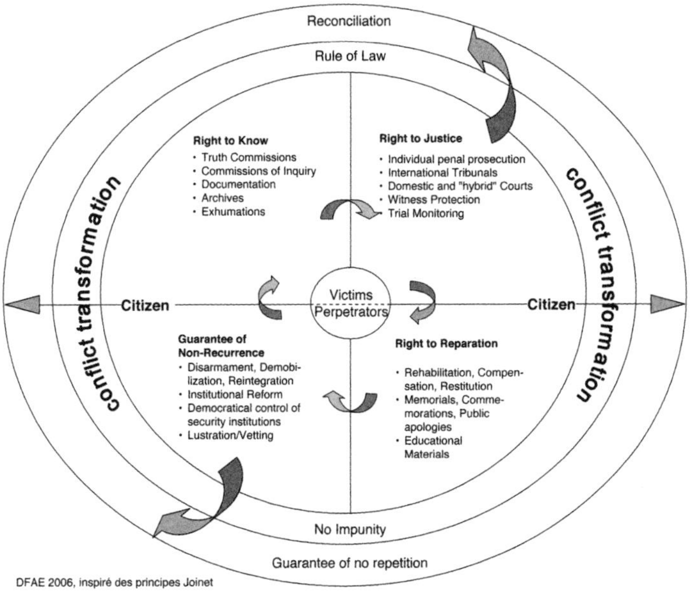

- Le fait que les *acteurs externes* ne soient pas soumis aux mêmes règles d'*accountability* (reddition de comptes) lorsqu'ils violent les conventions internationales, commettent ou contribuent à ce que soient commis des crimes contre l'humanité, affaiblit la portée de ces principes et peut renforcer celles et ceux qui critiquent les principes contre l'impunité comme une production « du Nord pour sanctionner le Sud ».
- Le secrétaire général des Nations Unies dans son document d'août 2004 insiste sur la *participation des acteurs locaux* pour la mise en place des mécanismes de justice transitionnelle. On parle toujours de participation ; on la réalise rarement. Ici encore, si la volonté politique n'est pas au rendez-vous et si aucun mécanisme formel de consultation et de participation n'est prévu, pour définir les modalités pertinentes d'un processus de traitement du passé par exemple, un processus digne de ce nom n'aura pas lieu.
- *Une réponse pertinente pour les victimes ?* Du point de vue des victimes d'un génocide ou de crimes contre l'humanité, la justice sera toujours incomplète. La mort, les morts, les pertes morales, matérielles, humaines associées ne pourront jamais être compensées, le sentiment de sécurité peut-être jamais rétabli. Aux droits des victimes correspondent les devoirs des Etats. Lorsqu'un Etat n'assume pas ses responsabilités dans ce domaine, les victimes portent le poids de résoudre le crime dont elles ont été victimes et de la lutte à mener pour que les assassins soient punis et leurs droits reconnus. Cette pression conduit souvent les victimes à entrer en concurrence les unes contre les autres pour obtenir ce à quoi elles ont droit. D'où l'importance de démarches structurées et agencées.
- *Tous coupables, tous victimes ?* Le « droit de savoir » se décline aujourd'hui sous plusieurs formes, les commissions de vérité permettent souvent de comprendre comment les engrenages de la production de la violence ont fonctionné et de distinguer entre les vrais responsables de crimes, ceux qui ont dû exécuter des ordres, ceux qui les ont refusés et en sont morts, etc. La clarification des faits permet aux survivants de comprendre ce qui s'est passé, de « déléguer leur responsabilité de victimes » à celles et ceux qui ont enclenché la machinerie de la violence et de commencer un travail de résilience. Par ailleurs, elle permet à tous ceux et celles qui sont « vaguement soupçonnés » de pouvoir clarifier leur situation, récupérer leur honneur et réintégrer leur communauté la tête haute. Le soutien aux « petits soldats », aux femmes et hommes combattants lors de leur démobilisation, est souvent insuffisant. Ceux-ci ne reçoivent pas l'aide adéquate et adaptée à leur histoire, à leur sexospécificité. La reproduction de la violence et la marginalisation qui en découle sont très problématiques.

– *La garantie de non-récurrence* est le pilier central du traitement du passé. Toutes les mesures évoquées plus haut sont utiles dans la mesure où elles sont orientées vers le futur et surtout si elles visent les garanties de non-répétition. Or, on observe bien souvent que les origines profondes des conflits ne se résolvent pas au travers d'accords de paix et que le silence des armes n'équivaut pas à une paix active. La garantie de non-récurrence ne se règle pas non plus à coup de recettes magiques ou par l'application *stricto sensu* des mesures de justice transitionnelle. L'émergence d'une nouvelle notion de « bien commun », la réalisation de mécanismes de réconciliation et le passage d'une culture du conflit géré par la violence au passage d'une culture de conflits gérés de manière non violente sont autant d'éléments qui participent de cette garantie de non-récurrence.

La production de la barbarie et de l'inhumain nécessite des ressources humaines et matérielles, du temps, de l'organisation. Le traitement du passé a pour mission essentielle de prévenir la répétition des violations, des génocides et des crimes contre l'humanité. Ce sont ces systèmes qu'il nous incombe de désarticuler, et ceci nécessite une approche globale, holistique, attachée à produire de la société en même temps qu'elle démantèle l'impunité et promeut l'Etat de droit.

Réparer les injustices commises est important, mais nous laisse avec un goût d'amertume profond ; pourquoi n'a-t-on pu éviter ces morts et ces crimes dégradants ? Comment peut-on encore être si déshumanisé face à son autre humain ? Comment a-t-on pu laisser faire ? A l'heure de la globalisation on ne peut que souhaiter l'émergence d'une nouvelle éthique de la responsabilité, une nouvelle éthique de la prévention auxquels se heurteraient les va-t-en-guerre. Mais il y a encore loin de la coupe aux lèvres…

Discussion publique

Patrice Mangin

Une première question sur le rôle de l'expertise des historiens : l'historien peut-il injecter de la méthodologie pour détecter des situations de déni qui se mettent en place dans certains contextes ? Je pensais plus particulièrement à ce que l'on appelle la micro-histoire, l'histoire des gens, l'histoire de leurs communautés. Par ces méthodes-là, y a-t-il moyen de détecter ces situations de déni, comme au Cambodge par exemple ?

Une deuxième question ou remarque concernant la hiérarchisation des victimes. Je pense que, et je ne parle pas sur le point légal, il y a peut-être une différence à établir entre les victimes. Dans les Balkans, par exemple, une victime serbe et une victime croate peuvent être non pas hiérarchisées d'un point de vue légal, mais d'un point de vue moral : il y a une différence entre celui qui est mort de l'agression et celui qui est mort parce qu'il s'est défendu contre l'agression.

Jean-François Fayet

La différence entre l'expertise de l'historien et une expertise réalisée par exemple par un médecin légiste est que le second répond à une mission. Quand Naville se rend à Katyn, il y va pour répondre à une question précise, qui est celle du charnier de Katyn. L'historien, dans une démarche comme celle-là, a un gros problème, parce que son travail n'est pas de répondre à une question, mais de fixer le cadre. Par exemple, l'historien va replacer Katyn dans un cadre plus large impliquant d'autres victimes. A la lecture du rapport de Naville, notamment des notes complémentaires au rapport, ce qui va être très intéressant pour l'historien est qu'au moment même où il allait voir Katyn, au moment où il est dans l'avion, il voit ce qui est en train de se passer dans le ghetto de Varsovie. Il s'agit bien d'un problème de cadre. La difficulté qu'a bien évoquée Annette Wiewiorka est qu'à différents niveaux – qui sont tous légitimes – un acteur répond à sa mission. Il y a le deuxième niveau qui est celui du juriste ou de l'application des normes. Il y a le troisième niveau qui est celui de la mémoire et il est clair à cet égard, on s'en est bien rendu compte, que la perception que les Polonais peuvent avoir de cet événement est tout à fait spécifique et légitime. Enfin, il y a le quatrième niveau qui est celui de l'historien qui lui va replacer l'événement dans ce que j'ai appelé dans ma communication la chronologie ou qu'Annette Wiewiorka a nommé contexte.

Irène Herrmann

Cette question est extrêmement importante et agite beaucoup les historiens actuellement. Il y a une immense littérature sur la question. D'un côté, les historiens qui sont passés devant les tribunaux produisent de la littérature pour expliquer à quel point il est utile et important qu'ils le fassent. Donc, effectivement, des méthodes comme la micro-histoire peuvent être utiles. De l'autre côté, beaucoup d'historiens ont refusé de passer devant les tribunaux et ont des arguments tout à fait plausibles pour l'expliquer.

En ce qui concerne la hiérarchisation des victimes, je dirai qu'actuellement en histoire on est passé par les stades, d'abord de reconnaissance, ensuite de hiérarchisation. Aujourd'hui, il semblerait que beaucoup de réflexions soient faites sur les dangers que représente cette multiplication des victimes, qui revient un peu à un aplatissement de la victimisation – « il y a tellement de victimes que toutes sont pareilles » – et, pour souligner le trait, cela revient à dire qu'il n'y a plus de victimes – « puisque nous sommes tous victimes, il n'y a plus de victimes ». C'est un peu ce qui s'est passé, et que j'ai essayé de montrer dans ma communication, avec le traitement politique de Katyn en Russie. Il s'agit de dire : « Bien sûr vous avez été victimes, nous le reconnaissons effectivement, mais nous aussi nous avons beaucoup de victimes, en fait, beaucoup plus que vous. Donc, vous arrêtez de vous plaindre, nous arrêtons de nous plaindre, et tout est bien ».

Mô Bleeker

J'aimerais faire une remarque sur cette question des victimes. Je pense que cette position est confortable, mais que cela ne répond pas à la question de comment les victimes vont s'en sortir. La hiérarchisation des victimes pose un véritable problème de traitement et de travail. Je ne crois pas qu'on puisse s'en sortir simplement en acceptant ce fait et en restant dans cette dichotomie entre les victimes d'un camp ou de l'autre. Je crois pour moi que la question reste ouverte de savoir qu'est-ce qu'on fait avec cette concurrence entre les victimes et dans quelle mesure cela nous empêche également de pouvoir établir les faits d'une manière qui permette de déboucher sur des réformes institutionnelles et sur des changements profonds et importants. Tant qu'on se situe dans la hiérarchisation des victimes et la concurrence entre les victimes, on est dans un problème de conflit très important qui ne nous permet pas d'aller de l'avant et qu'on ne résoudra pas simplement par la justice ou par cette position confortable que je partage intellectuellement, mais qui dans la pratique continue à poser problème.

E. Reyes – CICR – à Derek Pounder

J'aimerais revenir sur les limites de la confidentialité dans un cas bien précis. Imaginons que le CPT effectue une visite dans un pays X où il est le seul à constater qu'effectivement les gens sont torturés, il établit forcément des dossiers médicaux qui prouvent que les lésions constatées sont dues à une méthode de torture. Après quelques années, et une réforme politique, ce pays décide que toutes les personnes qui peuvent prouver qu'elles ont été torturées, qui peuvent prouver que leurs lésions actuelles sont dues à la torture, ont droit à une pension, à une réhabilitation et surtout au traitement médical dont elles ont besoin. Si le CPT est le seul à avoir ce genre de dossier – je suppose que la prison ne garde pas de dossier ou qu'ils ont été détruits – est-ce que le CPT va « trahir » sa confidentialité en donnant ces dossiers médicaux aux personnes dans un but purement humanitaire ? J'exclus tout aspect d'utilisation juridique pour poursuivre qui que ce soit et parle uniquement d'un emploi par le patient afin d'obtenir une pension, une réhabilitation.

Derek Pounder

Confidentiality is not an end in itself. It's a part of a bilateral relationship and it serves a purpose. Medical confidentiality serves a purpose in the doctor – patient relationship. So, with the CPT, confidentiality between the CPT and the governments serves a purpose. The government has the right to wave that confidentiality and if they wave it then the only confidentiality that remains is the one between the individual who is interviewed and the person who made the interview. And if the person who is interviewed also waves the confidentiality and indeed requests publication of the information or a written account of the information, then there is no reason it shouldn't be given. But, what's the position of other organizations ?

Timothy Harding à Anne-Marie La Rosa

J'avais vu une analyse complète des expertises médicales faites lors des procès de Nuremberg et de Tokyo, mais les deux exemples que vous avez cités sont à mes yeux plutôt exceptionnels. Les expertises ont surtout eu lieu au procès de médecins et parfois en présence des victimes. Il y avait des scènes tout à fait extraordinaires où l'expert démontrait les lésions faites aux victimes qui étaient l'objet de recherches médicales.

Rétroactivement, on aurait dit que les normes concernant la recherche médicale – le code de Nuremberg découlant du procès – étaient des normes extrêmement importantes pour l'avenir du droit pénal international. Même en 1966, on disait la même chose, car le Pacte, dans l'article 7, ne concerne pas seulement la torture, les mauvais traitements, mais également la recherche médicale sans consentement. Cette norme a été oubliée, ce qui est, à mes yeux, fort dommageable quand on voit ce qui se passe dans les prisons chinoises et quand on voit, encore récemment, comment les armées, y compris les armées des pays démocratiques, utilisent des militaires dans des expériences.

Pourquoi une norme a-t-elle tendance à s'effriter ou à disparaître et d'autres normes apparaissent, surtout si on se réfère à Nuremberg ? Je pourrais proposer un élément de réponse sous la forme d'un exemple : à Tokyo, les inculpations des médecins japonais qui avaient fait des recherches en Mandchourie étaient prêtes, les experts américains étaient aussi prêts. Mais ces mêmes médecins ont indiqué l'intérêt des résultats des recherches effectuées en Mandchourie. Dès lors, les inculpations ont été abandonnées pour que les résultats ne tombent pas dans les mains des juges et des procureurs soviétiques.

Anne-Marie La Rosa

J'ai mentionné le procès de Nuremberg non pas tant pour l'expertise médicale en vue de démontrer les violences qui ont été commises, mais beaucoup plus au niveau de l'aptitude des accusés à pouvoir suivre leur procès.

Concernant l'émergence et la cristallisation de la norme dans le contexte des procès internationaux, j'aurais tendance à dire que c'est intimement lié à la politique pénale du procureur de l'accusation et certainement aussi, et malheureusement, à la présence des preuves qui peuvent être faites dans le contexte du procès. C'est ce qui me fait dire que la vérité du prétoire frappe probablement parfois très loin de la vérité historique. Un exemple me vient à l'esprit dans le contexte des poursuites pour le génocide au Rwanda. Lorsque l'on regarde les accusations, on constate qu'au début, la politique pénale du procureur ignorait pratiquement les violences sexuelles. Ce n'est que par la pression de la société civile, par la pression de personnes directement concernées, que les actes d'accusation ont été modifiés pour inclure spécifiquement les violences sexuelles avec les preuves nécessaires. C'est, selon moi, ce qui a permis d'établir la norme relative à la reconnaissance des violences sexuelles – pas seulement du viol – comme crime en soi (*stand alone crimes*), norme qu'aujourd'hui on retrouve très clairement indiquée dans les statuts de la Cour.

Sur la question de la confidentialité qui a été adressée au CPT, mais qui peut aussi bien s'appliquer au CICR, je répondrai en mon nom propre et non au nom du CICR. Lorsque nous détenons une information qui pourrait être utile pour les victimes en vue d'une indemnisation civile ou pénale, nous nous trouvons face à un véritable dilemme. Je pense que, dans plusieurs situations internationales, nous devons éviter une approche dogmatique où on aurait une règle de droit qu'on voudrait appliquer, mais adopter une approche beaucoup plus pragmatique. Pratiquement, imaginons une situation où le CICR intervient et où il y aurait des dossiers médicaux qui pourraient servir. On peut imaginer que ces dossiers médicaux sur le terrain soient constitués par des personnes nationales et non pas par le CICR, ce qui nous permet au point de vue du droit de faire en sorte que la règle selon laquelle le dossier médical appartient au patient puisse être appliquée. Cela soulève peut-être d'autres problèmes opérationnels et d'autres questions, mais sur cette question-là j'aurais tendance en tant que juriste à éviter l'impulsion d'une règle juridique, et plutôt à chercher des solutions tactiques qui permettent aux victimes de faire valoir leurs droits, mais aussi à l'organisation de protéger ses impératifs opérationnels.

Jean-François Pitteloud

Si le CICR ne prend pas part à la définition des crimes sur lequels il va éventuellement apporter une aide aux victimes, à partir du moment où des programmes d'indemnisation existent pour ces victimes, il y participe avec, en particulier, toutes les attestations qui sont délivrées par l'Agence centrale de recherche du CICR. Il existe également d'autres situations. Le CICR a participé, par exemple, à un programme emblématique d'indemnisation des victimes, puisqu'il s'agit des victimes d'expériences pseudo-médicales nazies de la Deuxième Guerre mondiale, mis sur pied au moment où l'Allemagne n'avait pas de relations diplomatiques avec les Etats des victimes (Pologne, Hongrie, Tchécoslovaquie). Si mes souvenirs sont bons, dans les années 1970, le Palais de Justice de Genève a désigné des juges – notamment le professeur Jean Graven et le juge William Lenoir – et le CICR a joué le rôle de secrétariat de la Commission neutre de décision chargée de statuer sur les cas des victimes qui demandaient à bénéficier de ce programme d'indemnisation.

Index des personnes

Index of Persons

Index des lieux

Index of Places

Table des illustrations

Table of Figures

Table des matières

Table of Contents

IMPRIME
RIE MEDE
CINE M H
HYGIENE
GENEVE
SUISSE

mars–2009